CB070664

Detalhes Construtivos da Arquitetura Contemporânea com Vidro

M165d McLeod, Virginia.
    Detalhes construtivos da arquitetura contemporânea com
vidro / Virginia McLeod ; tradução: Alexandre Salvaterra. –
Porto Alegre : Bookman, 2011.
    224 p. : il. color. ; 25 x 29 cm.

    ISBN 978-85-7780-903-5

    1. Arquitetura contemporânea. 2. Vidro arquitetônico.
I. Título.

                                        CDU 72.03"654":666.185

Catalogação na publicação: Ana Paula M. Magnus – CRB 10/2052

Detalhes Construtivos da Arquitetura Contemporânea com Vidro

Virginia McLeod

Tradução técnica:
Alexandre Salvaterra
Arquiteto e Urbanista pela
Universidade Federal do Rio Grande de Sul
CREA nº 97.874

bookman

2011

Obra originalmente publicada sob o título *Detail in Contemporary Glass Architecture*
ISBN 978 1 85669 641 8

Text © 2011 Virginia McLeod
Translation © 2011 Bookman Companhia Editora Ltda., a Division of Grupo A

This book was designed and produced in 2011 by Laurence King Publishing Ltd., London.
Projeto gráfico: Hamish Muir
Ilustrações: Advanced Illustrations Limited
Pesquisa fotográfica: Sophia Gibb

Capa: *Rogério Grilho (arte sobre capa original)*

Preparação de original: *Renata Ramisch*

Editora Senior: *Denise Weber Nowaczyk*

Editoração eletrônica: *Techbooks*

Reservados todos os direitos de publicação, em língua portuguesa, à
ARTMED® EDITORA S.A.
(BOOKMAN® COMPANHIA EDITORA é uma divisão da ARTMED® EDITORA S. A.)
Av. Jerônimo de Ornelas, 670 – Santana
90040-340 – Porto Alegre – RS
Fone: (51) 3027-7000   Fax: (51) 3027-7070

É proibida a duplicação ou reprodução deste volume, no todo ou em parte, sob quaisquer
formas ou por quaisquer meios (eletrônico, mecânico, gravação, fotocópia, distribuição na Web
e outros), sem permissão expressa da Editora.

Unidade São Paulo
Av. Embaixador Macedo Soares, 10.735 – Pavilhão 5 – Cond. Espace Center
Vila Anastácio – 05095-035 – São Paulo – SP
Fone: (11) 3665-1100   Fax: (11) 3667-1333

SAC 0800 703-3444

IMPRESSO NA CHINA
PRINTED IN CHINA

Sumário

06 **Introdução**

08 **Centros de Cultura**

10 **01** Lluís Clotet Ballús, Ignacio Paricio Ansuatégui, Abeba arquitectes
Fundação ALICIA, Espanha

14 **02** Peter Elliott Architecture + Urban Design
Centro de Artes Visuais da Latrobe University, Austrália

18 **03** Studio Daniel Libeskind
Pátio Coberto do Museu Judaico, Alemanha

22 **04** Terry Pawson Architects
VISUAL – Centro de Arte Contemporânea – e Teatro George Bernard Shaw, Irlanda

26 **05** The Buchan Group
Galeria de Arte de Christchurch, Nova Zelândia

30 **06** Dorte Mandrup Arkitekter
Centro de Esporte e Cultura de Copenhague, Dinamarca

34 **07** Thomas Phifer and Partners
Pavilhão Brochstein e Quadrângulo Central da Rice University, Estados Unidos

38 **08** Toyo Ito & Associates
Crematório Municipal de Kakamigahara, Japão

42 **09** Steven Holl Architects
Museu de Arte Nelson-Atkins, Estados Unidos

46 **10** Carpenter Lowings Architecture & Design
Capela Internacional, Sede Internacional do Exército da Salvação, Reino Unido

50 **11** FAM Arquitectura y Urbanismo
Memorial do 11 de Março, Espanha

54 **12** Skidmore, Owings & Merrill
Catedral de Cristo Luz, Estados Unidos

58 **13** Snøhetta
Casa Nacional de Ópera e Balé da Noruega, Noruega

62 **14** Jakob + MacFarlane
Instituto Francês da Moda, França

66 **15** João Luís Carrilho da Graça, Arquiteto
Teatro e Auditório de Poitiers, França

70 **16** Randall Stout Architects
Museu de Arte Taubman, Estados Unidos

74 **17** Kazuyo Sejima + Ryue Nishizawa / SANAA
Pavilhão de Vidro do Museu de Arte de Toledo, Estados Unidos

78 **18** QVE Arquitectos
Centro de Interpretação da Natureza de Salburúa, Espanha

82 **19** Tony Fretton Architects
Nova Embaixada da Grã-Bretanha na Polônia, Polônia

86 **Edificações Habitacionais**

88 **20** Powerhouse Company
Vila 1, Países Baixos

92 **21** TNA Architects
Casa dos Anéis, Japão

96 **22** Niall McLaughlin Architects
Conjunto Habitacional do Peabody Trust, Reino Unido

100 **23** Wood Marsh Architects
Apartmentos YVE, Austrália

104 **24** Neil M. Denari Architects
Edifício HL23, Nova York, Estados Unidos

108 **25** Delugan Meissl Associated Architects
Casa Raio 1, Áustria

112 **Edificações Públicas e Empresariais**

114 **26** Foreign Office Architects
Loja de Departamentos John Lewis, Cineplex e Passarelas de Pedestres, Reino Unido

118 **27** COOP HIMMELB(L)AU
BMW Welt, Alemanha

122 **28** Manuelle Gautrand Architecture
Showroom Principal da Citroën, França

126 **29** Brand + Allen Architects
Edifício 185 Post Street, Estados Unidos

130 **30** UNStudio
Loja de Departamentos Galleria, Coreia do Sul

134 **31** Baumschlager Eberle
Cube Biberwier-Lermoos Hotel, Áustria

138 **32** LAB architecture studio
SOHO Shangdu, China

142 **33** Miralles Tagliabue – EMBT
Sede da Natural Gas, Espanha

146 **34** Murphy / Jahn
Sede da Merck-Serono, Suíça

150 **35** Barkow Leibinger Architects
Edifício TRUTEC, Coreia do Sul

154 **36** Kohn Pedersen Fox Associates
Centro Financeiro Mundial de Xangai, China

158 **37** Camenzind Evolution
Edifício O Casulo, Suíça

162 **38** Erick van Egeraat
Universidade de Ciências Aplicadas INHolland, Países Baixos

166 **39** Coll-Barreu Arquitectos
Sede do Departamento de Saúde Basco, Espanha

170 **40** Cecil Balmond
Passarela para Pedestres e Ciclistas de Coimbra, Portugal

174 **41** Heneghan Peng Architects em associação com Arthur Gibney & Partners
Áras Chill Dara, Irlanda

178 **Edificações de Ensino**

180 **42** Diener & Diener Architects
Torres de Apartamentos Westkaai, Bélgica

184 **43** Herzog & de Meuron
Centro de Informação, Comunicação e Mídia da Universidade Técnica de Brandenburg, Alemanha

188 **44** Medium Architects
Biblioteca Central da Faculdade de Direito da Universidade de Hamburgo, Alemanha

192 **45** Sheppard Robson
Laboratório de Aprendizado Ativo, Universidade de Liverpool, Reino Unido

196 **46** Hawkins \ Brown
Novo Edifício da Bioquímica, Universidade de Oxford, Reino Unido

200 **47** Dominique Perrault Architecture
Universidade para Mulheres EWHA, Coreia do Sul

204 **48** Tange Associates
Torre Casulo, Japão

208 **49** Wiel Arets Architects Biblioteca da Universidade de Utrecht, Países Baixos

212 **50** dRMM de Rijke Marsh Morgan Architects
Escola de Ensino Fundamental Clapham Manor, Reino Unido

218 Índice de Detalhes
220 Lista de Arquitetos
222 Índice e Informações Adicionais

Introdução

O vidro é um dos materiais mais extraordinários já criados pelo homem. Feito por meio da fusão e subsequente resfriamento de um dos minerais mais abundantes do planeta, a sílica, sua produção permite a obtenção de uma substância que é não só dura e estável como a rocha, mas também transparente. Ao longo de sua história de quatro milênios, o vidro tem sido empregado em praticamente todas as facetas da atividade humana, dentre as quais a fabricação de lentes, vasilhames duradouros, até mesmo tecidos e, é claro, as obras de arquitetura, onde o potencial do vidro para a criação de vedações transparentes tem modificado a maneira como vivemos e interagimos com o nosso entorno, especialmente nos últimos mil anos. Se não fosse o vidro, todos nós ainda estaríamos habitando em ambientes muito mal iluminados e com pouco contato com o mundo exterior. O vidro utilizado nos vários contextos da arquitetura tem, ao longo dos séculos, nos oferecido acesso à luz diurna e às vistas dos ambientes em que vivemos, sem falar nas celebradas conquistas de arquitetura de toda a história, como as incríveis catedrais góticas e as exuberantes estufas vitorianas, cada uma representando um enorme avanço na tecnologia do vidro e as impressionantes possibilidades oferecidas por esse material nos espaços construídos.

A história do vidro na arquitetura é inseparável de duas necessidades que andam juntas, embora frequentemente estejam em conflito: vedar e abrigar, por questões de segurança e proteção climática, e, ao mesmo tempo, admitir a luz natural (ou ao menos iluminar) e dar acesso às vistas. A busca por um material que seria suficientemente forte, estável e transparente para ser utilizado em edificações enfim levou à descoberta acidental do vidro. A sílica – ou a areia comum – poderia ser aquecida ao ponto de fusão e então resfriada cuidadosamente, de modo a evitar a cristalização e a resultar em um material de construção extraordinariamente adaptável. Contudo, a jornada da descoberta do silicato como a matéria-prima necessária para a criação do vidro e sua produção para o aproveitamento na arquitetura foi longa e árdua. As altas temperaturas e as habilidades necessárias para a produção do vidro não foram fáceis de conseguir, sem falar nas técnicas exigidas para controlar a forma do material no estado líquido, à medida que ele lentamente resfria e passa por um estado viscoso e, por fim, se solidifica em uma forma vítrea e transparente. Dois mil anos se passaram entre a descoberta inicial e o desenvolvimento do vidro soprado, o qual possibilitou a criação de finas chapas transparentes que fossem suficientemente fortes para vidraças. Isso permitiu a exploração de novas formas de expressão na arquitetura que extrapolassem a mera necessidade de abrigo e segurança. Agora, era possível a criação de obras-primas conceituais e técnicas, um processo ainda hoje em curso e que tem resultado em algumas das obras de arquitetura mais visionárias de nossos dias.

Esta obra tenta demonstrar como arquitetos contemporâneos do mundo inteiro têm tirado partido do vidro para a criação de obras excepcionais de arquitetura nas quais este material se mostra essencial ao conceito do projeto. Em algumas das edificações que apresentamos, um tipo de vidro especial foi projetado ou uma técnica inovadora foi desenvolvida de modo a atender ao conceito do projeto.

Por exemplo, a firma FAM Arquitectura desenvolveu um novo sistema de blocos de vidro com bordas curvas que são conectados com um adesivo transparente, criando um memorial deslumbrante para as vítimas dos ataques terroristas de Madri. Já Steven Holl utilizou chapas de vidro, geralmente reservadas para usos mais prosaicos, para criar uma série de galerias para o Museu Nelson-Atkins, em Missouri. Nessa obra, o vidro translúcido foi empregado em todo o volume do prédio, criando na paisagem o que parece ser um grupo de blocos de gelo brilhantes.

Em outras situações, os arquitetos utilizaram o vidro como meio de expressão artística. Tanto Foreign Office Architects – FOA (na Loja de Departamentos John Lewis, no Reino Unido) como Erick van Egeraat (Universidade INHolland, Países Baixos) aproveitaram as fachadas de pele de vidro para expressar ideias sobre a história do terreno (no primeiro caso) ou o contexto da paisagem (no segundo). Em contraste, outros arquitetos vêm explorando a extrema transparência e a mínima materialidade do vidro para criar obras de arquitetura de elegância indescritível. Por exemplo, o Crematório Municipal de Kakamigahara, no Japão, projetado por Toyo Ito, apresenta uma cobertura ondulada de concreto leve que, graças às chapas de vidro das paredes, que vão do piso ao teto e foram cortadas de modo a se encaixarem perfeitamente no teto curvo, permitem que a cobertura escultórica pareça estar flutuando sem qualquer esforço sobre a paisagem. No Pavilhão Brochstein e Quadrângulo Central da Rice University, de Thomas Phifer, temos um uso similar do vidro, no qual a aplicação controlada e meticulosa das paredes de vidro tornam a cobertura de treliça de aço e alumínio extremamente leve e elegante. Esses exemplos, assim como todos os 50 projetos apresentados no livro, demonstram que o conhecimento técnico e a ousadia no uso do vidro levam a uma arquitetura de extrema beleza.

Esta obra ilustra como os detalhes de construção são uma parte tão cara à "arquitetura do vidro" quanto a forma externa e o leiaute interno das edificações. Sejam eles tão sutis que chegam a ser invisíveis ou se mostrando extremamente complexos, os detalhes determinam a qualidade e o caráter de uma edificação. O bom detalhamento implica o máximo de cuidado e atenção com as conexões entre os materiais, os diferentes elementos de um prédio e o modo pelo qual um material muda de direção. Por meio dos detalhes, as inúmeras partes que compõem uma edificação se unem de modo a formar um todo – juntas, conexões, uniões, aberturas e superfícies se transformam por meio de uma combinação entre tecnologia e invenção, resultando em uma obra de arquitetura.

Estamos acostumados a entrar em contato com a arquitetura por meio de fotografias em livros, revistas e recursos *online*, e as imagens inspiradoras ainda são o foco das representações bidimensionais da arquitetura. Cada vez mais, essas imagens vêm sendo acompanhadas de plantas baixas, para que tenhamos uma melhor compreensão da maneira pela qual um prédio funciona. A disponibilidade de plantas baixas é, sem dúvida, de grande valor para que possamos entender as sequências espaciais, as dimensões e a escala de uma edificação. No entanto, não faz parte dos objetivos de uma planta baixa ou fotografia, mesmo que ela seja acompanhada de um corte, revelar os elementos individuais – ou seja, "cada parafuso e porca" – que se unem para compor uma parede, um piso, uma cobertura, uma janela, uma escada, uma cozinha, etc. Isso é exatamente a função dos detalhes construtivos, e este livro une fotografias, plantas e cortes aos detalhes, oferecendo ao leitor uma ideia completa do real funcionamento de uma edificação.

Os arquitetos desenham detalhes exatamente para revelar o funcionamento interno de uma edificação, e é evidente que os detalhes são utilizados pelos empreiteiros durante a obra. Contudo, os leitores das publicações de arquitetura raramente têm a oportunidade de examinar os detalhes – a representação "real" de como um prédio é composto. Esta obra busca suprir essa carência e ser um guia sobre o funcionamento interno de 50 dos exemplos mais inspiradores da arquitetura contemporânea com vidro. O livro revela ao leitor o que antes ficava escondido por trás da fachada, aquilo que permanecia invisível. Estes detalhes revelam não apenas um "raio X" dos prédios apresentados, mas também uma ideia dos processos cognitivos dos arquitetos que transformaram tais obras em realidade.

Os detalhes de arquitetura compõem até 95% dos desenhos, que às vezes chegam às centenas, elaborados para descrever como se compõe uma edificação. Eles atuam como o meio pelo qual arquitetos comunicam sua intenção a construtores, engenheiros e outros envolvidos no processo de edificar. Eles também se constituem em um dos exercícios técnicos e intelectuais mais desafiadores para qualquer arquiteto, resultando, obrigatoriamente, em uma série de representações essencialmente gráficas de cada uma das junções e conexões de uma construção. Quase que exclusivamente compostos de representações bidimensionais (plantas e cortes), os detalhes representam um desafio para a habilidade de um arquiteto de imaginar juntas, conexões e componentes dos mais complexos de natureza tridimensional – afinal é assim que eles se materializarão no canteiro de obras – e transferi-los em duas dimensões para o papel ou o monitor do computador, por meio das técnicas de desenho convencionais que vêm sendo utilizadas na indústria da construção há décadas ou mesmo séculos.

Ainda que a seleção dos detalhes apresentados para cada uma das edificações do livro tenha de ser necessariamente limitada, em função do espaço disponível, eles ajudam bastante para a desconstrução da imagem da obra acabada. Os detalhes não apenas nos inspiram, mas também nos ajudam a entender o raciocínio desenvolvido na criação de uma obra e talvez até mesmo os problemas técnicos que tiveram de ser solucionados ao longo da execução.

A última década testemunhou um florescer espetacular de obras de arquitetura com vidro de altíssima qualidade, como fica evidente nos prédios aqui apresentados. Espero que estes 50 projetos, com sua diversidade, seu espírito experimental e sua excelência em arquitetura, possam ilustrar bem um material de construção tão fascinante quanto este.

Virginia McLeod

Notas

Unidades do Padrão Norte-Americano e do Sistema Internacional de Unidades
As dimensões foram fornecidas pelos arquitetos no Sistema Internacional de Unidades, exceto no caso dos projetos feitos nos Estados Unidos, em que foram fornecidas no padrão norte-americano (polegadas) e convertidas para o Sistema Internacional de Unidades (milímetros).

Terminologia
Tentou-se padronizar a terminologia, de maneira a facilitar a compreensão para os diferentes leitores. No entanto, o nome de materiais ou sistemas de construção que são peculiares a um país, região ou prática de arquitetura e que não tem uma correspondência direta com os produtos encontrados no mercado brasileiro foram mantidos como aparecem no original.

Plantas Baixas
Em todo o livro, foi usada a seguinte convenção hierárquica: planta baixa do pavimento térreo, planta baixa do segundo pavimento, planta baixa do terceiro pavimento, etc. Em alguns casos, são usados outros termos, como nível do subsolo ou nível superior, para maior clareza.

Escala
Todas as plantas baixas, os cortes e as elevações são apresentados nas escalas métricas geralmente usadas em arquitetura, ou seja, 1:50, 1:100 ou 1:200, conforme cada caso. Uma escala gráfica precisa é sempre incluída na segunda página de cada projeto, perto das plantas baixas, para facilitar a compreensão da escala. A maioria dos detalhes é apresentada nas escalas convencionais da arquitetura, ou seja, geralmente 1:2, 1:5 e 1:10, mas, neste caso, a escala também depende das dimensões relativas dos elementos apresentados e das edificações.

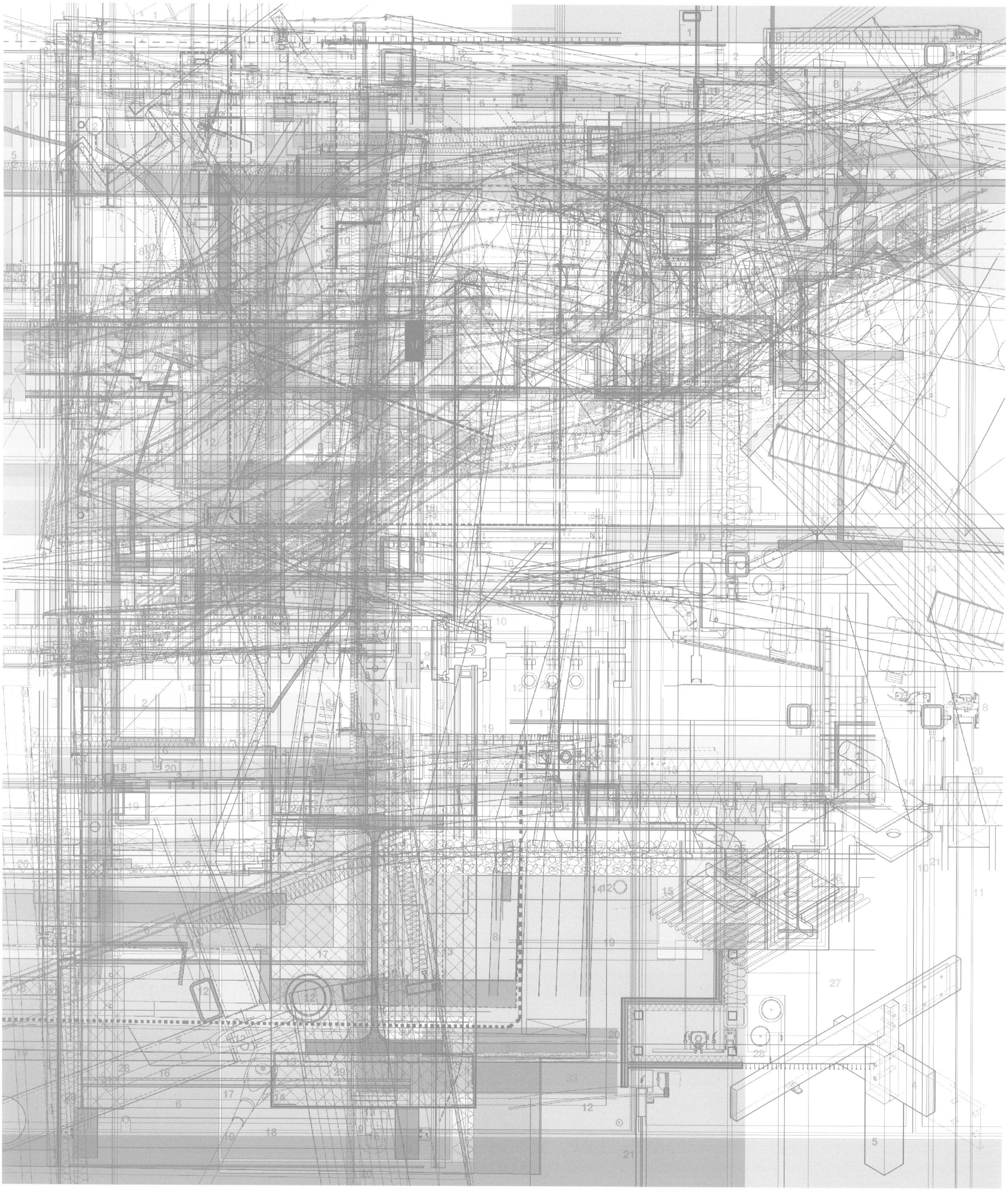

Centros
de Cultura
01–19

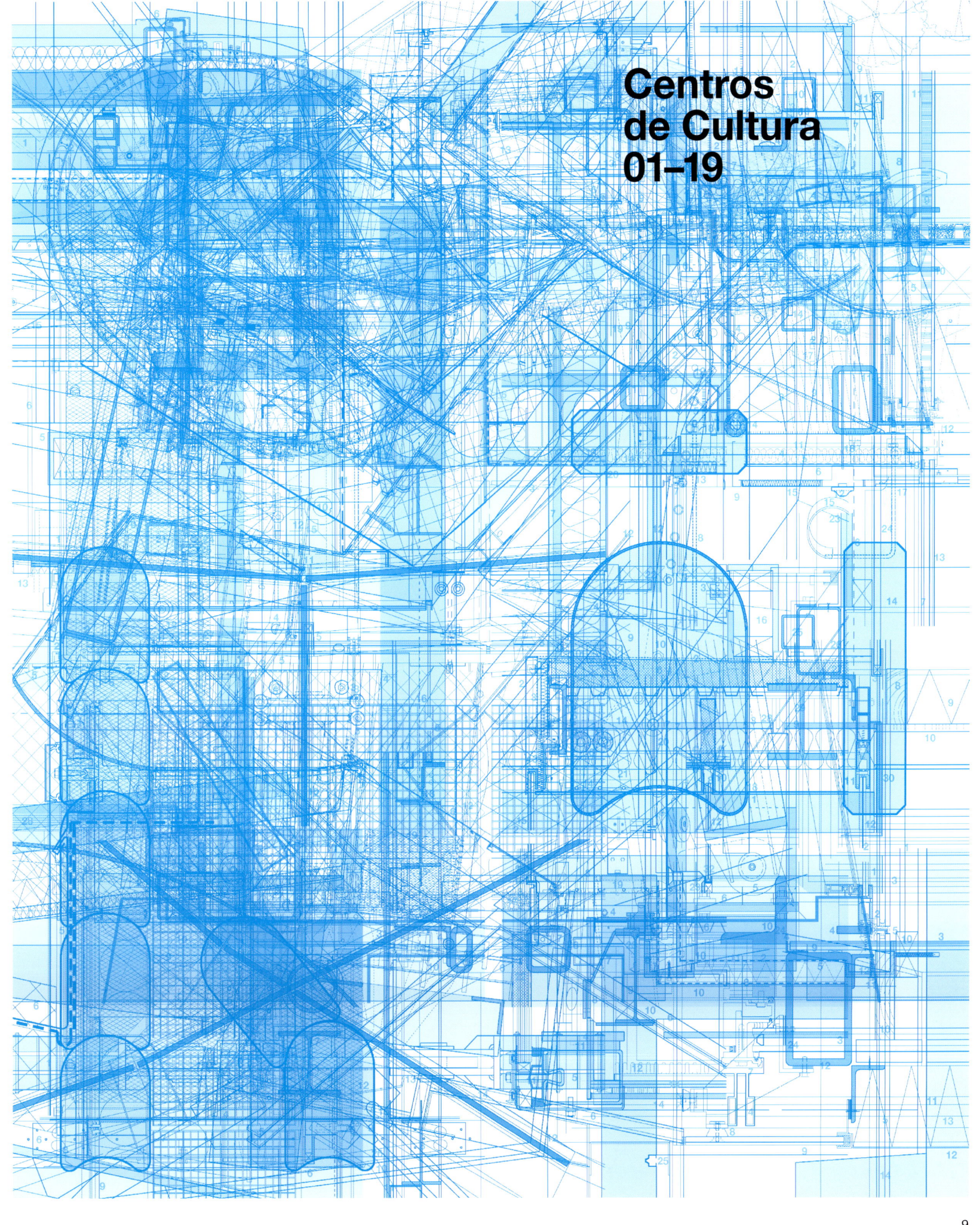

01
Lluís Clotet Ballús, Ignacio Paricio Ansuatégui, Abeba arquitectes

Fundação ALICIA
Barcelona, Espanha

Equipe de Projeto
Javier Baqueró Rodríguez, Queralt Simó Faneca, Cristina Ferrer Sabaté

Projeto Estrutural
Jesús Jiménez Cañas

Projeto de Instalações Prediais
Josep V. Martí Estelles – Miquel Camps

Orçamentação
Santiago Loperena Jené

O novo prédio da Fundação ALICIA (Fundación Alimentació y Ciència), um projeto promovido pelo famoso chef Ferràn Adrià, é exclusivamente dedicado a experimentos com a gastronomia. Ele se situa próximo ao Monastério de Sant Benet de Bages, no centro da Catalunha, junto a uma curva do rio Llobregat. Em vez de tentar competir com o antiquíssimo monastério e a paisagem rural, o novo prédio busca trazer aos usuários a experiência de estarem rodeados pela natureza. Como resultado, o plano vertical que separa o interior do exterior é totalmente de vidro, fazendo com que o volume edificado praticamente desapareça sob certas condições de iluminação e, sob outras, aja como um espelho que reflete seu entorno. A geometria também evita a natureza ortogonal das edificações do entorno e, como consequência, respeita os muros, as cercas e os caminhos históricos, além das árvores.

O controle da luz natural e do calor é fundamental para a garantia do conforto interno. Buscando proteger as estruturas com vidro, o prédio é cercado de muros, alguns antigos, outros novos, muitos sem aberturas, outros com grandes janelas, mas todos eles com a mesma altura das aberturas de vidro e a um afastamento que varia entre 3 e 14 metros. Esse espaço de transição, apenas interrompido pela entrada, é tratado como uma fachada livre na qual a vegetação e a pérgola de aço controlam a luminosidade e a insolação. O espaço também permite que o interior avance sobre a paisagem, criando um jardim tranquilo e com boa privacidade. Para que se obtivesse um leiaute com planta livre, os montantes estruturais do perímetro foram posicionados internamente e juntos à pele de vidro externa, de metro em metro. Núcleos de serviço com paredes de concreto estabilizam cada um dos braços do prédio.

1 Os antigos muros de alvenaria de pedra, nada ortogonais, são refletidos na parede externa de vidro do novo prédio.
2 A forma poliédrica livre e o interior com planta livre garantem ambientes de trabalho com ótima fluidez em toda a edificação.
3 Uma pérgola de aço oferece a oportunidade para o crescimento de trepadeiras, além de dar uma sensação de proteção a algumas partes do espaço externo de transição que circunda o prédio.
4 A forma livre da planta baixa permite que os pátios se infiltrem pelo prédio, criando espaços externos intimistas.
5 Uma série de claraboias voltadas para o norte (à esquerda – hemisfério norte), garante a iluminação homogênea ao longo do dia.

01.01
Planta Baixa do Pavimento Térreo
1:500
1 Pátio
2 Depósito
3 Depósito
4 Depósito
5 Banheiros
6 Depósito
7 Vestiário com armários
8 Equipamentos/ Instalações prediais
9 Escritório
10 Área de estar do auditório
11 Câmara escura
12 Pátio interno
13 Auditório
14 Pátio
15 Área de pesquisas científicas
16 Área de reuniões da cozinha-laboratório
17 Cozinha-laboratório
18 Equipamentos/ Instalações prediais
19 Cozinha-laboratório
20 Cozinha-laboratório
21 Entrada
22 Saguão
23 Recepção
24 Banheiro masculino
25 Banheiro feminino
26 Equipamentos/ Instalações prediais
27 Cozinha infantil
28 Sala de reuniões secundária
29 Sala de reuniões principal
30 Equipamentos/ Instalações prediais
31 Banheiro
32 Área de estar informal
33 Área de estudos teóricos
34 Recepção da administração
35 Pátio
36 Administração
37 Escritório do diretor

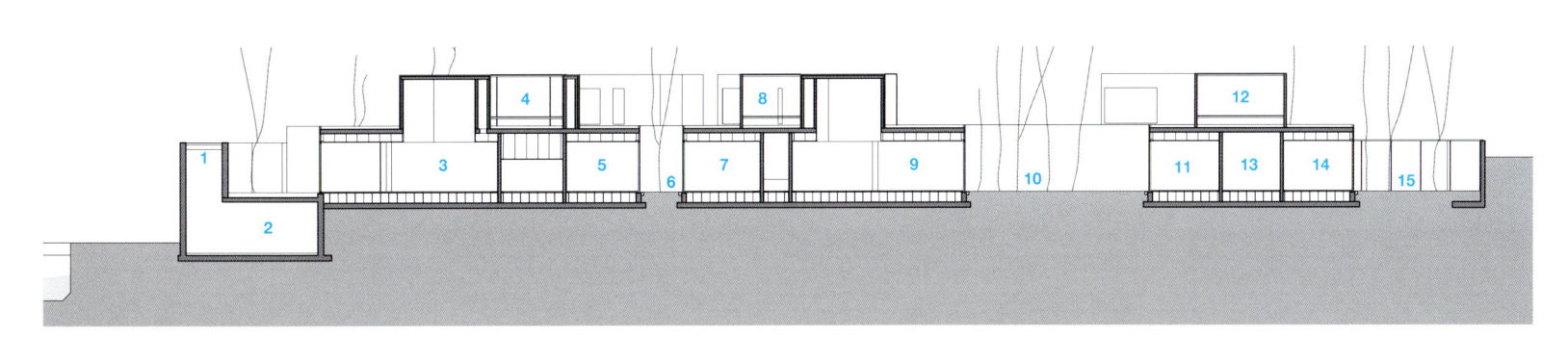

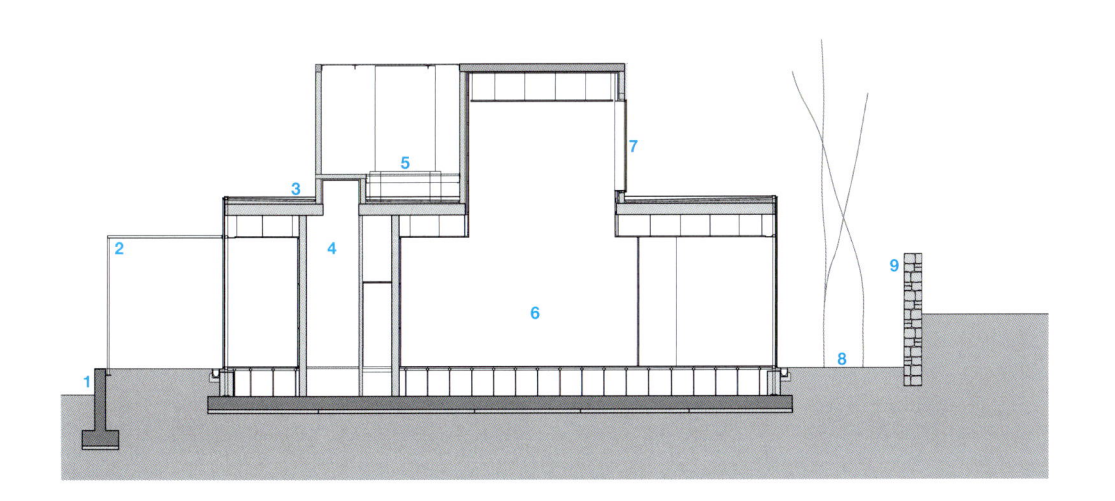

01.02
Corte A–A
1:500
1 Pátio
2 Equipamentos/ Instalações prediais
3 Vestiário com armários
4 Equipamentos/ Instalações prediais
5 Saguão do auditório
6 Pátio
7 Cozinha-laboratório
8 Casa de máquinas
9 Escritório
10 Pátio interno
11 Sala de reuniões principal
12 Equipamentos/ Instalações prediais
13 Banheiros
14 Área de estudos teóricos
15 Pátio

01.03
Corte B–B
1:200
1 Novo muro de arrimo
2 Pérgola de aço
3 Laje de cobertura
4 Espaço para instalações
5 Equipamentos/ Instalações prediais
6 Cozinha infantil
7 Clerestório
8 Pátio
9 Muro de pedra preexistente

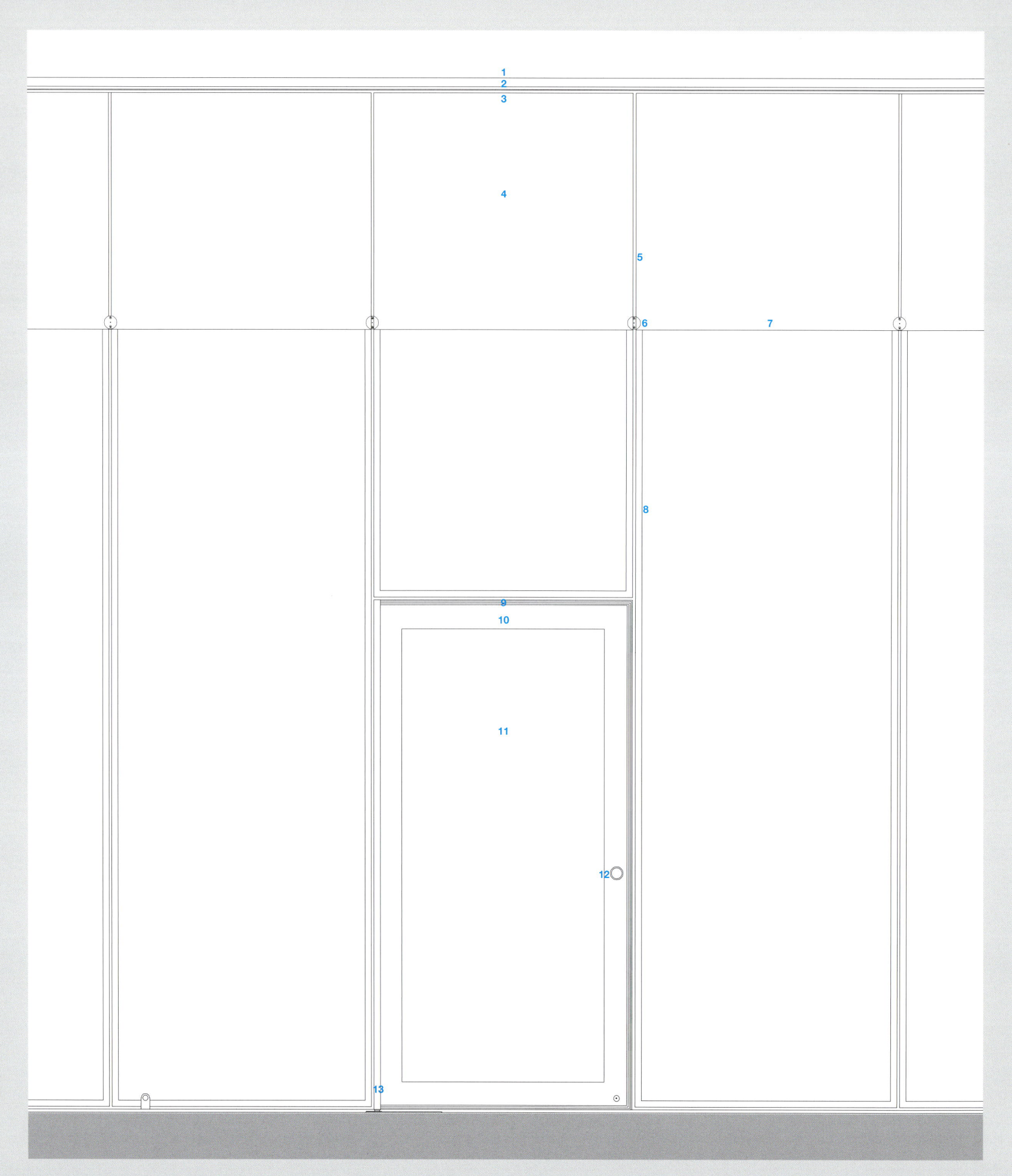

01 Lluís Clotet Ballús, Ignacio Paricio Ansuatégui, Abeba arquitectes   Fundação ALICIA   Barcelona, Espanha

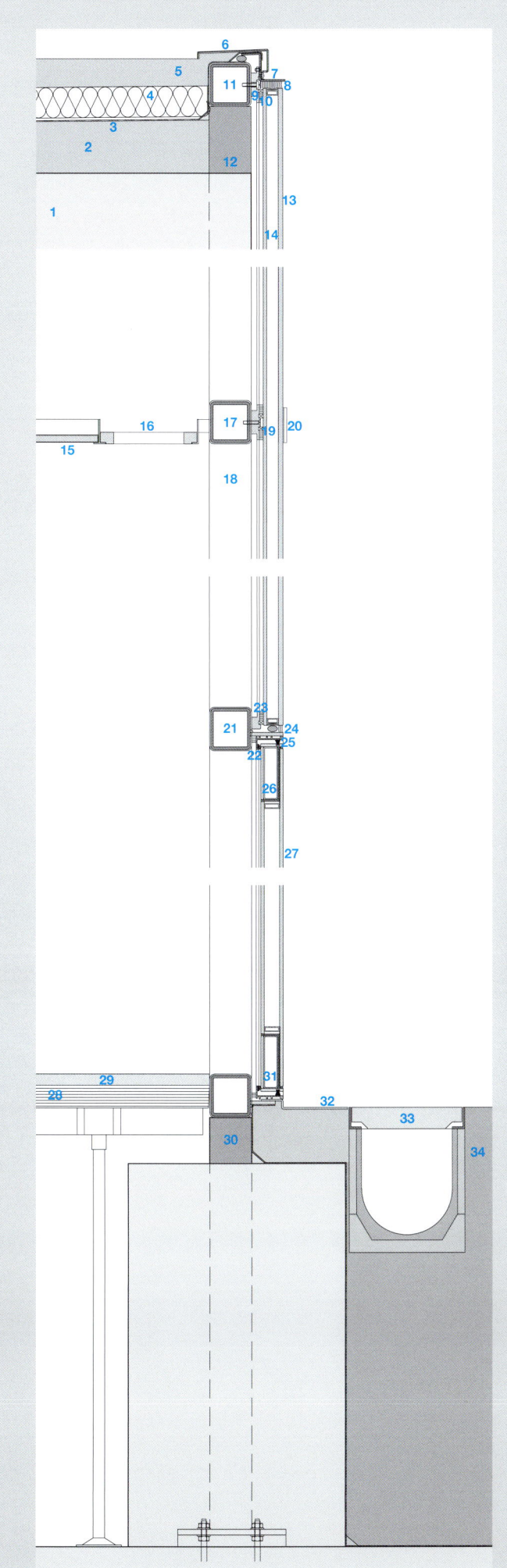

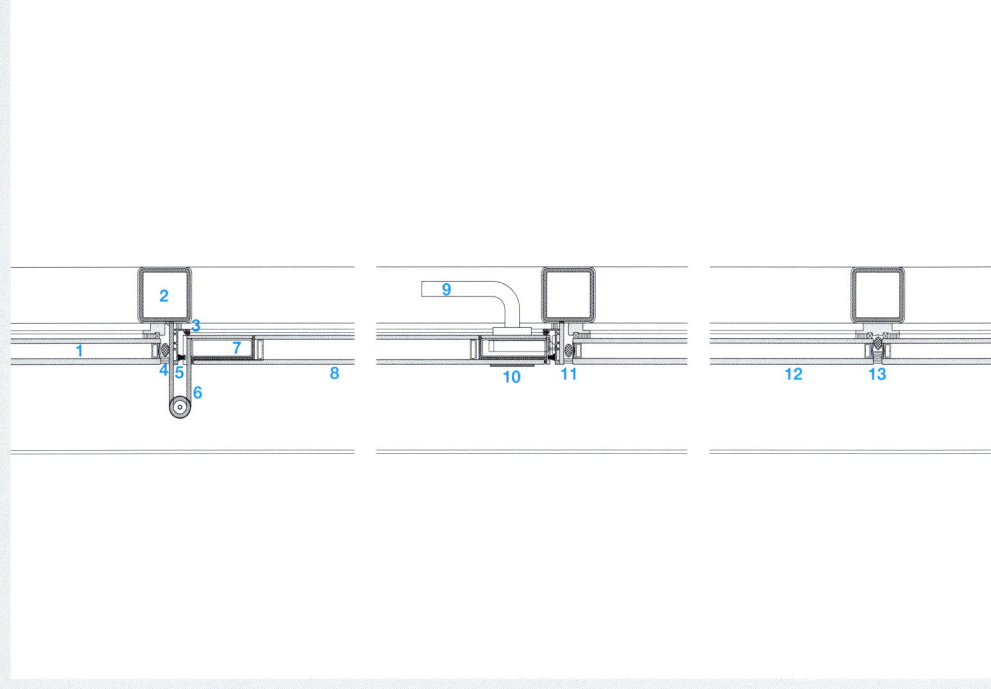

01.04
Detalhe da Fachada de Vidro: Elevação
1:20
 1 Rufo de chapa de aço inoxidável de 1,5 mm
 2 Chapa dobrada de aço inoxidável de 3 mm
 3 Vedação de silicone neutro
 4 Vidraça dupla composta de uma chapa externa de vidro de segurança incolor de 8 mm com uma área opaca com padrões serigrafados, cavidade de 20 mm e chapa interna de vidro de segurança de 6 mm com película de baixa emissividade
 5 Gaxeta de silicone estrutural
 6 Disco de aço de 5 mm do sistema de fixação mecânica das vidraças
 7 Rufo de chapa de metal
 8 Montante de perfil de aço tubular quadrado de 70 × 70 mm protegido por tinta intumescente retardante de fogo
 9 Marco de alumínio da porta
 10 Área da porta de vidro serigrafado e translúcido
 11 Vidraça dupla composta de uma chapa externa de vidro de segurança incolor de 8 mm com uma área opaca com padrões serigrafados, cavidade de 20 mm e chapa interna de vidro de segurança de 6 mm com película de baixa emissividade
 12 Maçaneta da porta em aço inoxidável
 13 Dobradiça contínua em chapa de aço dobrada de 6 mm com pivô baixo

01.05
Detalhe da Fachada de Vidro: Corte
1:10
 1 Laje de cobertura de concreto armado de 300 mm
 2 Capa de concreto leve com caimento, para drenagem pluvial
 3 Membrana impermeável revestida com resina de emulsão de epóxi
 4 Isolamento térmico de poliestireno extrudado
 5 Leito de cascalho
 6 Rufo de chapa de aço inoxidável de 1,5 mm
 7 Chapa dobrada de aço inoxidável de 3 mm
 8 Vedação de silicone neutro
 9 Perfil extrudado de alumínio anodizado fixado com perafusos de aço inoxidável
 10 Fixação de silicone estrutural preto
 11 Travessa de perfil de aço tubular quadrado de 70 × 70 mm protegido por tinta intumescente retardante de fogo
 12 Parede de alvenaria de tijolo
 13 Vidraça dupla composta de uma chapa externa de vidro de segurança incolor de 8 mm com uma área opaca com padrões serigrafados, cavidade de 20 mm e chapa interna de vidro de segurança de 6 mm com película de baixa emissividade
 14 Área de vidro serigrafado e translúcido
 15 Teto falso de chapa de gesso perfurada, com absorção acústica
 16 Painel de borda de madeira pintado e com aberturas para o retorno do sistema de condicionamento de ar
 17 Travessa de perfil de aço tubular quadrado de 70 × 70 mm protegido por tinta intumescente retardante de fogo
 18 Montante de perfil de aço tubular quadrado de 70 × 70 mm protegido por tinta intumescente retardante de fogo
 19 Junta com adesivo
 20 Disco de aço de 5 mm do sistema de fixação mecânica das vidraças
 21 Travessa de perfil de aço tubular quadrado de 70 × 70 mm protegido por tinta intumescente retardante de fogo
 22 Perfil extrudado de alumínio anodizado fixado com perafusos de aço inoxidável
 23 Fixação de silicone estrutural preto
 24 Vedação de silicone neutro
 25 Marco de alumínio da porta
 26 Área da porta de vidro serigrafado e translúcido
 27 Vidraça dupla composta de uma chapa externa de vidro de segurança incolor de 6 mm com uma área opaca com padrões serigrafados, cavidade de 27 mm e chapa interna de vidro de segurança de 6 mm com película de baixa emissividade
 28 Piso elevado com painéis de 600 × 600 mm apoiado no contrapiso
 29 Piso cerâmico
 30 Parede de alvenaria de tijolo
 31 Dobradiça contínua em chapa de aço dobrada de 6 mm com pivô baixo
 32 Chapa dobrada de aço inoxidável de 3 mm
 33 Dreno entre a fachada e o jardim
 34 Solo natural

01.06
Detalhe da Fachada de Vidro e da Porta: Planta Baixa
1:10
 1 Vidraça dupla composta de uma chapa externa de vidro de segurança incolor de 8 mm com uma área opaca com padrões serigrafados, cavidade de 20 mm e chapa interna de vidro de segurança de 6 mm com película de baixa emissividade
 2 Montante de perfil de aço tubular quadrado de 70 × 70 mm protegido por tinta intumescente retardante de fogo
 3 Vedação de silicone neutro
 4 Vedação de silicone neutro
 5 Marco de alumínio da porta
 6 Dobradiça contínua em chapa de aço dobrada de 6 mm
 7 Área da porta de vidro serigrafado e translúcido
 8 Vidraça dupla composta de uma chapa externa de vidro de segurança incolor de 6 mm com uma área opaca com padrões serigrafados, cavidade de 27 mm e chapa interna de vidro de segurança de 6 mm com película de baixa emissividade
 9 Maçaneta da porta em aço inoxidável
 10 Disco de aço de 5 mm do sistema de fixação mecânica das vidraça
 11 Vedação de silicone neutro
 12 Vidraça dupla composta de uma chapa externa de vidro de segurança incolor de 8 mm com uma área opaca com padrões serigrafados, cavidade de 20 mm e chapa interna de vidro de segurança de 6 mm com película de baixa emissividade
 13 Junta com adesivo

02
Peter Elliott Archictecture + Urban Design

Centro de Artes Visuais da Latrobe University
Bendigo, Victoria, Austrália

Cliente
Latrobe University

Equipe de Projeto
Peter Elliott, Des Cullen, Justin Mallia, Penny Webster, Rob Trinca

Projeto Estrutural
Clive Steele Partners

Artista da Fachada
Robyn Burgess

O Centro de Artes Visuais da Latrobe University proporciona à instituição uma presença fora do *campus* e no centro de Bendigo, promovendo seu programa de artes visuais. Ele inclui uma pequena galeria pública e um auditório, além de ateliês para artistas dos cursos de pós-graduação, uma oficina gráfica e um apartamento para o artista residente. O novo prédio ajuda a completar uma quadra de uma área urbana consolidada. A fachada da View Street é composta de dois painéis de vidro flutuante que atuam como um véu sobre o pavilhão que está por trás. A artista Robyn Burgess produziu uma imagem tremeluzente intitulada "Cidades Futuras", que cobre toda a fachada e traz arte para a rua de uma maneira extremamente exuberante. A elevação de vidro é o ponto de referência mais proeminente e, portanto, definiu a identidade e imagem das novas instalações. A tela artística é iluminada por trás, criando um efeito noturno brilhante que destaca a rua.

Dentro, os espaços foram distribuídos em torno de uma série de pátios interligados e distribuídos ao longo de uma espinha de circulação. Cada um dos principais ambientes internos conta com um espaço externo contíguo, resultando em um arranjo espacial dinâmico e fluído. Os pátios oferecem acesso à luz diurna, ventilação, descanso para os olhos e espaços externos bastante úteis para exibições e trabalho. A planta baixa se organiza em duas zonas principais: a área frontal conta com galeria, auditório e oficina gráfica; a área posterior, com um apartamento para o artista residente, ateliês para alunos dos cursos de pós-graduação e espaços de uso compartilhado. A estrutura independente do prédio é composta de vigas de borda e uma laje de concreto moldadas *in loco*, elementos de aço e paredes totalmente não portantes. A seleção de materiais e acabamentos se restringiu a uma palheta vigorosa, mas bastante simples, devido à natureza pública do prédio.

1 A fachada é composta de dois painéis de vidro flutuante que agem como véus sobre o prédio que está por trás.
2 Vista detalhada da fachada de vidro criada pela artista Robyn Burgess.
3 O terreno se localiza em uma quadra urbana consolidada que contém uma variedade de tipos de edificação, como lojas, casas, uma igreja e um bar. Do outro lado da rua, estão a Galeria de Arte de Bendigo e o Teatro Capital, que fazem parte do centro de edifícios de artes públicos da cidade de Bendigo.
4 Cada espaço interno principal conta com um espaço externo correspondente, resultando em um arranjo espacial extremamente dinâmico e fluído para quem se desloca por dentro do prédio.

02.01
Planta Baixa do Pavimento Térreo
1:500
1 Estacionamento
2 Depósito
3 Banheiro
4 Dormitório do artista residente
5 Pátio
6 Cozinha e sala de estar do artista residente
7 Ateliê do artista residente
8 Pátio
9 Ateliê
10 Pátio
11 Pátio
12 Ateliê
13 Cozinha e espaço de uso comum
14 Banheiro masculino
15 Banheiro feminino
16 Banheiro inclusivo
17 Corredor
18 Ateliê
19 Pátio
20 Oficina gráfica
21 Pátio
22 Auditório
23 Pátio
24 Escritório
25 Recepção
26 Entrada
27 Galeria

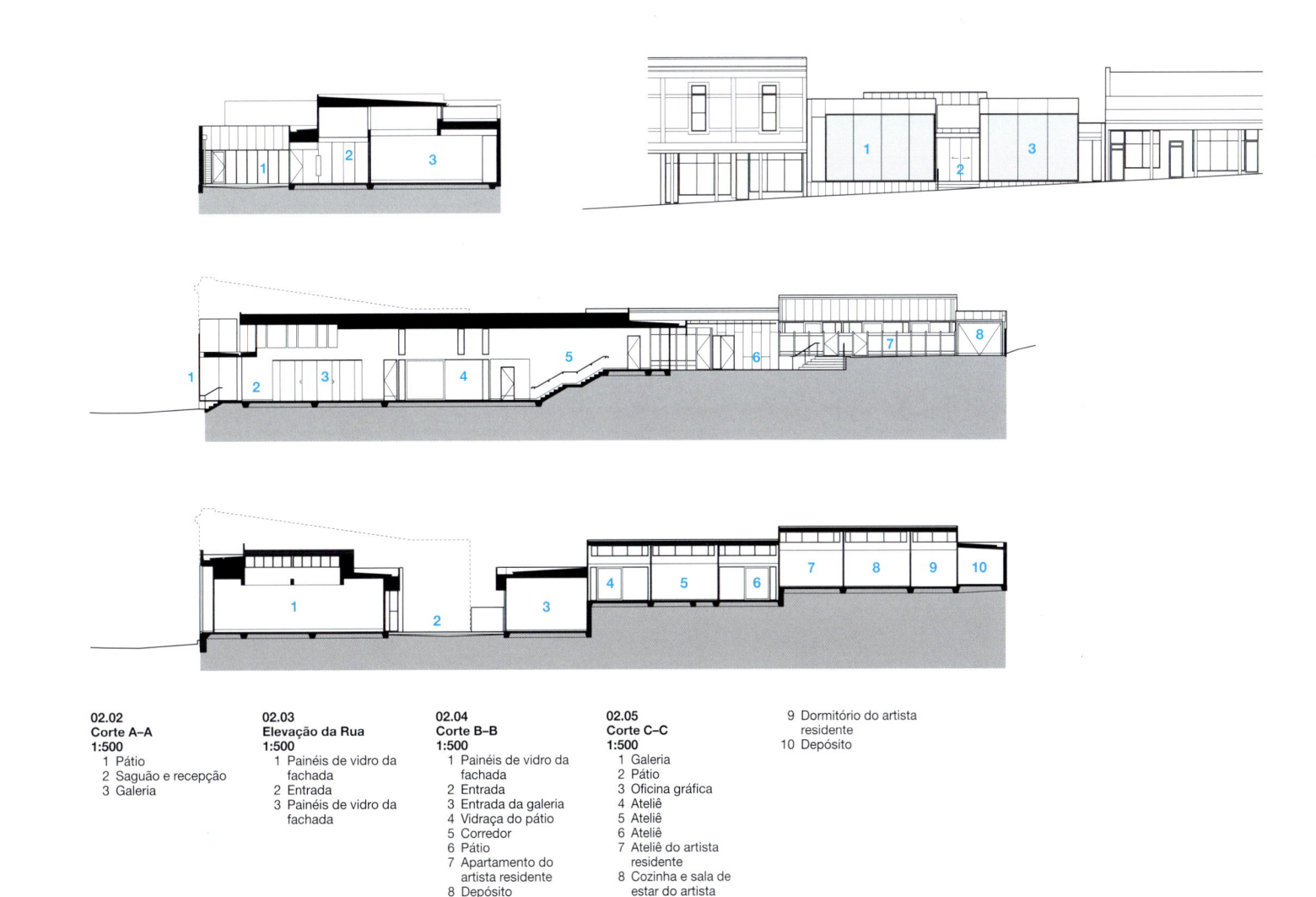

02.02
Corte A–A
1:500
1 Pátio
2 Saguão e recepção
3 Galeria

02.03
Elevação da Rua
1:500
1 Painéis de vidro da fachada
2 Entrada
3 Painéis de vidro da fachada

02.04
Corte B–B
1:500
1 Painéis de vidro da fachada
2 Entrada
3 Entrada da galeria
4 Vidraça do pátio
5 Corredor
6 Pátio
7 Apartamento do artista residente
8 Depósito

02.05
Corte C–C
1:500
1 Galeria
2 Pátio
3 Oficina gráfica
4 Ateliê
5 Ateliê
6 Ateliê
7 Ateliê do artista residente
8 Cozinha e sala de estar do artista residente
9 Dormitório do artista residente
10 Depósito

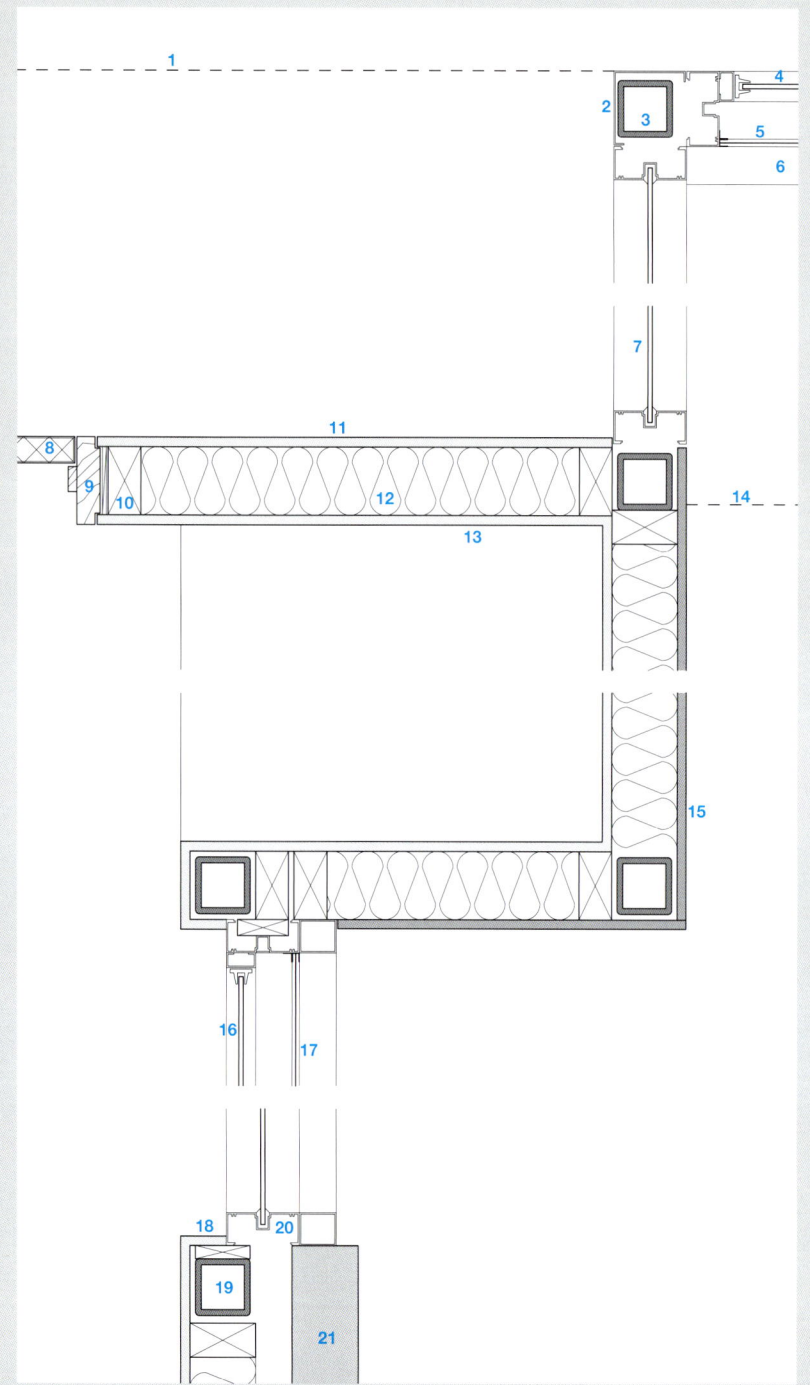

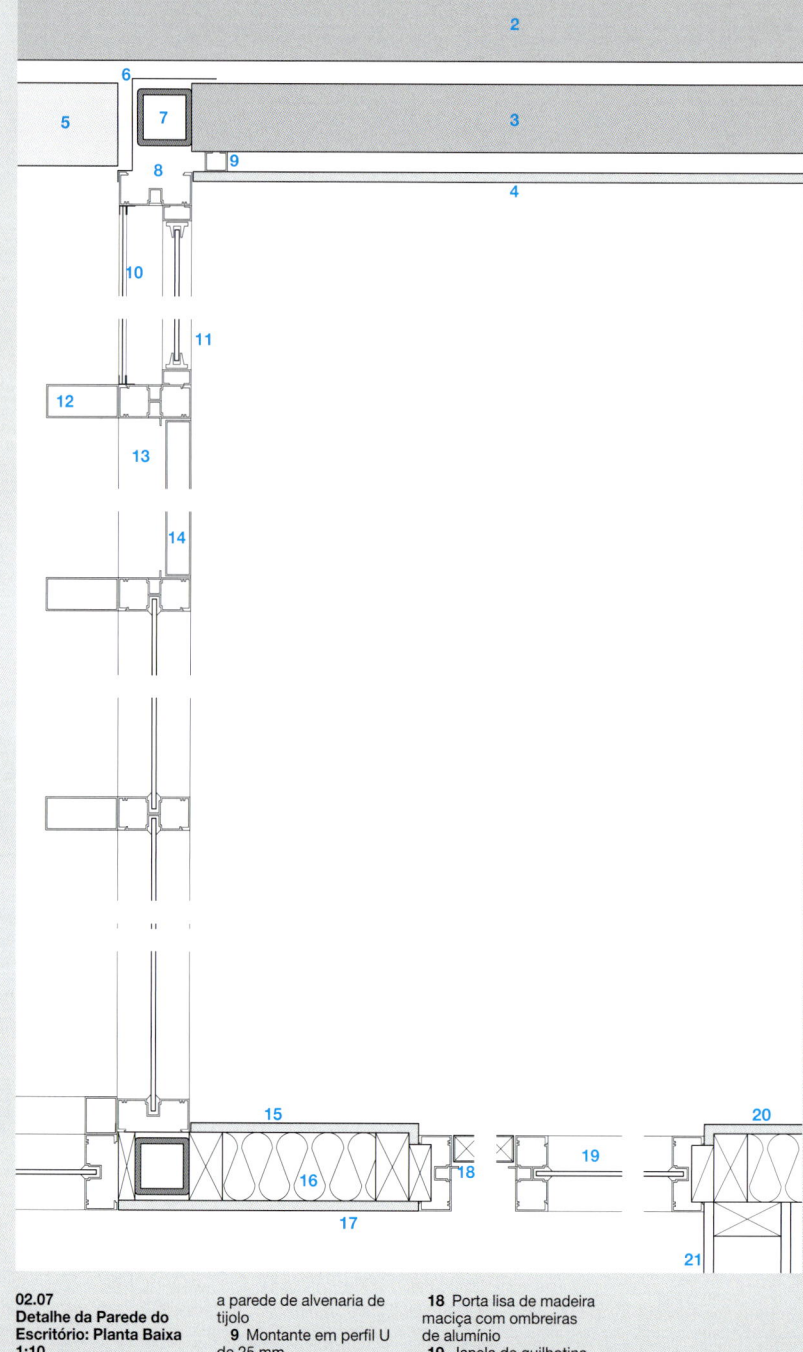

02 Peter Elliott Archictecture + Urban Design **Centro de Artes Visuais da Latrobe University** **Bendigo, Victoria, Austrália**

02.06 Detalhe da Porta Corrediça de Vidro: Planta Baixa 1:10

1 Projeção da parede
2 Chapa dobrada de alumínio para cobrir o pilarete de aço de perfil tubular quadrado
3 Pilarete de aço de perfil tubular quadrado
4 Janela com venezianas com pintura eletrostática a pó, vidros corados verdes Pilkington ComforTone e esquadria de alumínio
5 Tela mosquiteira de alumínio
6 Peitoril da janela em alumínio
7 Esquadria da janela de alumínio com pintura eletrostática a pó e caixilhos fixos de vidro laminado Pilkington ComforTone
8 Porta maciça e lisa em MDF
9 Ombreira da porta em madeira autoclavada
10 Montante leve de madeira de pinho de 90 × 45 mm
11 Face externa da parede em chapa de gesso cartonado pintado
12 Isolamento térmico
13 Face interna da parede em chapa de gesso cartonado pintado
14 Projeção da marquise
15 Chapa de compensado na face externa da parede
16 Janela com venezianas com pintura eletrostática a pó, vidros corados verdes Pilkington ComforTone e esquadria de alumínio
17 Tela mosquiteira de alumínio
18 Chapa de gesso cartonado pintado
19 Montante de perfil metálico tubular quadrado fixo
20 Janela com venezianas com pintura eletrostática a pó, vidros corados verdes Pilkington ComforTone e esquadria de alumínio
21 Parede de alvenaria de meio tijolo (110 mm)

02.07 Detalhe da Parede do Escritório: Planta Baixa 1:10

1 Edifício contíguo
2 Pano externo de 90 mm da parede de alvenaria de blocos de concreto com cavidade
3 Pano interno de 90 mm da parede de alvenaria de blocos de concreto com cavidade
4 Chapa de gesso cartonado pintado na face interna da parede
5 Pano interno de 110 mm da parede de alvenaria de blocos de concreto com cavidade
6 Proteção em chapa de alumínio
7 Montante de perfil metálico tubular quadrado fixo
8 Cavidade de 30 mm entre a parede de montantes leves de aço e a parede de alvenaria de tijolo
9 Montante em perfil U de 25 mm
10 Tela mosquiteira de alumínio
11 Janela com venezianas com pintura eletrostática a pó, vidros corados verdes Pilkington ComforTone e esquadria de alumínio
12 Perfil tubular de alumínio da esquadria da janela de 100 × 44 mm fixado pela guarnição externa
13 Soleira da porta em vista
14 Porta de vidro com esquadria de alumínio
15 Face interna da parede em chapa de gesso cartonado pintado
16 Isolamento térmico
17 Face interna da parede em chapa de gesso cartonado pintado
18 Porta lisa de madeira maciça com ombreiras de alumínio
19 Janela de guilhotina com esquadria de alumínio com pintura eletrostática a pó e vidro de segurança laminado
20 Face interna da parede em chapa de gesso cartonado pintado
21 Face externa da parede em chapa de gesso cartonado pintado

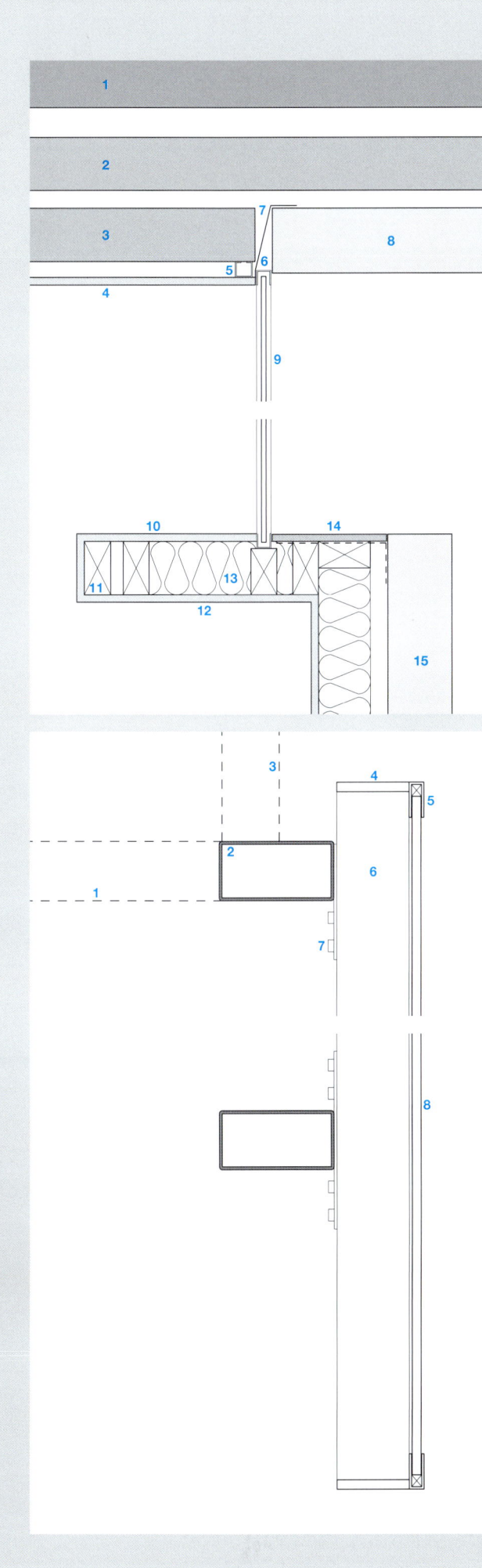

**02.08
Detalhe da Janela:
Planta Baixa
1:10**

1 Edifício contíguo
2 Pano externo de 90 mm da parede de alvenaria de blocos de concreto com cavidade
3 Pano interno de 90 mm da parede de alvenaria de blocos de concreto com cavidade
4 Chapa de gesso cartonado pintado na face interna da parede
5 Montante em perfil U enrijecido de 25 mm
6 Perfil U de alumínio embutido de 25 × 25 mm, para fixação da vidraça
7 Proteção em chapa de alumínio
8 Pano interno de 110 mm da parede de alvenaria de blocos de concreto com cavidade
9 Janela com vidros de segurança laminados
10 Face da parede em chapa de gesso cartonado pintado
11 Montante leve de madeira
12 Face da parede em chapa de gesso cartonado pintado
13 Isolamento térmico
14 Junta entre a alvenaria de tijolo e a parede de montantes com compensado protegida por chapa galvanizada
15 Parede de alvenaria de meio tijolo (110 mm)

**02.09
Detalhe da Vidraça da Fachada: Planta Baixa
1:10**

1 Projeção das vigas de aço
2 Pilar em perfil tubular retangular de aço de 200 × 100 mm
3 Projeção das vigas de aço
4 Chapa de aço contínua de 16 mm para a sustentação da vidraça soldada à cantoneira superior pré-fabricada e à travessa inferior
5 Esquadria de aço inoxidável de 65 × 25 mm fixada em todos os lados à cantoneira pré-fabricada
6 Travessa inferior pré-fabricada em cantoneira de aço de 125 mm parafusada a chapas de apoio e soldada aos pilares de perfil tubular retangular de aço de 200 × 100 mm
7 Conexões parafusadas
8 Vidraça da fachada

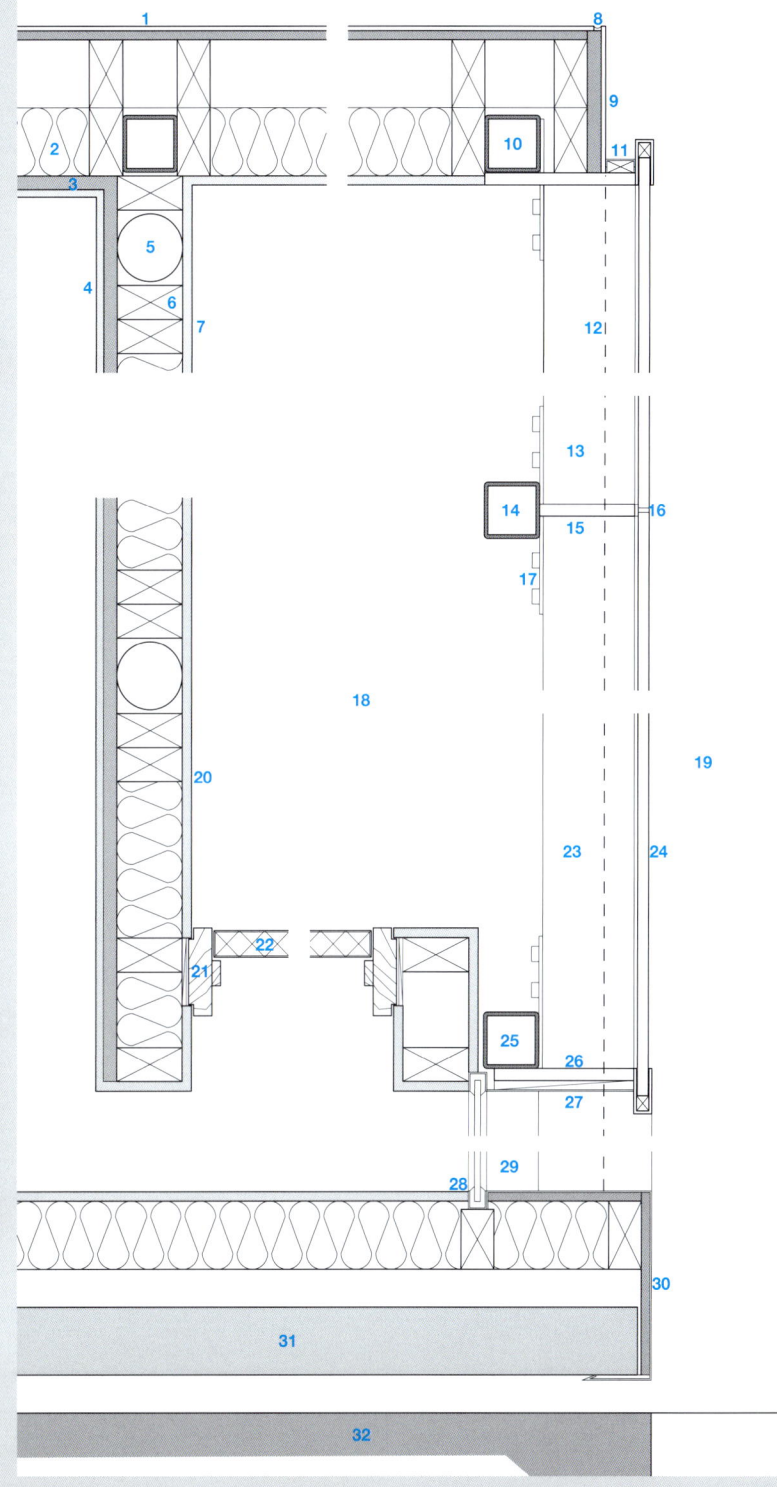

**02.10
Detalhe da Vidraça da Fachada: Corte
1:10**

1 Vidraça apoiada em chapa de compensado e sustentada pela parede de montantes leves de madeira
2 Isolamento térmico
3 Base de MDF da parede
4 Revestimento da parede em gesso cartonado pintado
5 Tubo de queda pluvial
6 Montante leve de madeira da parede
7 Revestimento da parede em gesso cartonado pintado
8 Filete de silicone
9 Vidraça apoiada em chapa de compensado e sustentada pela parede de montantes leves de madeira
10 Pilarete em perfil de aço tubular quadrado de 75 × 75 mm
11 Chapa de aço inoxidável dobrada para cobrir os montantes de aço
12 Projeção da platibanda de vidro
13 Perfil U pré-fabricado de 125 mm em vista
14 Pilarete em perfil de aço tubular quadrado de 75 × 75 mm
15 Chapa de aço soldada ao pilarete em perfil de aço tubular quadrado
16 Filete de silicone de 6 mm
17 Parafusos soldados às chapas de apoio, para a fixação das travessas superior e inferior pré-fabricadas em perfil U
18 Espaço de acesso à fachada
19 Passarela
20 Face da parede em chapa de gesso cartonado pintado
21 Esquadria da porta em madeira
22 Porta de acesso em MDF
23 Travessa inferior pré-fabricada em perfil U de 75 × 75 mm em vista
24 Painéis de vidro da fachada
25 Pilarete em perfil de aço tubular quadrado de 75 × 75 mm
26 Chapa de aço contínua para a sustentação dos vidros soldada aos pilaretes em perfil de aço tubular quadrado
27 Revestimento da chapa de suporte dos vidros
28 Perfis U de alumínio de sustentação das vidraças embutidos e nivelados com o revestimento das paredes
29 Chapa de aço inoxidável dobrada de revestimento sobre compensado estrutural de 15 mm
30 Pano externo de 90 mm da parede em alvenaria de blocos de concreto
31 Edifício contíguo preexistente

03
Studio Daniel Libeskind

Pátio Coberto do Museu Judaico
Berlim, Alemanha

Cliente
Museu Judaico de Berlim

Equipe de Projeto
Daniel Libeskind, Arnault Biou, Gerhard Brun

Projeto Estrutural
GSE Ingenieur-Gesellschaft

Engenharia da Fachada
Arup

Arquitetos Colaboradores
Reese Architekten

O novo Pátio Coberto do Museu Judaico de Berlim oferecerá à instituição um espaço para a realização de eventos como oficinas de ensino, apresentações de teatro e eventos para até 500 convidados. O conjunto de edificações da Lindenstrasse, formado pelo famoso prédio de fachada de cor prata brilhante, também projetado por Libeskind, e o Prédio Velho, é uma síntese bem-sucedida do novo com o antigo, e o Pátio Coberto reforça esse caráter. Enquanto a forma em ziguezague do prédio projetado por Libeskind é uma referência metafórica às tensões e aos cismas na história judaico-alemã, o tema do "Skukkah" (a palavra hebraica para tabernáculo, e, portanto, local de encontro) inspira a nova cobertura de vidro que cobre o pátio em U do Prédio Velho barroco.

    A cobertura se apoia em quatro feixes soltos de pilares de aço em forma de tronco de árvore, que se elevam e formam uma malha de aço horizontal. A integração do Pátio Coberto ao Prédio Velho foi um desafio em termos de arquitetura. A construção com vidro evita sobrecarregar estruturalmente a velha edificação, por ser uma estrutura independente bastante similar à de uma mesa solta e com quatro pernas. Cada um dos quatro feixes de perfis tubulares de aço que se ramificam é formado por três pilares grossos como troncos de árvore. Os pilares, por sua vez, foram soldados um a um a partir de chapas de aço e levados ao canteiro de obras completamente pré-fabricados. Já a fachada de vidro do pátio coberto possui um aspecto único em função de suas torções espetaculares. Nove tipos de vidraças foram utilizados e encaixados de modo que cada vidraça reflete duas imagens, espelhando o prédio projetado por Libeskind e as árvores do Jardim do Museu. O interior banhado de luz também foi beneficiado pela seleção de um tipo de vidro incolor extremamente reflexivo e revestido com uma película antiofuscamento.

1 O Pátio Coberto foi projetado para ser imediatamente lido como um acréscimo posterior ao Prédio Velho barroco, conforme desejavam as autoridades responsáveis pela preservação de monumentos históricos. **2** A geometria assimétrica e muito expressiva do projeto de Libeskind impôs desafios consideráveis aos fabricantes da estrutura de aço, engenheiros de estruturas e projetistas da fachada. **3** A leveza e a transparência do pátio coberto com vidro reforçam a impressão de que há um prédio independente inserido dentro do pátio. **4** A nova estrutura de aço e vidro fica a poucos passos da entrada principal do Museu Judaico e de sua infraestrutura preexistente, que inclui o guarda-volumes, a bilheteria e o restaurante do museu.

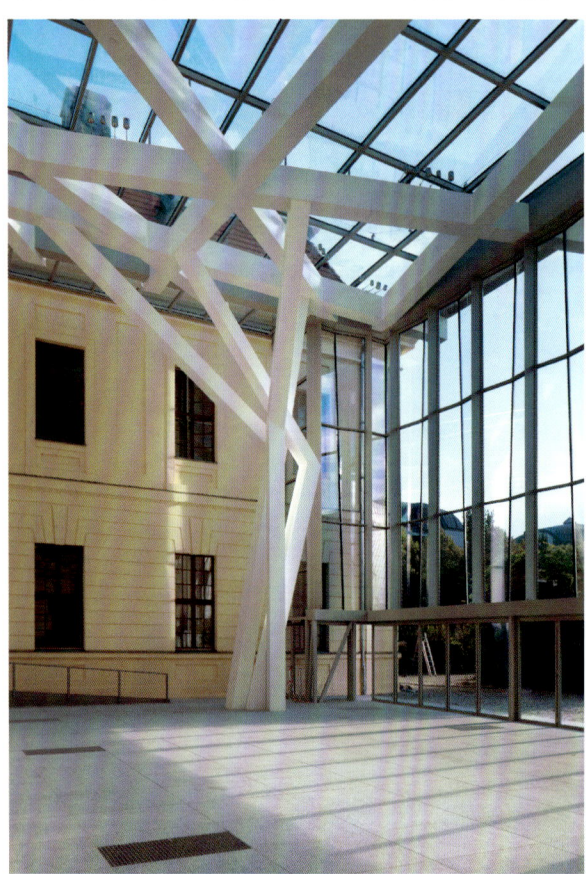

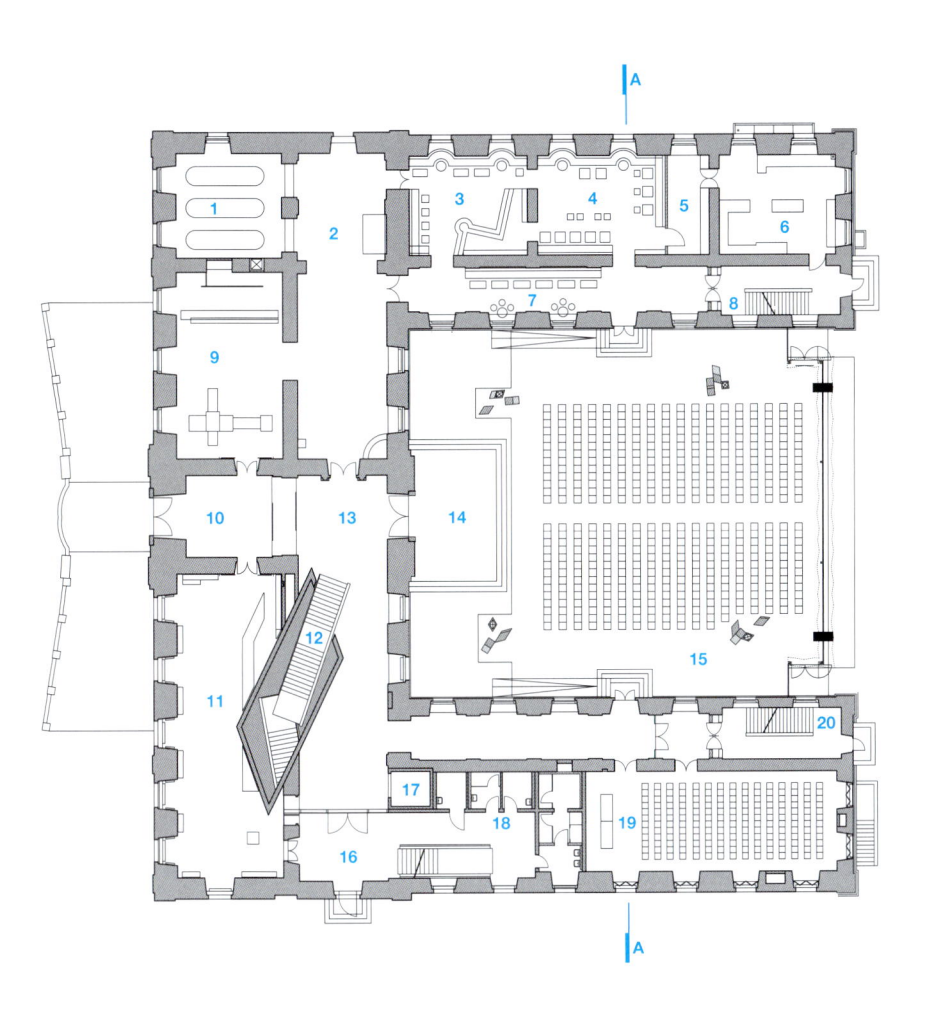

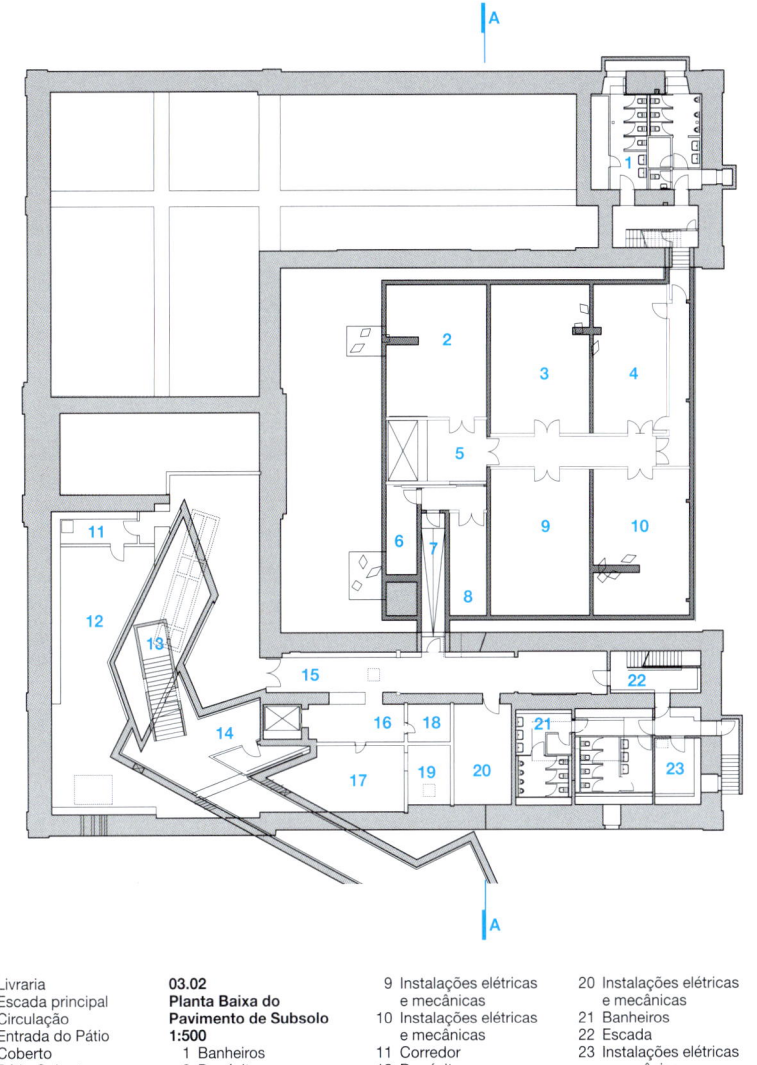

03.01
Planta Baixa do Pavimento Térreo
1:500
1. Guarda-volumes
2. Saguão do restaurante
3. Restaurante
4. Restaurante
5. Área de serviço da cozinha
6. Cozinha
7. Restaurante
8. Escada
9. Bilheteria
10. Entrada
11. Livraria
12. Escada principal
13. Circulação
14. Entrada do Pátio Coberto
15. Pátio Coberto
16. Vestíbulo
17. Elevador
18. Banheiros
19. Teatro
20. Escada

03.02
Planta Baixa do Pavimento de Subsolo
1:500
1. Banheiros
2. Depósito
3. Depósito do restaurante
4. Depósito do restaurante
5. Corredor
6. Instalações elétricas e mecânicas
7. Corredor
8. Instalações elétricas e mecânicas
9. Instalações elétricas e mecânicas
10. Instalações elétricas e mecânicas
11. Corredor
12. Depósito
13. Escada principal
14. Circulação
15. Corredor
16. Corredor
17. Instalações elétricas e mecânicas
18. Depósito
19. Instalações elétricas e mecânicas
20. Instalações elétricas e mecânicas
21. Banheiros
22. Escada
23. Instalações elétricas e mecânicas

03.03
Corte A–A
1:500
1. Área para exibições temporárias
2. Circulação
3. Auditório
4. Circulação
5. Pilares de aço do pátio coberto
6. Estrutura da cobertura do pátio coberto
7. Fachada rebocada do prédio preexistente
8. Pilares de aço do pátio coberto
9. Circulação
10. Área para exibições temporárias
11. Circulação
12. Área para exibições temporárias
13. Novo subsolo

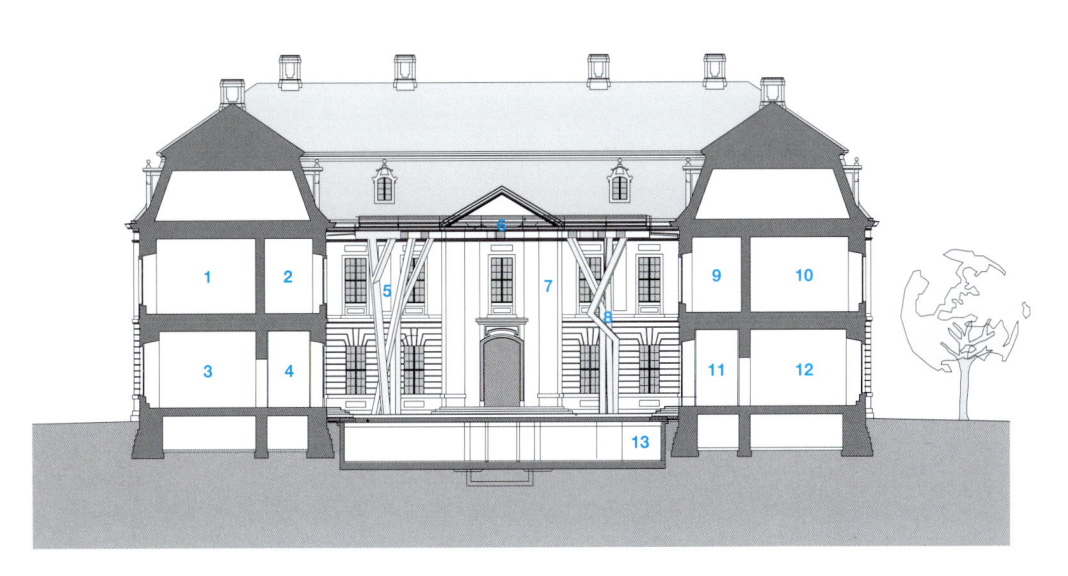

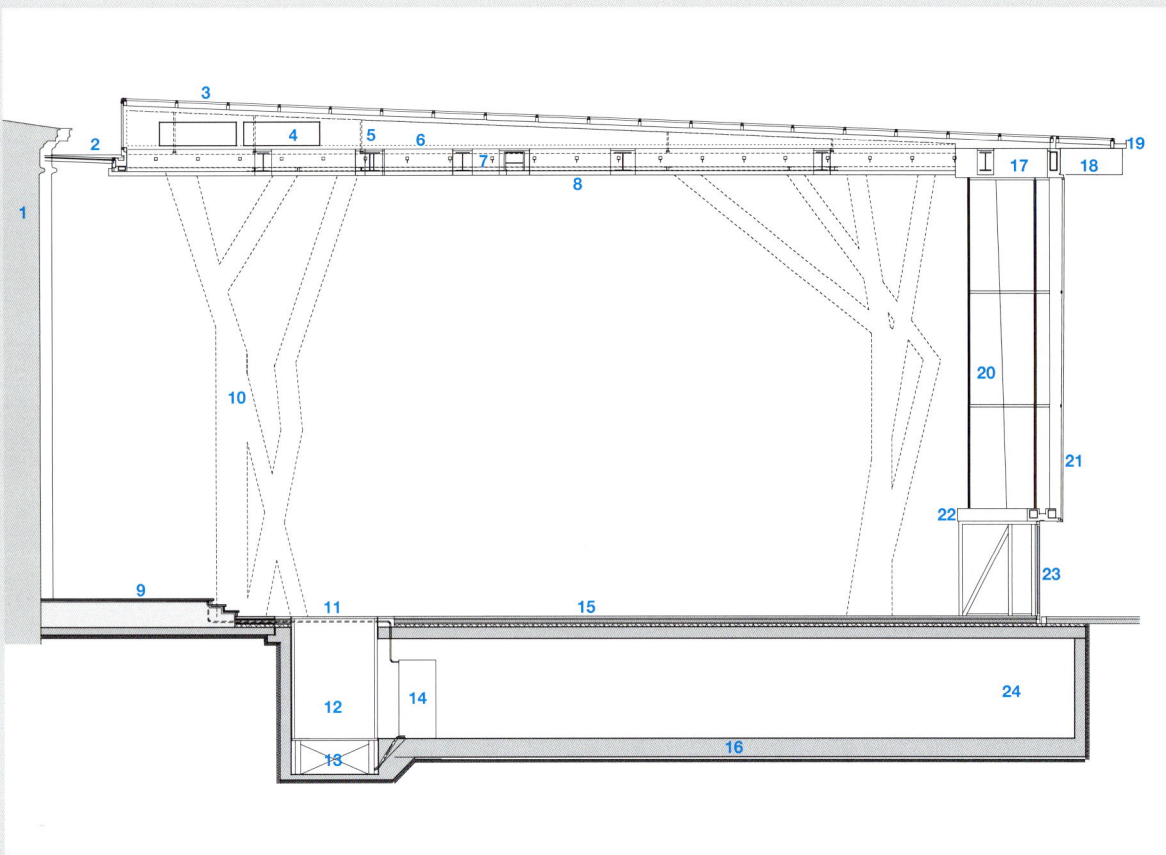

03 Studio Daniel Libeskind   Pátio Coberto do Museu Judaico   Berlim, Alemanha

03.04
Detalhe do Pátio Coberto com Vidro: Corte
1:200
1 Edifício preexistente
2 Junta envidraçada
3 Cobertura de vidro
4 Saídas de ar
5 Estrutura de aço
6 Canaleta para instalações elétricas e mecânicas sobre a viga
7 Vigas de perfil I reforçado, com revestimento
8 Linha inferior do revestimento
9 Escada histórica preexistente incorporada ao novo prédio
10 Pilares de aço principais
11 Topo da plataforma elevatória do subsolo
12 Vão da plataforma elevatória
13 Área de equipamentos mecânicos da plataforma elevatória
14 Caixa de distribuição
15 Nova laje de piso de concreto
16 Radier de concreto impermeável
17 Revestimento da viga superior em vista
18 Revestimento da viga de perfil I reforçado de aço estrutural
19 Calha
20 Vidraça estrutural de revestimento em vista
21 Vidraça estrutural
22 Revestimento da viga inferior em vista
23 Porta corrediça de vidro
24 Novo subsolo

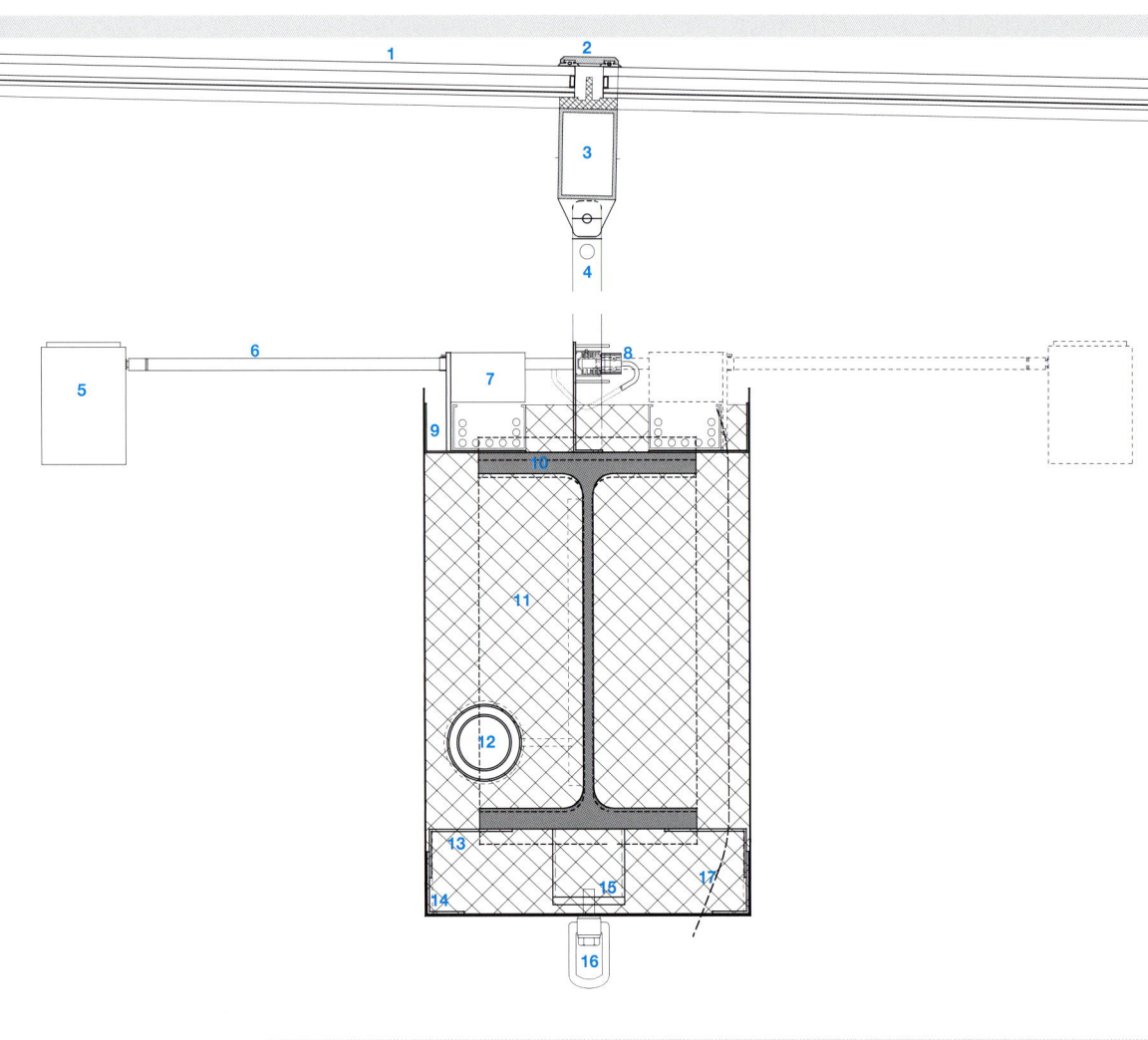

03.05
Detalhe da Cobertura de Vidro e das Vigas do Pátio: Corte
1:200
1 Vidro duplo
2 Filete de envidraçamento em alumínio
3 Viga de perfil tubular retangular de aço de 120 × 80 × 4,5 mm
4 Pino de suporte de 40 × 40 mm
5 Luminária
6 Suporte da luminária
7 Reator da luminária
8 Distribuição dos condutores gerais de eletricidade
9 Suporte superior para o revestimento em chapa de metal perfurada
10 Viga de perfil I reforçado
11 Isolante acústico em lã mineral solta
12 Tubo coletor pluvial
13 Cantoneira de suporte do revestimento inferior da viga
14 Cantoneira de suporte do revestimento inferior da viga
15 Suporte do gancho para cargas
16 Gancho para cargas
17 Conduíte para fiação elétrica

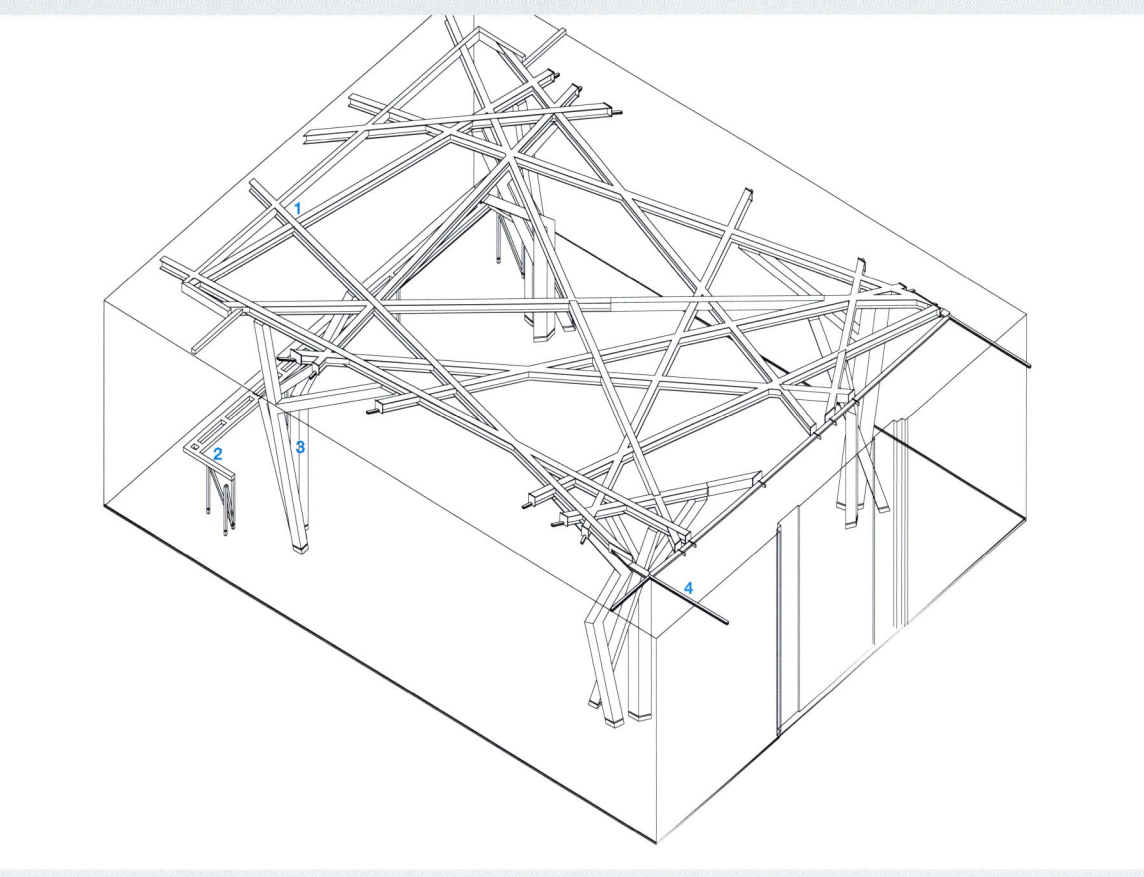

03.06
Detalhe da Estrutura de Aço do Pátio: Perspectiva Axonométrica Sem Escala

1 Estrutura principal da cobertura
2 Suporte das vigas inferiores
3 Pilares principais em perfil tubular soldado de aço
4 Perfil de aço para ancoragem horizontal

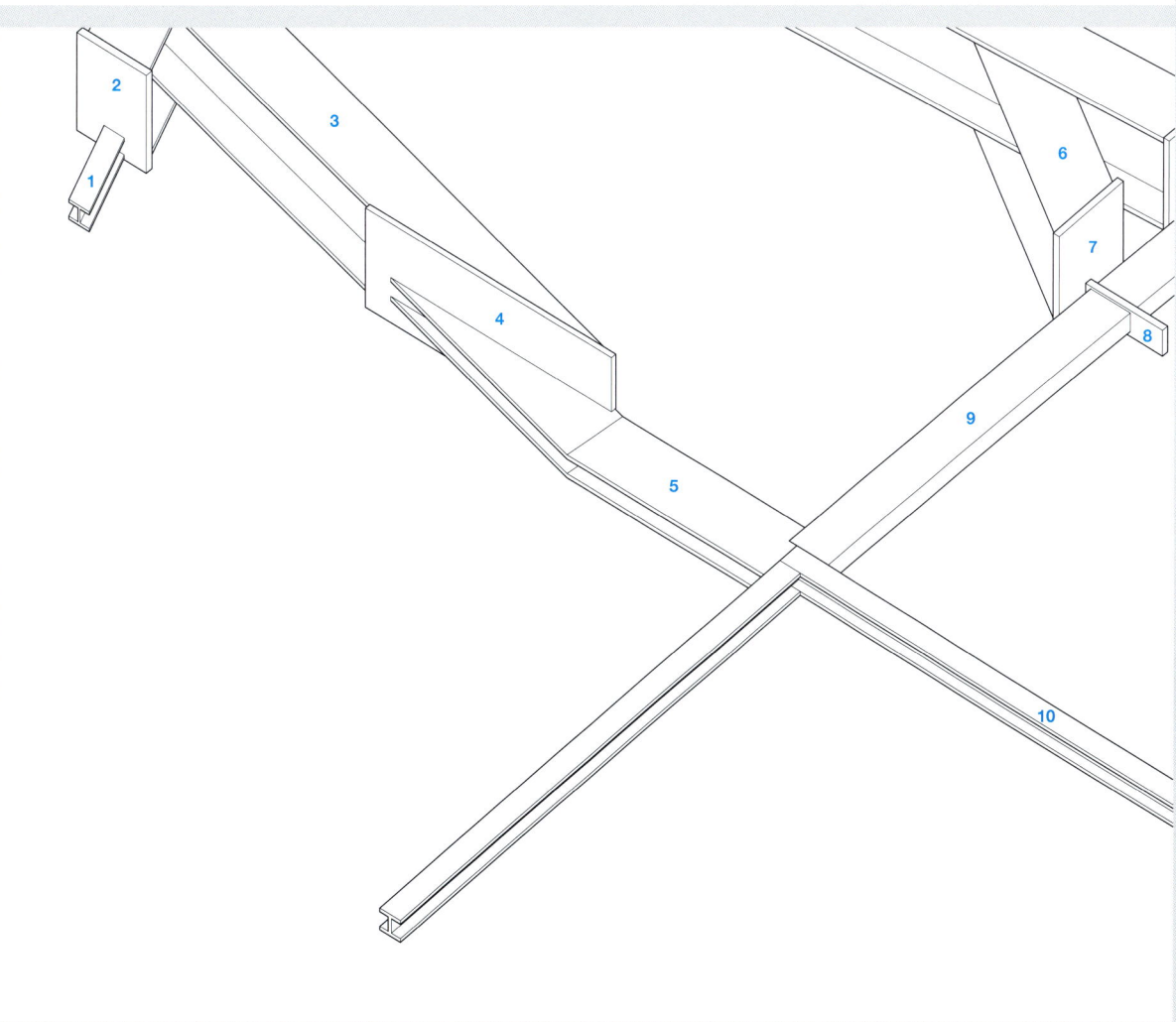

03.07
Detalhe da Estrutura de Aço da Cobertura do Pátio: Perspectiva Axonométrica Sem Escala

1 Suporte para calha
2 Placa de recobrimento de aço soldada
3 Estrutura principal da cobertura em perfis de aço
4 Placa de recobrimento de aço soldada
5 Chapa de aço soldada de 300 × 120 × 20 mm
6 Estrutura principal da cobertura em perfis soldados de aço
7 Placa de recobrimento de aço soldada
8 Suporte para calha
9 Viga de borda em aço
10 Perfil de aço para ancoragem horizontal

21

04
Terry Pawson Architects

VISUAL – Centro de Arte Contemporânea – e Teatro George Bernard Shaw
Carlow, Irlanda

Cliente
Câmara do Condado de Carlow

Equipe de Projeto
Terry Pawson, Jeremy Browne, Gustav Ader, Justyna Pollak, Natalie Galland, Andy Summers, Andy Gowing, Sebastian Reinehr

Projeto Estrutural
Arup

Construção
BAM

VISUAL – Centro de Arte Contemporânea – e Teatro George Bernard Shaw proporcionaram à Irlanda um novo e importante espaço para a mostra de artes visuais e teatro contemporâneos de projeção nacional e internacional. O novo prédio configurou, em termos formais, um quadrângulo gramado compartilhado pelo Carlow College e pela catedral da cidade, do século XIX. O prédio se apresenta como um conjunto de volumes de tamanhos diferentes revestidos com vidro fosco e elevados sobre um pódio de concreto, com a galeria principal no centro. O vidro fosco e discreto se harmoniza com o tom cinza neutro da pedra calcária típica da cidade e se oferece como uma tela em branco que de dia absorve a luz natural, e à noite projeta uma iluminação, suave, porém mais dinâmica.

Durante o dia, a luz natural filtrada entra nas galerias principais e cria um ambiente tranquilo e introspectivo, adequado à exibição e apreciação das artes visuais. À noite, a fachada é iluminada, conferindo uma presença mais exuberante para o teatro e o espaço de apresentações. A entrada, localizada na elevação sul, leva a um saguão de concreto moldado *in loco* e madeira de cor escura, que, por sua vez, conduz a um pequeno lanço de escada e às galerias ou, à esquerda, ao Teatro George Bernard Shaw. Há um percurso bem marcado que leva às galerias: a Galeria de Conexão, com suas paredes de concreto aparente moldadas *in loco*, teto de concreto com quebra-luzes lineares e piso também de concreto polido, leva à Galeria do Ateliê, utilizada pelos artistas residentes, mas também se desenvolve em volta da Galeria Principal, que foi projetada para acomodar esculturas de tamanho grande. Da Galeria Principal, a escada que sobe leva à Galeria Caixa Preta (ou Galeria Digital), projetada para receber instalações e videoarte.

1 O prédio de três pavimentos e 3.726 metros quadrados ocupa um terreno muito maior do que aquele da proposta original apresentada para o concurso de arquitetura realizado. A área maior permitiu que a galeria e o teatro fossem expressos e unificados de maneira coerente.
2 Vista da elevação leste, com o passeio elevado e arborizado ao longo do espelho d'água com juncos.
3 A entrada, localizada na elevação sul, leva a um saguão de concreto moldado *in loco* e madeira de cor escura.
4 A Galeria Principal se destaca externamente como o volume mais alto na composição do prédio. Seu interior é uma caixa totalmente branca com um clerestório que inunda o espaço com sua luz etérea.

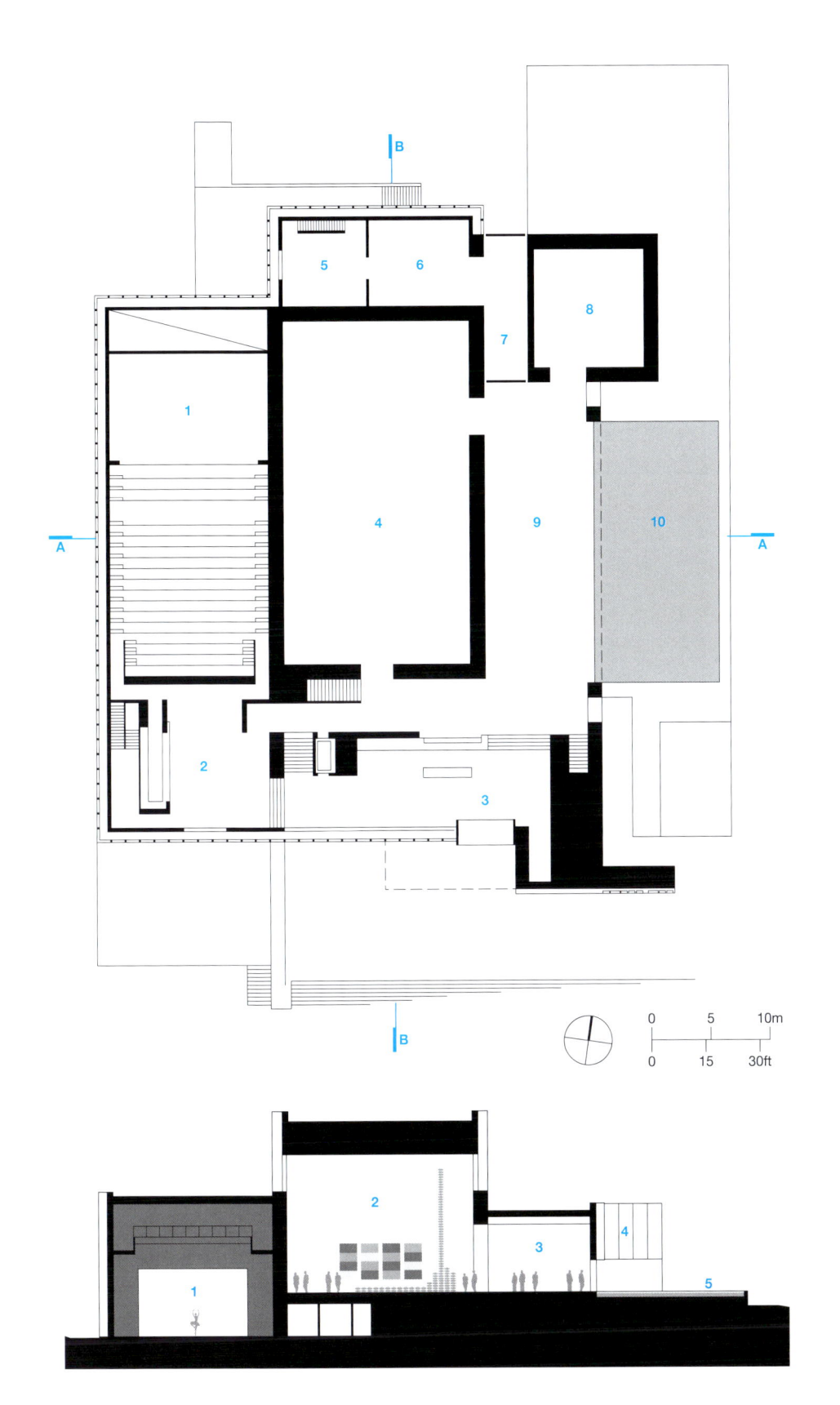

04.01
Planta Baixa do Pavimento Térreo
1:500
1 Teatro George Bernard Shaw
2 Bar
3 Entrada
4 Galeria Principal
5 Equipamentos/ Instalações prediais
6 Depósito
7 Entrada de carga
8 Galeria do Ateliê
9 Galeria de Conexão
10 Espelho d'água

04.02
Corte A–A
1:500
1 Teatro George Bernard Shaw
2 Galeria Principal
3 Galeria de Conexão
4 Galeria do Ateliê (em vista)
5 Espelho d'água

04.03
Corte B–B
1:500
1 Entrada
2 Saguão
3 Galeria Caixa Preta (Galeria Digital)
4 Galeria Principal
5 Casa de máquinas
6 Depósito
7 Cozinha
8 Banheiro
9 Vestiário
10 Porão

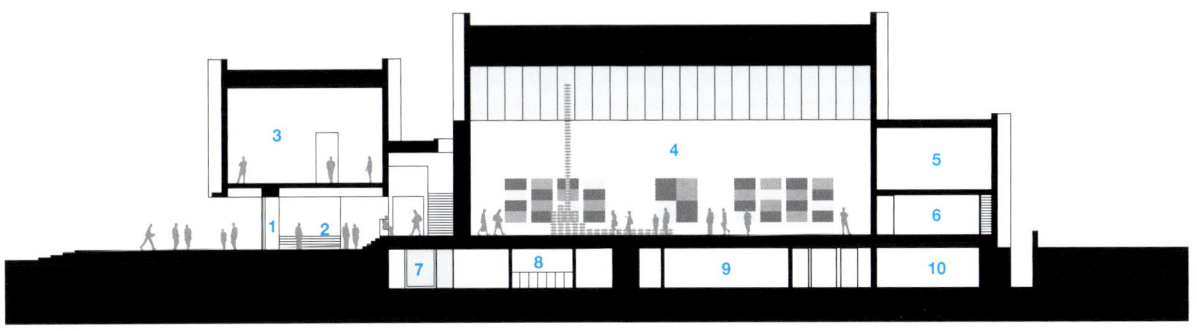

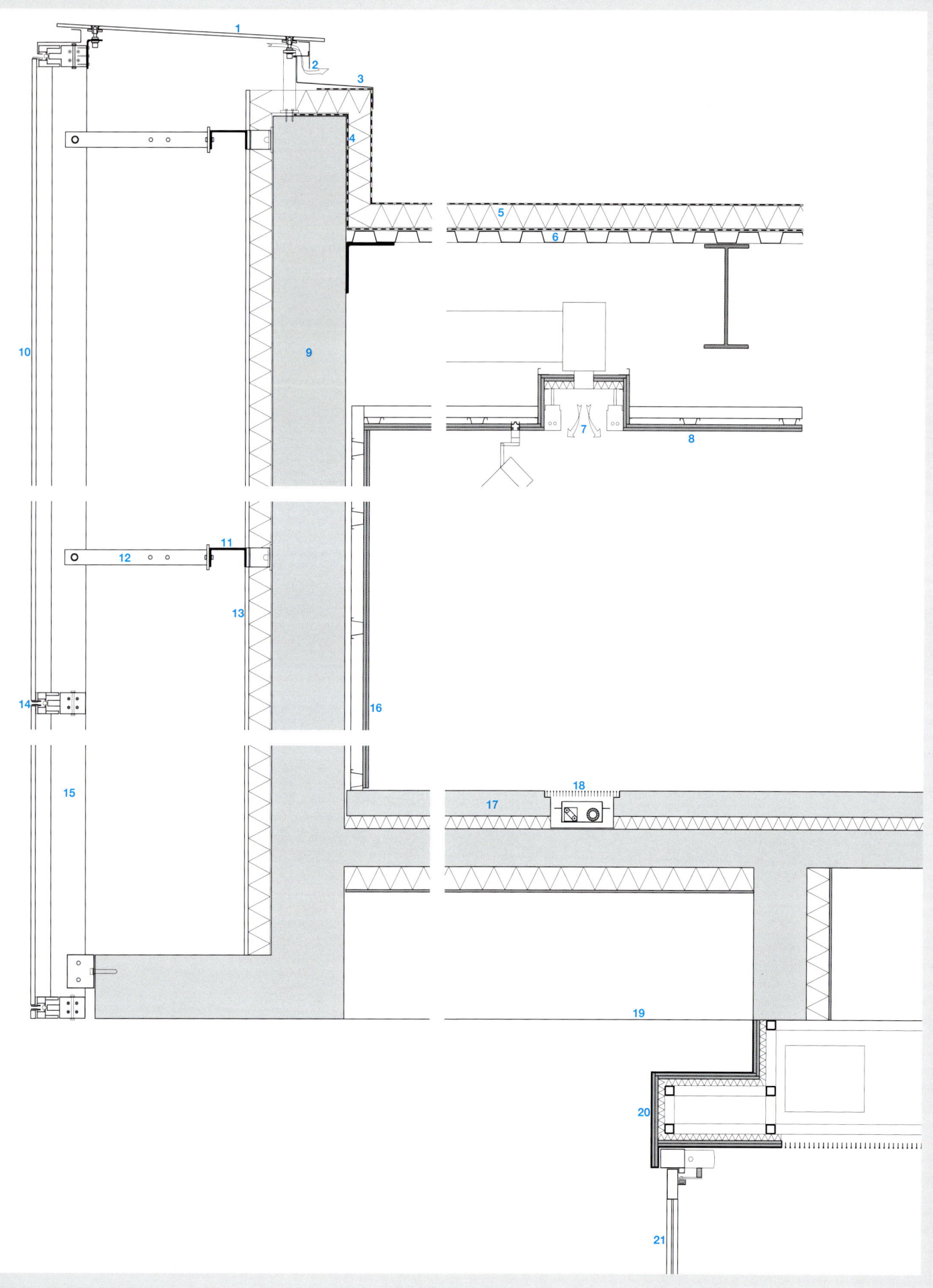

04 Terry Pawson Architects VISUAL – Centro de Arte Contemporânea – e Teatro George Bernard Shaw Carlow, Irlanda

04.04
Detalhe da Galeria Digital e da Entrada: Corte
1:20

1 Cobertura de vidro da platibanda
2 Aberturas para ventilação cobertas por chapa de metal perfurada
3 Rufo da platibanda
4 Membrana de impermeabilização
5 Camada de isolamento térmico da cobertura de espessura variável (para dar caimento) sobre a membrana de impermeabilização
6 Chapa corrugada de aço laminada a frio
7 Sanca para iluminação e ventilação
8 Forro com duas chapas de 12,5 mm de gesso cartonado lixado e pintado
9 Parede de concreto armado moldada *in loco* com 300 mm
10 Painéis formados por duas chapas de vidro laminado de 9 mm com baixo teor de ferro revestidos com uma película de polivinil butiral (PVB) de cor branca
11 Travessa de aço entre os pilares estruturais
12 Sistema de contraventamento
13 Isolamento térmico
14 Travessa da parede-cortina, com vedação estrutural
15 Montante da parede-cortina, com vedação estrutural
16 Duas chapas de 12 mm de MDF (chapa de fibra de madeira de densidade média) sobre calços de metal
17 Laje de piso de concreto polido de 100 mm
18 Canaleta para instalações moldada na laje de piso de concreto
19 Laje de concreto armado nervurada
20 Esquadria da porta de entrada em alumínio com pintura eletrostática a pó de poliéster
21 Portas de entrada com vidro duplo e alumínio com pintura eletrostática a pó de poliéster

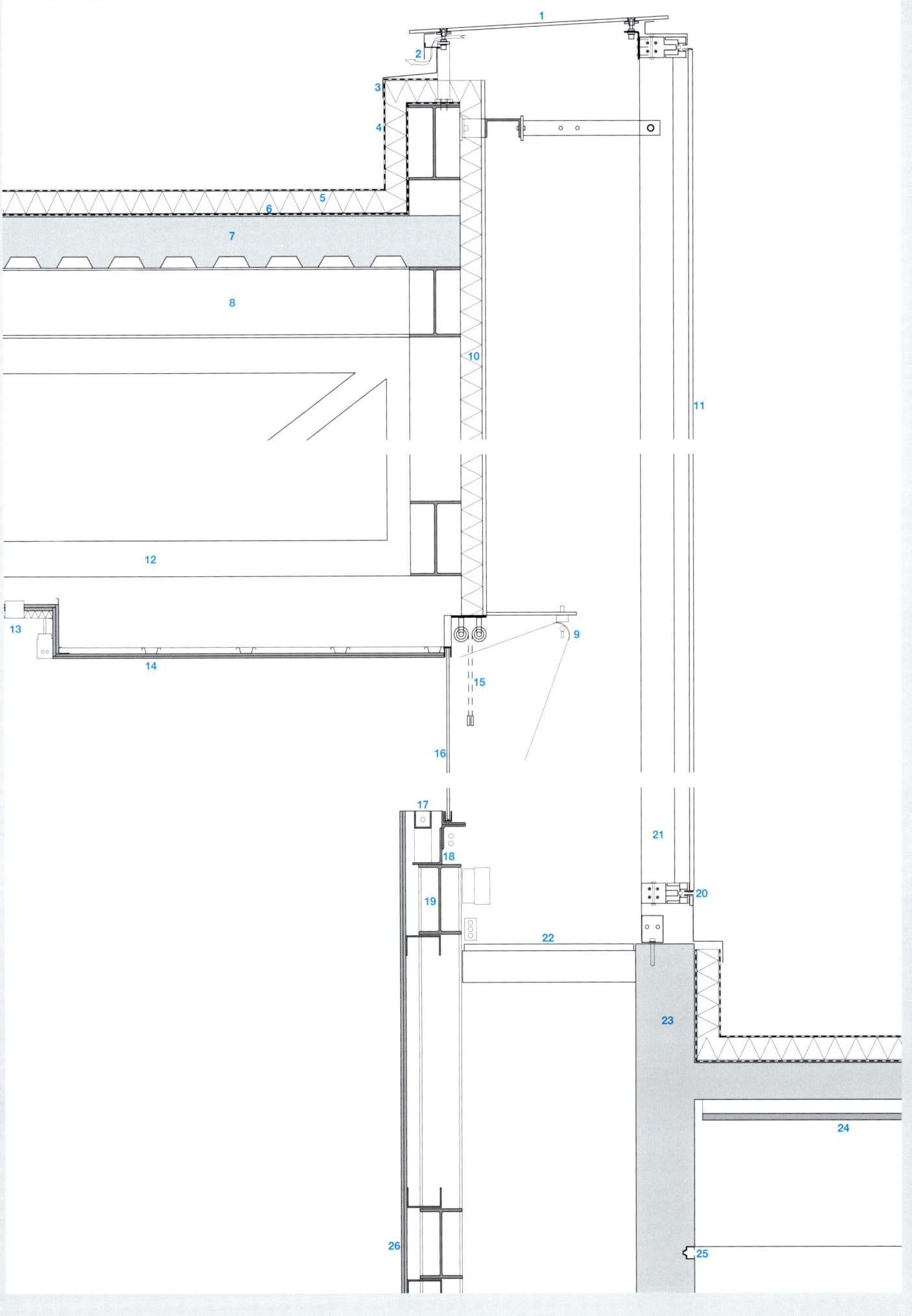

**04.05
Detalhe da Galeria
Principal: Corte
1:20**

1 Cobertura de vidro da platibanda
2 Aberturas para ventilação cobertas por chapa de metal perfurada
3 Rufo da platibanda
4 Barreira de vapor
5 Camada de isolamento térmico da cobertura de espessura variável (para dar caimento)
6 Membrana de impermeabilização
7 Laje de cobertura de concreto com forma de aço incorporada (sistema *steel deck*)
8 Treliça de aço
9 Luminária da galeria sustentada por uma mísula de aço
10 Isolamento térmico
11 Painéis formados por duas chapas de vidro laminado de 9 mm com baixo teor de ferro revestidos com uma película de polivinil butiral (PVB) de cor branca
12 Treliça de aço estrutural da cobertura
13 Sanca para iluminação e ventilação
14 Forro com duas chapas de 12,5 mm de gesso cartonado lixado e pintado
15 Cortina do tipo *blackout* com acionamento mecânico automático
16 Clerestório da galeria
17 Sistema de calefação por radiação
18 Canaleta para o sistema de calefação das vidraças da galeria
19 Parede de aço secundária da galeria
20 Travessa da parede-cortina, com vedação estrutural
21 Montante da parede-cortina, com vedação estrutural
22 Passarela de serviço
23 Parede de concreto armado moldada *in loco* de 215 mm
24 Forro acústico da laje de concreto nervurada
25 Trilho de metal moldado no concreto para o suporte das obras de arte
26 Duas chapas de 12 mm de MDF (chapa de fibra de madeira de densidade média) sobre calços de metal

05
The Buchan Group

Galeria de Arte de Christchurch
Christchurch, Nova Zelândia

Cliente
Câmara Municipal de Christchurch

Equipe de Projeto
David Cole, Roland Fretwell, David Forbes, Harvey Male, Raylene McEwan, Iain Mather

Projeto Estrutural
Holmes Consulting Group

Engenharia de Fachadas
JML

A nova Galeria de Arte de Christchurch abriga o maior acervo permanente de arte da Nova Zelândia. O prédio está implantado no principal eixo cultural da cidade, o Worcester Boulevard, e possui três elevações voltadas para importantes avenidas e um grande jardim de esculturas. A entrada principal está no centro do jardim de esculturas, voltada para um prédio histórico, o Centro de Artes de Christchurch. A fachada principal – a noroeste – foi posicionada oblíqua, para que a luz diurna incidisse sobre o jardim de esculturas e a entrada principal. O prédio foi projetado como uma "dualidade" de volumes retangulares de alvenaria para os espaços para exibições bem ordenados, mas justapostos a uma composição de formas monumentais orgânicas, leves e fluídas, para a entrada principal e o saguão.

A face pública e envidraçada do prédio da galeria, conhecida como a Parede-Escultura, é o gesto mais exuberante e famoso do edifício em termos urbanos. As múltiplas facetas de vidro da Parede-Escultura refletem as infinitas variações da abóbada celeste ao longo do dia e das estações. Esta muralha é composta de uma série de seções de cones côncavas e convexas que se cruzam, se sobrepõem e interagem. O resultado é um verdadeiro mosaico urbano gigante formado por 16 tipos de vidro incolor com espessuras variadas e diferentes películas reflexivas e películas de baixa emissividade (valor-E). Os planos curvos de vidro são mantidos afastados das colunas de seção elíptica por meio de delicados braços de alumínio fundido. Os espaços para exibições, que formam o centro do prédio, foram projetados para serem ao mesmo tempo facilmente legíveis, tranquilos, agradáveis e surpreendentes, e também buscam transmitir a ideia de jornada e descoberta.

1 A face pública e envidraçada do prédio da galeria – a Parede-Escultura – tem presença inconfundível dentro da malha urbana formal típica de Christchurch.
2 Além de trazer luz natural para os espaços públicos do prédio, a fachada age como um refletor ou difusor da luz, de acordo com o horário do dia ou da noite.
3 As chapas de vidro da fachada, aparentemente frágeis, se apóiam em colunas elípticas, os principais elementos verticais da composição.
4 O saguão é um imponente espaço de transição entre o exterior e o interior. Seu piso é animado pelos complexos e dinâmicos padrões de sombra produzidos pela malha estrutural da Parede-Escultura de vidro.

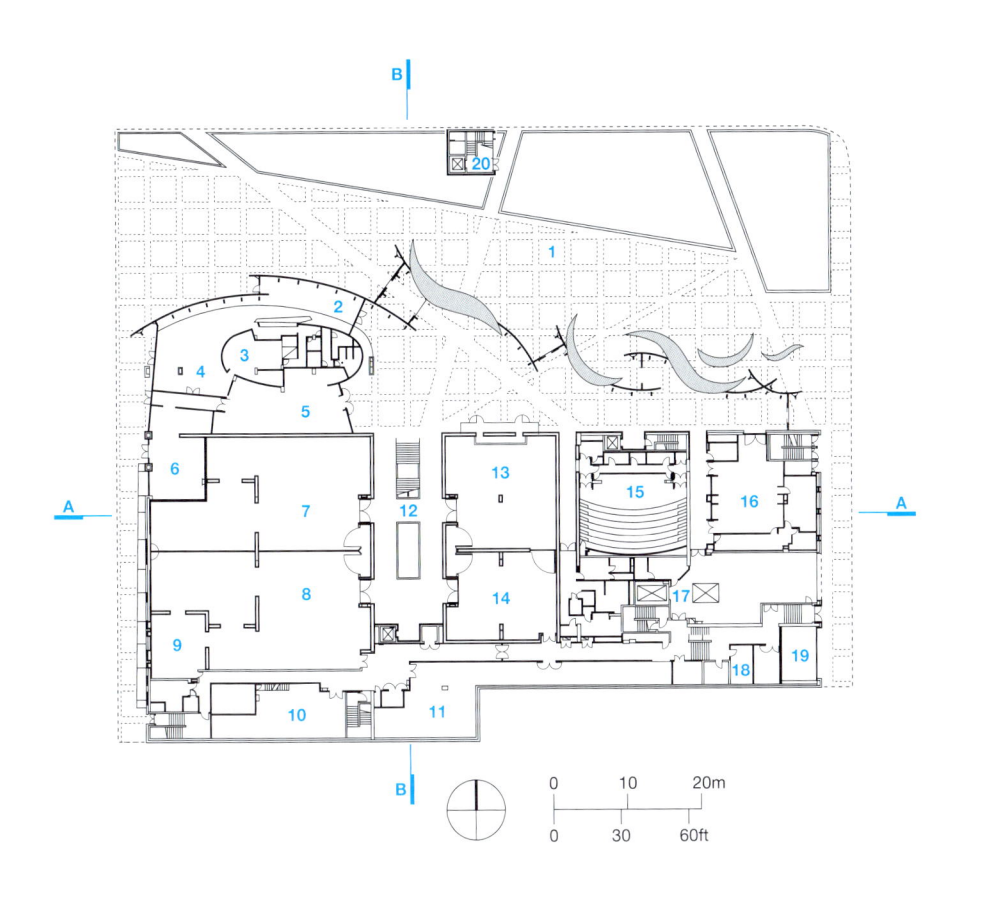

05.01
Planta Baixa do
Pavimento Térreo
1:1.000
1 Jardim de Esculturas do Community Trust
2 Entrada
3 Áreas de serviço do café
4 Café
5 Loja da galeria
6 Galeria FORM
7 Galerias para exibições itinerantes
8 Galerias para exibições itinerantes
9 Galeria Borg Henry
10 Oficina
11 Área de manejo do acervo
12 Pátio interno
13 Galeria William A. Sutton
14 Galeria Ravenscar de Arte da Nova Zelândia
15 Auditório da Família Philip Carter
16 Centro Educacional Sir Neil e Lady Isaac
17 Circulação vertical
18 Escritório de despacho e recebimento de obras de arte
19 Entrada da garagem no subsolo
20 Elevador e escada da garagem

05.02
Corte A–A
1:500
1 Terraço
2 Centro Educacional Sir Neil e Lady Isaac
3 Laboratórios de Conservação do Stout Trust
4 Sala dos funcionários
5 Ateliês de ensino
6 Corredor do elevador da garagem
7 Ateliê de fotografia Margaret Austin
8 Sala de reuniões
9 Banheiro feminino
10 Banheiro masculino
11 Auditório
12 Exibições temporárias
13 Exibições temporárias
14 Balcão
15 Escada monumental
16 Passarela de serviço
17 Acervo permanente
18 Exibições itinerantes
19 Exibições itinerantes

05.03
Corte B–B
1:500
1 Elevador e escada da garagem
2 Portas de entrada de vidro na parede-escultura
3 Saguão
4 Garagem no subsolo
5 Exaustor de fumaça
6 Passarela
7 Escada
8 Balcão
9 Corredor do elevador
10 Casa de máquinas
11 Depósito do acervo
12 Depósito do acervo
13 Área de manejo do acervo

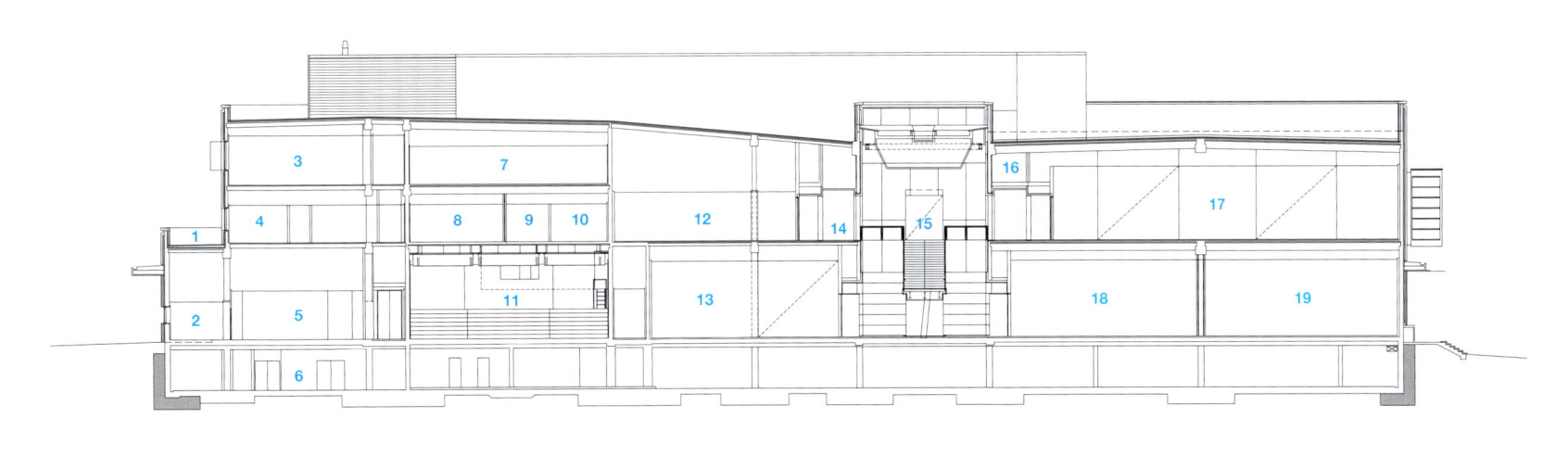

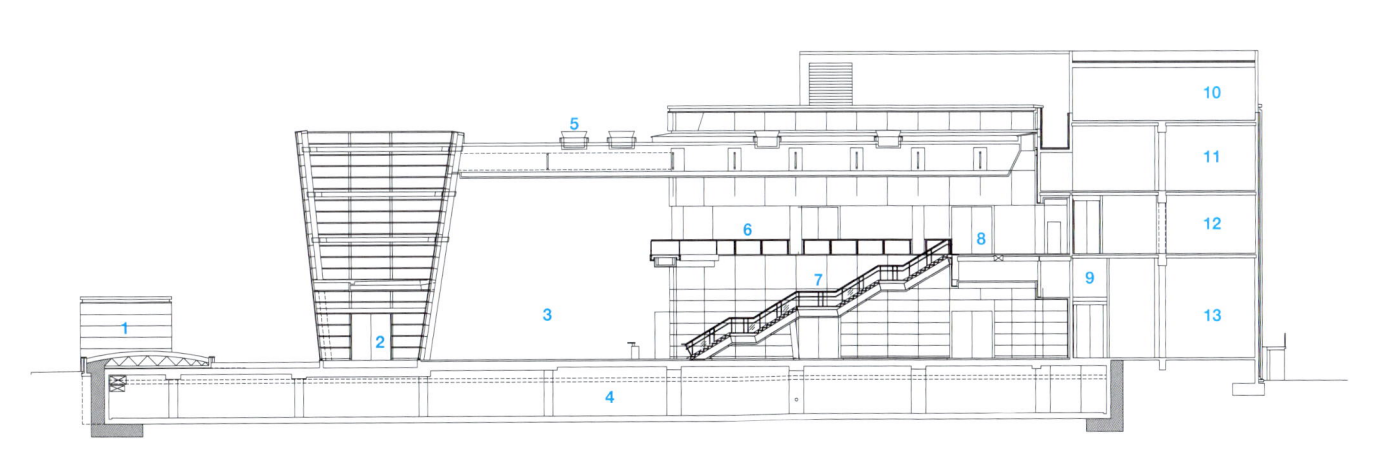

27

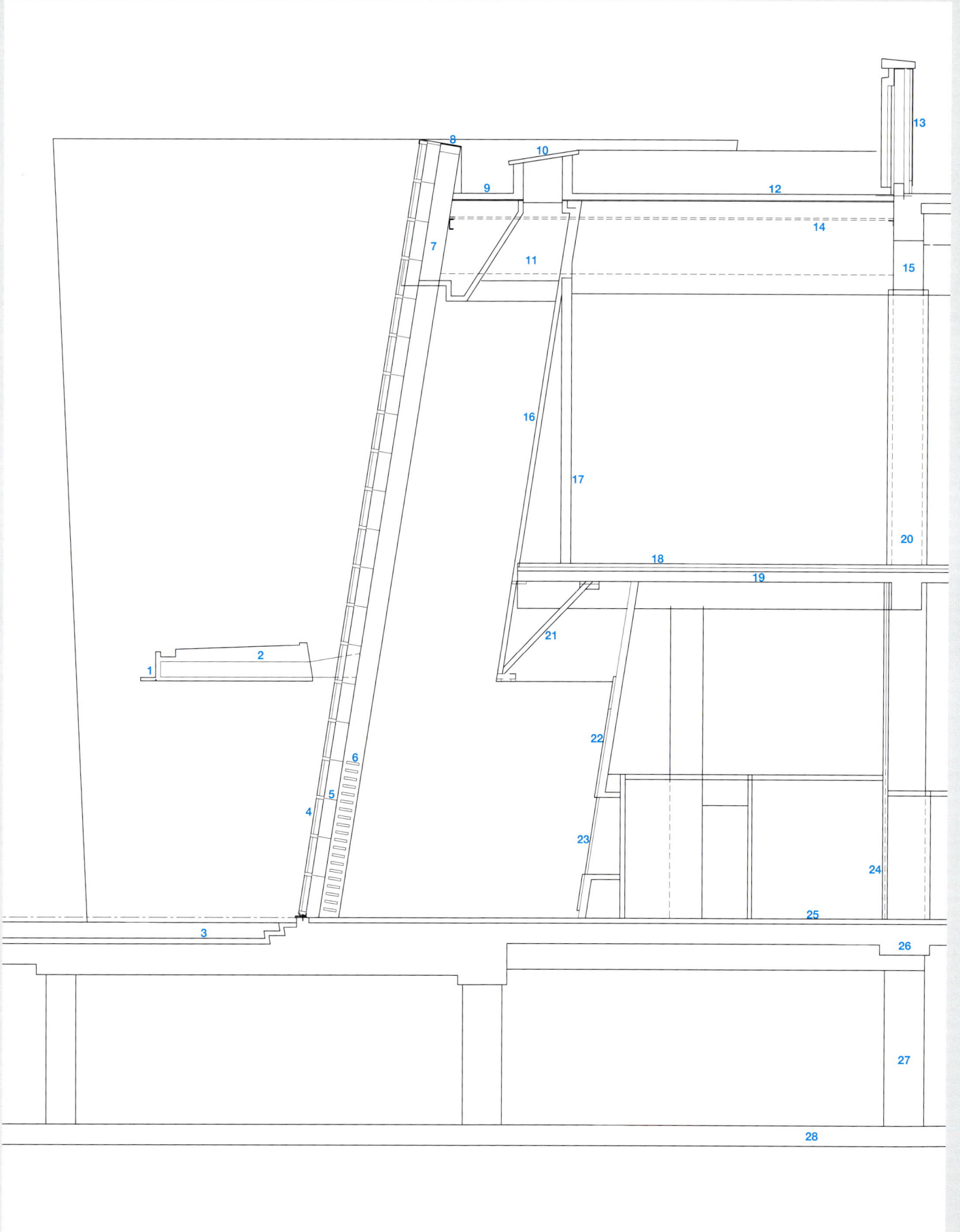

05 The Buchan Group   Galeria de Arte de Christchurch   Christchurch, Nova Zelândia

**05.04
Detalhe da Parede-Escultura de Vidro: Corte
1:100**

1 Aba da marquise em alumínio
2 Marquise em chapa de aço
3 Espelho de água
4 Parede-escultura de vidro
5 Braços de suporte em alumínio fundido
6 Aberturas de insuflamento de ar no pilar de aço
7 Pilar de aço
8 Rufo
9 Calha
10 Claraboia
11 Viga de aço que ancora os pilares da parede-escultura à estrutura da parede de cisalhamento
12 Cobertura de chapas de aço corrugadas
13 Revestimento da face interna da platibanda em chapa de cimento comprimida fixada à estrutura de aço da platibanda
14 Forro
15 Parede de cisalhamento resistente a terremotos
16 Parede curva de chapa de gesso
17 Parede rebocada da galeria de arte contemporânea
18 Piso de concreto armado pré-fabricado
19 Laje de piso de concreto armado
20 Pilar estrutural
21 Estrutura de sustentação do teto falso
22 Revestimento curvo de madeira da parede do café
23 Bar
24 Revestimento de madeira da parede
25 Piso de concreto armado pré-fabricado
26 Vigas baixas do pavimento de subsolo
27 Pilares de concreto do pavimento de subsolo
28 Radier de concreto armado moldado *in loco*

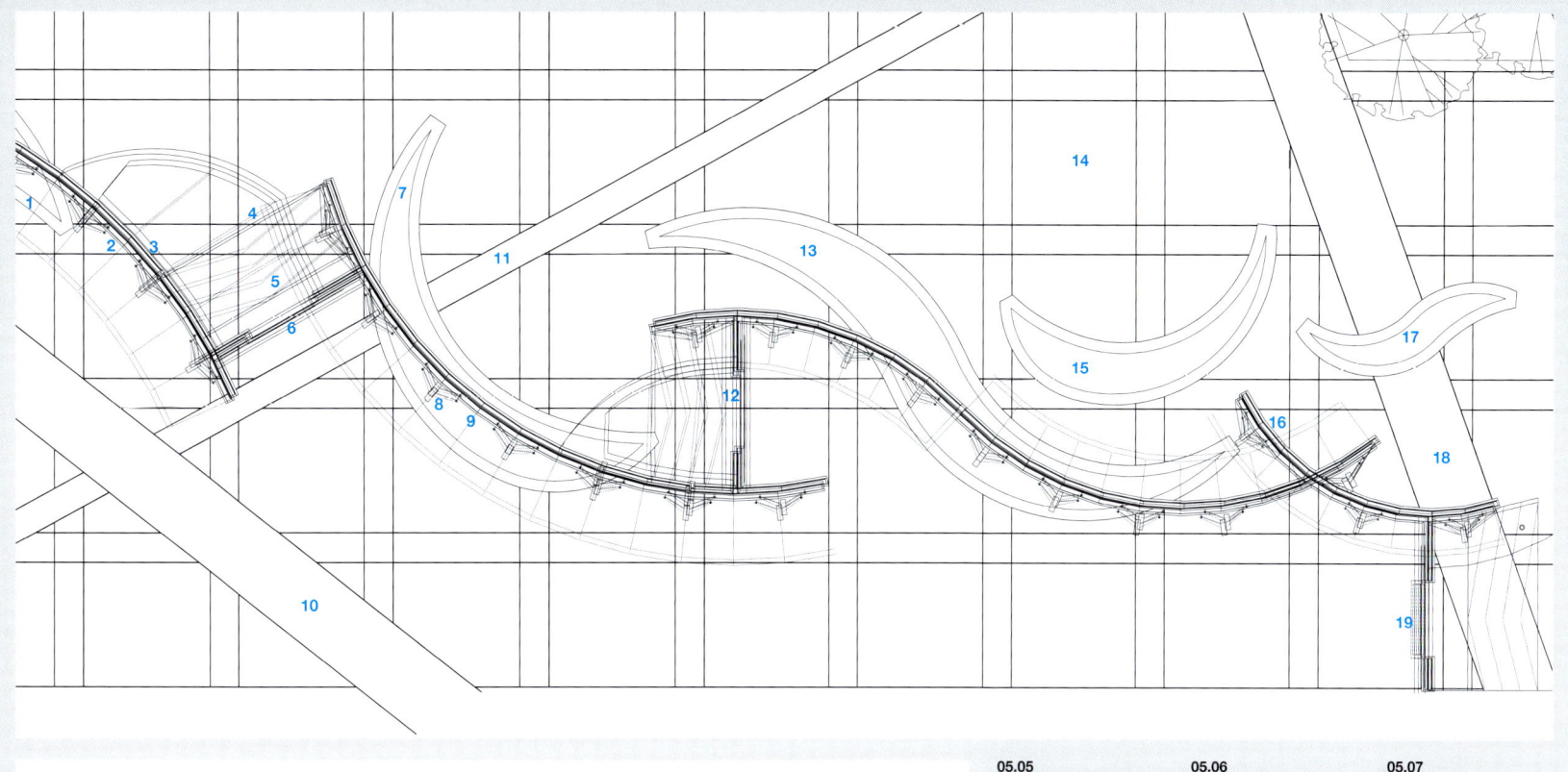

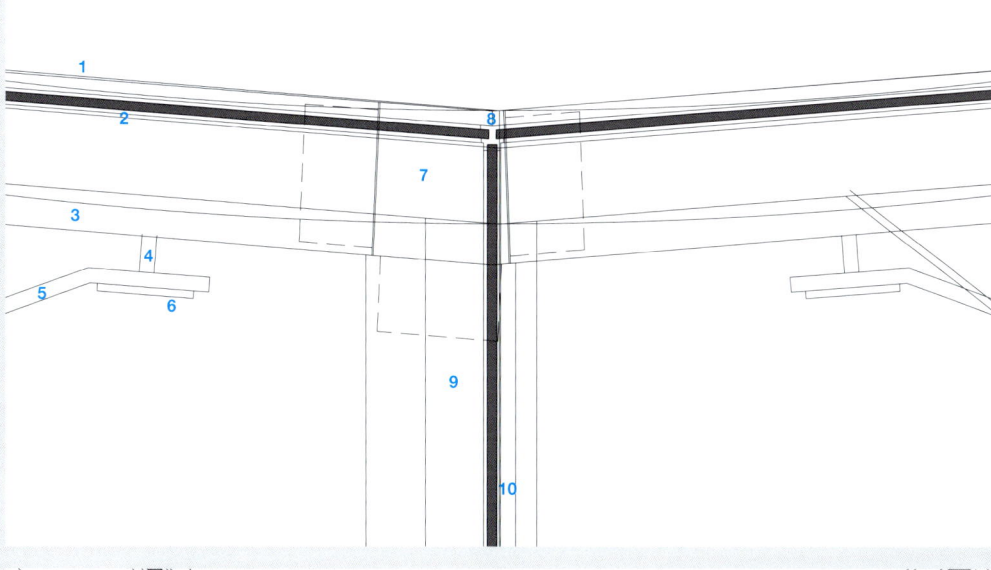

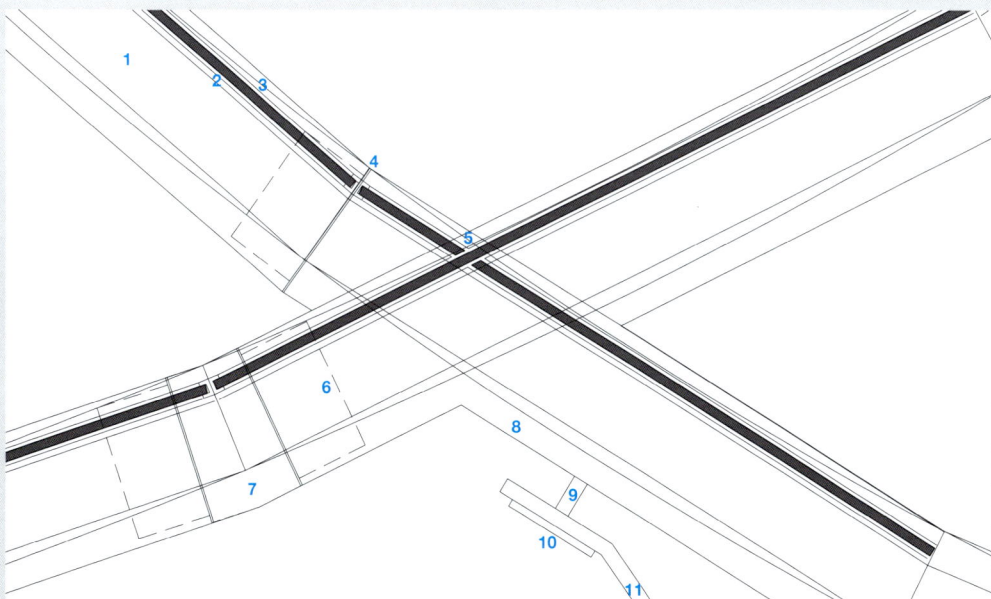

05.05
Detalhe da Parede-Escultura de Vidro: Planta Baixa
1:200
 1 Espelho de água
 2 Travessas internas da parede-escultura de vidro
 3 Travessas externas da parede-escultura de vidro
 4 Marquise de alumínio
 5 Seção inclinada da parede-escultura de vidro
 6 Portas de entrada de vidro
 7 Espelho de água
 8 Braços conectores de alumínio fundido
 9 Espelho de água
 10 Faixa interna do piso em granito
 11 Faixa externa do piso em granito
 12 Portas de entrada de vidro
 13 Espelho de água
 14 Piso externo em granito
 15 Espelho de água
 16 Parede-escultura de vidro
 17 Espelho de água
 18 Faixa externa de piso em granito
 19 Portas de entrada de vidro

05.06
Detalhe 1 da Parede-Escultura de Vidro no Pavimento Térreo: Planta Baixa
1:10
 1 Travessa externa da parede-escultura
 2 Vedação entre a vidraça e a travessa
 3 Travessa interna da parede-escultura
 4 Junta flexível em alumínio fundido
 5 Braço conector de alumínio fundido
 6 Revestimento do conector de alumínio fundido
 7 Elemento de conexão da travessa em alumínio fundido com nervuras dentro da travessa
 8 Gaxeta
 9 Travessa interna em alumínio fundido
 10 Vidro simples das luzes junto às travessas internas

05.07
Detalhe 2 da Parede-Escultura de Vidro no Pavimento Térreo: Planta Baixa
1:10
 1 Travessa estrutural
 2 Vedação entre a vidraça e a travessa
 3 Travessa externa da parede-escultura
 4 Junta da travessa externa
 5 Junta vedada com silicone em ambos os lados da vidraça
 6 Travessa interna da parede-escultura
 7 Elemento de conexão da travessa em alumínio fundido com nervuras dentro da travessa
 8 Travessa interna da parede-escultura
 9 Junta flexível em alumínio fundido
 10 Revestimento do conector de alumínio fundido
 11 Braço conector de alumínio fundido

06
Dorte Mandrup Arkitekter

Centro de Esporte e Cultura de Copenhague
Copenhague, Dinamarca

Cliente
Prefeitura de Copenhague e LOA (Fundação Dinamarquesa para Equipamentos de Cultura e Esporte)

Equipe de Projeto
Dorte Mandrup, Anders Brink, Lars Lindeberg, Jesper Henriksson, Arno Brandlhuber, Asterios Agkathidis, Markus Emde, Jochen Kremer, Martin Kraushaar, Sarah Breidert

Projeto Estrutural
Jørgen Nielsen Rådgivende

Construção
NH Hansen & Søn

Este centro de esporte e cultura situa-se na área residencial em um subúrbio a leste de Copenhague composto predominantemente por edifícios habitacionais da virada para o século XX. O terreno era longo e estreito – uma das divisas dava para uma avenida movimentada e a outra, para uma área de lazer. O desafio principal do projeto era criar uma nova tipologia de edificação híbrida que combinasse uma arena de esportes coberta e tradicional com um campo multiesportivo externo. O prédio proposto se conectou a quatro blocos habitacionais horizontalizados preexistentes, mantendo a continuidade do tecido urbano construído no bairro.

O programa de necessidades de uso misto, bastante complexo, foi desenvolvido com a consulta das comunidades locais e dos usuários individuais, tanto adultos como crianças. Para atender a um programa tão complexo sob um teto único, o prédio se encaixou no terreno e assumiu um volume que reúne os usos de recreação e esporte em três "casas" conectadas, as quais, de fato, reinterpretam os edifícios residenciais do entorno. O exterior do prédio é composto de uma vedação de policarbonato translúcido, que admite de modo abundante e homogêneo a luz natural vinda do exterior. O caráter "quente" da luz natural é reforçado pelo uso da madeira em parte da estrutura aparente. O centro será utilizado todos os dias para uma variedade de esportes, além de atividades culturais eventuais, como concertos e peças de teatro. A paisagem dinâmica do interior permite que várias atividades ocorram simultaneamente e em diferentes níveis, mantendo contato visual entre si.

1 O prédio foi projetado de modo a se encaixar nas empenas de quatro edifícios habitacionais adjacentes. O centro então assume a forma de um volume único, para acomodar um programa multifuncional.
2 As vedações de policarbonato aplicadas em todas as elevações e na cobertura trazem uma iluminação diurna homogênea até o núcleo do centro.
3 Quando a noite se aproxima, o prédio passa a brilhar como um farol e se destacar no contexto residencial.
4 As superfícies das áreas esportivas, de cor verde, sobem pelas arquibancadas e áreas de circulação, cercando as quadras e criando um plano de piso tridimensional.

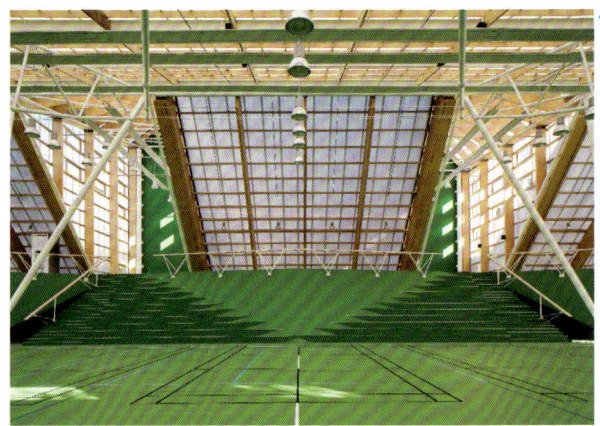

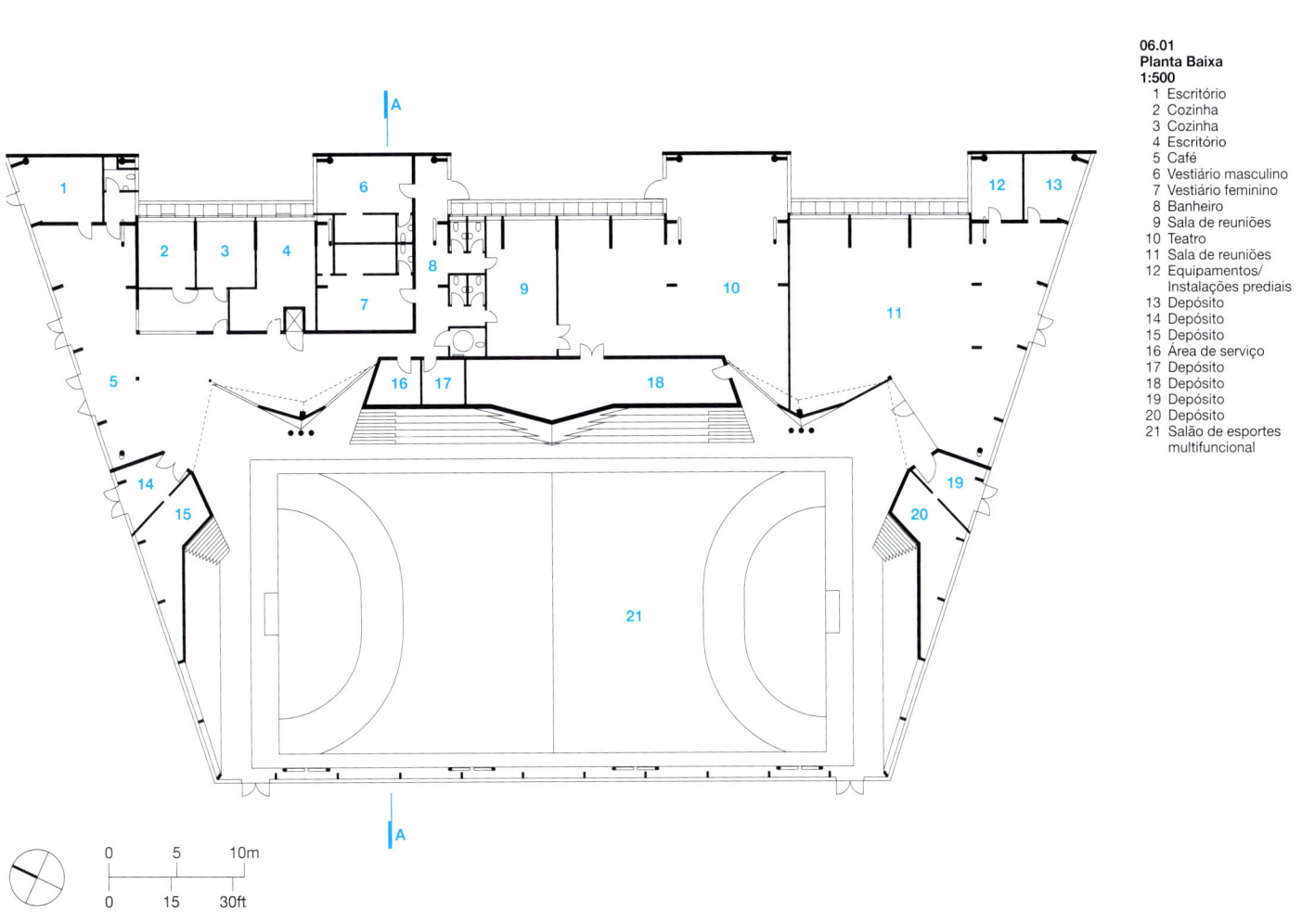

06.01
Planta Baixa
1:500
1. Escritório
2. Cozinha
3. Cozinha
4. Escritório
5. Café
6. Vestiário masculino
7. Vestiário feminino
8. Banheiro
9. Sala de reuniões
10. Teatro
11. Sala de reuniões
12. Equipamentos/ Instalações prediais
13. Depósito
14. Depósito
15. Depósito
16. Área de serviço
17. Depósito
18. Depósito
19. Depósito
20. Depósito
21. Salão de esportes multifuncional

06.02
Corte A–A
1:200
1. Piso do salão de esportes multifuncional
2. Arquibancadas do salão de esportes multifuncional
3. Café
4. Vestiário feminino
5. Vestiário masculino

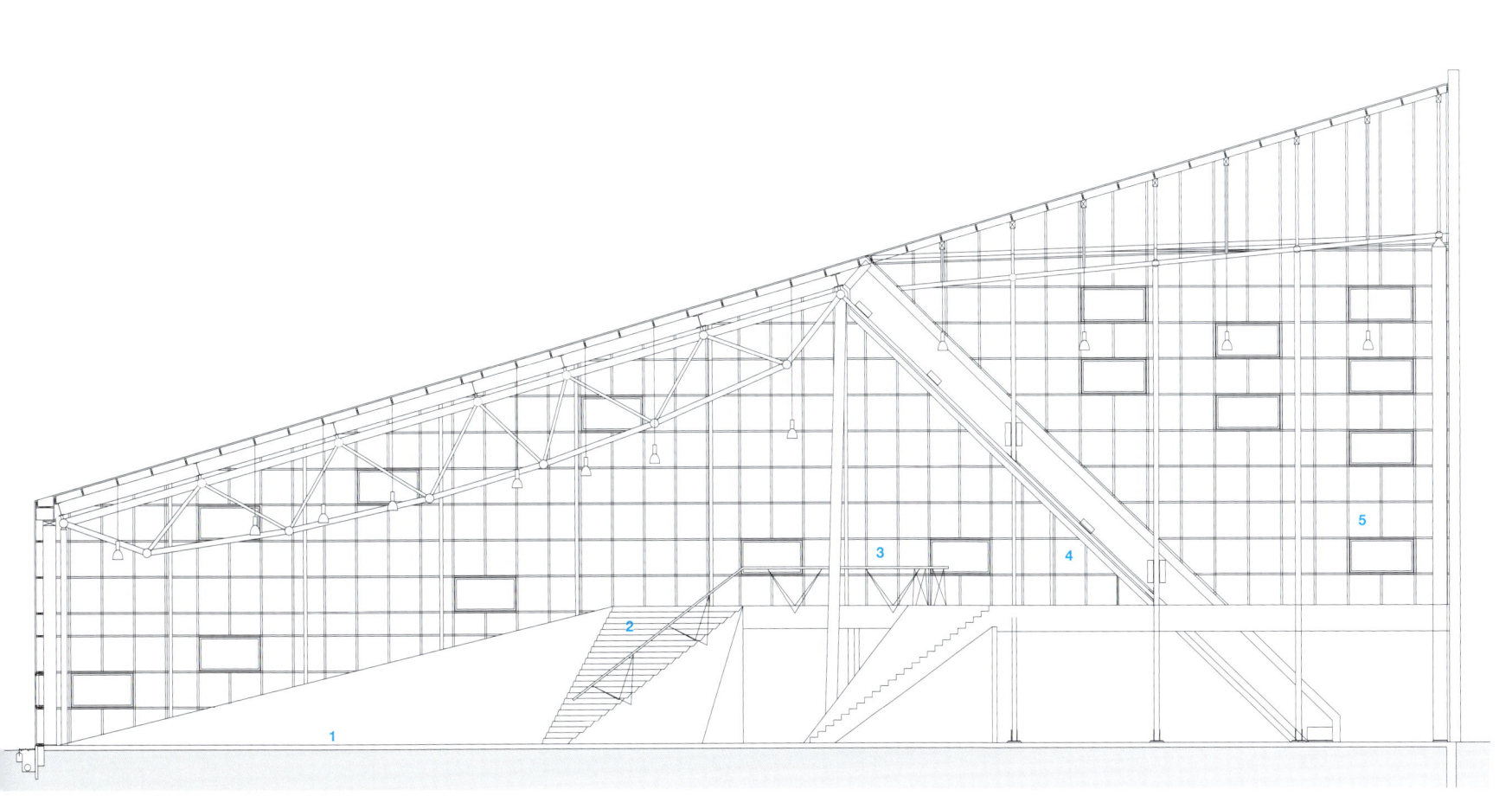

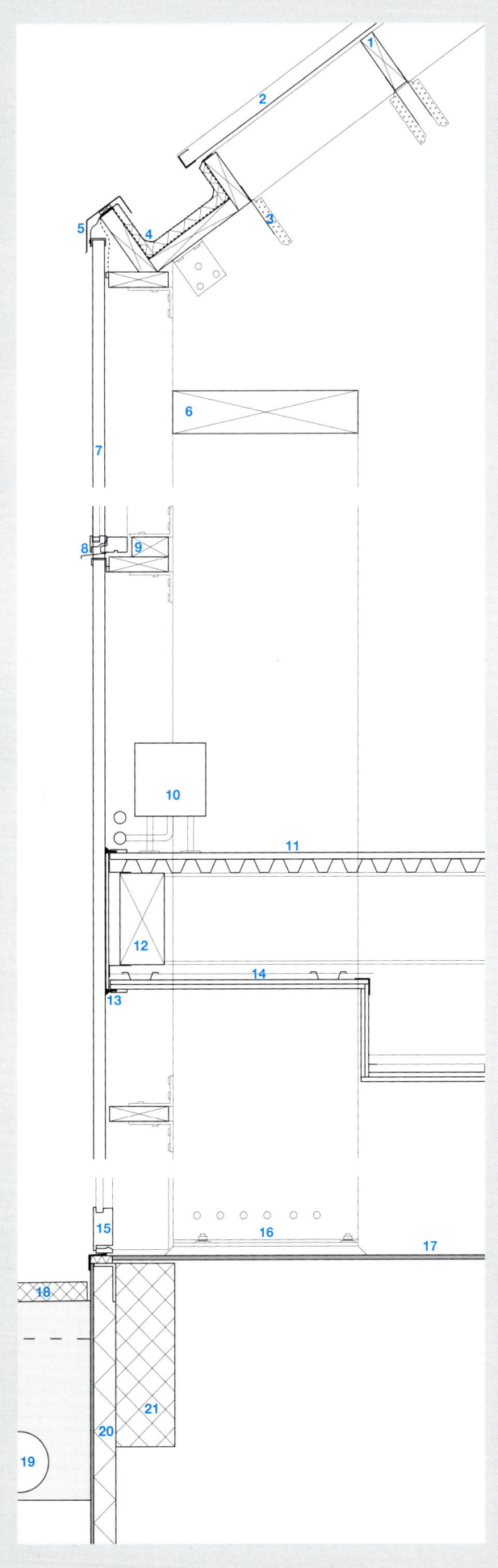

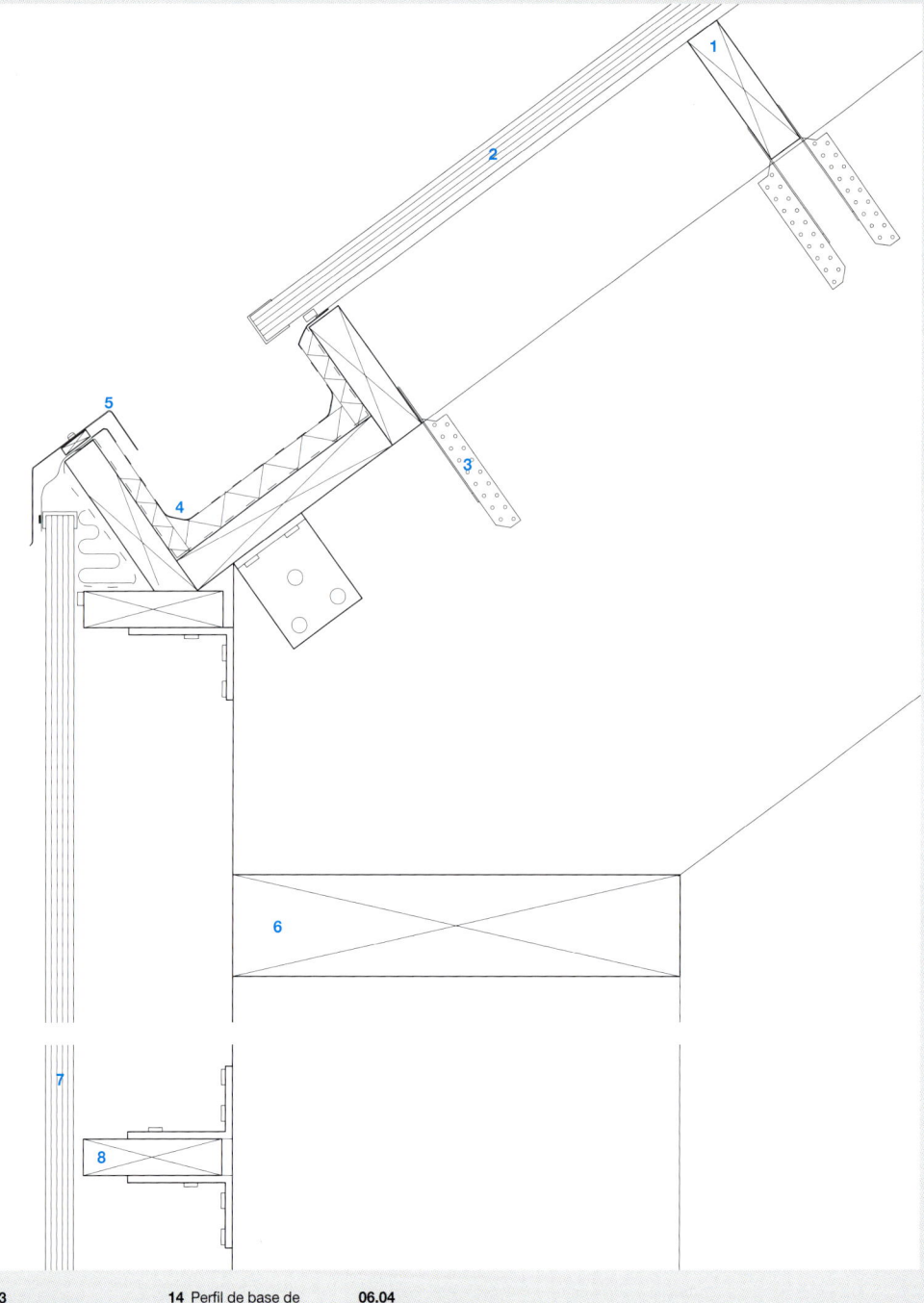

06 Dorte Mandrup Arkitekter — Centro de Esporte e Cultura de Copenhague — Copenhague, Dinamarca

06.03
Detalhe de Parede Típica: Corte 1:20

1 Caibros de compensado
2 Painéis de policarbonato da cobertura
3 Suportes de aço entre os caibros e a estrutura principal de madeira
4 Calha de chapa metálica dobrada
5 Rufo de alumínio
6 Estrutura principal de madeira
7 Painéis de parede de policarbonato
8 Perfil de base de alumínio
9 Perfil secundário de madeira
10 Radiador
11 Piso para a prática de esportes
12 Estrutura secundária de madeira
13 Chapa de base de aço
14 Perfil de base de alumínio
15 Perfil de base de alumínio
16 Chapa de base de aço para a estrutura principal de madeira
17 Piso para a prática de esportes
18 Asfalto
19 Dreno
20 Isolamento térmico
21 Fundação de concreto armado

06.04
Detalhe da Junta da Parede com a Cobertura de Policarbonato: Corte 1:10

1 Caibros de compensado
2 Painéis de policarbonato da cobertura
3 Suportes de aço entre os caibros e a estrutura principal de madeira
4 Calha de chapa metálica dobrada
5 Rufo de alumínio
6 Estrutura principal de madeira
7 Painéis de parede de policarbonato
8 Estrutura da parede de madeira travada por cantoneiras de aço parafusadas à estrutura principal de madeira do prédio

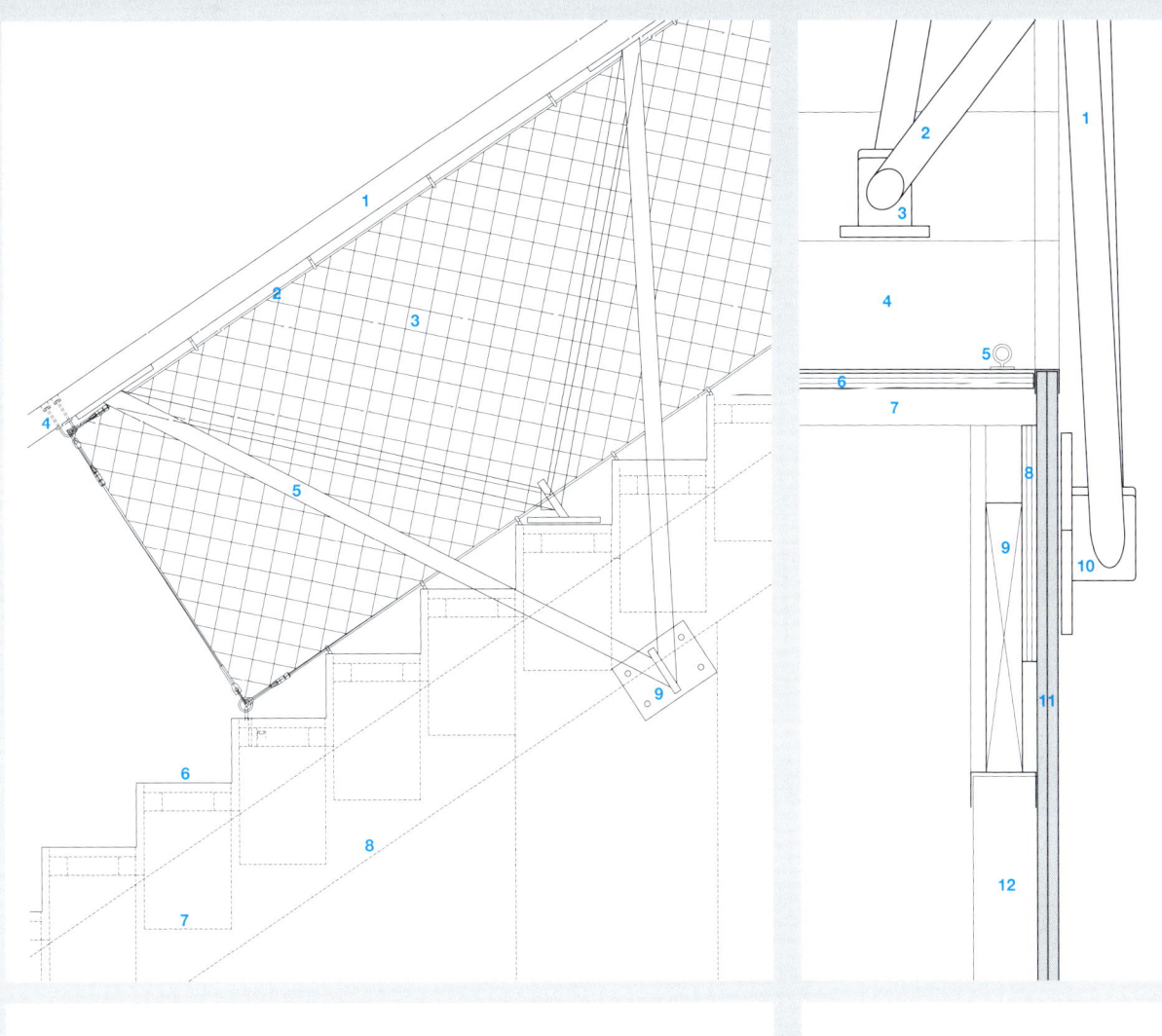

**06.05
Detalhe do
Guarda-Corpo da
Escada: Elevação
1:20**
 1 Corrimão de madeira
 2 Cabo de aço que traciona a rede de aço na borda do guarda-corpo
 3 Rede de aço
 4 Braçadeira de aço
 5 Barra conectora de aço entre o banzo da escada e o guarda-corpo
 6 Degrau de madeira pintado
 7 Estrutura de madeira do degrau
 8 Banzo de madeira
 9 Suporte de aço

**06.06
Detalhe do
Guarda-Corpo da
Escada: Corte
1:10**
 1 Barra conectora de aço entre o banzo da escada e o guarda-corpo
 2 Barra conectora de aço
 3 Suporte de aço
 4 Espelho do degrau pintado
 5 Conector para a rede de aço do guarda-corpo
 6 Piso pintado
 7 Painel de madeira do degrau
 8 Enchimento de madeira
 9 Estrutura de madeira
 10 Suporte de aço
 11 Painel de parede de gesso cartonado pintado
 12 Estrutura de madeira da parede

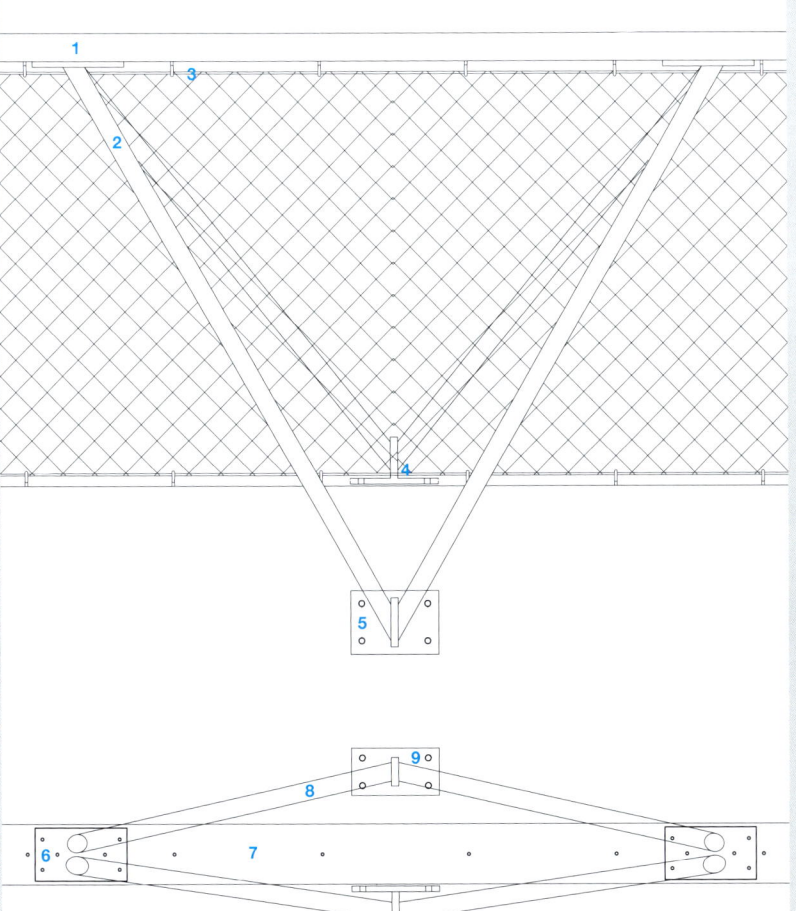

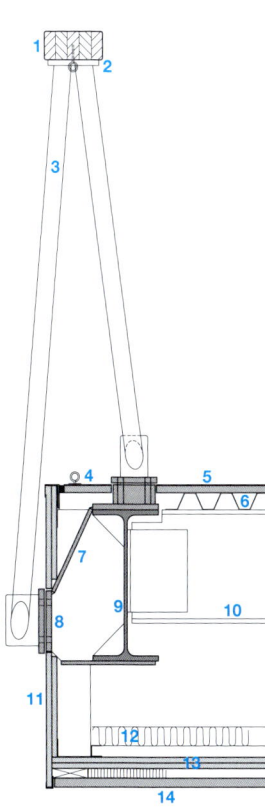

**06.07
Detalhe do
Guarda-Corpo do
Mezanino: Elevação e
Planta Baixa
1:20**
 1 Corrimão de madeira
 2 Barra de aço de sustentação do guarda-corpo
 3 Cabo de aço que traciona a rede de aço na borda do guarda-corpo
 4 Suporte de aço
 5 Suporte de aço
 6 Suporte de aço
 7 Base de madeira
 8 Barra de aço de sustentação do guarda-corpo
 9 Suporte de aço

**06.08
Detalhe do
Guarda-Corpo do
Mezanino: Corte
1:20**
 1 Corrimão de madeira
 2 Chapa de aço de suporte do corrimão
 3 Barra de aço de sustentação do guarda-corpo
 4 Conector para a rede de aço do guarda-corpo
 5 Piso de chapa de gesso
 6 Contrapiso de perfis metálicos corrugados
 7 Chapa de rigidez de aço
 8 Chapa de borda de aço
 9 Viga de aço em perfil
 10 Estrutura de aço do piso
 11 Painel de parede de gesso cartonado pintado
 12 Isolamento acústico
 13 Chapa de gesso
 14 Forro de painel de gesso cartonado pintado

07
Thomas Phifer and Partners

Pavilhão Brochstein e Quadrângulo Central da Rice University
Houston, Texas, Estados Unidos

Cliente
Rice University e Raymond e Susan Brochstein

Equipe de Projeto
Thomas Phifer, Donald Cox, Eric Richey, Len Lopate, Katie Bennett, Ryan Indovina, Kerim Demirkan

Projeto Estrutural
Haynes Whaley Associates

Construção
Linbeck

Localizado no centro do campus da Rice University, o Pavilhão Raymond e Susan Brochestein foi concebido como um ponto de encontro no qual os estudantes e demais membros da universidade pudessem interagir e compartilhar ideias em um ambiente agradável. O projeto do Pavilhão incluiu o projeto de paisagismo do Quadrângulo Central e de uma grande varanda com mesas e cadeiras à sombra. O pavilhão foi totalmente coroado com uma pérgola de aço e alumínio que, além de proteger o prédio, avança em todas as direções configurando e sombreando a varanda com assentos. A pérgola, formada por pequenos perfis tubulares de alumínio, consegue reduzir os ganhos solares em 70%, reduzindo a necessidade de refrigeração mecânica e permitindo que o prédio tire partido da ventilação natural durante a maior parte do ano.

Uma série de largas portas com vidros duplos conecta as áreas internas com assentos à varanda e colocam o pavilhão em contato visual com os jardins do entorno. A grande transparência da cortina de vidro cria uma forte conexão com a paisagem, incentivando as atividades internas a se espalharem pelo Quadrângulo. Na cobertura, a luz diurna é cuidadosamente filtrada nas claraboias pelos difusores de alumínio perfurados externos e por um sistema de forro de metal perfurado interno, banhando os espaços com uma luz natural bem controlada. O interior do pavilhão é mobiliado com cadeiras de cores vibrantes, distribuídas de maneira informal, e um quiosque circular feito de Corian, que serve cafés e lanches. A planta baixa é flexível e foi projetada para acomodar pequenas reuniões casuais, bem como grandes eventos públicos, como os concertos que são oferecidos no Quadrângulo Central.

1 As paredes envidraçadas do piso ao teto são protegidas do forte sol do Texas por uma delicada estrutura de sombreamento construída com perfis tubulares de alumínio.
2 O projeto do pavilhão incluiu o tratamento paisagístico do entorno, integrando o prédio ao *campus*.
3 + 4 Amplas varandas com mesas e cadeiras circundam o pavilhão, criando múltiplas oportunidades para que os estudantes e funcionários da universidade possam se encontrar e socializar.
5 O interior é banhado com a luz natural filtrada que entra no prédio através das paredes de vidro e dos difusores do forro.

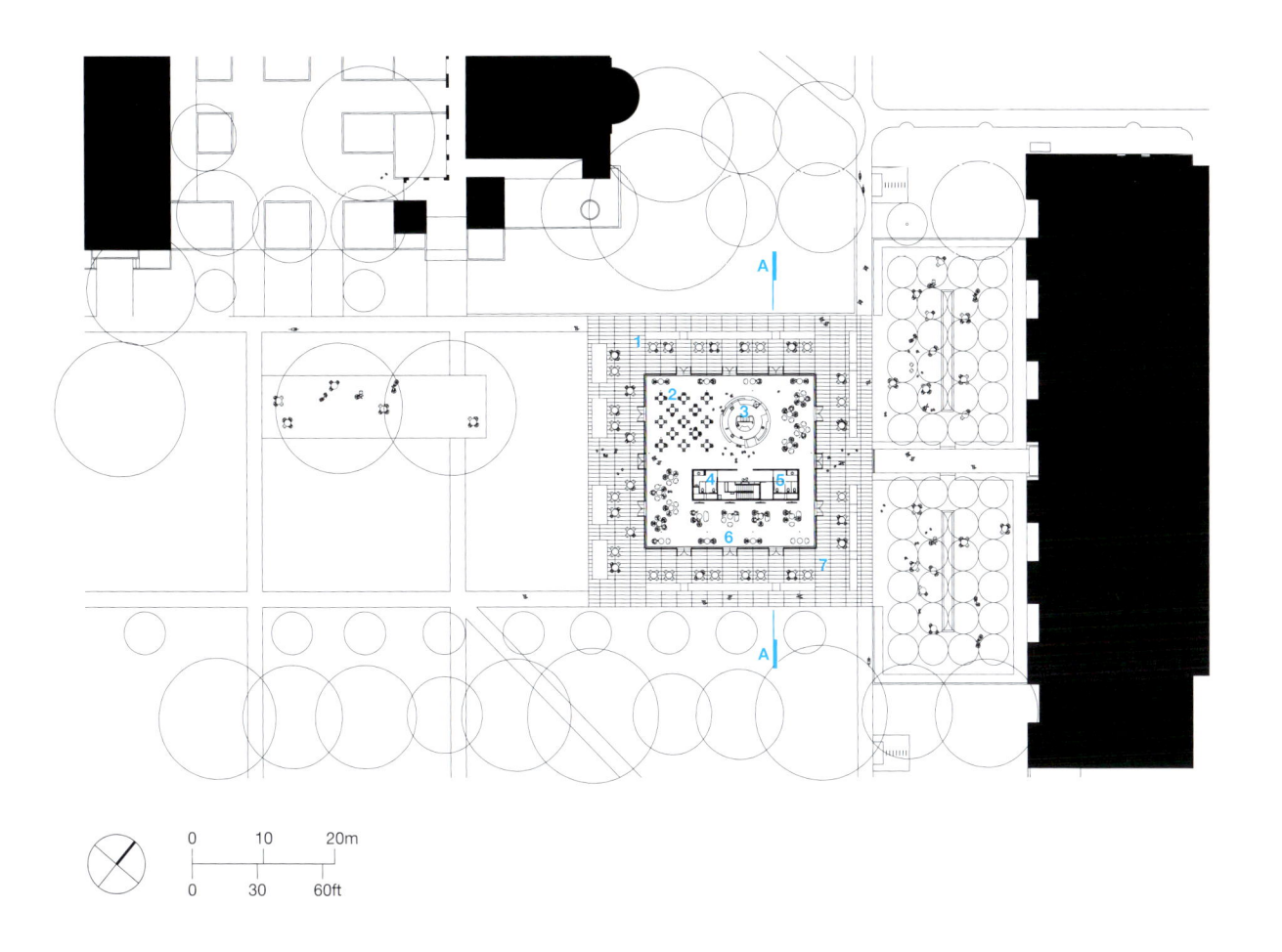

07.01
Planta Baixa
1:1.000
1 Varanda
2 Espaço interno com mesas
3 Quiosque com lanches e cafés
4 Banheiro masculino
5 Banheiro feminino
6 Espaço interno com mesas
7 Varanda

07.02
Corte A–A
1:200
1 Vegetação
2 Pérgola de proteção solar feita de tubos de alumínio
3 Luminária
4 Varanda
5 Brises sobre a claraboia
6 Claraboia
7 Difusores do forro, de metal perfurado
8 Área interna
9 Corredor de acesso aos banheiros
10 Área de serviço da cozinha e área dos funcionários
11 Portas de vidro com duas folhas
12 Vidraças fixas
13 Vala para instalações
14 Varanda

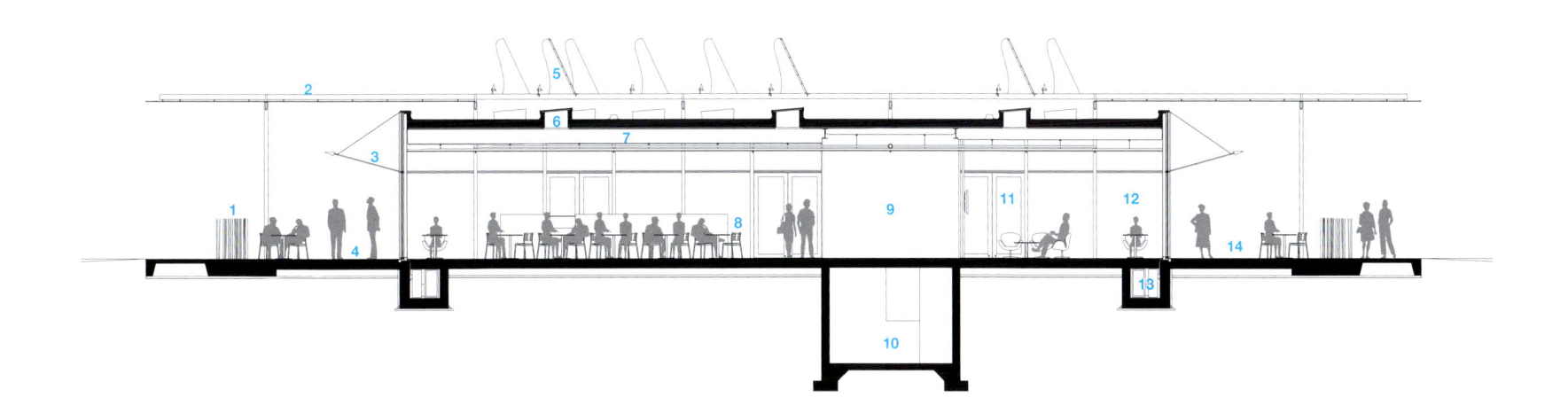

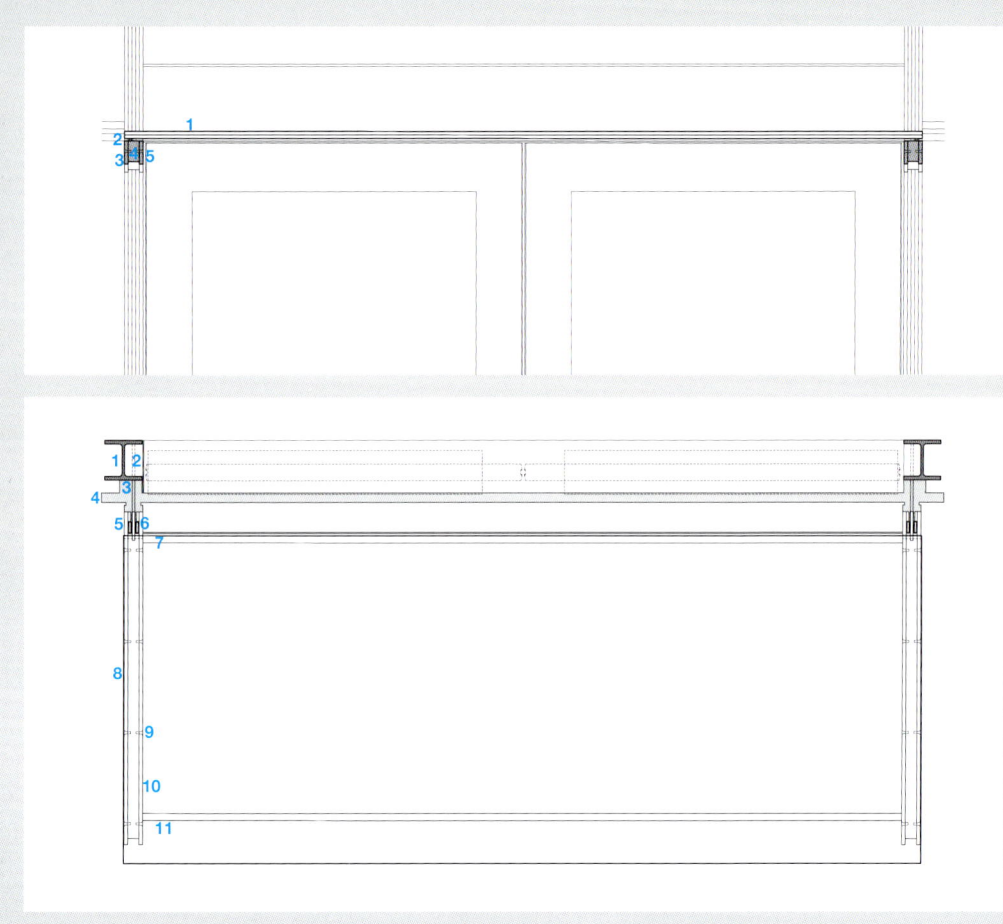

07 Thomas Phifer and Partners — Pavilhão Brochstein e Quadrângulo Central da Rice University — Houston, Texas, Estados Unidos

**07.03
Detalhe das Portas de Vidro Duplas: Elevação
1:20**
1 Vidro laminado com bordas lixadas e polidas
2 Silicone estrutural e fita de envidraçamento
3 Cobertura de alumínio pintada sobre chapa de aço inoxidável de 17 mm
4 Estrutura de aço inoxidável de 32 mm
5 Chapa de aço inoxidável de 17 mm

**07.04
Detalhe das Portas de Vidro Duplas: Planta Baixa
1:20**
1 Pilar de aço
2 Chapa de rigidez de aço
3 Estrutura de alumínio
4 Vidro
5 Mata-juntas de estalo
6 Escora de aço inoxidável
7 Estrutura de cantoneiras de aço inoxidável
8 Vidro laminado com bordas lixadas e polidas
9 Estrutura de aço inoxidável de 32 mm
10 Chapa de aço inoxidável de 17 mm
11 Estrutura de cantoneiras de aço inoxidável

**07.05
Detalhe das Portas de Vidro Duplas: Corte
1:20**
1 Suporte de vidraça de aço inoxidável
2 Vidraça
3 Escora de aço inoxidável
4 Separador de alumínio pintado
5 Conexão mecânica embutida
6 Estrutura de cantoneiras de aço inoxidável com vedação, silicone estrutural, corpo de apoio e fita de envidraçamento
7 Conectores mecânicos escareados
8 Escora de aço inoxidável
9 Estrutura de aço inoxidável de 32 mm
10 Estrutura de cantoneiras de aço inoxidável com silicone estrutural e fita de envidraçamento
11 Vidro laminado de 19 mm com bordas lixadas e polidas

**07.06
Detalhe da Marquise de Alumínio e da Subestrutura de Aço: Perspectiva Axonométrica
1:20**
1 Caibro secundário de alumínio de 12 × 50 mm
2 Barras de alumínio de 19 mm
3 Caibro principal de aço de 38 × 152 mm
4 Viga de aço de 50 × 203 mm
5 Pilar de aço de 114 × 114 mm

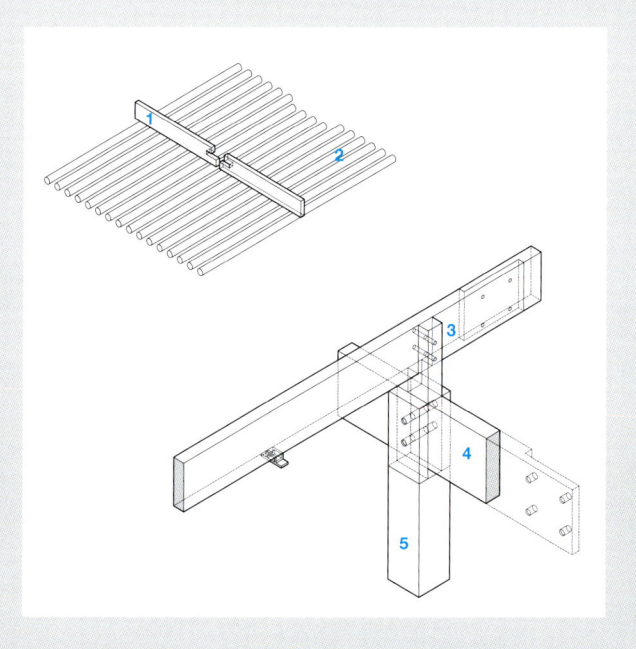

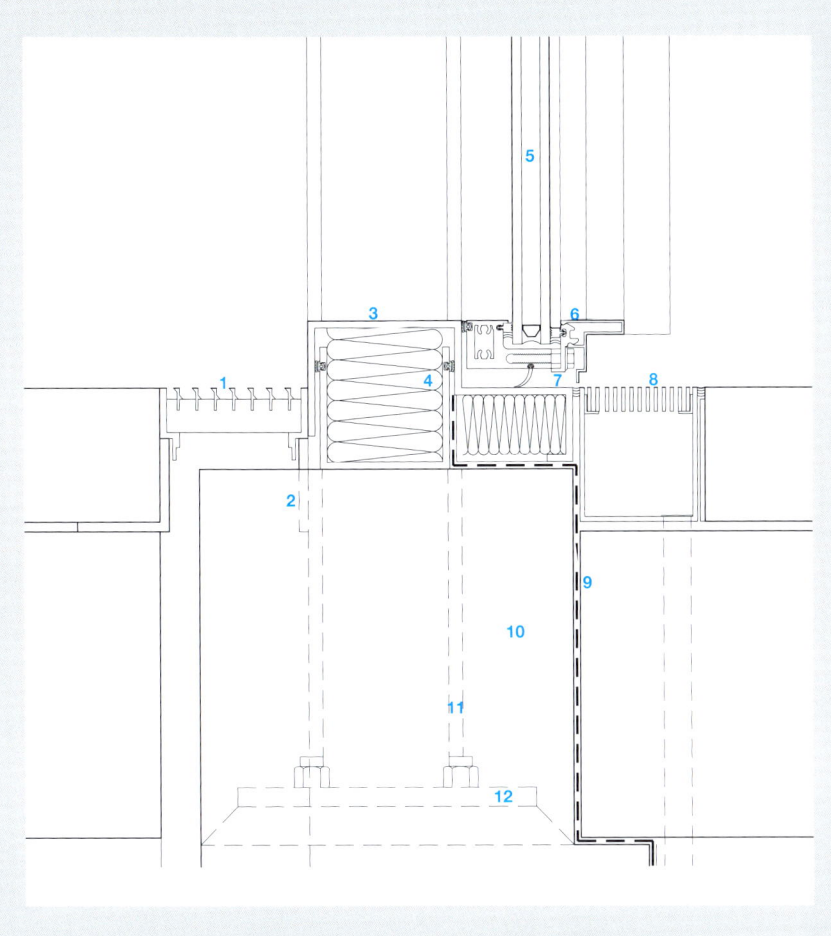

07.07
Detalhe da Extremidade da Pele de Vidro: Corte
1:5
1 Grelha difusora do insuflamento de alumínio pintado
2 Estrutura contínua de cantoneira e chapa
3 Perfil extrudado de alumínio encaixado na aba do pilar
4 Isolamento térmico
5 Vidraça com isolamento térmico e película espectro seletiva com baixo valor-E
6 Estrutura de alumínio pintado
7 Estrutura de alumínio pintado
8 Dreno da parede-cortina com grelha de aço inoxidável
9 Impermeabilização
10 Blocagem em vista
11 Chapa de base em vista

07.08
Detalhe do Sistema de Forro Perfurado: Corte
1:5
1 Projeção da altura mínima da viga de perfil I de aço pintada de branco
2 Altura máxima da viga de perfil I de aço pintada de branco
3 Suporte de alumínio fixado à viga abaixo e pintado de branco
4 Projeção da caixa de junção intermitente
5 Tirante rosqueado de 7 mm pintado de branco
6 Tubulação do *sprinkler*
7 *Sprinkler* pintado de branco
8 Perfil extrudado de alumínio de 3 mm pintado de branco
9 Painel de forro sustentado nos perfis extrudados de alumínio sob cada viga
10 Painel de forro de alumínio pintado de branco coberto com material combustível limitado

07.09
Detalhe de Quina Típica: Planta Baixa
1:5
1 Grelha de alumínio pintada
2 Chapas de aço de 25 mm soldadas de modo a formar suportes de 89 mm
3 Vidraça com isolamento térmico e película espectro seletiva com baixo valor-E
4 Mata-juntas de alumínio pintado
5 Dreno de aço inoxidável da parede-cortina

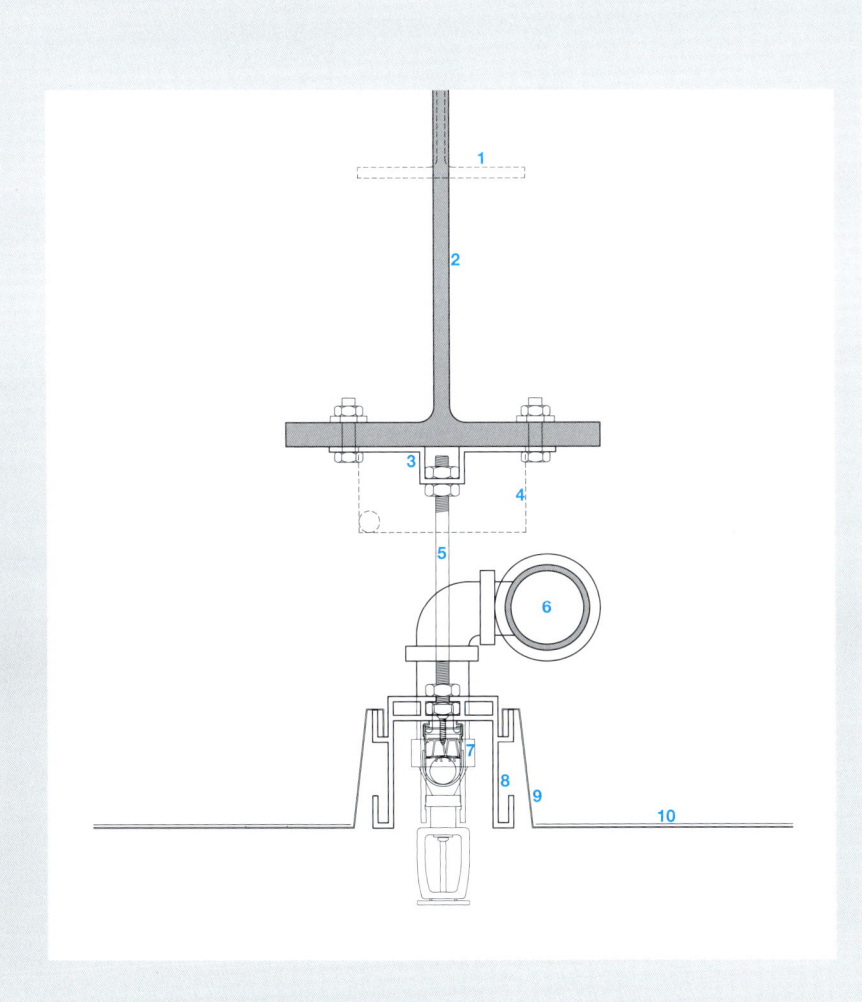

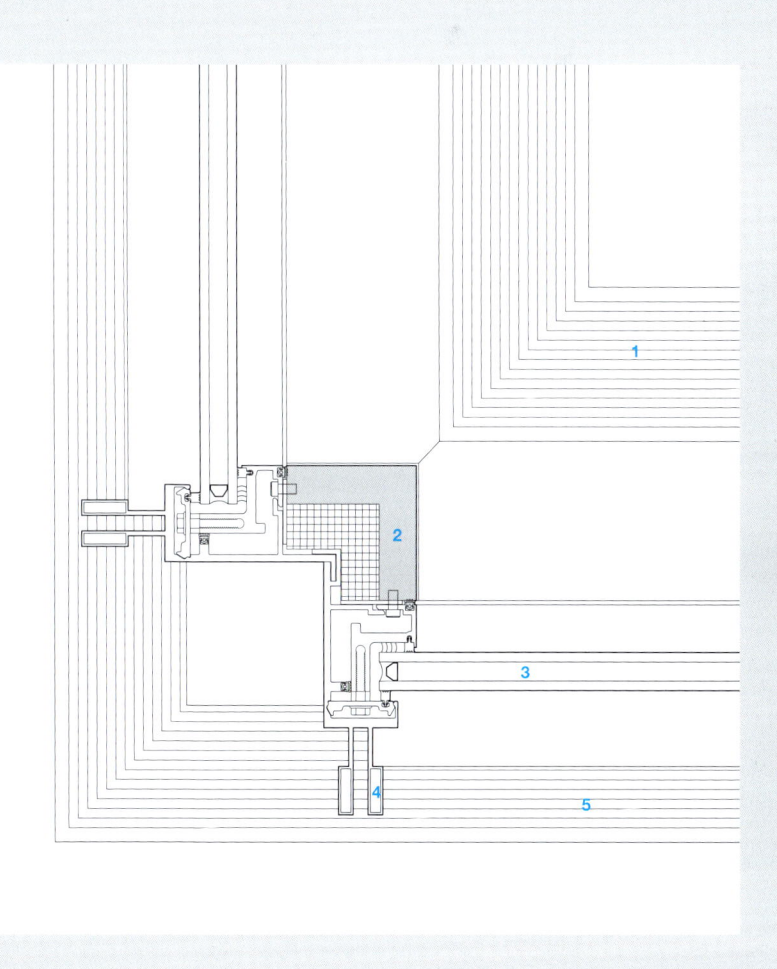

08
Toyo Ito & Associates

Crematório Municipal de Kakamigahara
Kakamigahara, Gifu, Japão

Cliente
Município de Kakamigahara

Projeto Estrutural
Sasaki Structural Consultants

Projeto de Luminotécnica
Lightdesign

Construção
Toda, Ichikawa, Tenryu

Instalações Prediais
Kankyo Engineering

Projeto de Paisagismo
Professor Mikiko Ishikawa

O projeto envolveu a reconstrução de um velho crematório em Kakamigahara, no centro do Japão, que foi projetado para se integrar ao cemitério parque contíguo. O terreno fica em um local silencioso e está voltado para um açude que corre em direção ao norte e é protegido por montanhas verdejantes ao sul. O programa de necessidades pedia um espaço que fosse adequado a funerais e ao mesmo tempo integrasse o prédio de modo sutil ao parque.

O conceito deveria responder evitando o uso dos enormes crematórios convencionais e sendo um espaço formado por uma cobertura de caráter escultórico que lembrasse uma nuvem que passava e se acomodou sobre o terreno. Assim, a cobertura ondulada foi feita com uma estrutura em casca de concreto armado, extremamente delicada. A forma final da cobertura for determinada por um algoritmo que gerou a solução estrutural ideal. Sob a cobertura, quatro núcleos estruturais e doze colunas com tubos de queda pluvial embutidos foram distribuídos de modo a alcançar o equilíbrio estrutural do pavimento principal, o térreo. Os espaços cerimoniais, assim como as áreas técnicas relacionadas com os fornos crematórios, foram distribuídos entre os núcleos estruturais e as colunas. A curvatura delicada da cobertura articula os tetos, iluminados com suavidade pela luz indireta que entra no prédio por meio de grandes vidraças, incolores e sem esquadrias, que vão do piso ao teto. Os espaços intermediários, entre os núcleos revestidos com pedra de cor escura e as grandes vidraças ao longo do perímetro, são utilizados como locais de reunião pelos familiares e amigos dos defuntos.

1 O prédio se encaixa entre colinas verdejantes, no sul e um pequeno açude artificial, no norte.
2 A casca de cobertura, com 20 centímetros de espessura, é composta de formas côncavas e convexas, se apoiando em 12 colunas em cogumelo e no núcleo do prédio, com dois pavimentos.
3 Entre as colunas e o núcleo do prédio, há volumes cúbicos revestidos com mármore e mais reservados, nos quais são realizados todos os rituais de adeus, incluindo a cremação de corpos.
4 Na sala de espera, os grandes panos de vidro incolor, que vão do piso ao teto, acompanham as ondulações da cobertura e oferecem vistas contínuas do açude.
5 Vista do saguão principal. Os núcleos revestidos com mármore acomodam as áreas de apoio do crematório, como os columbários e as salas de cremação.

08.01
Planta Baixa do Pavimento Térreo
1:500

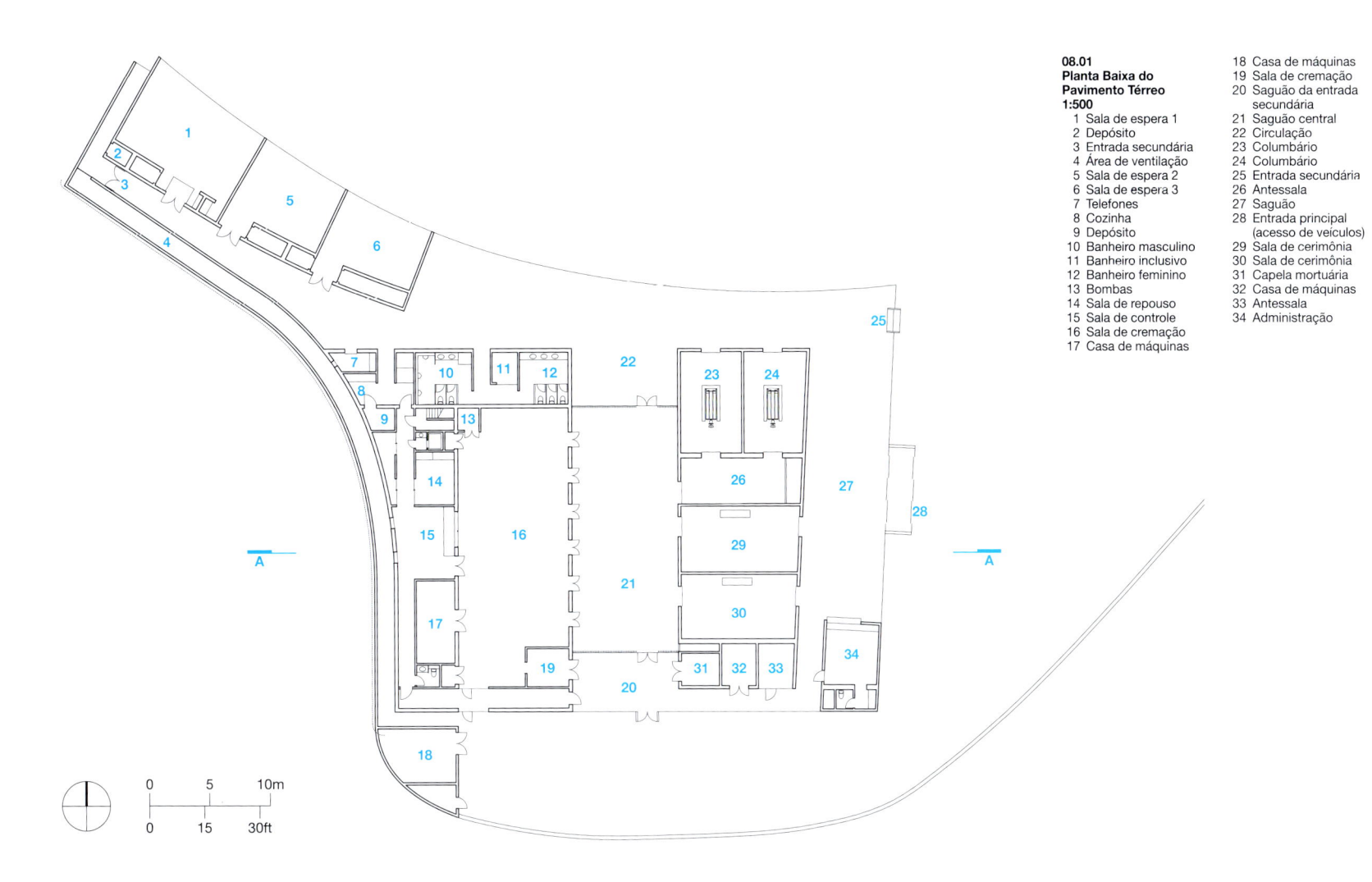

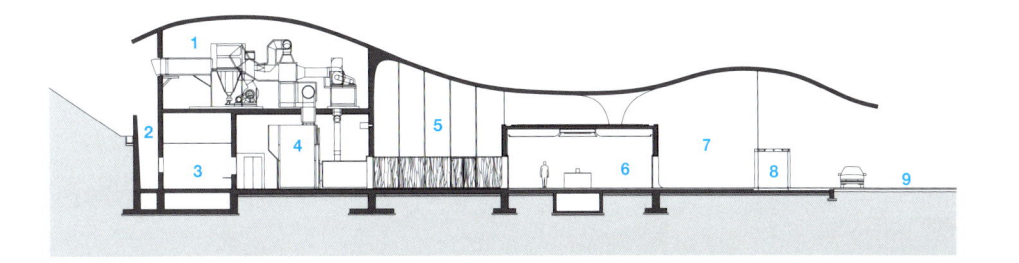

1. Sala de espera 1
2. Depósito
3. Entrada secundária
4. Área de ventilação
5. Sala de espera 2
6. Sala de espera 3
7. Telefones
8. Cozinha
9. Depósito
10. Banheiro masculino
11. Banheiro inclusivo
12. Banheiro feminino
13. Bombas
14. Sala de repouso
15. Sala de controle
16. Sala de cremação
17. Casa de máquinas
18. Casa de máquinas
19. Sala de cremação
20. Saguão da entrada secundária
21. Saguão central
22. Circulação
23. Columbário
24. Columbário
25. Entrada secundária
26. Antessala
27. Saguão
28. Entrada principal (acesso de veículos)
29. Sala de cerimônia
30. Sala de cerimônia
31. Capela mortuária
32. Casa de máquinas
33. Antessala
34. Administração

08.02
Corte A–A
1:500

1. Sala de equipamentos dos fornos crematórios
2. Área de ventilação
3. Sala de controle
4. Sala de cremação
5. Saguão central
6. Sala de cerimônia
7. Saguão
8. Entrada principal
9. Acesso de veículos

08 Toyo Ito & Associates **Crematório Municipal de Kakamigahara** **Kakamigahara, Gifu, Japão**

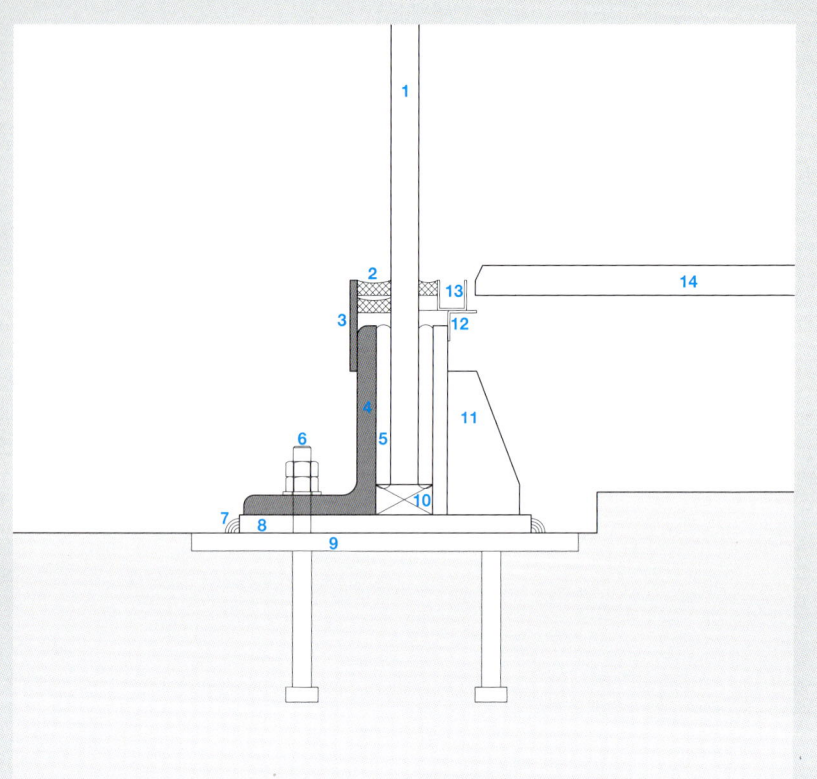

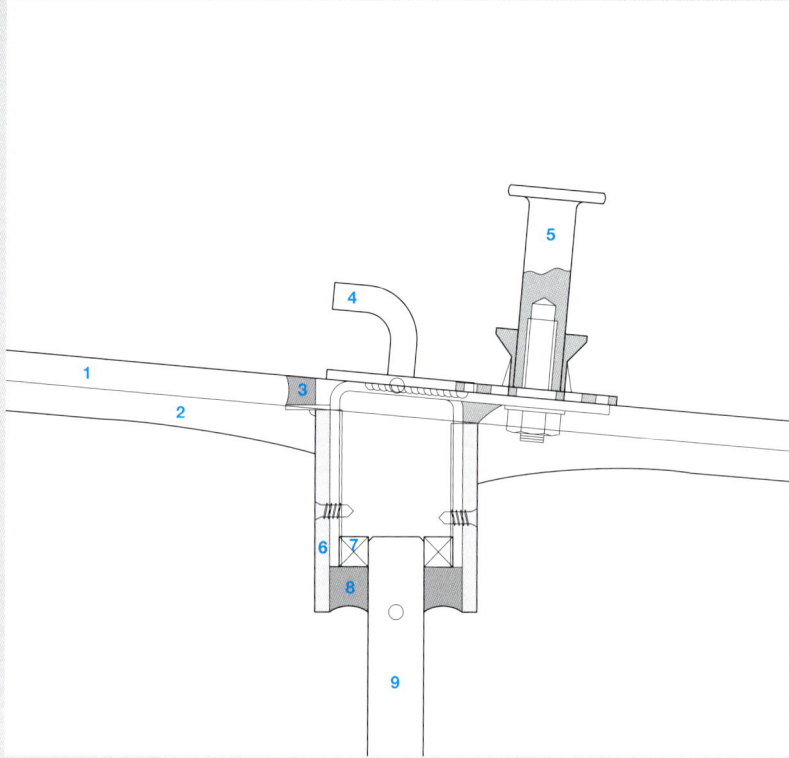

08.03
Detalhe da Conexão da Parede Externa de Vidro com o Piso: Corte
1:5
1 Parede externa de vidro temperado
2 Vedação
3 Chapa de aço inoxidável
4 Cantoneira de aço
5 Enchimento de plástico esponjoso entre a cantoneira de aço e a vidraça
6 Chumbador
7 Junta soldada
8 Chapa de base de aço
9 Chapa de aço fundida na laje de concreto armado
10 Blocagem de madeira
11 Nervura de enrijecimento em chapa de aço
12 Cantoneira de suporte para a canaleta de coleta da condensação
13 Canaleta de coleta da condensação em aço inoxidável
14 Piso de mármore

08.04
Detalhe da Conexão da Parede Externa de Vidro com a Cobertura: Corte
1:2
1 Casca de cobertura de argamassa isolante térmica (camada superior)
2 Casca de cobertura de argamassa isolante térmica (camada inferior)
3 Impermeabilização
4 Ancoragem em U embutida na casca de cobertura
5 Ancoragem embutida na casca de cobertura
6 Chapa de aço inoxidável parafusada
7 Suporte de madeira
8 Vedação
9 Parede externa de vidro temperado

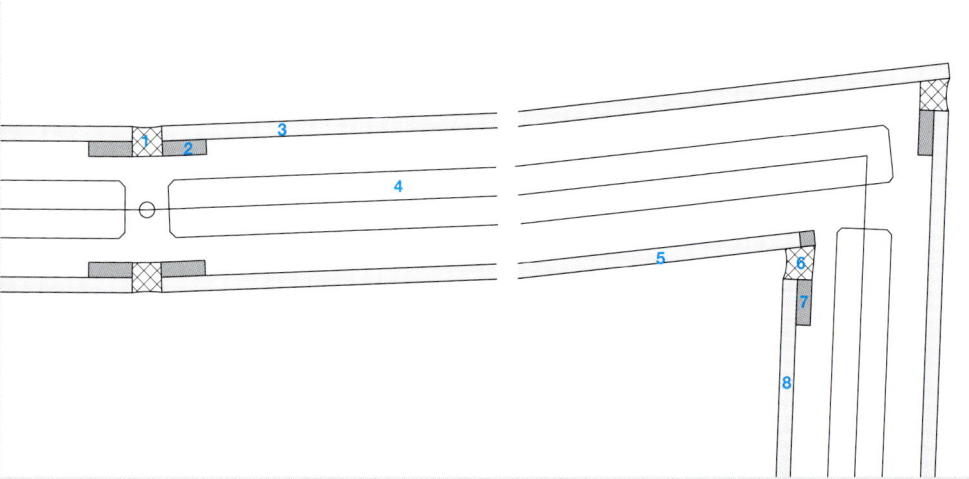

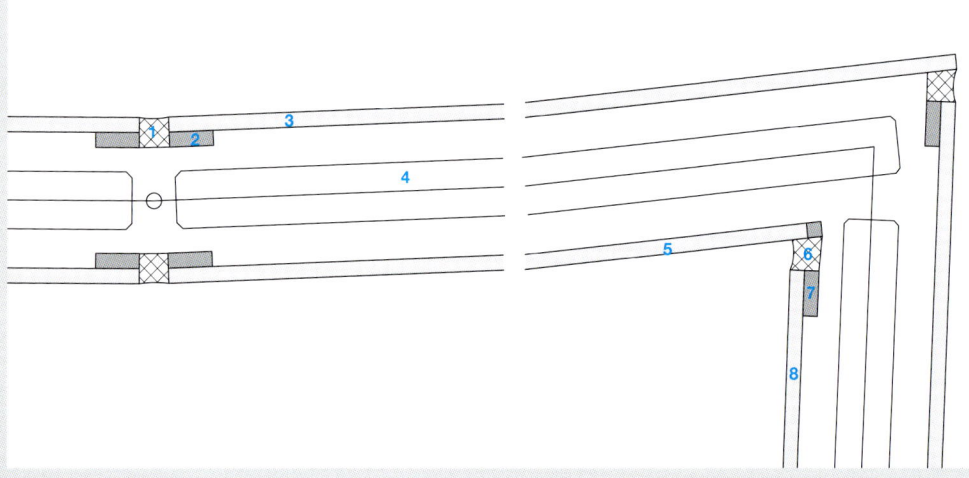

08.05
Detalhe da Parede de Vidro Externa: Planta Baixa
1:2
1 Vedação
2 Enchimento de borracha vulcanizada
3 Chapa estrutural de aço inoxidável
4 Parede externa de vidro temperado
5 Chapa estrutural de aço inoxidável
6 Vedação
7 Enchimento de borracha vulcanizada
8 Chapa estrutural de aço inoxidável

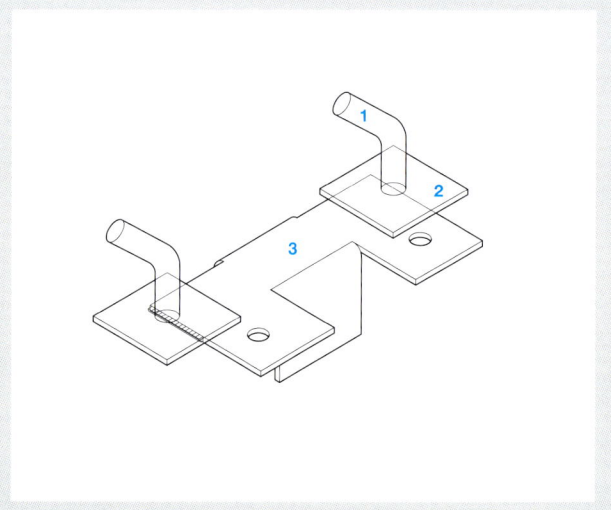

08.06
Detalhe de Montagem do Conector de Aço da Cobertura: Perspectiva Axonométrica
1:5
1 Ancoragem em U embutida na casca de cobertura
2 Chapa de base de aço
3 Chapa de aço para a ancoragem em U embutida na casca de coberutra

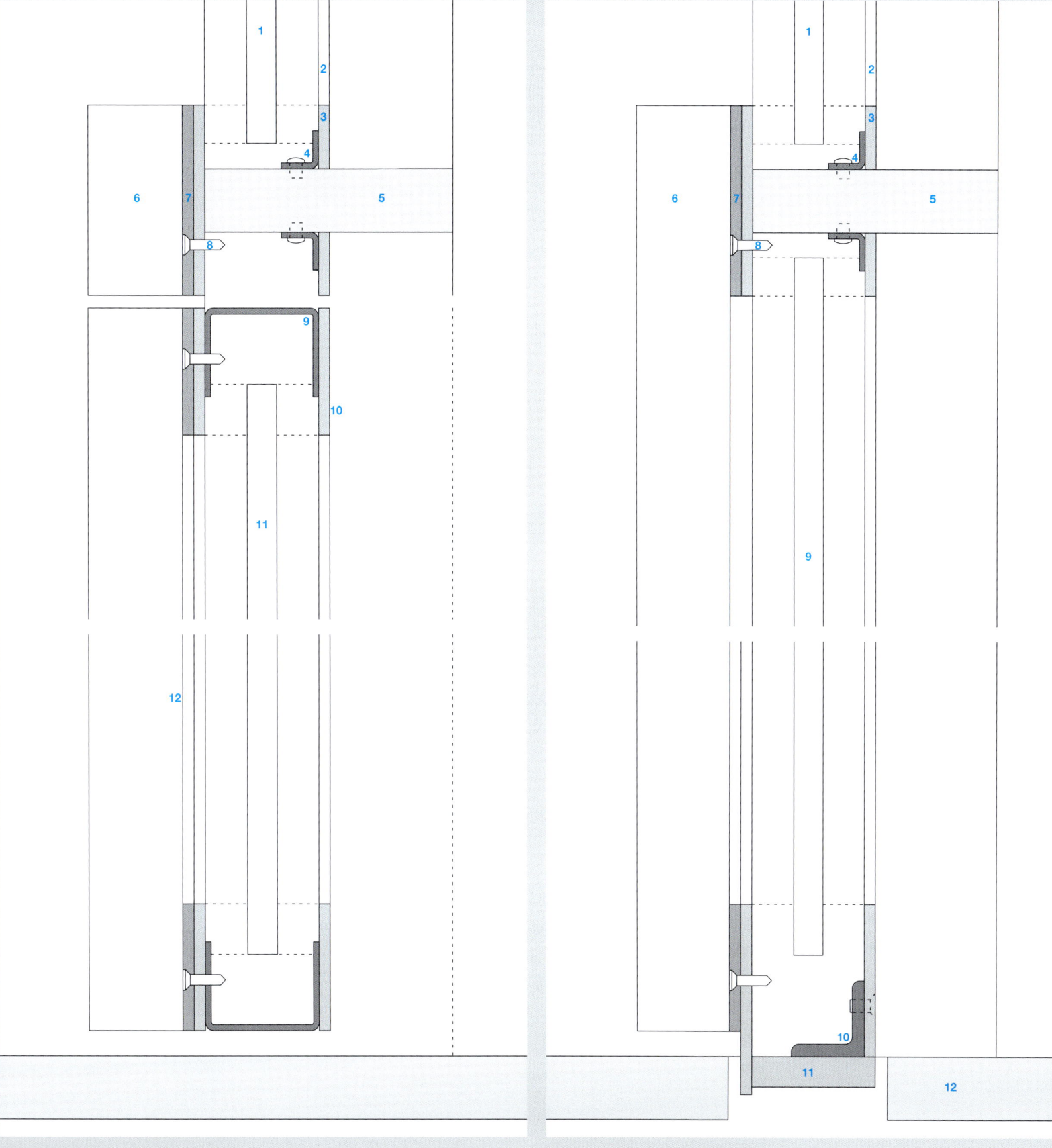

08.07
08.07
Detalhe 1 da Parede de Vidro e da Porta: Corte 1:5
 1 Painel fixo de parede de vidro temperado
 2 Elemento vertical da esquadria de aço
 3 Elemento horizontal da esquadria de aço
 4 Cantoneira de fixação da esquadria de aço
 5 Travessa
 6 Chapa de rigidez de barra de aço dobrada
 7 Chapa de base para fixação da chapa de rigidez
 8 Parafuso de aço doce
 9 Perfil U de aço da esquadria da porta
 10 Elemento horizontal da esquadria de aço da porta de vidro
 11 Porta de vidro temperado
 12 Elemento horizontal da esquadria de aço da porta de vidro

08.08
Detalhe 2 da Parede de Vidro e da Porta: Corte 1:5
 1 Painel fixo de parede de vidro temperado
 2 Elemento vertical da esquadria de aço
 3 Elemento horizontal da esquadria de aço
 4 Cantoneira de fixação da esquadria de aço
 5 Travessa
 6 Chapa de rigidez de barra de aço dobrada
 7 Chapa de base para fixação da chapa de rigidez
 8 Parafuso de aço doce
 9 Porta de vidro temperado
 10 Cantoneira de aço para suporte da esquadria da porta de vidro
 11 Chapa de base da esquadria da porta de vidro
 12 Piso de mármore

41

09
Steven Holl Architects

Museu de Arte Nelson-Atkins
Kansas City, Missouri, Estados Unidos

Cliente
Museu de Arte Nelson-Atkins

Equipe de Projeto
Steven Holl, Chris McVoy, Martin Cox, Richard Tobias

Projeto Estrutural
Guy Nordenson and Associates

Arquiteto Local
BNIM Architects

A ampliação do Museu de Arte Nelson-Atkins funde arquitetura com paisagismo para criar uma arquitetura experimental que se revela à medida que é vivenciada por cada visitante. A nova ampliação, chamada de Edifício Bloch, envolve o jardim de esculturas preexistente, transformando todo o terreno do museu na área de experiências dos visitantes. A ampliação se desenvolve ao longo da divisa leste do *campus* e se caracteriza por cinco lentes de vidro que atravessam o prédio preexistente e passam pelo jardim de esculturas, formando novos espaços e ângulos de visão. À medida que os visitantes se deslocam pela ampliação, eles experimentam a dinâmica da luz, arte, arquitetura e paisagem, têm vistas de um nível ao outro e do interior para o exterior. O movimento bem articulado das lentes coletoras de luz da nova ampliação amarra o novo bloco à sua paisagem.

A primeira das quatro lentes forma um saguão bem iluminado e transparente, com café, biblioteca de arte e livraria, atraindo o público do museu e incentivando a circulação pelas rampas que levam às galerias. Do saguão, um novo eixo transversal faz a conexão através dos espaços monumentais do prédio original. À noite, o volume de vidro resplandecente do saguão apresenta uma transparência convidativa, chamando os visitantes aos eventos e às atividades. As múltiplas camadas de vidro translúcido das lentes coletam, difundem e refratam a luz. Durante o dia, as lentes projetam uma iluminação variável nas galerias, enquanto à noite, o jardim de esculturas brilha com a luz do interior das galerias. As galerias, organizadas em uma sequência que dá suporte ao desenrolar das coleções, descem gradualmente pelo parque e oferecem vistas pontuais da paisagem.

1 As cinco lentes de vidro do novo museu se distribuem ao longo do prédio neoclássico preexistente, passando pelo parque de esculturas e criando novos espaços intermediários que interconectam arte e arquitetura.
2 As lentes de vidro são feitas de um sistema com duas camadas de vidro separadas por uma cavidade com ar pressurizado. A camada de vidro externa consiste de duas chapas unidas, por um isolante transparente. A camada interna é de vidro com baixo teor de ferro laminado e translúcido, gravado com ácido.
3 As lentes se espalham pela paisagem do jardim de esculturas de 9 hectares.
4 Os níveis de iluminação ideais para todos os tipos de arte e instalações multimídia são garantidos pelo uso de brises controlados por computador e do emprego de um material isolante especial embutido nas cavidades das vidraças.

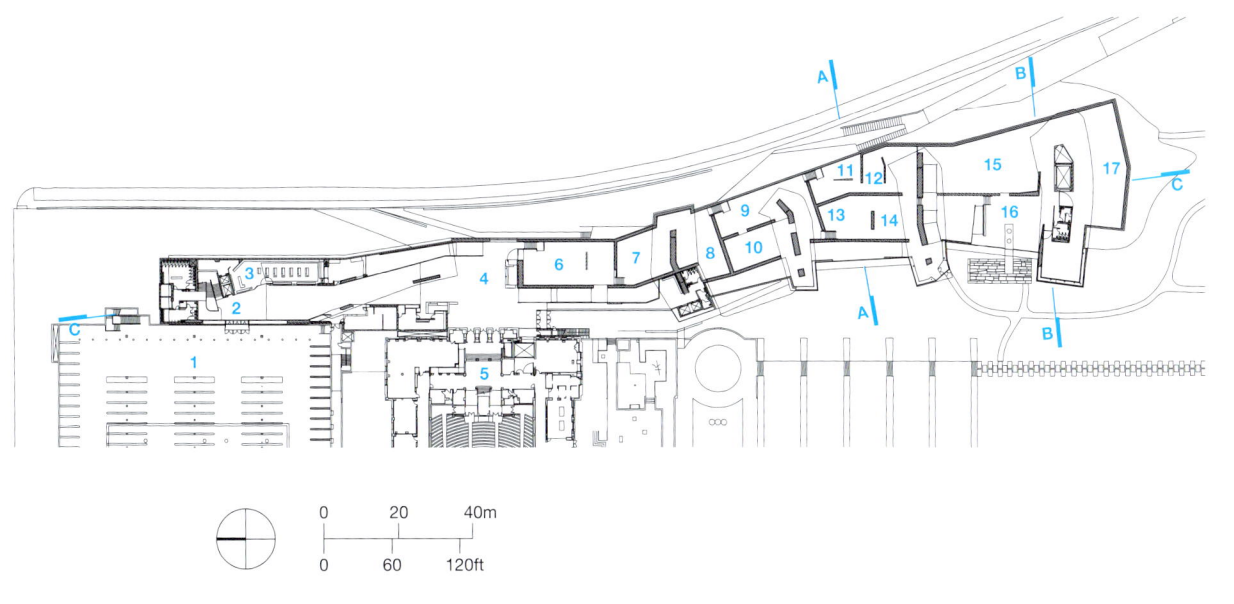

**09.01
Planta Baixa do
Pavimento Térreo
1:2.000**
1 Estacionamento
2 Saguão inferior
3 Loja do museu
4 Saguão inferior
5 Saguão do prédio original do museu
6 Galeria de arte contemporânea
7 Galeria de arte contemporânea
8 Galeria de arte contemporânea
9 Galeria de arte contemporânea
10 Galeria de arte contemporânea
11 Galeria de fotografia
12 Galeria de fotografia
13 Galeria de arte africana
14 Galeria de arte africana
15 Exibições especiais
16 Galeria Noguchi
17 Exibições especiais

**09.02
Corte A–A
1:1.000**
1 Galeria de arte africana
2 Galeria de fotografia
3 Depósito do acervo

**09.03
Corte B–B
1:1.000**
1 Pátio Noguchi
2 Exibições especiais
3 Doca de recepção de obras de arte

**09.04
Corte C–C
1:1.000**
1 Saguão superior
2 Sala multifuncional
3 Saguão inferior
4 Nível de serviços em obras de arte
5 Galeria de arte contemporânea
6 Nível de serviços em obras de arte
7 Galeria de arte contemporânea
8 Galeria de arte contemporânea
9 Nível de serviços em obras de arte
10 Galeria de fotografia
11 Galeria de exibições especiais
12 Galeria de exibições especiais

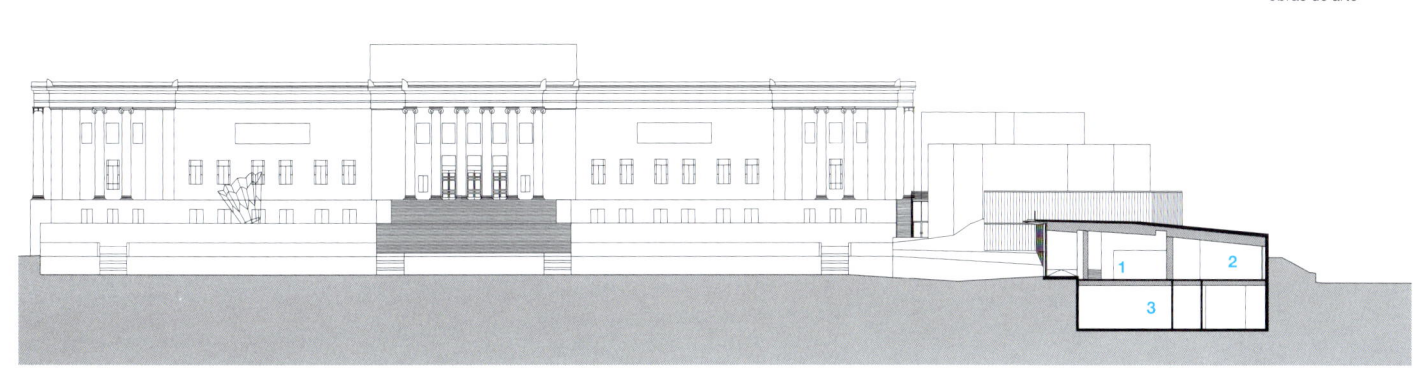

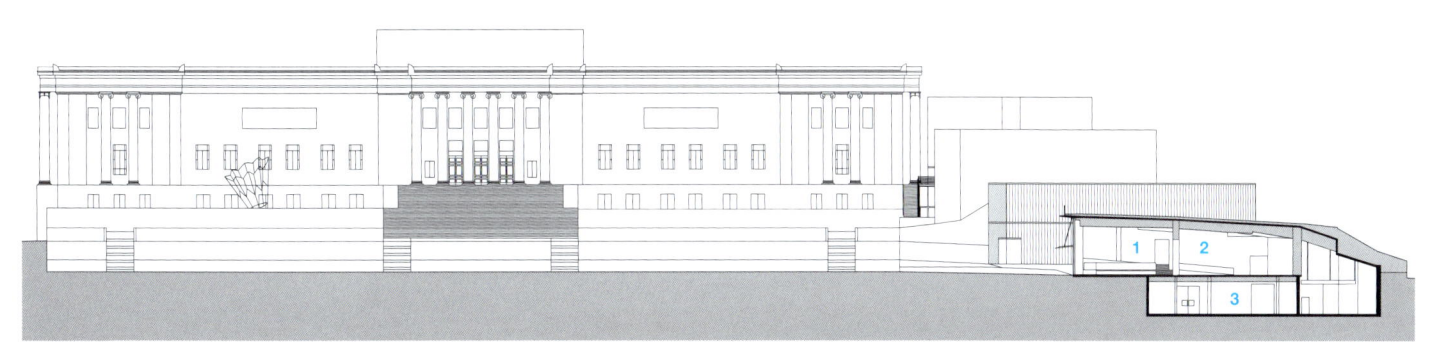

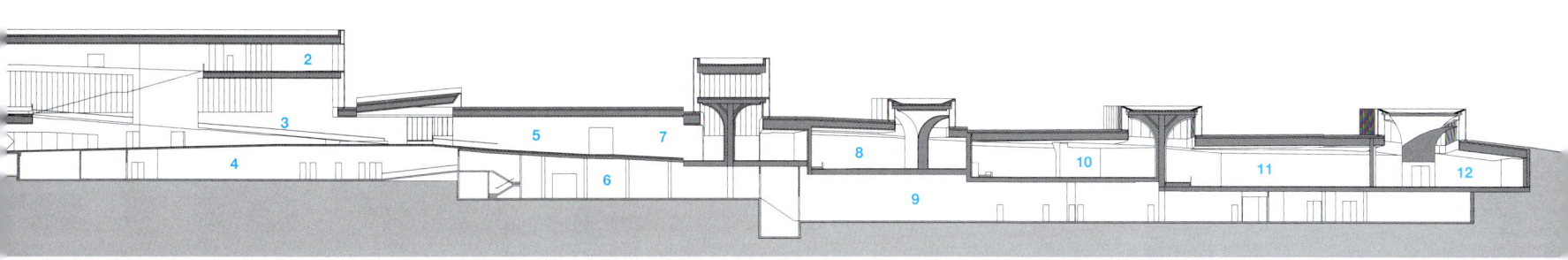

43

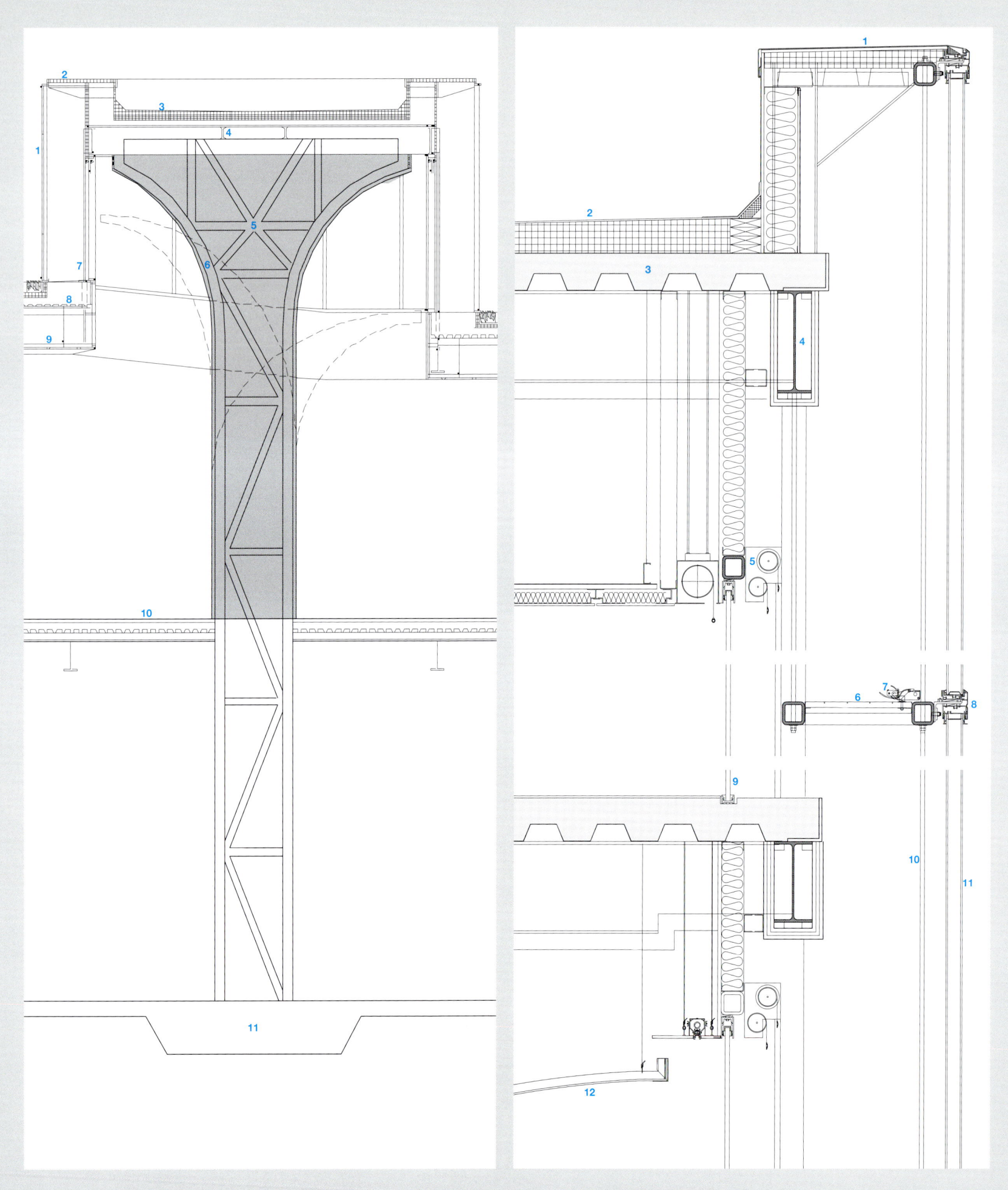

09 Steven Holl Architects   Museu de Arte Nelson-Atkins   Kansas City, Missouri, Estados Unidos

**09.05
Detalhe da Estrutura em T da Lente 3: Corte
1:50**

1 Pele de vidro de baixa emissividade com porta de vidro duplo e esquadria de alumínio com isolamento térmico translúcido Okalux no interior
2 Rufo de alumínio pintado na cor cinza claro apoiado em painel de gesso cartonado de 12 mm e uma camada de chapa metálica corrugada de 80 mm com caimento
3 Membrana de impermeabilização asfáltica e laje de concreto com formas de metal corrugadas incorporadas (sistema *steel deck*)
4 Estrutura de aço
5 Estrutura treliçada formada por vigas de perfil T enrijecido soldadas e parafusadas às placas da viga da estrutura principal
6 Estrutura treliçada formada por vigas de perfil T enrijecido soldadas e parafusadas às placas da viga da estrutura principal
7 Cortina
8 Chapa de metal corrugada
9 Forro suspenso
10 Piso de concreto leve pigmentado com formas de metal corrugadas incorporadas (sistema *steel deck*) e agregado de vidro reciclado
11 Laje de piso e sapatas de concreto armado

**09.06
Detalhe Típico da Lente de Vidro: Corte
1:20**

1 Chapa de alumínio pintada
2 Membrana de EPDM (borracha de monômero de etileno propileno dieno) sobre isolamento térmico com caimento
3 Laje de concreto com forma de aço corrugada incorporada (sistema *steel deck*)
4 Perfil I de aço com tinta retardante de fogo
5 Cortina com acionamento automático
6 Passarela soldada às travessas estruturais, para resistência horizontal
7 Luminária
8 Travessa intermediária da parede-cortina composta de cantoneiras de aço e parafusada à estrutura de sustentação da passarela
9 Fachada interna de vidro laminado simples
10 Tirante pintado de branco
11 Fachada externa com vidros duplos com baixo teor de ferro, isolamento térmico translúcido e perfis U
12 Chapas de gesso cartonado brancas com pintura reflexiva fixadas a uma estrutura de cantoneiras com abas desiguais suspensas na laje por meio de cabos

**09.07
Detalhe da Estrutura de Perfis Tubulares da Passarela e do Forro Externo: Corte
1:10**

1 Cortina com acionamento automático
2 Caixa da cortina
3 Cantoneira de alumínio
4 Forro de gesso cartonado
5 Isolamento térmico
6 Perfil extrudado de alumínio com pintura eletrostática a pó
7 Cavidade da parede preenchida até o nível da cortina
8 Suspensor estrutural
9 Perfil tubular de aço da passarela
10 Grelha de barras de metal
11 Isolamento térmico
12 Barreira de vapor
13 Forro sob a passarela
14 Trilho da cortina (*blackout*)

**09.08
Detalhe da Sustentação da Parede-Cortina: Corte
1:10**

1 Grelha de barras de metal
2 Luminária
3 Estrutura de perfis tubulares da passarela
4 Isolamento térmico
5 Barreira de vapor
6 Forro sob a passarela
7 Suspensor estrutural
8 Tirante pintado de branco
9 Perfil tubular de aço externo da parede-cortina
10 Face externa da vidraça
11 Perfil tubular de aço da passarela
12 Travessa intermediária da parede-cortina composta de cantoneiras de aço e parafusada à estrutura de sustentação da passarela
13 Parede-cortina de aço e vidro

**09.09
Detalhe da Sustentação da Passarela Junto à Pele de Vidro Interna: Corte
1:10**

1 Face externa da vidraça
2 Suspensor estrutural de aço
3 Perfil de sustentação da passarela
4 Cantoneira de aço
5 Perfil tubular de aço da passarela
6 Estrutura de perfis tubulares da passarela
7 Perfil tubular de aço da passarela
8 Cantoneira
9 Grelha de barras de metal
10 Estrutura de perfis tubulares de aço

**09.10
Detalhe da Travessa Intermediária da Pele de Vidro Externa: Corte
1:10**

1 Montante
2 Parede-cortina de aço e vidro
3 Face externa da vidraça

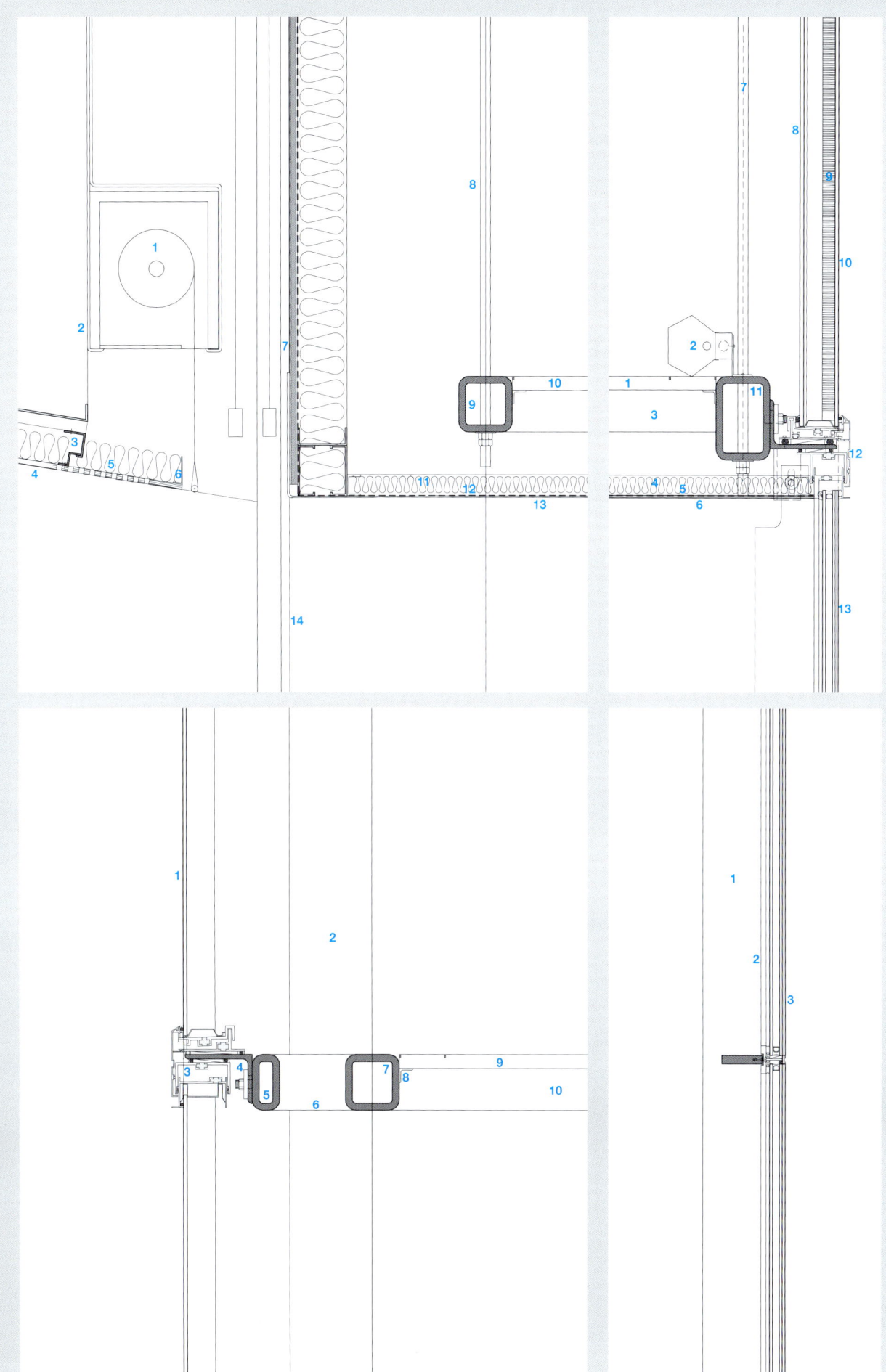

45

10
Carpenter Lowings Architecture & Design

Capela Internacional, Sede Internacional do Exército da Salvação Londres, Inglaterra, Reino Unido

Cliente
Exército da Salvação

Equipe de Projeto
Luke Lowings, James Carpenter, Valerie Spalding

Projeto Estrutural
Arup

Construção
Bowmer & Kirklanda

A sede do Exército da Salvação localiza-se em uma das rotas públicas mais importantes de Londres, entre a galeria Tate Modern, a Passarela do Milênio, sobre o rio Tâmisa, e a Catedral de São Paulo. Sheppard Robson, a firma de arquitetura do prédio principal, abriu a seção do prédio com um vão de três pavimentos do café do subsolo e da área de exibição aos escritórios da administração da entidade, que ficam no segundo pavimento, recuados em relação à fachada. A entrada é por meio de uma passarela que cruza este vazio, sobre a qual fica a capela projetada por Carpenter Lowings, que se desenvolve dos pisos em desnível das salas do General à fachada principal e se projeta sobre a rua, formando uma marquise sobre as portas de entrada. A capela representa a vocação espiritual que é a essência da missão do Exército da Salvação, além de ser o centro físico da fachada. Assim, apesar de seu pequeno tamanho, ela é extremamente significativa tanto em termos de arquitetura como para a ideia de identidade da instituição.

A brilhante luz laranja-dourada projetada do interior da capela cria um foco na fachada do prédio, pelo lado de fora, além de conferir vida ao interior. Duas superfícies de vidro, uma dentro da outra, uma composta de chapas coloridas e a outra de chapas translúcidas, formam uma cavidade que é iluminada por dentro e que também serve para isolar a capela do som gerado na área de entrada e no café. Na extremidade externa da capela, uma série de lâminas parcialmente reflexivas e translúcidas reflete uma vista do céu para quem se encontra no interior da capela e ao mesmo tempo impede a vista da parede externa ou que a capela seja vista do exterior. O céu londrino, extremamente instável, é internalizado, permitindo que os usuários tenham uma noção de tempo e desfrutem de paz de espírito para orar.

1 Vista da entrada da capela voltada para as salas do General. Na extremidade externa da capela, que se projeta sobre a rua iluminada, uma série de brises internos parcialmente refletivos e translúcidos reflete a vista do céu para o observador que se encontra na capela.
2 À noite, o brilho emitido pela capela em direção à rua reflete a história e a missão do Exército da Salvação como uma organização evangélica urbana.
3 A intensa luz laranja-dourada emitida ressalta a capela e a vida interna do prédio.

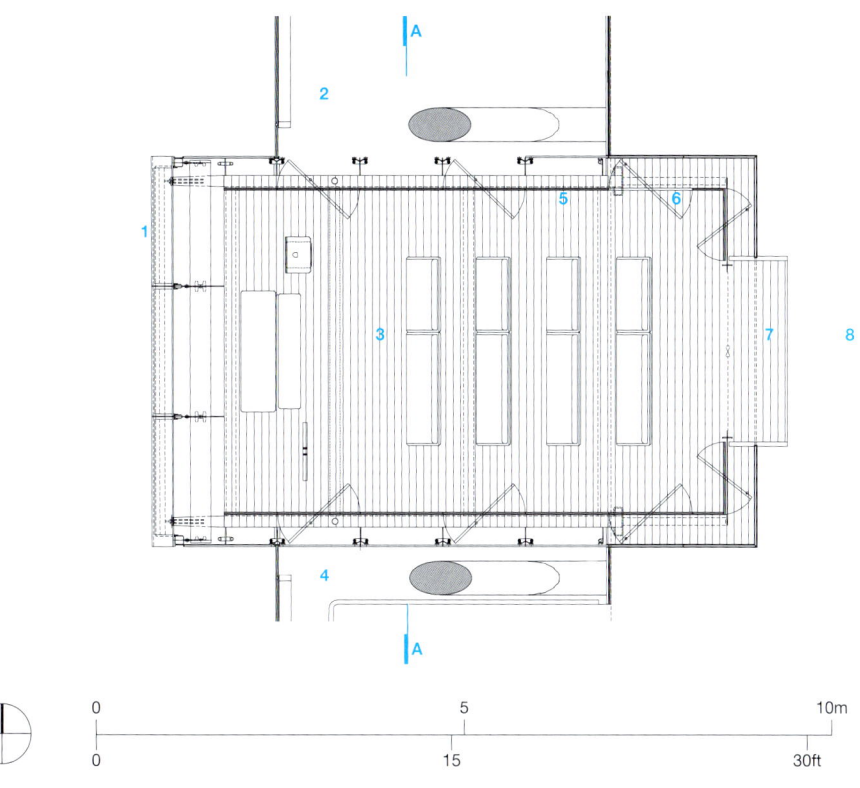

10.01
Planta Baixa
1:100
1. Fachada oeste e vidro incolor com controle solar
2. Átrio
3. Capela
4. Átrio
5. Janela interna com caixilhos fixos
6. Janela interna com caixilhos pivotantes
7. Entrada da capela
8. Salas do General

10.02
Corte A–A
1:50
1. Laje de piso estrutural
2. Pleno
3. Forro de madeira da capela
4. Capela
5. Piso de madeira da capela

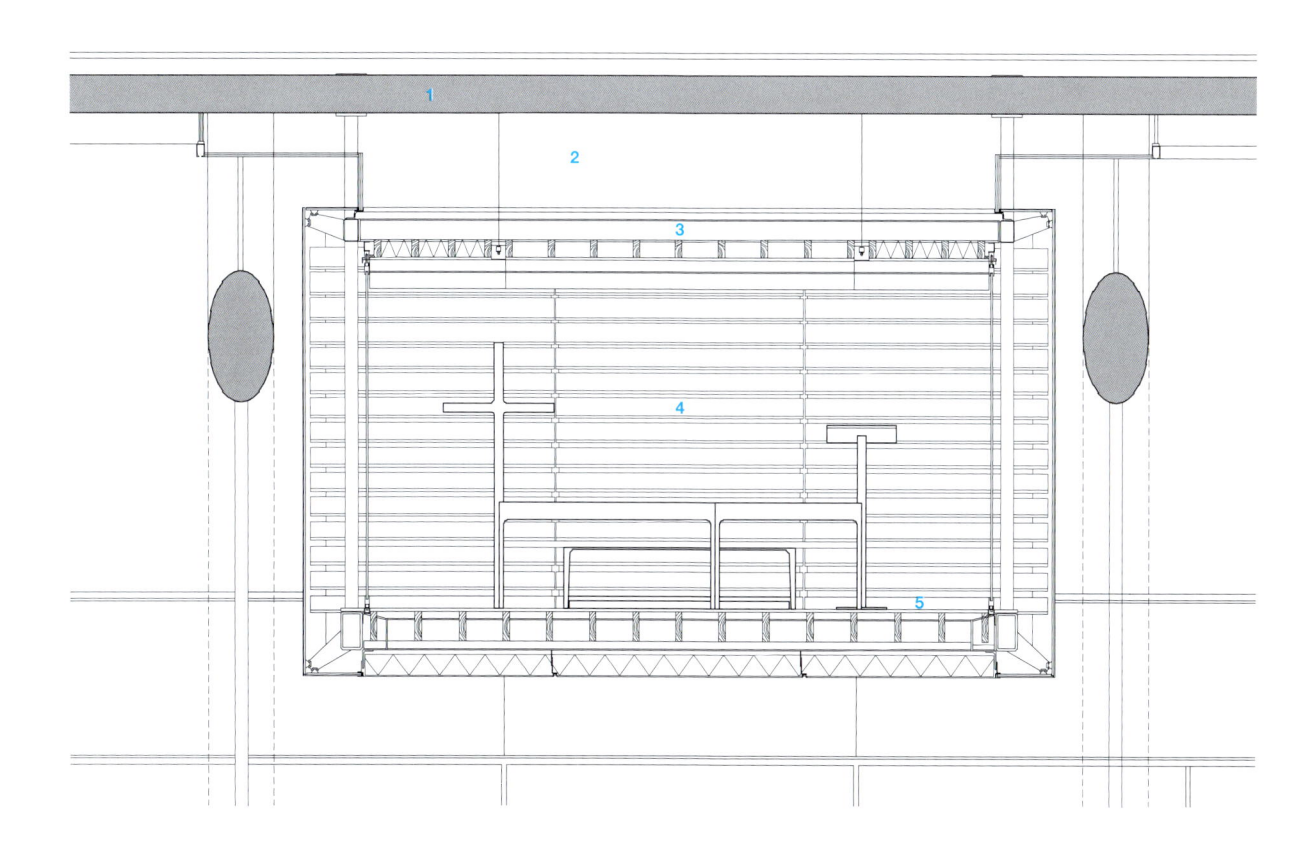

47

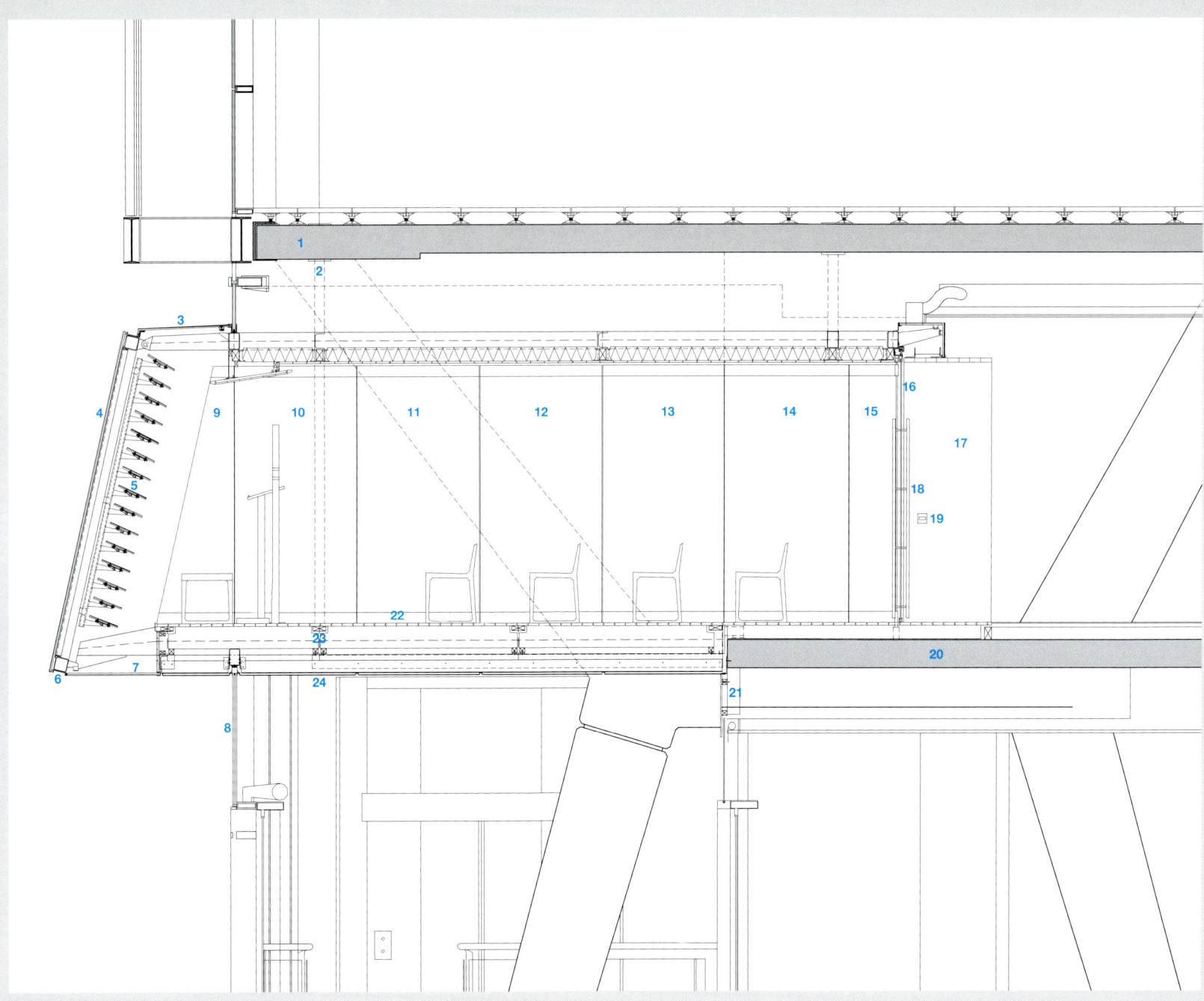

10 Carpenter Lowings Architecture & Design **Capela Internacional, Sede Internacional do Exército da Salvação** **Londres, Inglaterra, Reino Unido**

10.03
Detalhe da Capela: Corte Longitudinal
1:50

1 Laje de piso de concreto armado
2 Suporte da estrutura do forro
3 Vidraça externa translúcida
4 Fachada oeste com chapa de vidro incolor com controle solar
5 Brises da parede em balanço
6 Estrutura de aço da fachada
7 Vidraça externa translúcida
8 Face externa da fachada
9 Janela interna com caixilhos fixos
10 Janela interna com caixilhos pivotantes
11 Janela interna com caixilhos fixos
12 Janela interna com caixilhos pivotantes
13 Janela interna com caixilhos fixos
14 Janela interna com caixilhos pivotantes
15 Janela interna com caixilhos fixos
16 Chapa de vidro interna
17 Portal de madeira
18 Portas de correr de vidro translúcido
19 Interruptor de luz
20 Laje de piso de concreto armado
21 Painel de tímpano do átrio
22 Piso de tabuado de madeira
23 Estrutura de suporte do piso de madeira pintada com tinta intumescente
24 Painéis de metal do forro externo

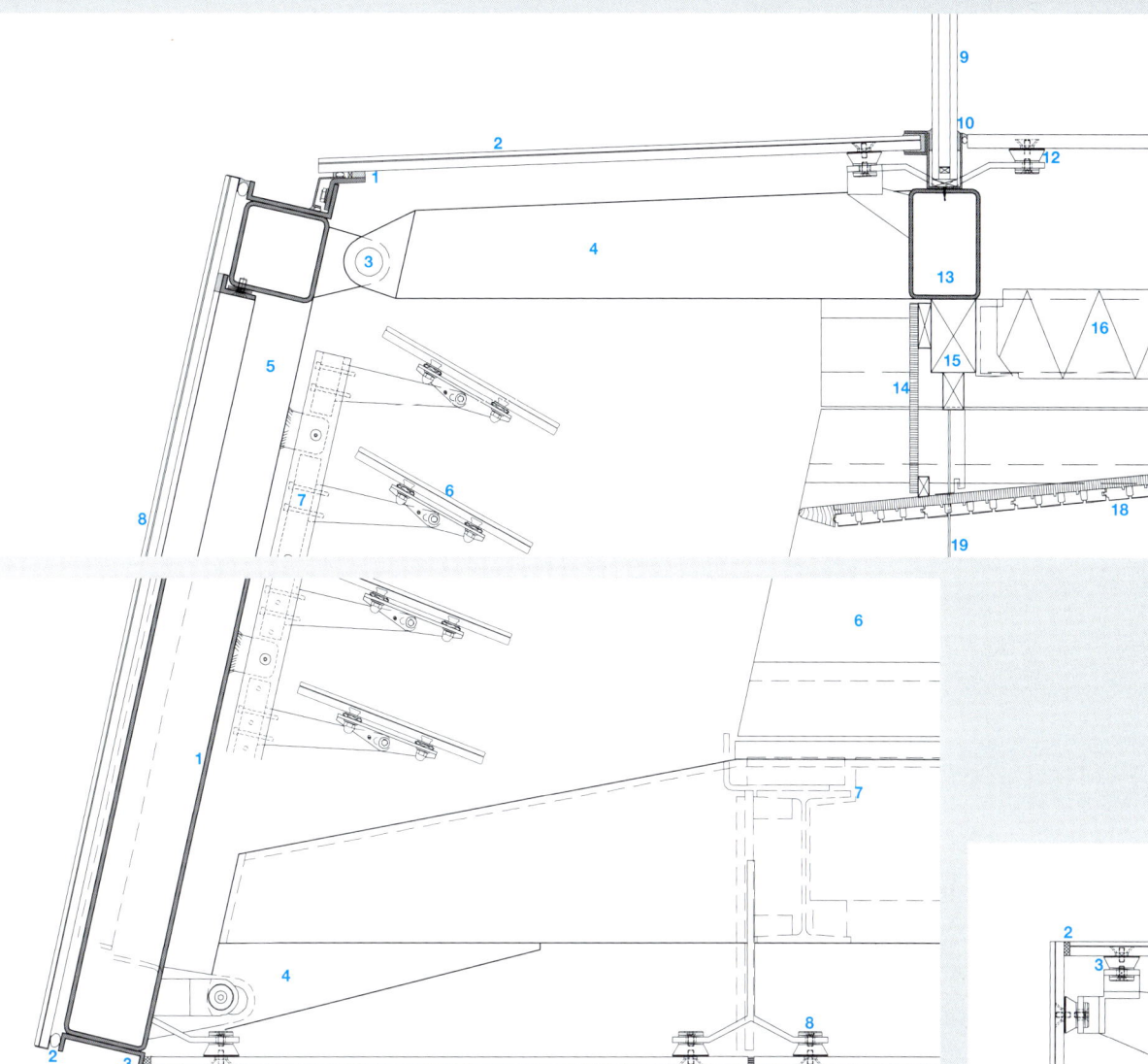

**10.04
Detalhe da Parte Superior da Fachada Principal: Corte
1:10**

1 Vedação com silicone estrutural
2 Vidraça externa translúcida
3 Junta de pino em aço inoxidável
4 Braço em aço de sustentação da cobertura da área em balanço
5 Estrutura da fachada oeste em aço
6 Brises típicos da parede em balanço feitos de vidro laminado incolor com película semirreflexiva e vidro translúcido gravado com ácido
7 Estrutura de aço de suporte dos brises da parede em balanço
8 Chapa de vidro incolor com controle solar da fachada principal (oeste)
9 Vidro da fachada principal (oeste)
10 Sistema de deflexão da estrutura principal
11 Vidro translúcido do átrio
12 Parafuso laminado de Thermo-Span, para travar o movimento lateral dos painéis
13 Perfil metálico tubular retangular de sustentação do forro
14 Painel de fehamento de madeira
15 Blocagem de madeira
16 Isolamento acústico
17 Painel de forro acústico perfurado, em madeira
18 Painel de forro acústico perfurado, em madeira
19 Parede interna de vidro

**10.05
Detalhe da Parte Inferior da Fachada Principal: Corte
1:10**

1 Estrutura da fachada oeste em aço
2 Vedação de silicone estrutural aplicada *in loco*
3 A vidraça é fixada ao perfil de aço de suporte por meio de silicone estrutural e a camada de vidro inferior é recuada e nivelada com a borda do perfil de aço
4 Braço de aço soldado que conecta a estrutura em balanço à estrutura principal da fachada oeste
5 Vidraça externa translúcida
6 Chapa interna de vidro
7 Estrutura do piso em aço com tinta intumescente
8 Parafuso laminado de Thermo-Span, para travar o movimento lateral dos painéis

**10.06
Detalhe da Seção Superior: Corte
1:10**

1 Vidraça externa translúcida
2 Junta de silicone para acomodar o movimento relativo entre a estrutura do piso e a do forro
3 Parafuso laminado de Thermo-Span, para travar o movimento lateral dos painéis
4 Vidraça externa translúcida
5 Chapa de vidro apoiada no piso, para acomodar o movimento relativo entre a estrutura do piso e a do forro
6 Revestimento interno da parede de gesso cartonado
7 Estrutura do forro
8 Barrotes de madeira de 47 × 122 mm a cada 295 mm entre eixos
9 Isolamento acústico com densidade mínima de 30 kg por metro cúbico
10 As aberturas no painel não devem se aproximar a menos de 30 mm da borda
11 Trilho superior de perfil de metal anodizado da chapa interna de vidro
12 Chapa interna de vidro

**10.07
Detalhe da Seção Inferior: Corte
1:10**

1 Chapa interna de vidro
2 Trilho inferior de perfil de metal anodizado da chapa interna de vidro
3 Piso de madeira
4 Cantoneira de alumínio anodizado da borda do piso
5 Perfil de aço tubular retangular com tinta intumescente para sustentação do piso
6 Vidraça externa translúcida
7 Mísula de aço doce pintada
8 Parafuso laminado de Thermo-Span soldado *in loco* à estrutura do piso
9 Vidraça externa translúcida
10 Barrotes de madeira de 44 × 195 mm a cada 300 mm entre eixos
11 Isolamento térmico com lã de rocha e densidade mínima de 30 kg por metro cúbico
12 Painéis de metal

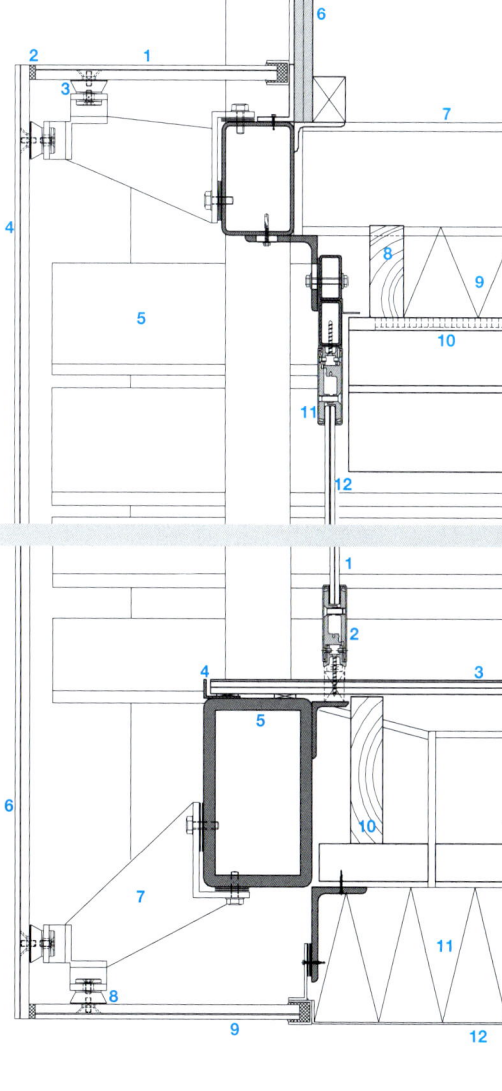

49

11
FAM Arquitectura y Urbanismo

Memorial do 11 de Março
Madri, Espanha

Cliente
Câmara Municipal de Madri e RENFE

Equipe de Projeto
Esaú Acosta, Raquel Buj, Pedro Colón de Carvajal, Mauro Gil-Fournier, Miguel Jaenicke

Projeto Estrutural
Schlaich, Bergermann und Partner

Construção
Dragados

O monumento dedicado às vítimas dos ataques terroristas em Madri, em 2004, é uma estrutura única que emprega enormes blocos de vidro conectados com um adesivo transparente, formando um grande cilindro de vidro. A camada externa do monumento consiste de aproximadamente 15.100 blocos de vidro de borosilicato, cada um pesando 8,4 quilogramas, que foram especialmente manufaturados com forma convexa em uma extremidade e côncava na outra, tornando possível que fossem assentados em fiadas circulares, para gerar a forma cilíndrica. O monumento consiste de duas partes: o cilindro de vidro e a sala de apresentação subterrânea, conectados por uma claraboia e um átrio circulares. Este arranjo foi projetado para criar um "raio da esperança" que se elevasse sobre a cidade e saísse das profundezas de estação, a qual, no contexto do memorial, é chamada de "terreno do pesar".

Dentro do cilindro de vidro, as manifestações de dor obtidas de milhares de mensagens deixadas na estação nos dias seguintes às explosões das bombas foram impressas em uma película plástica transparente que se ergue em espiral em direção à claraboia. Após o pôr-do-sol, o volume irradia uma luz suave gerada pelas luminárias instaladas na base do monumento. Durante o dia, a luz natural produz um brilho etéreo ao ser filtrada pela torre de vidro e refletida pelas superfícies azul escuro da câmara subterrânea. Os visitantes acessam o subsolo passando por um conjunto de portas de segurança duplas feitas de vidro e aço. A câmara subterrânea, de resto bastante escura, apresenta paredes, teto e piso de cor azul e não têm nenhuma mobília, exceto um longo banco de aço negro no qual os visitantes podem se sentar e refletir sobre a vida e a morte. Os nomes das vítimas das explosões foram gravados em uma chapa de vidro jateado que se encontra entre a primeira e a segunda porta de entrada.

1 A estrutura aparentemente frágil foi projetada para suportar os extremos esforços eólicos e as oscilações de temperatura que são típicas do clima de Madri.
2 Dentro do cilindro de vidro, as chapas curvas de tetrafluoretileno etileno (ETFE) tratadas à pressão têm impressas milhares de mensagens de condolências deixadas pelos enlutados nos dias seguintes aos ataques terroristas de 11 de março de 2004. O memorial foi inaugurado no terceiro aniversário das explosões.
3 O monumento luminoso é composto de mais de 15 mil blocos de vidro curvos colados por um adesivo acrílico líquido e transparente que endurece sob a ação de lâmpadas de luz ultravioleta.

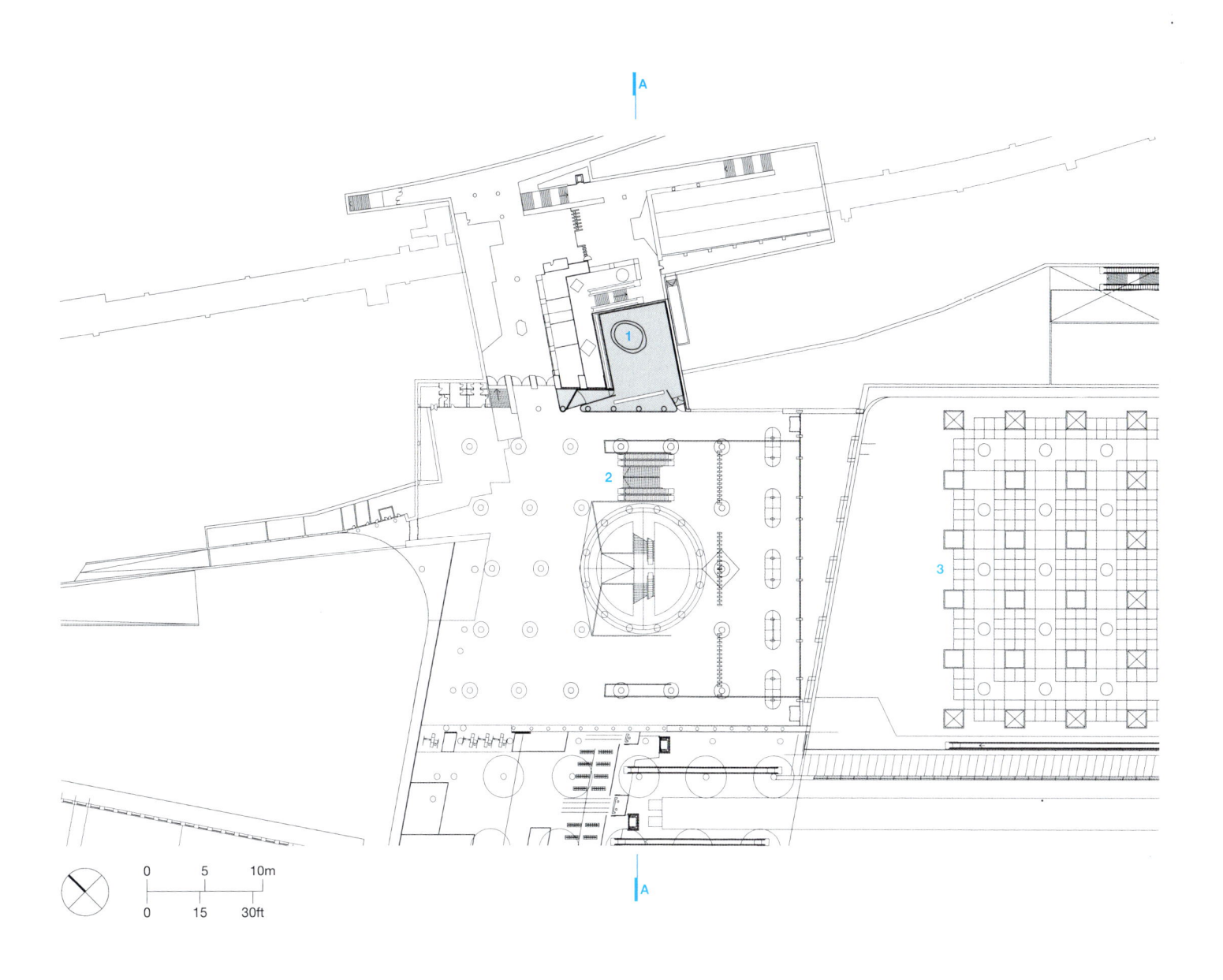

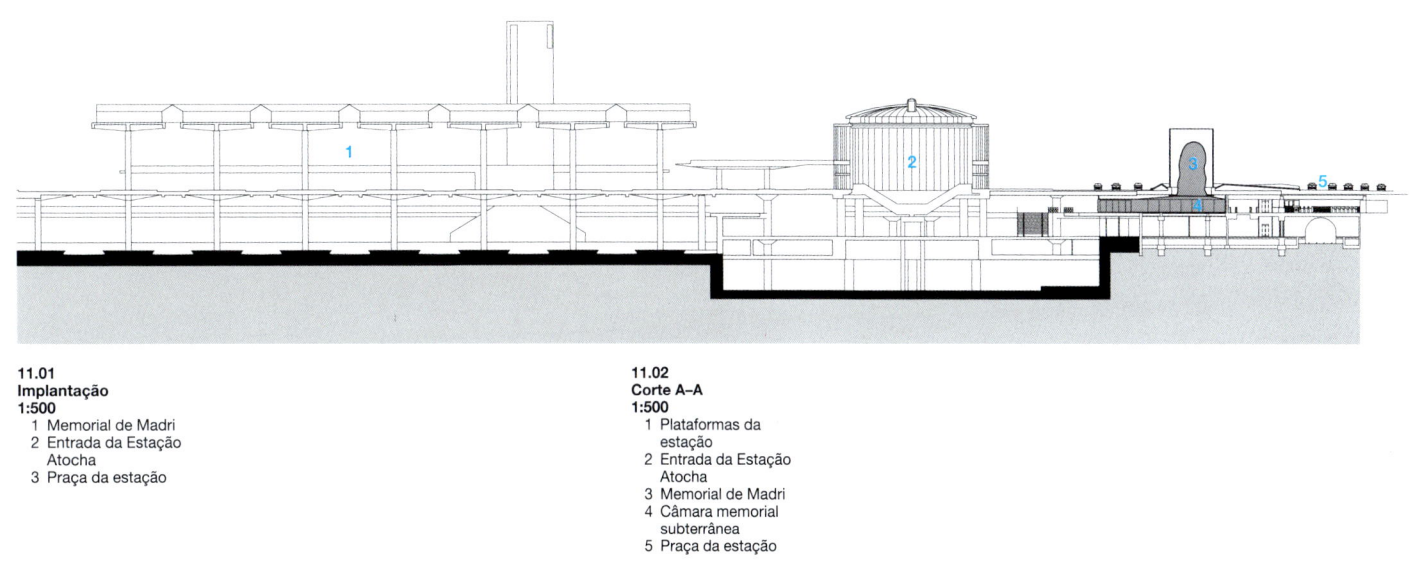

11.01
Implantação
1:500
1 Memorial de Madri
2 Entrada da Estação Atocha
3 Praça da estação

11.02
Corte A–A
1:500
1 Plataformas da estação
2 Entrada da Estação Atocha
3 Memorial de Madri
4 Câmara memorial subterrânea
5 Praça da estação

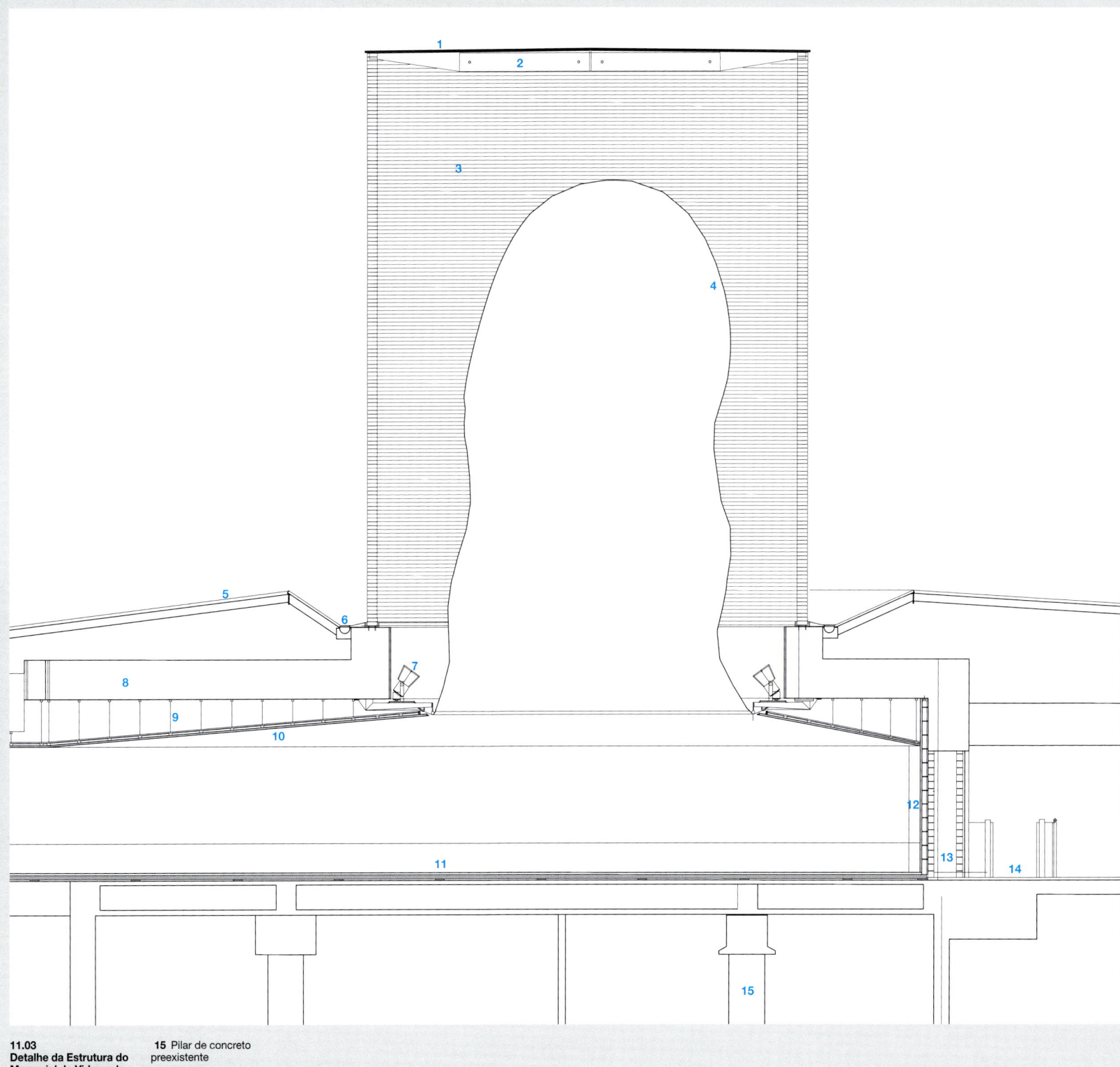

11 FAM Arquitectura y Urbanismo   **Memorial do 11 de Março**   **Madri, Espanha**

11.03
Detalhe da Estrutura do Memorial de Vidro e da Câmara Subterrânea: Corte
1:37,5
1 Vidro laminado
2 Vigas de vidro laminado
3 Blocos de vidro
4 Membrana de ETFE (tetrafluoretileno etileno)
5 Pedra vulcânica
6 Calha
7 Luminária
8 Laje de concreto
9 Estrutura do forro
10 Forro
11 Piso de resina epóxi
12 Painéis de madeira pintados de azul metálico
13 Câmara acústica
14 Escadas rolantes
15 Pilar de concreto preexistente

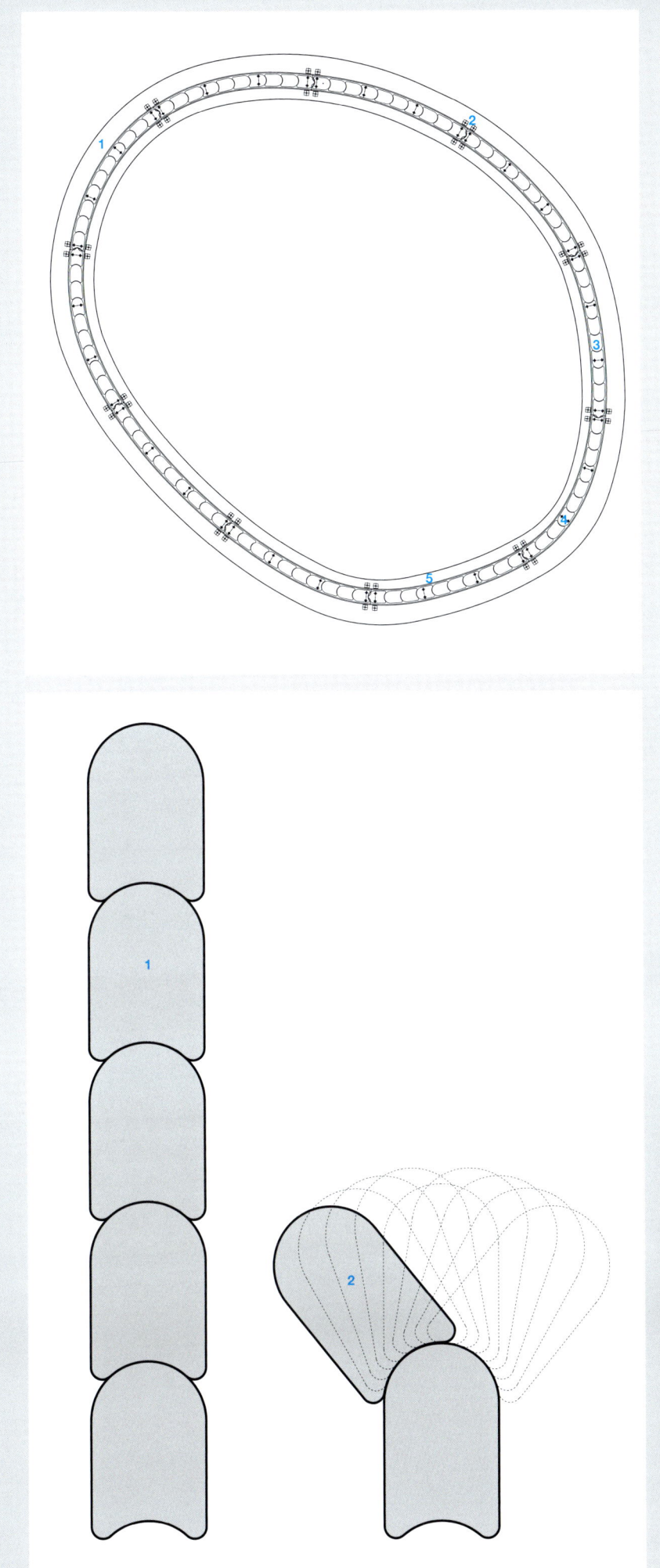

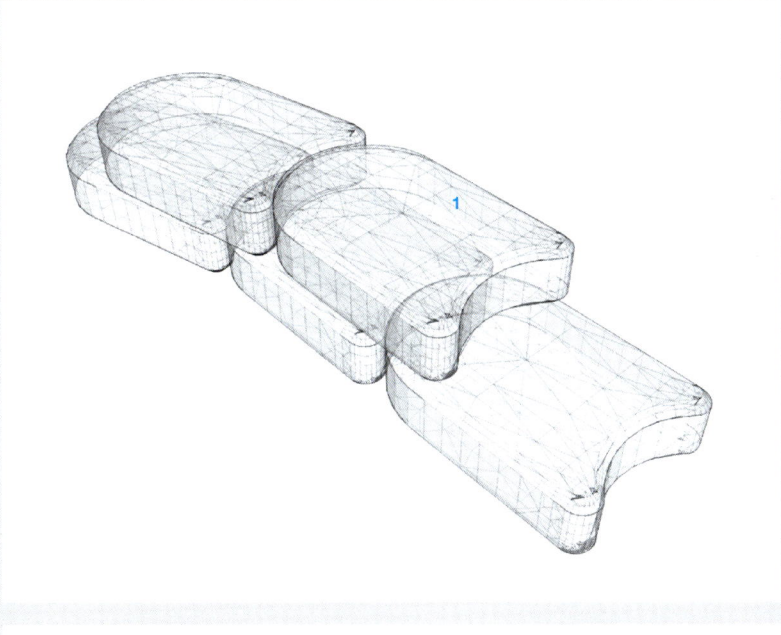

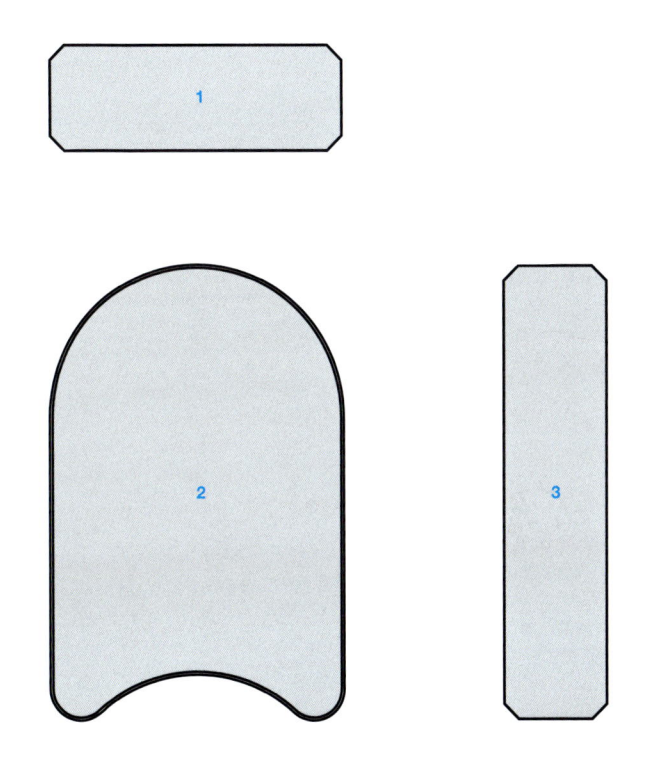

11.04
Detalhe do Cilindro de Vidro: Planta Baixa
1:100
1 Base de concreto
2 Anel de aço
3 Base de EPDM (borracha de monômero de etileno propileno dieno)
4 Blocos de vidro de borosilicato de 300 × 200 × 70 mm
5 Adesivo que endurece sob a ação de lâmpadas de luz ultravioleta

11.05
Detalhe de Assentamento dos Blocos de Vidro: Planta Baixa
1:10
1 Vista tridimensional das duas extremidades curvas dos blocos de vidro de borosilicato de 300 × 200 × 70 mm, com raio de 100 mm para facilitar o encaixe das unidades e as variações de ângulo de assentamento, de acordo com a curvatura da parede externa

11.06
Detalhe do Sistema de Conexão dos Blocos de Vidro: Planta Baixa
Sem Escala
1 Blocos de vidro de borosilicato de 300 × 200 × 70 mm com extremidades curvas
2 Bloco de vidro de borosilicato de 300 × 200 × 70 mm com raio de 100 mm para facilitar o encaixe das unidades e as variações de ângulo de assentamento, de acordo com a curvatura da parede externa

11.07
Detalhe dos Blocos de Vidro: Vista Superior e Vistas Laterais
1:5
1 Blocos de vidro de borosilicato de 300 × 200 × 70 mm com extremidades curvas
2 Bloco de vidro de borosilicato de 300 × 200 × 70 mm com raio de 100 mm para facilitar o encaixe das unidades e as variações de ângulo de assentamento, de acordo com a curvatura da parede externa
3 Bloco de vidro de borosilicato de 300 × 200 × 70 mm com chanfro de 10 mm em todas as quinas

12
Skidmore, Owings & Merrill

Catedral de Cristo Luz
Okland, Califórnia, Estados Unidos

Cliente
Catedral de Cristo Luz

Equipe de Projeto
Craig Hartman, Gene Schnair, Keith Boswell, Raymond Kuca, Patrick Daly, David Diamond

Projeto Estrutural
Mark Sarkisian, Peter Lee, Eric Long

Construção
Webcor Builders

Localizada no centro de Oakland, a Catedral de Cristo Luz, foi projetada para acomodar 1.350 pessoas e oferece uma sensação de paz, renovação espiritual e repouso do mundo secular. A forma do prédio é baseada em uma embarcação de madeira protegida por um véu de vidro, ambos ancorados em uma base de concreto. O projeto recepciona os usuários enquanto narra a história de Noé e sua arca. A catedral utilizou tecnologias de ponta para transmitir leveza e amplidão. Como seu nome sugere, o prédio se inspira na tradição da luz como fenômeno sagrado. Por meio de seu uso poético, a luz natural indireta enobrece materiais modestos, especialmente a madeira, o vidro e o concreto.

Painéis de alumínio triangulares compõem a Janela Alfa, em forma de pétalas de flor, que difunde a luz sobre a entrada da catedral, enquanto a Janela Ômega se eleva por trás do altar e é formada por painéis de alumínio triangulares com 94 mil furos feitos a *laser*. À medida que os pontos de luz emergem desses furos com níveis de brilho diferentes, uma imagem de cristo com 17,7 metros aparece e desaparece. Um dos objetivos principais do projeto foi produzir a menor pegada ecológica possível. Com exceção das atividades noturnas, a catedral é totalmente iluminada pela luz natural. O concreto da estrutura tira partido da poeira de borralho, um resíduo industrial, e uma versão avançada da técnica de aproveitamento da inércia térmica da Roma Antiga mantém o clima interno por meio do calor radiante, enquanto pequenos dutos sob os bancos resfriam o prédio pelo piso. A madeira de coníferas norte-americanas, obtida por meio de processos de extrativismo certificados, foi empregada em todo o complexo e se mostrou muito bela, relativamente barata e eficaz como material estrutural.

1 Localizada no cento de Oakland, às margens do lago Merritt, a Catedral de Cristo Luz apresenta um projeto não linear que honra a história de dois milênios da Igreja, sem forçar um ponto de vista específico. Ao descartar a iconografia, o projeto insere os significados simbólicos dentro da cultura contemporânea.
2 A vista externa da Janela Alfa, formada por painéis de alumínio triangulares, os quais difundem a luz natural 30 metros acima da entrada.
3 Após passarem pela entrada e sob a Janela Alfa, os visitantes cruzam a nave central aberta e etérea do santuário. As superfícies cobertas por brises internos de madeira, feitos de conífera norte-americana, tornam o interior iluminado e acolhedor.

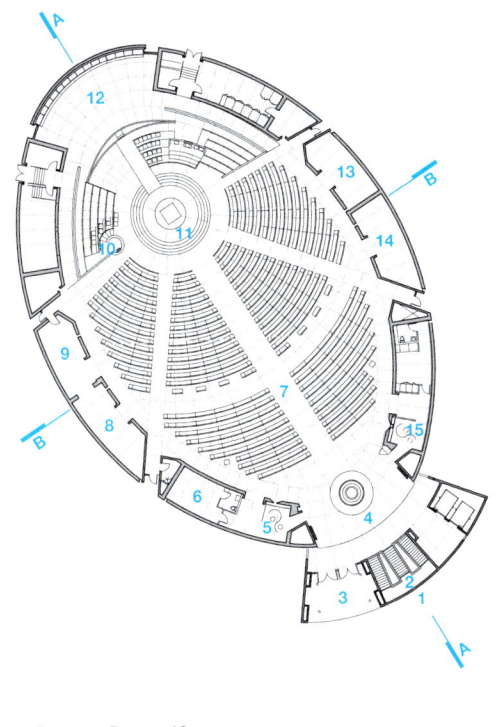

12.01
Planta Baixa do Pavimento Térreo
1:500
1. Praça
2. Escada para o mausoléu
3. Entrada
4. Batistério
5. Capelas da Reconciliação
6. Sala de uso comunitário
7. Nave central
8. Capela de Todos os Santos
9. Capela das Estações
10. Ambão (púlpito)
11. Altar
12. Capela do Santo Sacramento
13. Capela do Cristo Sofredor
14. Capela da Santa Família
15. Capelas da Reconciliação

12.02
Corte A–A
1:500
1. Praça
2. Escada para o mausoléu
3. Entrada
4. Batistério
5. Entrada do mausoléu
6. Mausoléu
7. Catafalco
8. Mausoléu
9. Casa de máquinas
10. Bancos da catedral
11. Coro
12. Altar
13. Cadeira pontifícia
14. Capela do Santo Sacramento
15. Tubos do órgão
16. Brises internos de conífera norte-americana
17. Pele de vidro externa

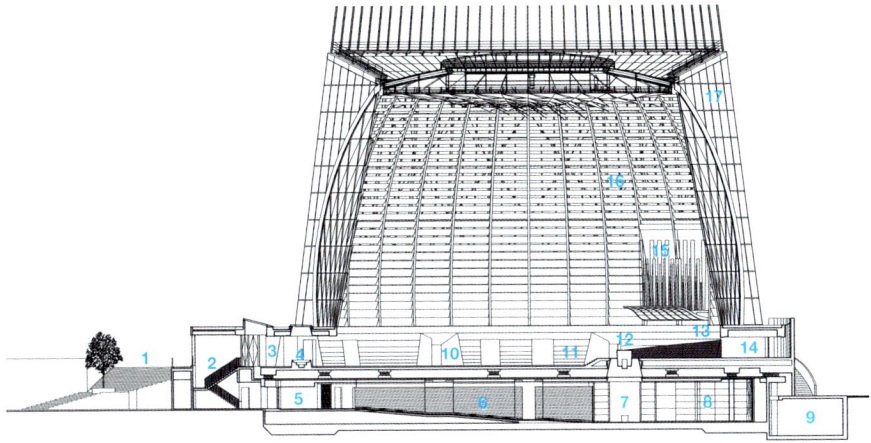

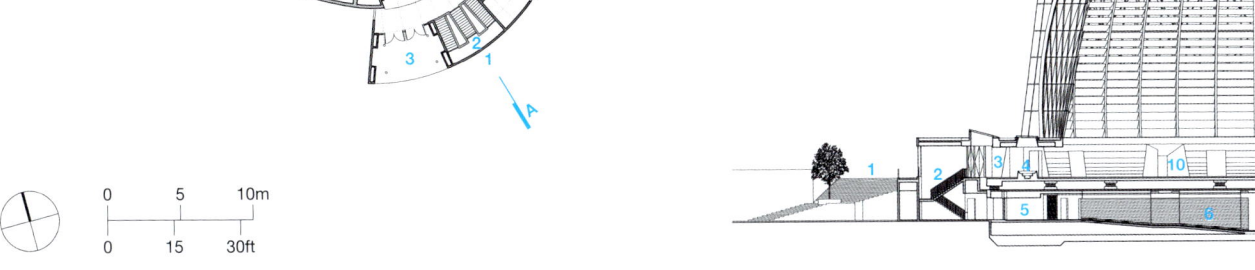

12.03
Corte B–B
1:500
1. Doca de carga e descarga
2. Capela de Todos os Santos
3. Depósito
4. Mausléu
5. Catafalco
6. Nichos do mausoléu
7. Sala de aula
8. Salão paroquial
9. Ambão (púlpito)
10. Altar
11. Cadeira pontifícia
12. Capela da Santa Família
13. Marquise do órgão
14. Tubos do órgão
15. Brises internos de conífera norte-americana
16. Painéis de alumínio da Janela Ômega
17. Painéis de alumínio do forro do óculo
18. Claraboia do óculo
19. Montantes de alumínio
20. Cobertura de vidro
21. Pele de vidro externa

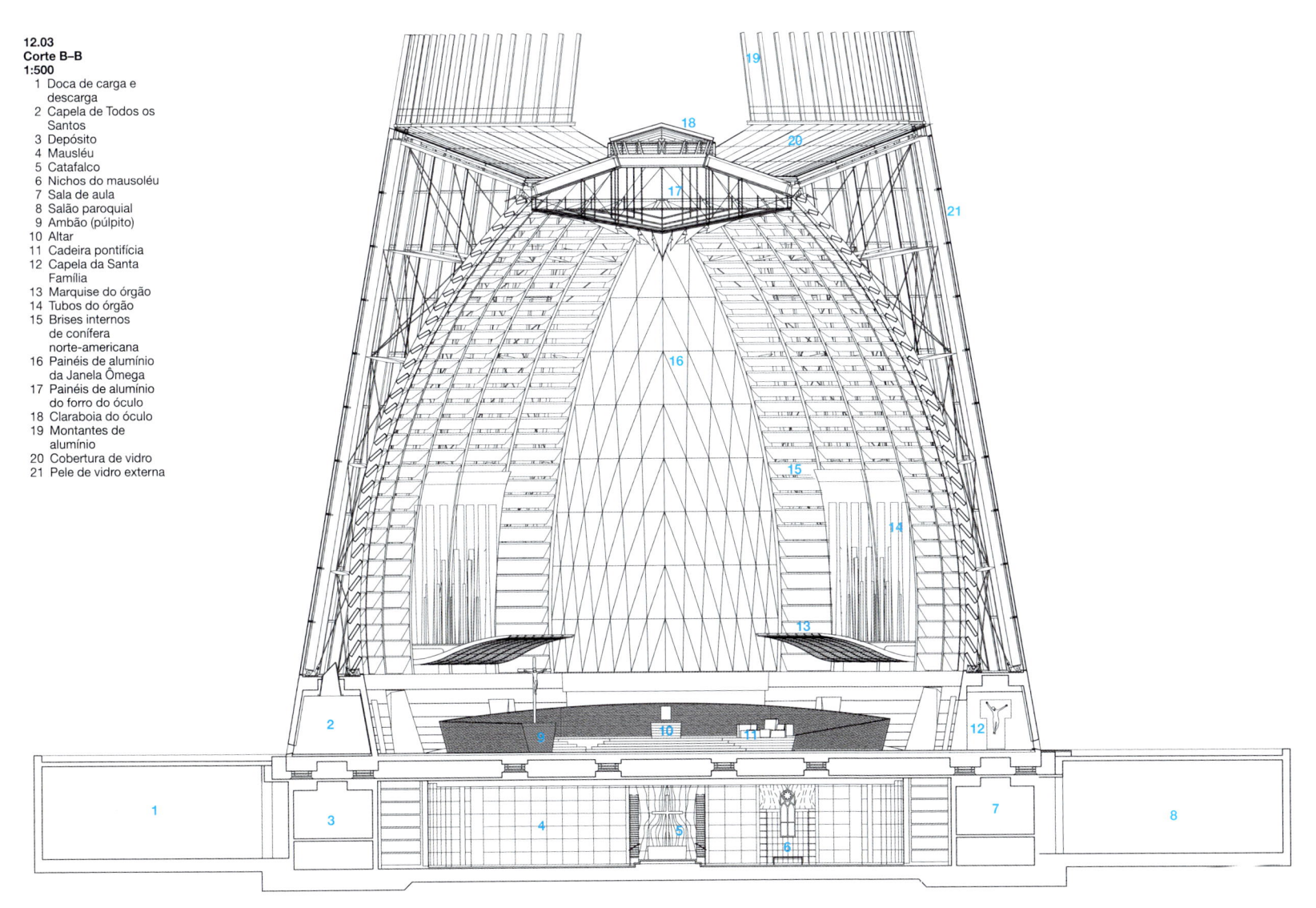

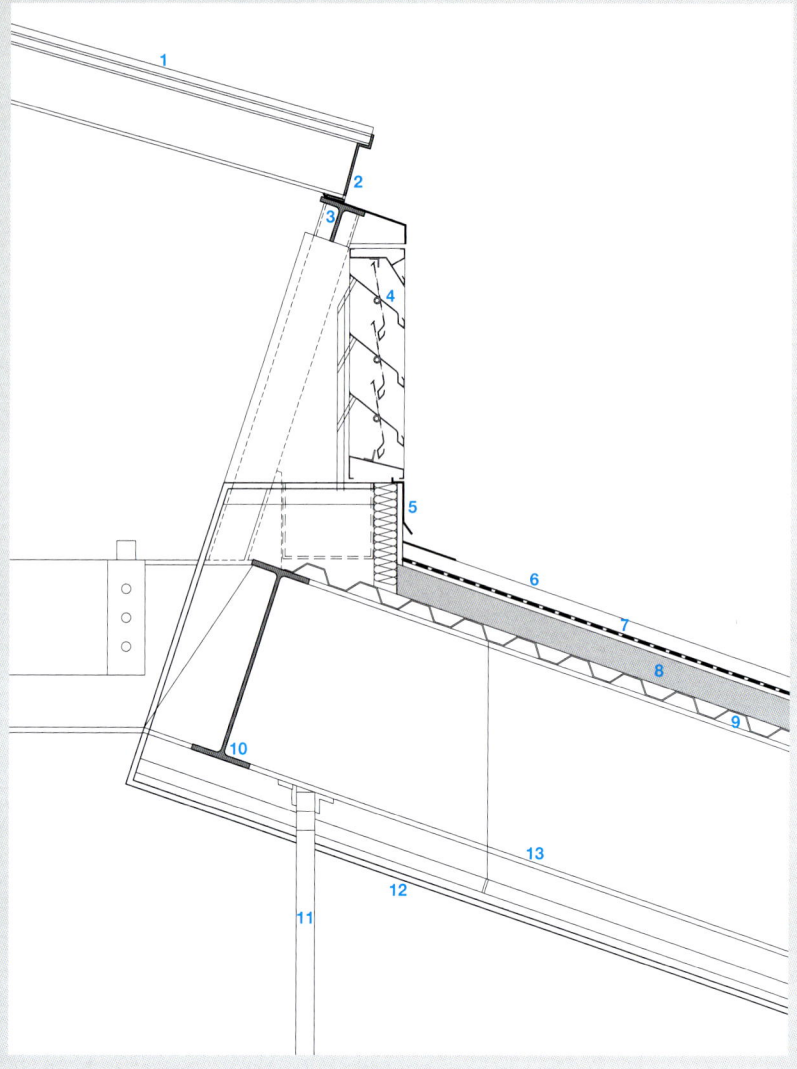

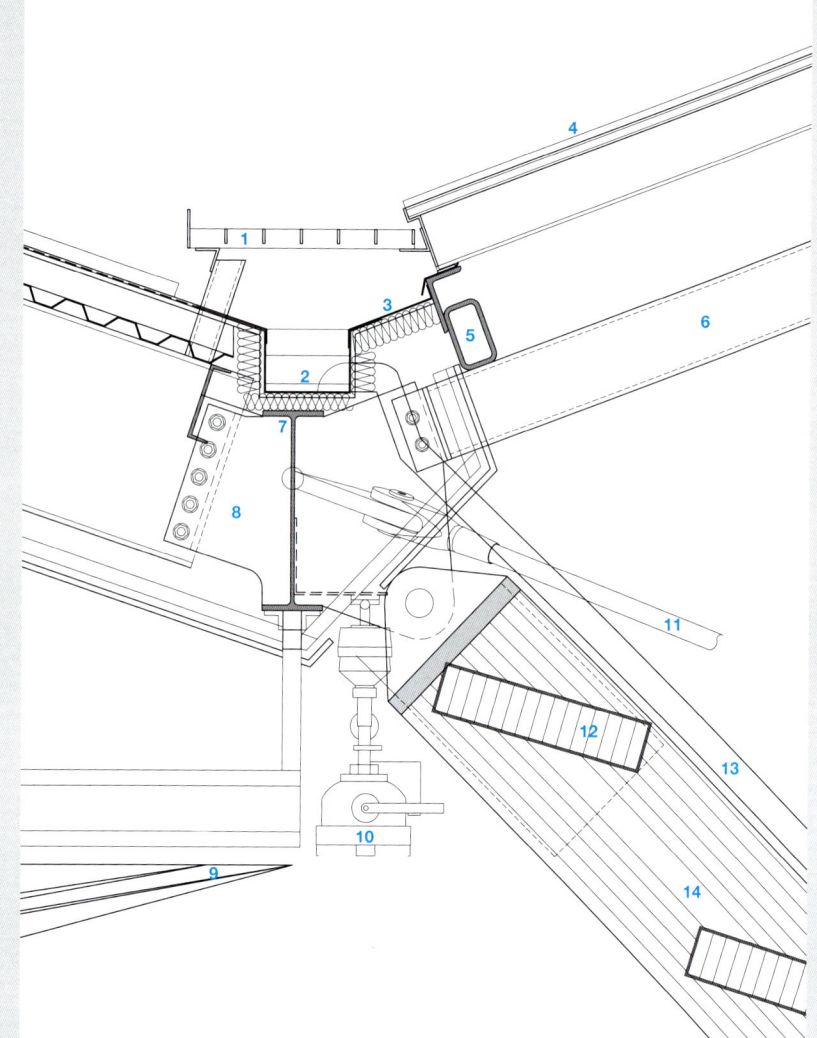

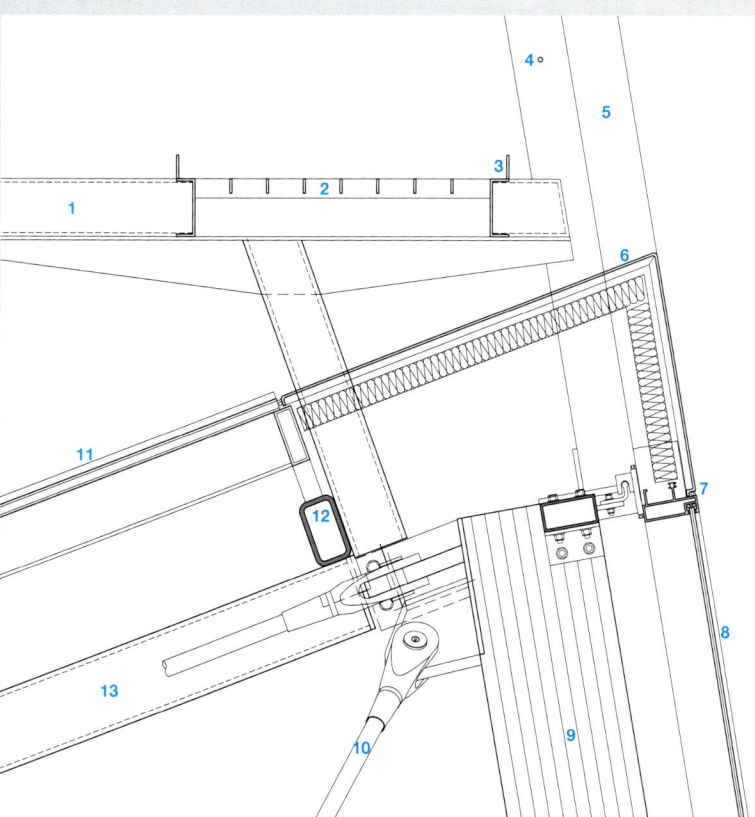

12 Skidmore, Owings & Merrill   Catedral de Cristo Luz   Okland, Califórnia, Estados Unidos

12.04
Detalhe da Claraboia do Óculo: Corte
1:20
1 Claraboia de alumínio com vidro laminado incolor com isolamento térmico e baixo valor-E
2 Perfil extrudado de alumínio
3 Viga de aço contínua
4 Entrada de ar de alumínio com acionamento elétrico
5 Rufo de aço inoxidável
6 Telhas de zinco com juntas verticais sobre membrana de impermeabilização
7 Base de painéis de chapa mineral
8 Isolamento semirrígido com 76 mm de espessura
9 Cobertura de chapas de metal corrugado de 38 mm – sistema *steel deck*
10 Viga de aço contínua
11 Tirante de sustentação do forro
12 Forro de gesso cartonado pintado fixado às guias suspensas
13 Estrutura de aço

12.05
Detalhe da Calha Interna da Cobertura: Corte
1:20
1 Grelha de barras de alumínio
2 Calha contínua de aço inoxidável
3 Rufo contínuo de aço inoxidável
4 Claraboia de alumínio com vidro laminado incolor com isolamento térmico e baixo valor-E
5 Estrutura de suporte da claraboia em perfil de aço tubular
6 Estrutura de aço
7 Viga de aço contínua
8 Chapa de aço galvanizado pré-fabricada com enrijecedores nos suportes de cabo
9 Painéis de alumínio perfurados e suspensos
10 Luminária
11 Tirante de aço galvanizado
12 Brise de madeira laminada e colada
13 Tubo de queda pluvial em cobre
14 Nervura de madeira laminada, colada e vergada, com seção variável

12.06
Detalhe da Junta entre a Cobertura de Vidro e a Pele de Vidro Externa: Corte
1:20
1 Perfil tubular de aço galvanizado de 100 × 150 mm para a sustentação da plataforma retrátil para lavagem das janelas
2 Grelha de barras de alumínio
3 Aba contínua de chapa de alumínio
4 Guarda-corpo com cabos de aço inoxidável
5 Extremidade de montante com 6.096 m de comprimento e *inserts* laminados de aço inoxidável no lado sul avançando em relação à pele de vidro
6 Espigão de alumínio com pintura eletrostática a pó
7 Corpo de apoio e mástique
8 Parede-cortina modulada de alumínio e frita laminada
9 Nervura de madeira laminada e colada
10 Claraboia de alumínio com vidro laminado incolor com isolamento térmico e baixo valor-E
12 Perfil tubular de aço
13 Viga de aço galvanizado

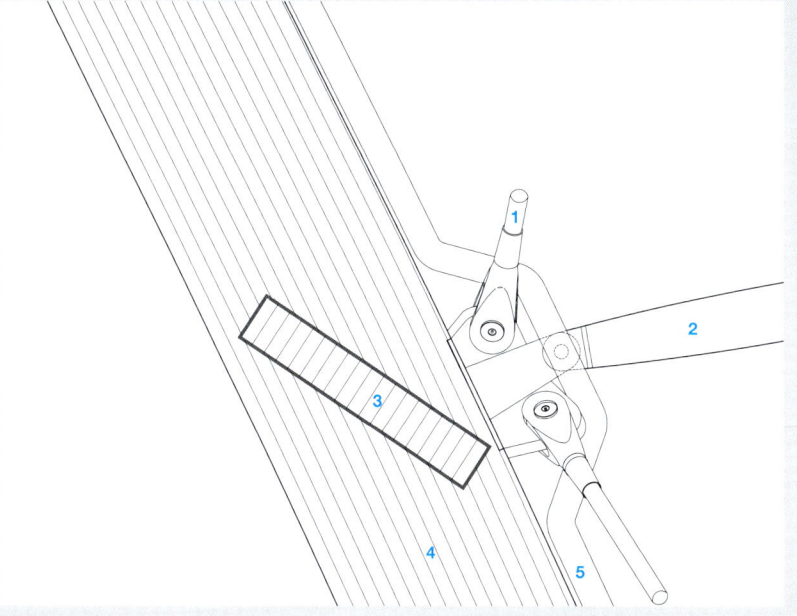

12.07
Detalhe dos Brises de Madeira: Corte
1:20
 1 Tensor de aço galvanizado
 2 Montante de madeira comprimido e com seção variável
 3 Brise de madeira laminada e colada
 4 Nervura de madeira laminada, colada e vergada, com seção variável
 5 Tubo de queda pluvial em cobre

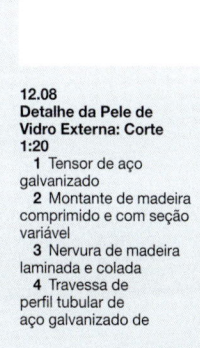

12.08
Detalhe da Pele de Vidro Externa: Corte
1:20
 1 Tensor de aço galvanizado
 2 Montante de madeira comprimido e com seção variável
 3 Nervura de madeira laminada e colada
 4 Travessa de perfil tubular de aço galvanizado de sustentação da pele de vidro
 5 Parede-cortina modulada de alumínio e frita laminada

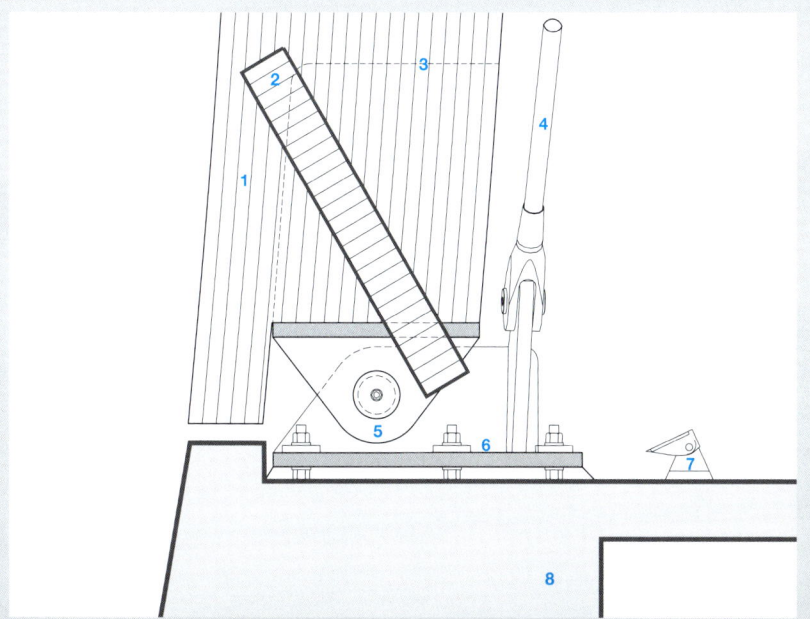

12.09
Detalhe da Base da Parede com Brises: Corte
1:20
 1 Nervura de madeira laminada, colada e vergada, com seção variável
 2 Brise de madeira laminada e colada
 3 Chapa entalhada de aço galvanizado
 4 Tensor de aço galvanizado
 5 Junta de pino de aço galvanizado
 6 Placa de base de aço galvanizado
 7 Luminária
 8 Parede do relicário em concreto armado

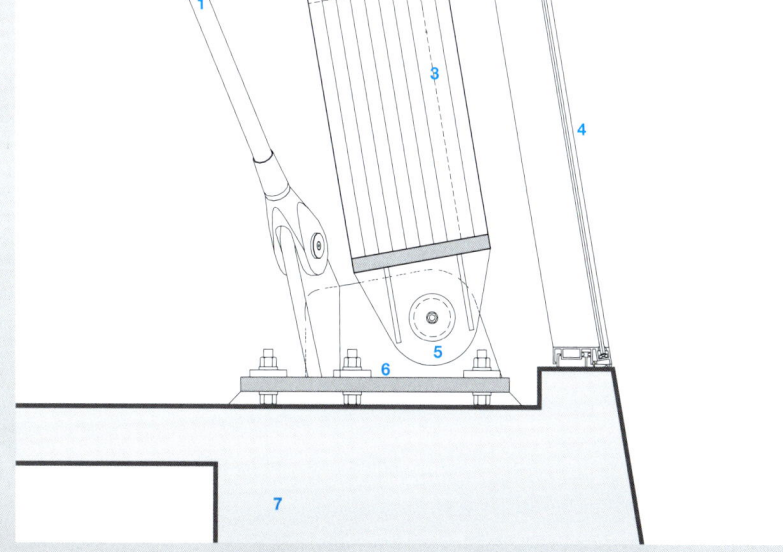

12.10
Detalhe da Base da Pele de Vidro: Corte
1:20
 1 Tensor de aço galvanizado
 2 Nervura de madeira laminada e colada
 3 Chapa entalhada de aço galvanizado
 4 Parede-cortina modulada de alumínio e frita laminada
 5 Junta de pino de aço galvanizado
 6 Placa de base de aço galvanizado
 7 Parede do relicário em concreto armado

13
Snøhetta

Casa Nacional de Ópera e Balé da Noruega
Oslo, Noruega

Cliente
Agência de Construção do Governo Nacional de Statsbygg

Equipe de Projeto
Craig Dykers, Tarald Ludevall, Kjetil Trædal Thorsen

Projeto Estrutural
Reinertsen Engineering

Construção da Estrutura
Veidekke Entreprenør

Em 1999, a Assembleia Nacional da Noruega aprovou, por meio de votação, a construção de uma nova Casa de Ópera em Bjørvika, à beira-mar do fiorde de Oslo. O prédio seria o início do projeto de recuperação urbana desta área da capital. O governo queria que a casa de ópera fosse um prédio monumental que destacasse a Noruega como centro cultural, além de realçar a importância social e cultural da Ópera e do Balé Nacional da Noruega. O novo prédio é dividido em dois, por meio de um corredor norte-sul, a "Rua da Ópera". A oeste desta linha estão todas as áreas públicas e relacionadas ao palco; a leste, as áreas de produção, mais simples em forma e acabamento.

A maior parte do prédio tem três ou quatro pavimentos em relação ao nível do solo e conta com um nível extra, no subsolo. A área sob o palco tem mais três subsolos. A praça de entrada, revestida com mármore, direciona os visitantes ao saguão e às outras áreas públicas. Uma entrada secundária, na fachada norte, dá acesso direto ao restaurante e ao saguão. Ao sul, o saguão está voltado para o fiorde interno de Oslo e oferece vistas da ilha de Hovedøya. A grande fachada de vidro do saguão tem um papel dominante nas vistas do prédio do sul, oeste e norte. A fachada de vidro é um elemento importante do projeto: tanto de dia como à noite ela age como uma lâmpada que ilumina as superfícies externas. Em algumas áreas, essa fachada alcança uma altura de 15 metros, e foi composta com o mínimo de montantes, travessas e barras de contraventamento. Para isso, foram empregadas lâminas de vidro, nas quais os diminutos fixadores de aço ficam internos aos painéis laminados, que formam sanduíches.

1 A linha divisora entre o solo e a água é uma fronteira tanto real como simbólica, manifestando-se na Casa de Ópera como um plano de pedra inclinado que se eleva do mar e continua tanto na cobertura do prédio como na praça de acesso.
2 No saguão, uma parede ondulada de madeira composta de pequenas tábuas de carvalho envolve a elegante curva de circulação que se desenvolve até o alto do auditório principal.
3 A exigência do uso de enrijecedores para os vidros foi grande, devido à necessidade de uso de grandes painéis. Vidraças com essas dimensões costumam ser de cor esverdeada. Assim, foi decidido que a fachada usaria vidros incolores com baixo conteúdo de ferro.
4 A madeira de carvalho foi amplamente utilizada em pisos, paredes e forros de vários dos espaços públicos.

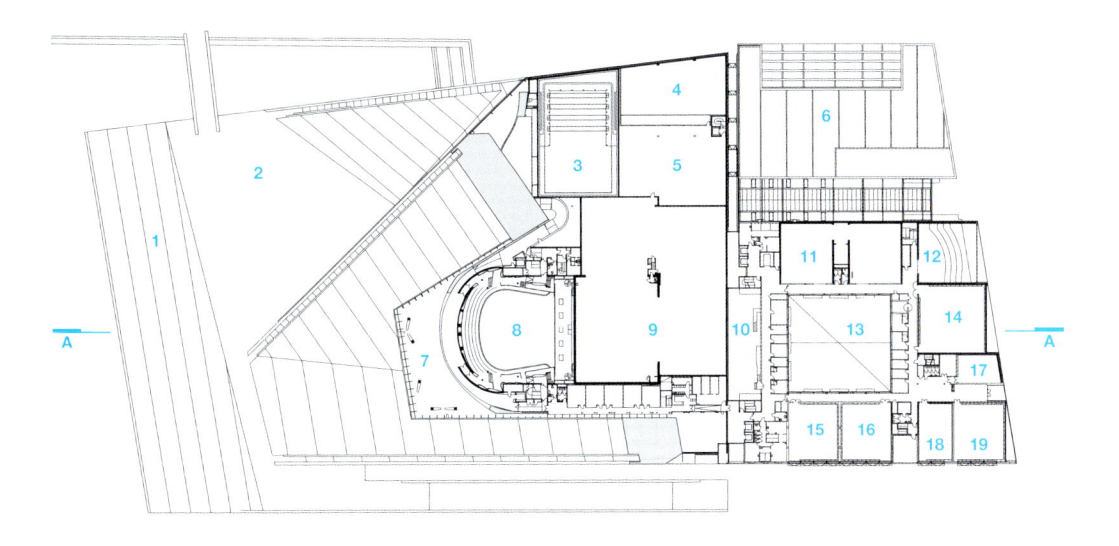

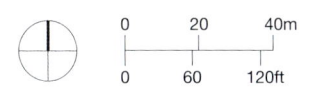

13.01
Planta Baixa do Quarto Pavimento
1:2.000
1. Praça pública (área inclinada)
2. Praça pública (área nivelada)
3. Terceiro balcão, palco 2
4. Pátio
5. Área técnica
6. Cobertura das oficinas (em vista)
7. Saguão do auditório
8. Auditório principal
9. Vazio
10. Área técnica
11. Vazio
12. Vazio
13. Vazio
14. Salas de ensaio de balé
15. Salas de ensaio de balé
16. Salas de ensaio de balé
17. Salas de ensaio de ópera
18. Salas de ensaio de balé
19. Salas de ensaio de balé

13.02
Planta Baixa do Pavimento Térreo
1:2.000
1. Praça pública (área inclinada)
2. Praça pública (área nivelada)
3. Entrada principal
4. Banheiros públicos
5. Saguão do auditório
6. Salão do restaurante
7. Área de serviço do restaurante
8. Bilheteria e informação
9. Corredor que leva ao auditório
10. Plateia do auditório principal
11. Palco principal
12. Coxia
13. Bastidor lateral
14. Sala de ensaio de ópera
15. Sala de reuniões
16. Palco 2
17. Vazio
18. Salão
19. Bastidor lateral
20. Oficina de pintura e tapeçaria
21. Oficina de cenários de madeira e metal
22. Oficina de cenários de madeira e metal
23. Oficina
24. Doca de carga e descarga
25. Pátio interno
26. Departamento de figurino
27. Depósito
28. Entrada pelos bastidores
29. Camarins do balé

13.03
Corte A–A
1:1.000
1. Praça pública (área inclinada)
2. Praça pública (área nivelada)
3. Fachada de vidro inclinada
4. Corredor que leva ao auditório
5. Auditório principal
6. Fosso da orquestra
7. Torre de urdimento do palco principal
8. Palco principal
9. Elevadores do palco
10. Coxia
11. Circulação
12. Parede de pedra do pátio interno
13. Departamento de figurino

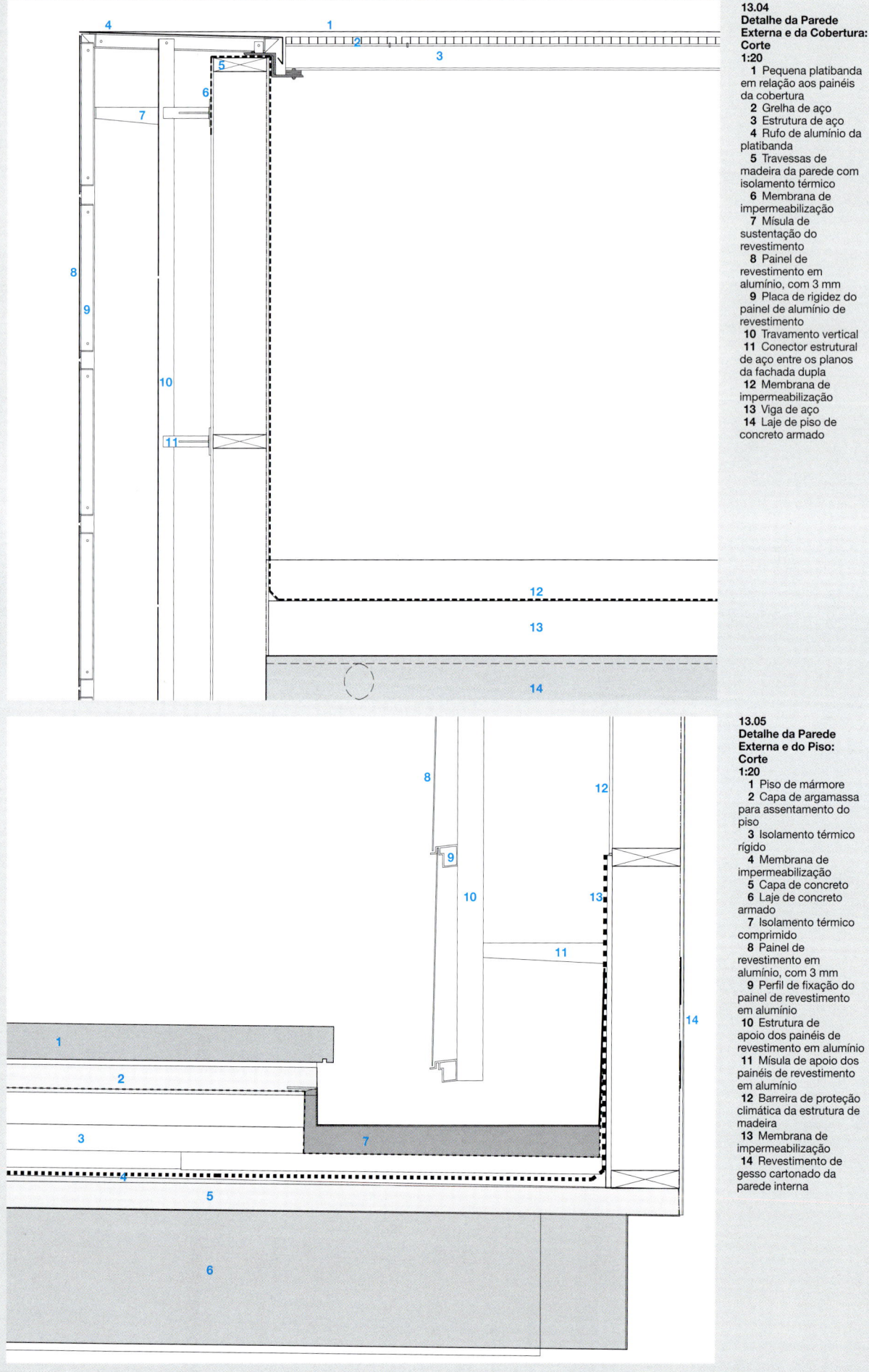

13 Snøhetta — Casa Nacional de Ópera e Balé da Noruega — Oslo, Noruega

13.04
Detalhe da Parede Externa e da Cobertura: Corte
1:20

1 Pequena platibanda em relação aos painéis da cobertura
2 Grelha de aço
3 Estrutura de aço
4 Rufo de alumínio da platibanda
5 Travessas de madeira da parede com isolamento térmico
6 Membrana de impermeabilização
7 Mísula de sustentação do revestimento
8 Painel de revestimento em alumínio, com 3 mm
9 Placa de rigidez do painel de alumínio de revestimento
10 Travamento vertical
11 Conector estrutural de aço entre os planos da fachada dupla
12 Membrana de impermeabilização
13 Viga de aço
14 Laje de piso de concreto armado

13.05
Detalhe da Parede Externa e do Piso: Corte
1:20

1 Piso de mármore
2 Capa de argamassa para assentamento do piso
3 Isolamento térmico rígido
4 Membrana de impermeabilização
5 Capa de concreto
6 Laje de concreto armado
7 Isolamento térmico comprimido
8 Painel de revestimento em alumínio, com 3 mm
9 Perfil de fixação do painel de revestimento em alumínio
10 Estrutura de apoio dos painéis de revestimento em alumínio
11 Mísula de apoio dos painéis de revestimento em alumínio
12 Barreira de proteção climática da estrutura de madeira
13 Membrana de impermeabilização
14 Revestimento de gesso cartonado da parede interna

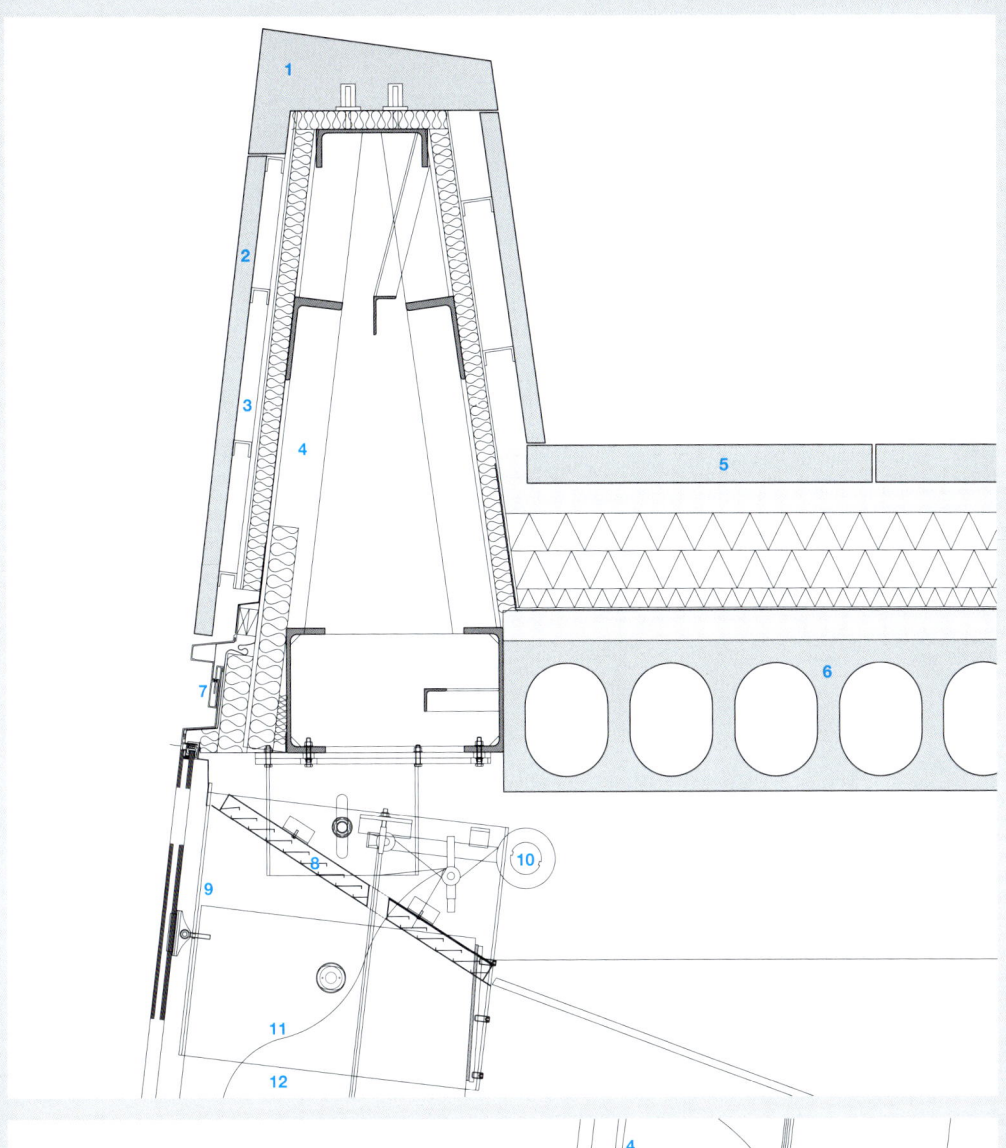

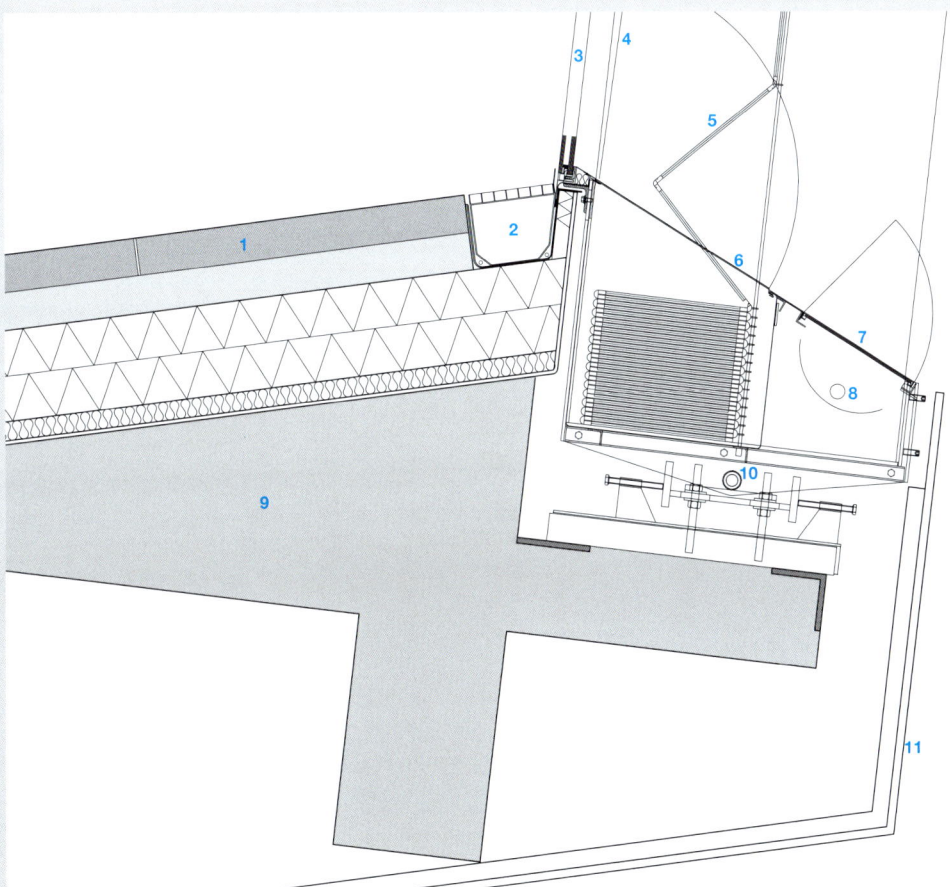

13.06
Detalhe da Platibanda da Parede Externa do Saguão Principal: Corte 1:20

1 Cimalha de pedra com face superior lixada e faces laterais apicotadas
2 Revestimento de pedra com 50 mm de espessura com acabamento apicotado fixado ao sistema de sustentação de aço
3 Sistema de sustentação de aço do revestimento de pedra
4 Estrutura de aço
5 Cobertura composta de pedra natural com 80 mm sobre leito de cascalho estabilizado com capa de cimento de 100 mm, massa de recobrimento de 30 mm com conduíte para fiação elétrica embutido, feltro de 3 mm, duas camadas de 100 mm de poliestireno extrudado, isolamento térmico com lã de rocha de 50 mm, e camada tripla de membrana asfáltica de 10 mm
6 Laje de concreto estrutural tubada de 80 mm
7 Trilho da manutenção
8 Grelha de ventilação
9 Fio guia fixo
10 Mecanismo motorizado para movimentação do sistema de proteção solar interno
11 Fio guia do sistema de proteção solar interno
12 Brise de vidro estrutural laminado

13.07
Detalhe da Junta da Parede de Vidro com a Praça Inclinada: Corte 1:20

1 Cobertura composta de pedra natural com 80 mm sobre leito de cascalho estabilizado com capa de cimento de 100 mm, massa de recobrimento de 30 mm com conduíte para fiação elétrica embutido, feltro de 3 mm, duas camadas de 100 mm de poliestireno extrudado, isolamento térmico com lã de rocha de 50 mm, e camada tripla de membrana asfáltica de 10 mm
2 Calha de aço inoxidável
3 Chapa de vidro duplo
4 Pino da vidraça em vista
5 Sistema de proteção solar
6 Guia do fio do sistema de proteção solar interno
7 Tampa de abrir de acesso à luminária embutida
8 Luminária
9 Laje de piso de concreto estrutural com vigas de borda articuladas
10 Junta de pino dos brises de vidro estrutural
11 Revestimento de gesso cartonado na face interna dos perfis de madeira

14
Jakob + MacFarlane

Instituto Francês da Moda
Paris, França

Cliente
Caisse des Dépôts

Equipe de Projeto
Dominique Jakob, Brendan MacFarlane

Projeto Estrutural
C&E ingénierie

Construção
Icade G3A

Docas de Paris é um prédio de concreto longo e estreito construído em 1907, que originalmente serviu como depósito para mercadorias trazidas de barca pelo rio Sena. A cidade de Paris promoveu um concurso de arquitetura para o projeto de um novo centro cultural no local, com a opção de manter o edifício de concreto existente. Jakob + MacFarlane optaram por manter o prédio e usá-lo como inspiração para o novo projeto. O prédio de três pavimentos proposto é composto de quatro pavilhões. No nível correspondente à Quai d'Austerlitz, o prédio é acessado pela rua e tem áreas mais altas, para facilitar a carga e descarga de mercadorias. A ideia do novo projeto era criar uma pele externa inspirada principalmente no fluxo do rio Sena e dos passeios ao longo desse rio.

A pele de vidro protege a estrutura preexistente e forma uma nova camada, que contém a maior parte do sistema de circulação pública e dos novos itens do programa de necessidades, além de agregar um pavimento de cobertura ao prédio preexistente. O sistema estrutural que sustenta a pele de vidro é o resultado de uma deformação sistemática da malha conceitual preexistente no prédio das docas, sobre o qual o novo prédio cresce como se fossem novos galhos crescendo em uma árvore. Essa pele é formada principalmente de vidraças, uma estrutura de aço, tabuados de madeira e um terraço de cobertura multifacetado e coberto de grama. A intervenção não somente opera como uma maneira de explorar ao máximo a nova vedação do prédio, mas também serve como um passeio público contínuo para as pessoas subirem pelo prédio a partir do nível mais baixo, ao longo do Sena, até o deque de cobertura e retornarem; é como um percurso cíclico contínuo que permite ao prédio assumir efetivamente sua condição urbana. O programa de necessidades é composto por uma rica mistura centrada nos temas de projeto e moda, incluindo espaços para exibições, o Instituto Francês da Moda (IFM), espaços para produtores de música, livrarias, cafés e um restaurante.

1 O conceito do novo prédio é chamados pelos arquitetos de uma "Sobreposição", referindo-se à maneira pela qual a intervenção de vidro se encaixa e sobe até a cobertura do prédio preexistente, criando novas circulações, bem como espaços úteis para atender ao programa de necessidades.
2 As chapas de vidro corado verde foram fixadas a uma malha estrutural independente, também pintada de verde que, por sua vez, foi fixada à estrutura de concreto do prédio preexistente.
3 Na fachada principal, o novo prédio continua pela cobertura e desce pelo lado, formando uma zona de circulação coberta.
4 Vista aproximada do interior da nova estrutura de aço e vidro.

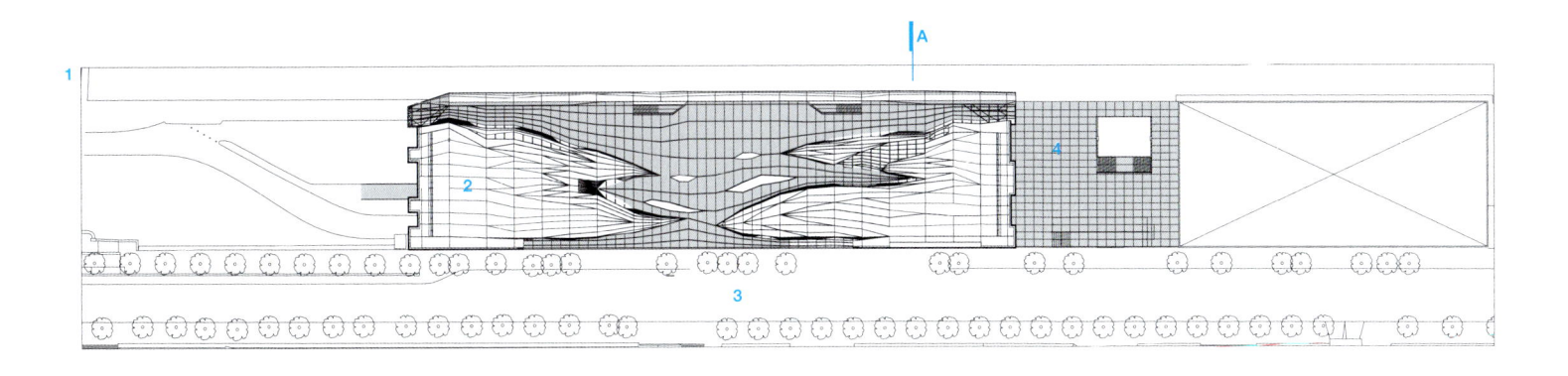

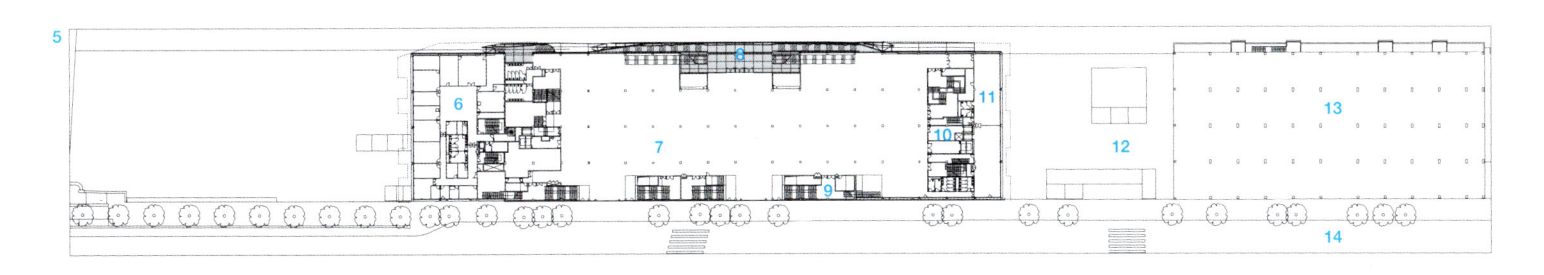

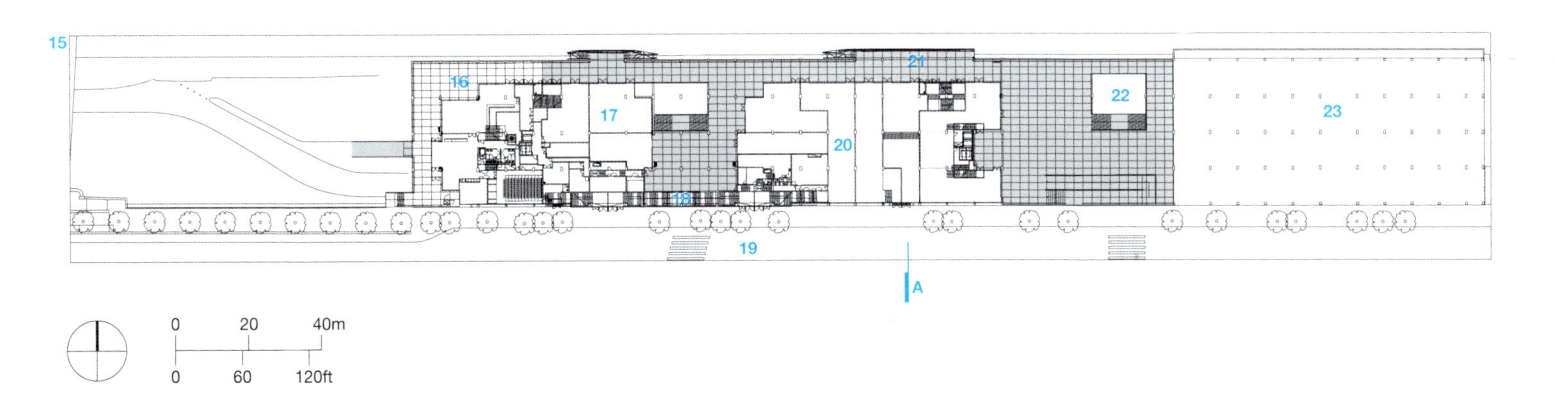

14.01
Plantas Baixas
1:2.000
1 Planta de cobertura
2 Terraço de cobertura com tratamento paisagístico
3 Quai d'Austerliz
4 Entrada pela praça
5 Planta baixa do segundo pavimento
6 Instituto Francês da Moda
7 Espaço para exibições
8 Terraço
9 Escadas de emergência
10 Equipamentos/ Instalações prediais
11 Salas de reuniões
12 Praça
13 Edifício contíguo
14 Quai d'Austerliz
15 Planta baixa do pavimento térreo
16 Passeio
17 Loja
18 Entrada pública
19 Quai d'Austerliz
20 Loja
21 Terraço
22 Escada até a Quai d'Austerliz
23 Edifício contíguo

14.02
Corte A–A
1:400
1 Quai d'Austerliz
2 Circulação
3 Loja
4 Terraço de cobertura com tratamento paisagístico
5 Cobertura
6 Espaço para exibições
7 Espaço para exibições
8 Terraço
9 Equipamentos/ Instalações prediais
10 Loja
11 Doca de carga e descarga de caminhões
12 Loja
13 Loja
14 Passeio
15 Espaço para exibições junto ao cais
16 Passeio público
17 Rio Sena

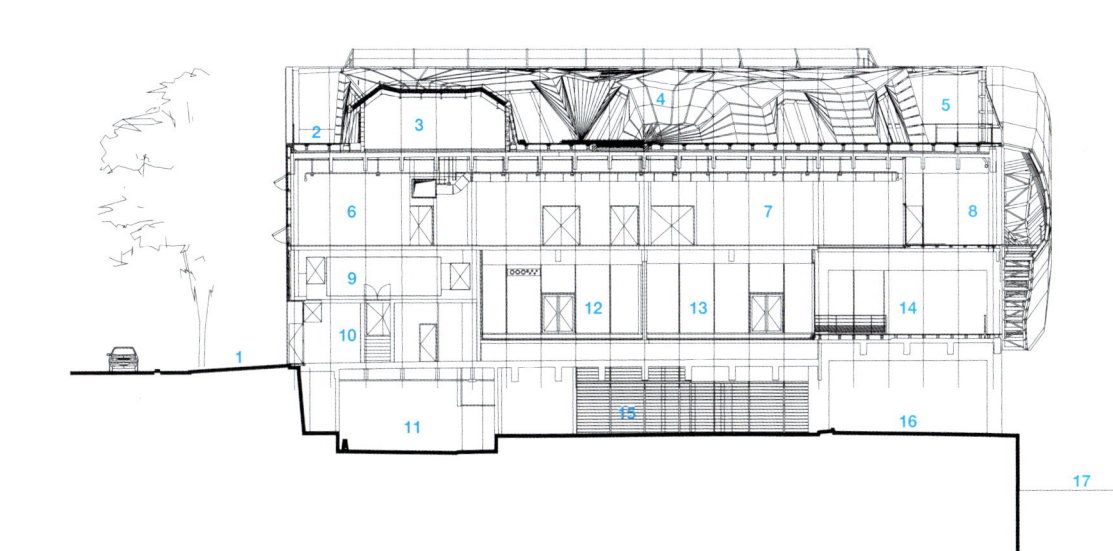

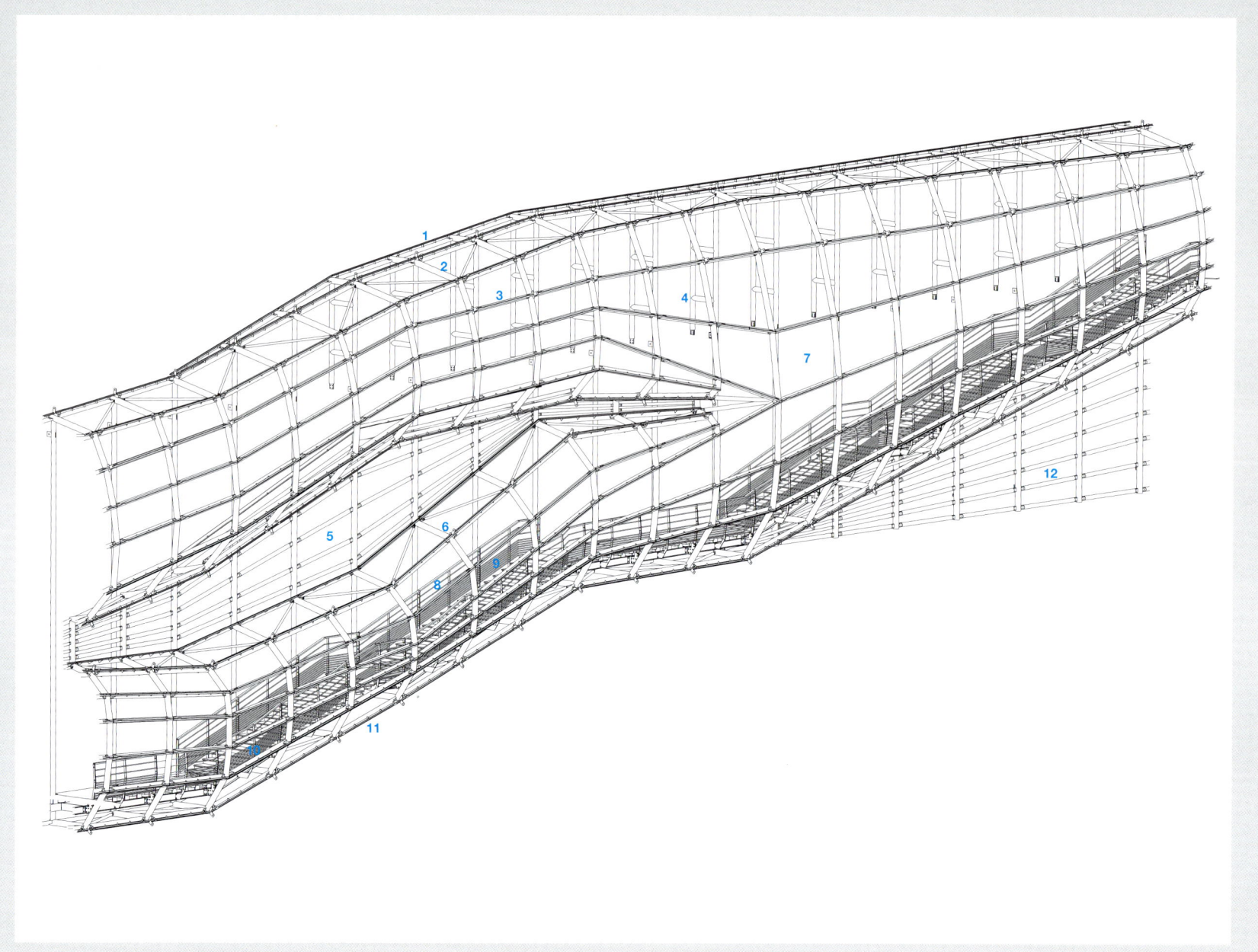

14 Jakob + MacFarlane — Instituto Francês da Moda — Paris, França

**14.03
Detalhe da Escada e do Revestimento de Vidro: Perspectiva Axonométrica
Sem Escala**

1 Recobrimento de aço do vão horizontal intermediário
2 Estrutura de perfis tubulares redondos, com diâmetro de 16,8 mm
3 Recobrimento de aço do vão horizontal intermediário
4 Suporte de aço lateral
5 Seção aberta da fachada
6 Estrutura de perfis tubulares redondos, com diâmetro de 16,8 mm
7 Painel de fachada de frita estampado
8 Painel de fachada de frita estampado
9 Passarela pública
10 Painel de fachada de frita estampado
11 Recobrimento de aço do vão horizontal intermediário
12 Estrutura de perfis tubulares redondos, com diâmetro de 14 mm

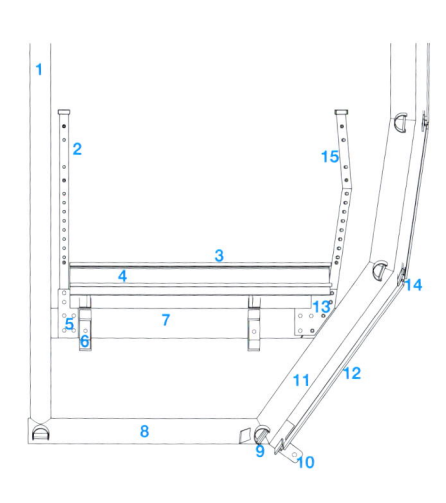

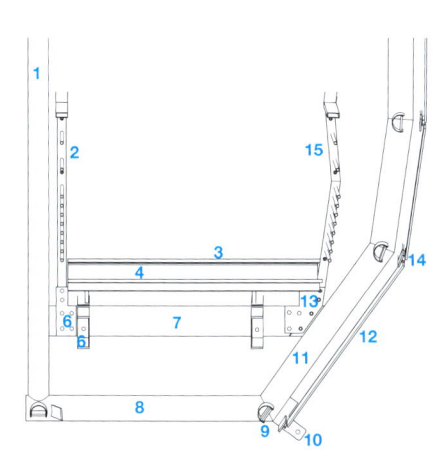

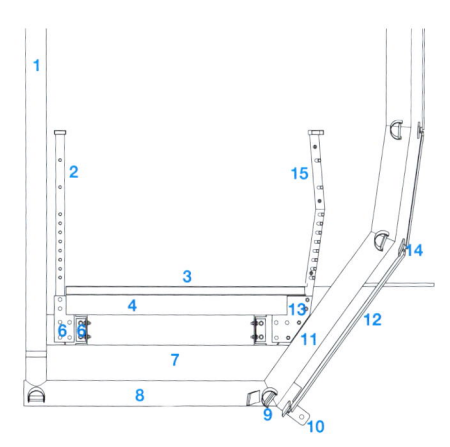

**14.04
Detalhes da Circulação Externa e do Revestimento de Vidro: Cortes
1:50**

 1 Estrutura de perfis tubulares de aço verticais
 2 Guarda-corpo de montantes de barra de aço chata com cabos de aço tracionados horizontais
 3 Tabuleiro de madeira de carvalho do piso da passarela
 4 Estrutura de perfis tubulares de aço
 5 Chapa de aço de fixação do guarda-corpo parafusada à estrutura principal de aço da passarela
 6 Estrutura de suporte da escada de perfis tubulares retangulares
 7 Placa de fixação horizontal em aço
 8 Estrutura de perfis tubulares redondos, com diâmetro de 168 mm
 9 Perfil tubular de aço estrutural redondo, com diâmetro de 140 mm
 10 Placa de suporte para o equipamento de limpeza das vidraças
 11 Estrutura de perfis tubulares redondos, com diâmetro de 168 mm
 12 Painel de fachada de frita estampado
 13 Chapa de aço de fixação
 14 Recobrimento de aço do vão horizontal intermediário
 15 Guarda-corpo de aço com orifícios feitos com furadeira para a fixação dos cabos de aço horizontais

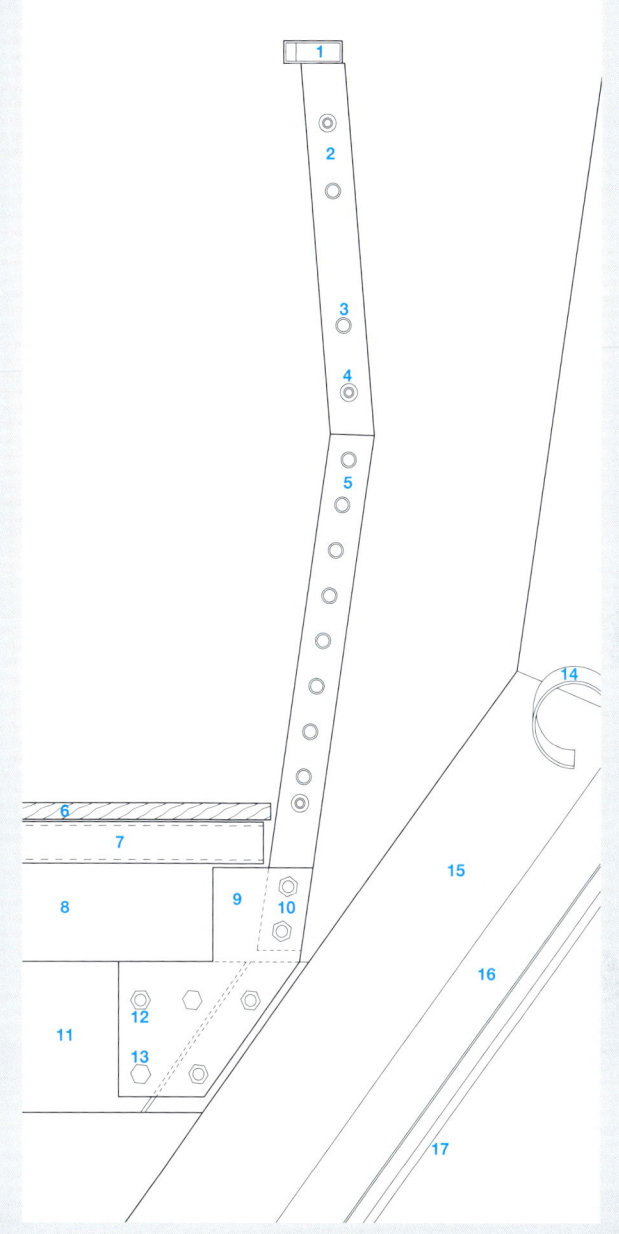

**14.05
Detalhe do Guarda-Corpo da Passarela e do Revestimento de Vidro: Corte
1:10**

 1 Corrimão de perfil tubular retangular de aço
 2 Montante do guarda-corpo em barra de aço chata
 3 Cabos de aço tracionados horizontais
 4 Parafuso tensor que une as placas de conexão aos cabos de aço tracionados
 5 Montante do guarda-corpo em barra de aço chata
 6 Tabuleiro de madeira de carvalho do piso da passarela e da escada
 7 Perfil de aço
 8 Espelho vazado da escada
 9 Placa de fixação de aço
 10 Montante do guarda-corpo em barra de aço chata parafusado à placa de fixação da escada
 11 Placa de suporte horizontal do espelho
 12 Placa de fixação do montante do guarda-corpo parafusada
 13 Parafuso
 14 Perfil tubular de aço estrutural com diâmetro de 140 mm
 15 Perfil tubular com diâmetro de 168 mm
 16 Vazio
 17 Painel de fachada de frita estampado

15
João Luís Carrilho da Graça, Arquiteto

Teatro e Auditório de Poitiers
Poitiers, França

Cliente
Município de Poitiers

Equipe de Projeto
Giulia de Appolonia, João Trindade, Nicola Marchi, Giorgio Santagostino, João Manuel Alves, Mónica Margarido, Filipe Homem, Tiago Castela, Anna Lobo Martins, Frederico Santos, Sylvain Grasset, Hervé Beaudouin

Projeto Estrutural
DL Structures

Projeto de Acústica
Commins Acoustics Workshop

O novo centro de artes dramáticas de Poitiers foi projetado para ser o mais simples possível, o que possibilitaria que ele servisse como um catalisador para atividades artísticas. Os arquitetos queriam que o prédio tivesse uma presença clara e forte na cidade, porém fosse discreto. A base de pedra calcária abre o prédio ao público e garante uma continuidade espacial com a cidade. Levemente suspensos sobre esta plataforma monolítica estão os dois volumes principais do prédio, ambos revestidos com vidro fosco branco. O projeto de um espaço dedicado exclusivamente às artes dramáticas exigiu o desenvolvimento de uma acústica de alta qualidade, bem como de uma expressão de arquitetura distinta.

O prisma de vidro retangular do saguão, com sua área nivelada de assentos, emprega uma tipologia herdada dos teatros do século XIX. A forma garante a qualidade dos espetáculos musicais, pois sua configuração geral suprime as reverberações indesejadas que podem ser causadas por assentos escalonados. As paredes de madeira inclinadas do interior, que foram distribuídas para otimizar o desempenho acústico, ficaram soltas das paredes de vedação externas, para produzir um espaço unificado que incorporasse tanto um palco como uma orquestra. As portas pivotantes mimetizadas nas paredes garantem a continuidade do interior, além de proporcionar uma leitura homogênea do volume do prédio. O teatro é um espaço versátil que atende às exigências técnicas do "teatro máquina", bem como as exigências de desempenho visual e acústico. Aqui, o espaço da audiência é revestido com chapas de fibra de gesso que formam um "casulo" escuro, neutro e monocromático pontuado apenas por portas e galerias.

1 A base de concreto desadornada e o corpo com painéis de vidro branco da fachada agem como um refletor neutro em um contexto formado principalmente por edifícios de apartamentos do século XIX.
2 O véu formado pela pele de vidro da fachada é fixado a um sistema de suportes de aço galvanizado suspensos na estrutura principal de concreto que está por trás.
3 À noite, o interior pintado de amarelo confere um aconchegante brilho dourado ao prédio.
4 Os espaços públicos internos, como o saguão, são em sua maioria pintados de branco, com realces em amarelo e preto e pisos de madeira de cor clara.

15.01
Planta Baixa do
Pavimento Térreo
1:1.000
1. Acesso externo a partir da praça pública
2. Área de abastecimento do café e da confeitaria
3. Área de carga e descarga do auditório
4. Pátio dos artistas
5. Área de produção
6. Depósito de instrumentos
7. Café e confeitaria do teatro
8. Banheiros
9. Banheiros dos funcionários
10. Banheiros
11. Bastidores do auditório
12. Palco do auditório
13. Plateia do auditório
14. Acesso ao café e à confeitaria
15. Torre de urdimento do teatro
16. Elevador
17. Plateia do teatro
18. Saguão do teatro
19. Saguão principal
20. Área técnica
21. Reservatório de água
22. Pátio
23. Banheiros do teatro
24. Saguão do auditório
25. Banheiros do auditório

15.02
Corte A–A
1:500
1. Torre de urdimento do teatro
2. Fosso da orquestra
3. Plateia do teatro
4. Área dos técnicos em luminotécnica
5. Escritórios da administração
6. Depósito de instrumentos
7. Saguão principal
8. Palco do auditório
9. Plateia do auditório
10. Praça pública

15.03
Corte B–B
1:500
1. Banheiros do auditório
2. Saguão do auditório
3. Mezanino do saguão do auditório
4. Área dos técnicos em luminotécnica e acústica
5. Forro acústico
6. Auditório
7. Balcão do auditório
8. Plateia do auditório
9. Palco do auditório
10. Depósito de instrumentos
11. Área de carga e descarga

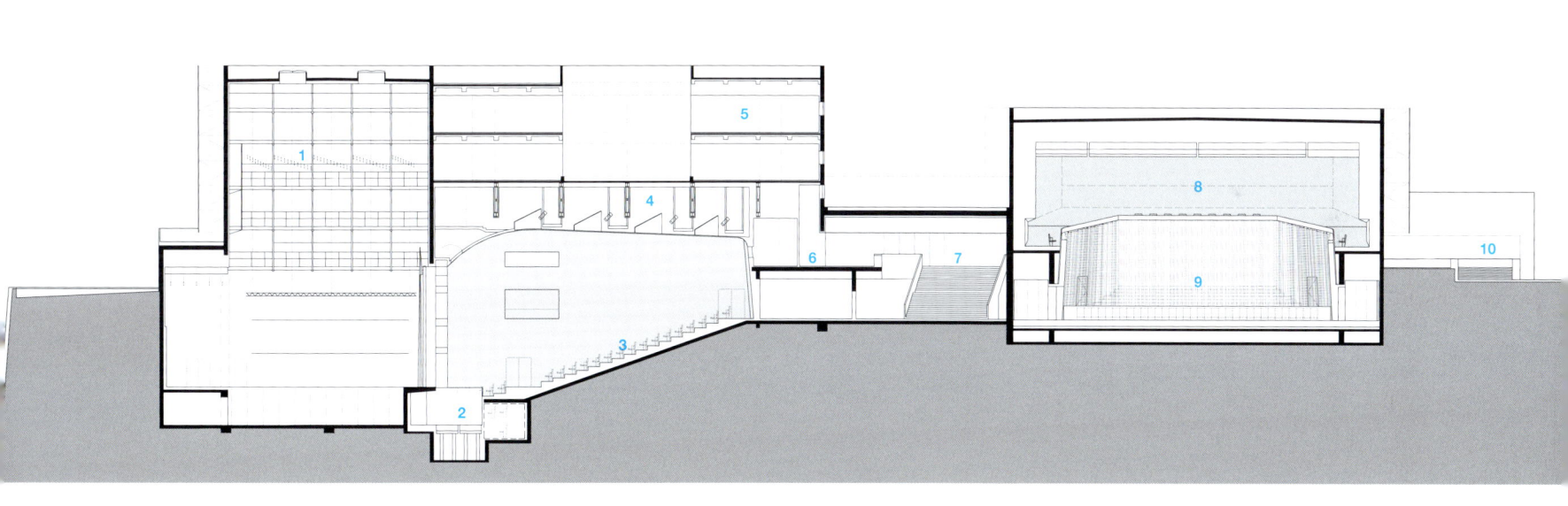

15 João Luís Carrilho da Graça, Arquiteto

Teatro e Auditório de Poitiers

Poitiers, França

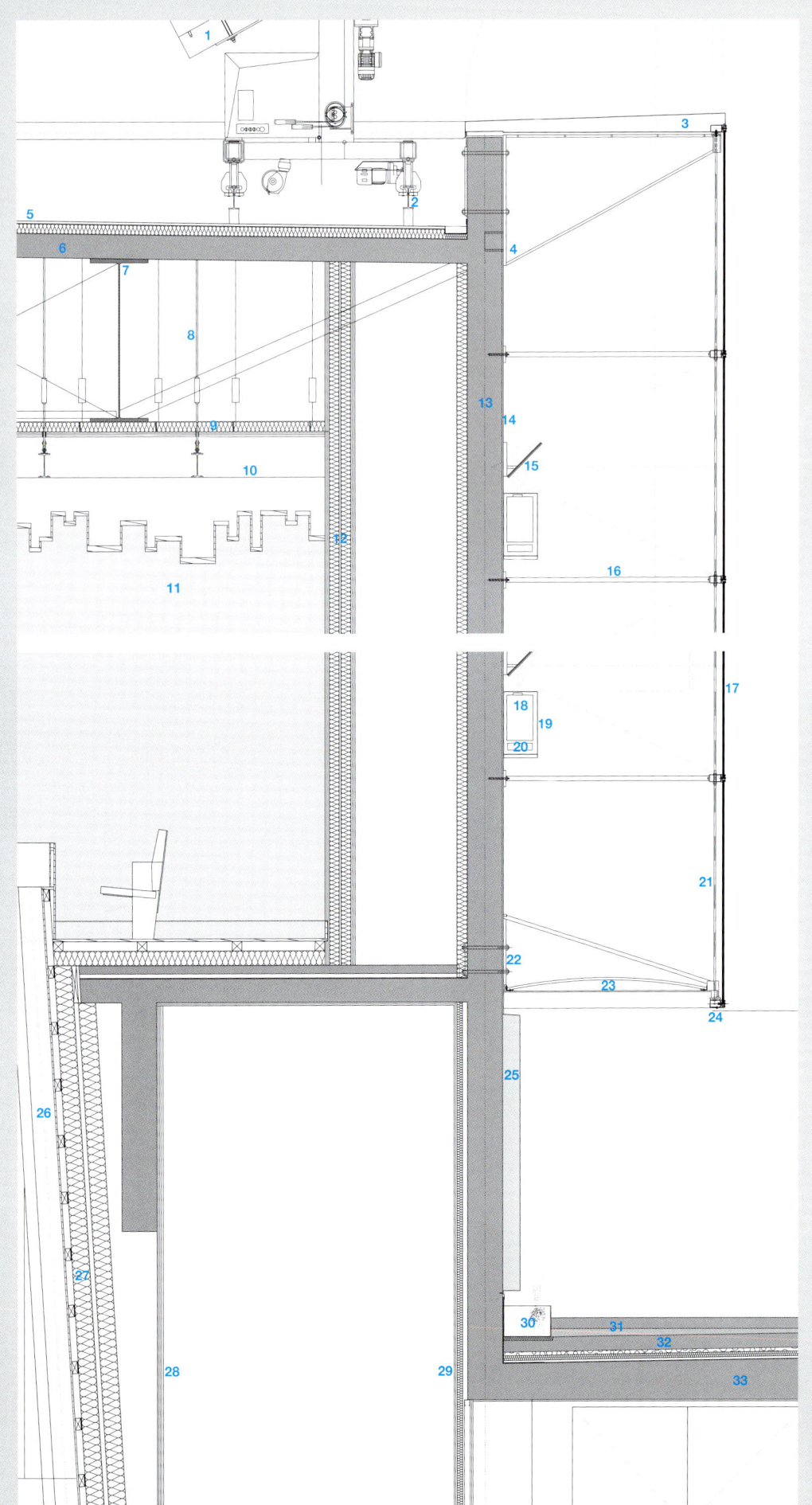

15.04 Detalhe do Auditório: Corte 1:50

1 Grua para a manutenção da fachada
2 Sistema de trilhos para a plataforma de manutenção da fachada
3 Cobertura de alumínio e policarbonato de 5 mm removível
4 Pele de vidro fixada à fachada interna de concreto por meio de mãos francesas formadas por perfis I de aço galvanizado
5 Isolamento térmico de 80 mm
6 Laje de concreto pré-fabricada de 200 mm
7 Perfil I de aço estrutural
8 Cabos de suspensão
9 Forro composto de uma camada de gesso cartonado de 18 mm e duas de 12,5 mm e uma camada de isolamento acústico de lã de rocha de 85 mm
10 Teto falso composto de estrutura suspensa de compensado de 14 mm e uma camada inferior de compensado de bordo canadense
11 Parede composta de três camadas de gesso cartonado de 12,5 mm, duas camadas de lã de rocha de 85 mm para isolamento acústico e três camadas de gesso cartonado de 12,5 mm
12 Parede composta de três camadas de gesso cartonado de 12,5 mm, duas camadas de lã de rocha de 85 mm para isolamento acústico e três camadas de gesso cartonado de 12,5 mm
13 Parede de concreto armado de 300 mm
14 Reboco
15 Espelho móvel
16 Tensor de aço galvanizado
17 Parede-cortina com vidros duplos: uma chapa de vidro laminado transparente de 8 mm revestido com película de polivinil butiral (PVB) opala e uma chapa de vidro de segurança de 8 mm
18 Projetor de vídeo
19 Caixa de projeção ventilada
20 Descodificador de computador
21 Cabo vertical protendido, para a estabilização da fachada
22 Fachada externa fixada à fachada interna de concreto por meio de mãos francesas formadas por perfis I de aço galvanizado
23 Painéis de perfil de alumínio anodizado com tela de metal expandido de 3 mm
24 Perfil de alumínio de suporte da vidraça
25 Painel de parede de concreto pré-moldado
26 Revestimento de parede de compensado de bordo canadense
27 Duas camadas de isolamento térmico de lã de rocha de 150 mm
28 Parede composta de uma camada de gesso cartonado de 18 mm e duas camadas de gesso cartonado de 12,5 mm
29 Duas camadas de gesso cartonado de 12,5 mm sobre uma camada de isolamento térmico de 48 mm
30 Floreira de metal de chapa de aço galvanizado de 5 mm com terra e trepadeiras
31 Capa de concreto de 110 mm para reter o leito de pedra britada compactada
32 Camada de concreto de 120 mm sobre 30 mm de pedra britada e 40 mm de isolamento térmico
33 Laje de concreto armado sobre 20 mm de asfalto e membrana betuminosa elastomérica de 3 mm

15.05 Detalhe 1 da Fachada: Planta Baixa 1:50

1 Cantoneiras de aço de 50 × 50 mm para a fixação dos painéis de tela metálica
2 Pele de vidro fixada à fachada interna de concreto por meio de mãos francesas formadas por perfis I de aço galvanizado
3 Parede de concreto armado
4 Painéis de alumínio anodizado com tela de metal expandido
5 Parede-cortina com vidros duplos: um vidro laminado transparente de 8 mm revestido com película de polivinil butiral (PVB) opala e vidro de segurança
6 Travessa de fixação da pele de vidro à estrutrura principal do prédio composta de perfis I de aço galvanizado
7 Fresta de 10 mm entre os painéis de alumínio anodizado com tela de metal expandido
8 Cantoneiras de aço de 60 × 60 mm dobradas para sustentação dos painéis de alumínio anodizado com tela de metal expandido
9 Travessa de fixação da pele de vidro à estrutura principal do prédio composta de perfis I de aço galvanizado
10 Fresta de 10 mm entre os painéis de alumínio anodizado com tela de metal expandido

15.06 Detalhe 2 da Fachada: Planta Baixa 1:10

1 Chapa vertical de alumínio de 5 mm preta com fixação invisível
2 Estrutura vertical de perfis de aço
3 Revestimento de chapa de alumínio de 5 mm preta fixada com parafusos pretos laterais
4 Chapa vertical de alumínio de 5 mm preta com fixação invisível
5 Parede-cortina com vidros duplos: um vidro laminado transparente de 8 mm revestido com película de polivinil butiral (PVB) opala e vidro de segurança
6 Limite das presilhas de alumínio da vidraça
7 Travessa de fixação da pele de vidro à estrutura principal do prédio composta de perfis I de aço galvanizado
8 Parede de concreto armado de 300 mm
9 Chapa de aço
10 Cantoneiras de aço de 60 × 60 mm dobradas para sustentação dos painéis de alumínio anodizado com tela de metal expandido
11 Painéis de alumínio anodizado com tela de metal expandido de 3 mm
12 Superfície de apoio para os painéis de cantoneiras de aço de 60 × 40 mm com tela de metal expandido

15.07 Detalhe da Fachada: Corte 1:5

1 Parede-cortina com vidros duplos: um vidro laminado transparente de 8 mm revestido com película de polivinil butiral (PVB) opala e vidro de segurança
2 Misula de perfil I de aço galvanizado
3 Cabo vertical protendido
4 Cunha de aço perfurada
5 Perfil de alumínio Stabalux
6 Perfil de alumínio de 120 × 25 mm
7 Cantoneira de aço de 60 × 40 mm de apoio para os painéis com tela de metal expandido
8 Extremidade inferior do perfil de aço
9 Painéis de perfil de alumínio anodizado com tela de metal expandido de 3 mm apoiados nas cantoneiras de aço
10 Blocagem de madeira
11 Fixação com parafuso rosqueado para eventual remoção dos painéis de tela para manutenção
12 Chapa de aço
13 Parede de concreto armado de 300 mm
14 Painel de parede de concreto pré-moldado

69

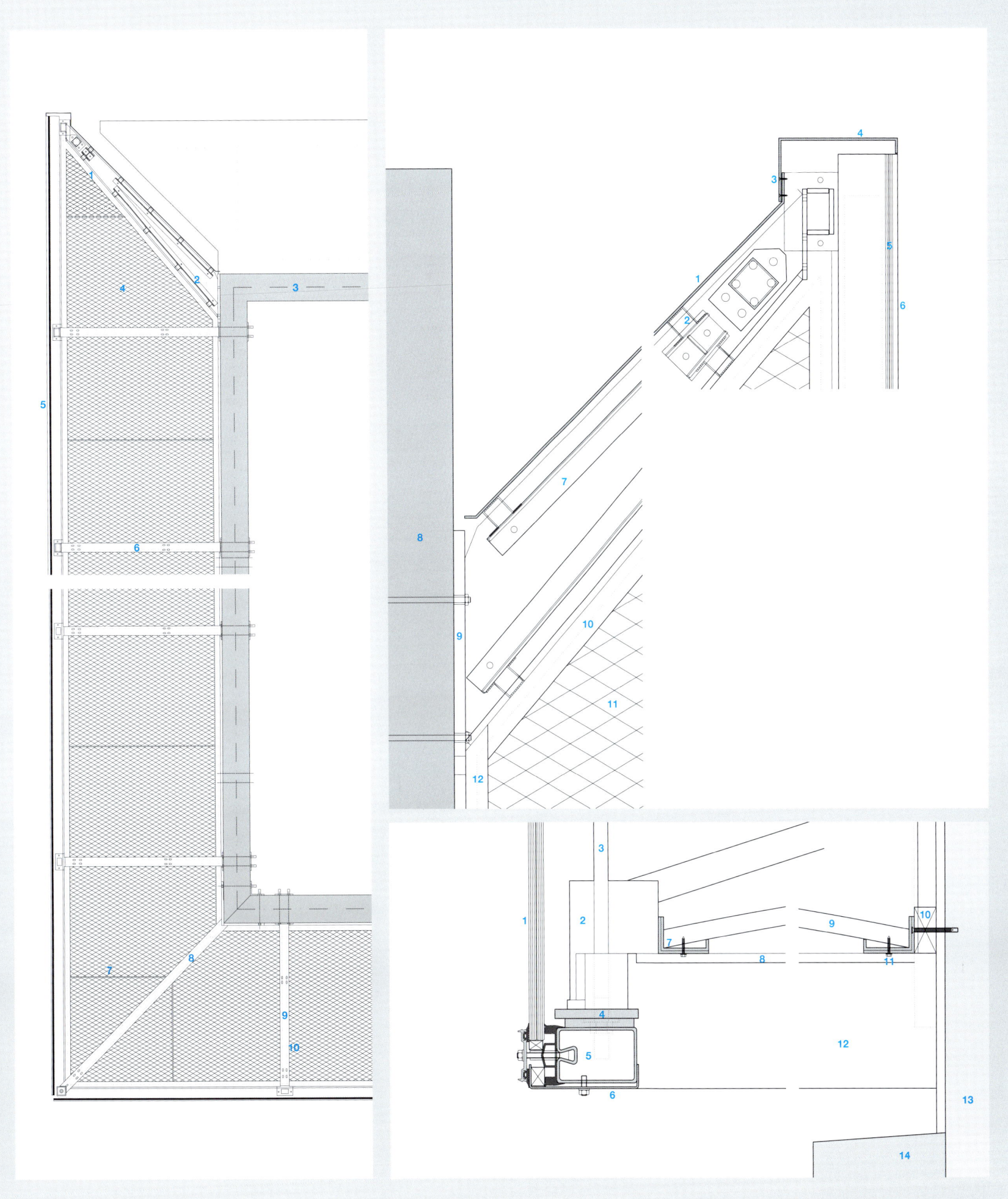

16
Randall Stout Architects

Museu de Arte Taubman
Roanoke, Virgínia, Estados Unidos

Cliente
Museu de Arte Taubman

Equipe de Projeto
Randall Stout, John Murphey, Sandra Hutchings, Cynthia Bush, Hugo Ventura, Niel Prunier, Rashmi Vasavada

Projeto Estrutural
DeSimone Consulting Engineers

Construção
Balfour Beatty Construction

Visando acomodar o rápido crescimento de seu acervo, o Museu de Arte Taubman contratou o arquiteto Randall Stout, de Los Angeles, para projetar um novo prédio adequado à ambição da instituição de se tornar uma referência para as artes no oeste da Virgínia. O prédio, cujos materiais e formas foram selecionados para prestar um tributo às famosas Montanhas Apalache e Blue Ridge, apresenta galerias para exibição flexíveis para a importante coleção permanente do museu, instalações de ensino, um auditório multiuso, um teatro, um café e terraços. O acabamento de aço inoxidável da cobertura ondulante reflete a rica variedade de cores encontrada no céu e nas paisagens com o passar das diferentes estações do ano.

Inspiradas nos córregos das montanhas, as superfícies de vidro translúcido emergem do volume do prédio, formando marquises com uma suave iluminação difusa sobre os espaços públicos e o nível da galeria. À medida que sobe para sustentar a cobertura, um padrão em camadas de paredes externas angulares é revestido com placas de zinco patinado, conferindo um aspecto envelhecido à fachada. O prédio apresenta três níveis e tem um átrio central, em torno do qual todas suas funções se organizam. O átrio de vidro permite que o saguão seja banhado de luz natural durante o dia, enquanto à noite as superfícies de vidro translúcido da cobertura são iluminadas. Do saguão, a escada monumental com degraus de vidro iluminados direciona os visitantes para o nível acima, da galeria. No alto, um forro de painéis de policarbonato translúcidos iluminados por trás e formando uma cascata leva às galerias da coleção permanente, após a passagem pelo saguão da galeria central. Nas galerias de arte contemporânea e norte-americana, os forros luminosos avançam pelo espaço, difundindo a luz diurna do clerestório e das claraboias acima.

1 O átrio de vidro permite que o saguão seja iluminado com luz natural durante o dia. À noite, as superfícies de vidro translúcido da cobertura são iluminadas, permitindo com que todo o volume brilhe como se fosse um farol e atraia os visitantes e a comunidade para as atividades do museu.
2 Evocando um conjunto de majestosos afloramentos rochosos, o volume multifacetado de vidro se eleva no centro da composição, criando um espaço interno brilhante para balcão de informações, guichês, instalações de arte temporárias, eventos programados pelo museu e encontros informais.
3 Como uma composição espetacular de formas onduladas e em camadas feitas de aço, zinco patinado e vidro de alto desempenho, o prédio é um tributo escultórico às famosas Montanhas Blue Ridge que emolduram a cidade e caracterizam a região.
4 Os degraus iluminados da escada monumental levam os visitantes do saguão do pavimento térreo aos dois níveis de galeria acima.

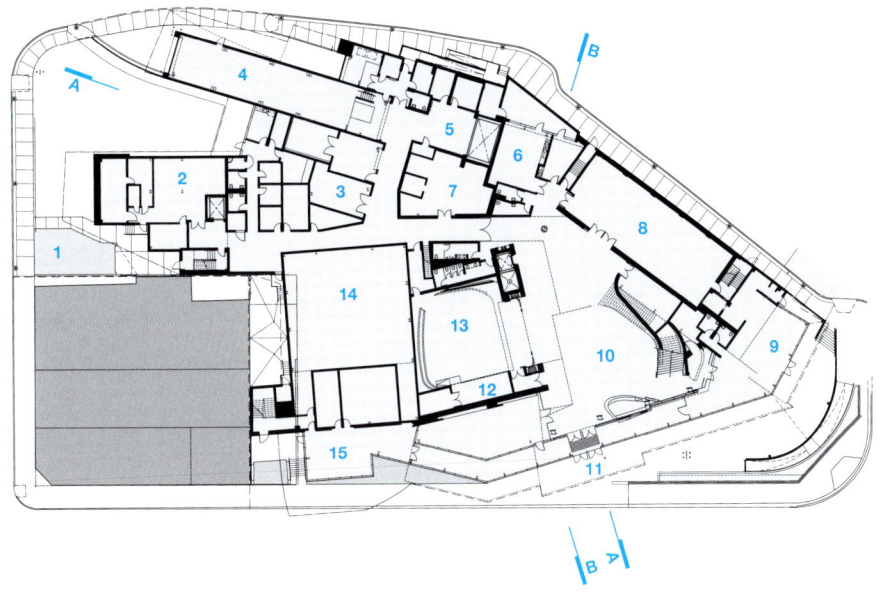

16.01
Planta Baixa do Pavimento Térreo
1:1.000
1 Subestação de energia elétrica
2 Casa de máquinas
3 Área de serviço do museu
4 Triagem de obras de arte
5 Serviços de segurança
6 Ateliê de ensino
7 Cozinha para eventos
8 Galeria para Exposições Temporárias
9 Café do museu
10 Saguão do museu
11 Entrada da Salem Avenue
12 Loja do museu
13 Auditório
14 Teatro
15 Saguão do teatro

16.02
Corte A–A
1:500
1 Copa dos funcionários
2 Área de registro e depósito temporário
3 Área de registro e descarga
4 Corredor
5 Cozinha para eventos
6 Banheiro
7 Galeria do salão principal
8 Entrada da galeria
9 Saguão do museu
10 Vestíbulo
11 Escritório
12 Escritório
13 Escritório
14 Centro de cópias e fax
15 Área de recepção da diretoria
16 Corredor
17 Banheiro
18 Área de recepção do escritório

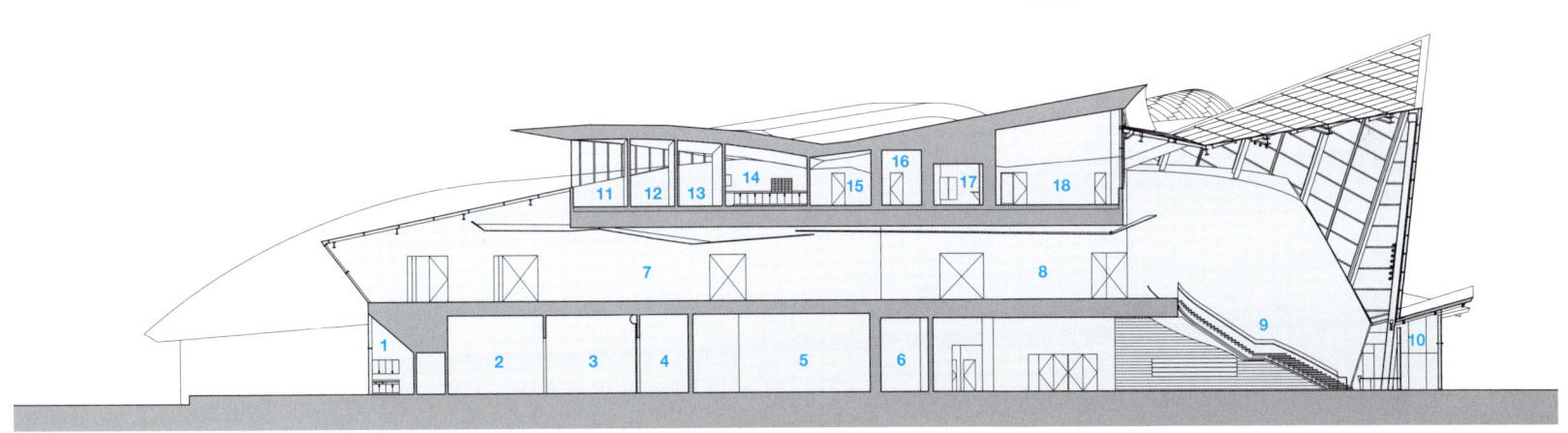

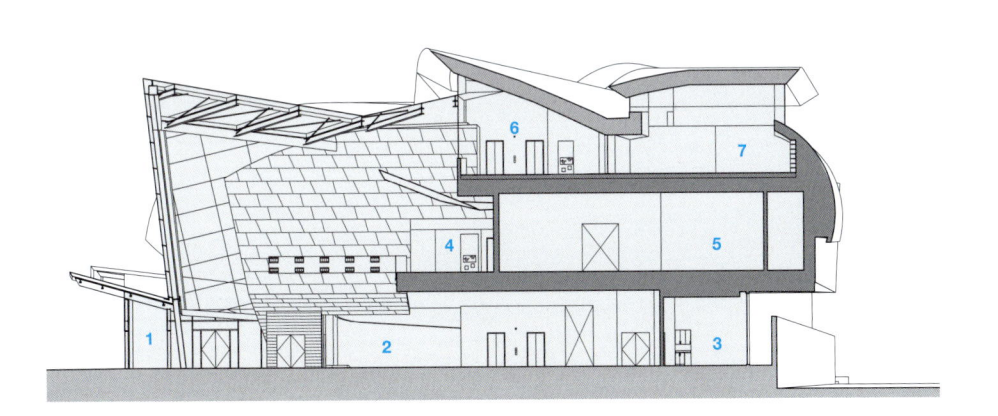

16.03
Corte B–B
1:500
1 Vestíbulo
2 Saguão do museu
3 Salão de festas
4 Saguão da galeria
5 Galeria de exibições temporárias
6 Área comum de recepção dos escritórios
7 Biblioteca

71

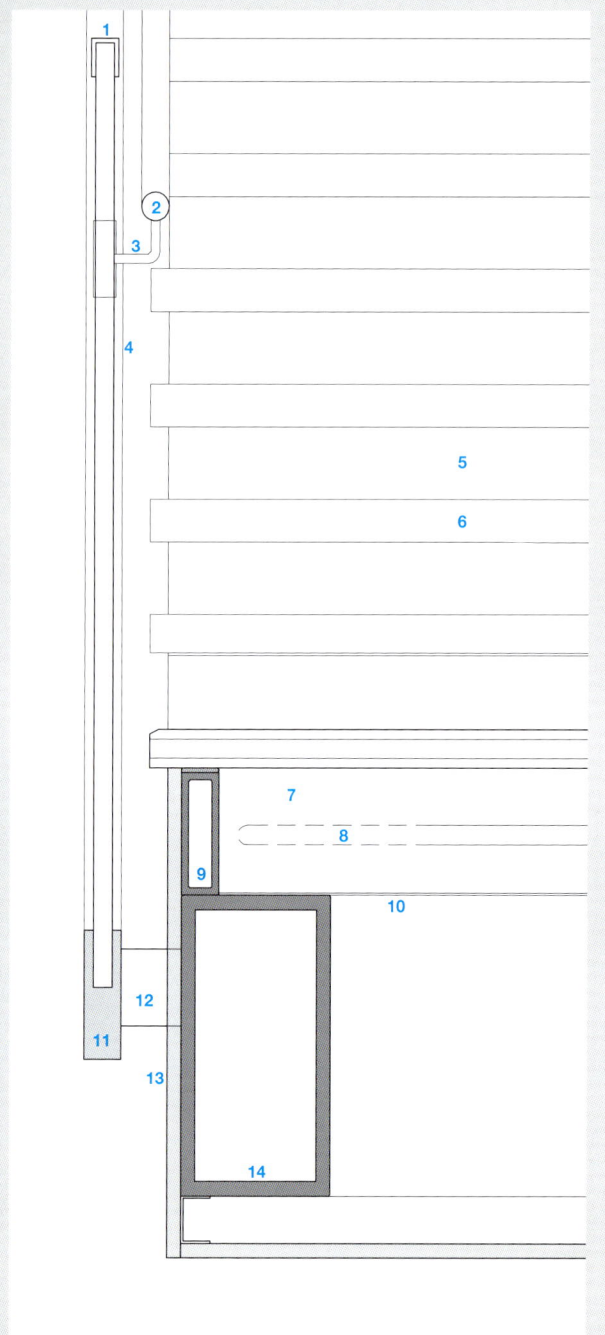

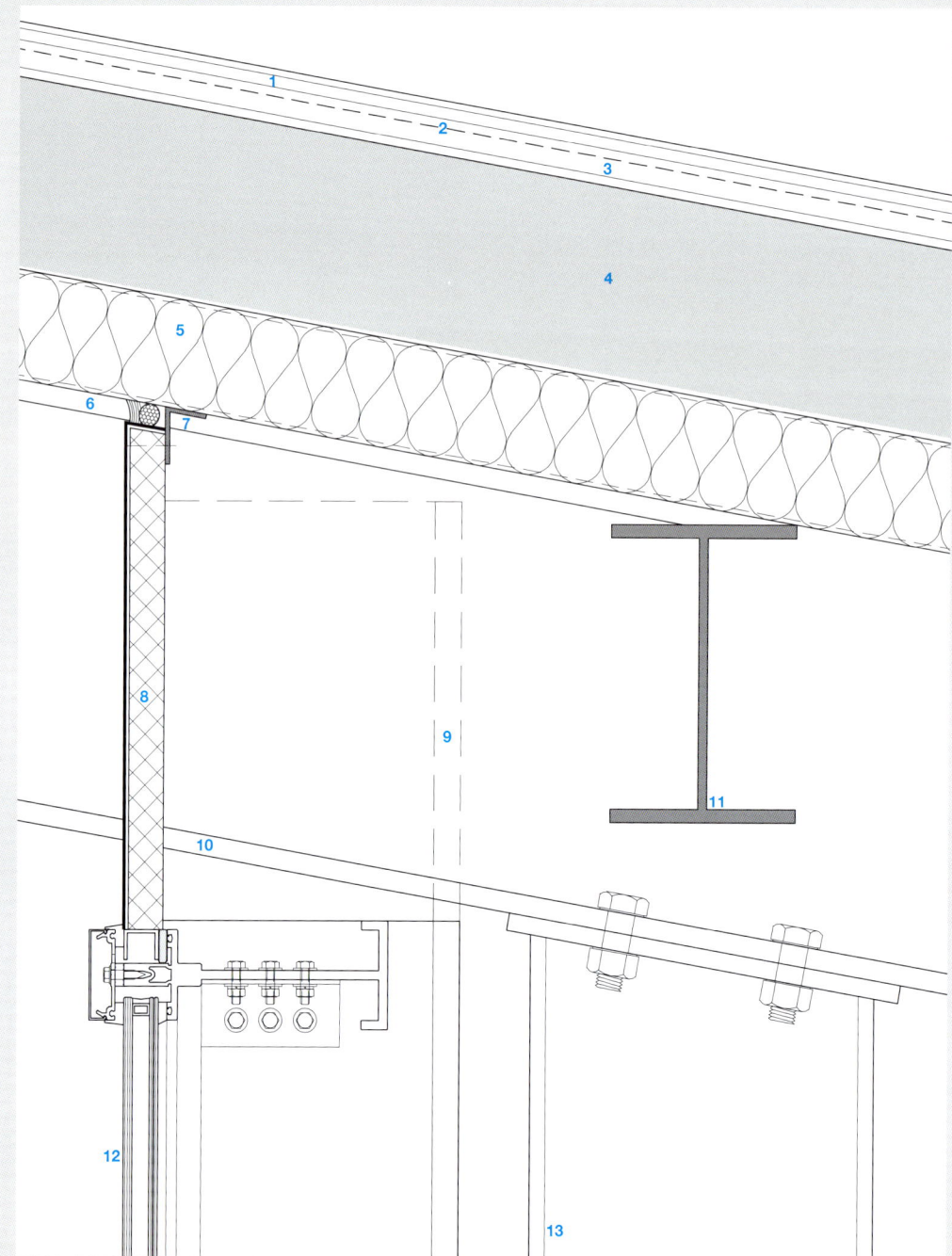

16 Randall Stout Architects — Museu de Arte Taubman — Roanoke, Virgínia, Estados Unidos

16.04
Detalhe da Escada Monumental: Corte
1:10

1 Peça de topo de aço inoxidável
2 Corrimão de perfil tubular redondo de aço inoxidável, com 38 mm
3 Suporte do corrimão de perfil tubular redondo de aço inoxidável, com 12 mm
4 Guarda-corpo de chapas de vidro com juntas de topo em intervalos verticais de 152,4 cm
5 Espelho do degrau revestido com madeira e removível, para o acesso da luminária embutida
6 Piso de vidro translúcido
7 Perfil tubular de aço para sustentar a parte traseira do piso e a luminária
8 Luminária
9 Perfil de aço fabricado sob encomenda para sustentar as extremidades e a parte central dos pisos
10 Chapa de aço de 1,3 mm para fixação da luminária
11 Perfil U de aço inoxidável de sustentação do guarda-corpo de vidro
12 Ancoragem do perfil de aço inoxidável à estrutura
13 Banzo de madeira
14 Estrutura de perfil de aço tubular retangular

16.05
Detalhe da Cobertura do Vestíbulo e da Parede: Corte
1:10

1 Telhas de metal com juntas verticais
2 Membrana de impermeabilização contínua
3 Base de OSB (aglomerado de partículas de madeira longas e orientadas)
4 Isolamento térmico
5 Painel metálico com isolamento acústico
6 Caibro de aço em vista
7 Barreira térmica para as conexões e perfurações entre o exterior e o interior
8 Painel metálico sobre a parede de vidro inserido em todas as perfurações dos caibros e com vedação em todos os lados
9 Projeção do montante por trás do caibro
10 Caibro de aço
11 Viga de perfil I de aço da estrutura principal do prédio
12 Janela com vidro duplo
13 Pilar de aço composto

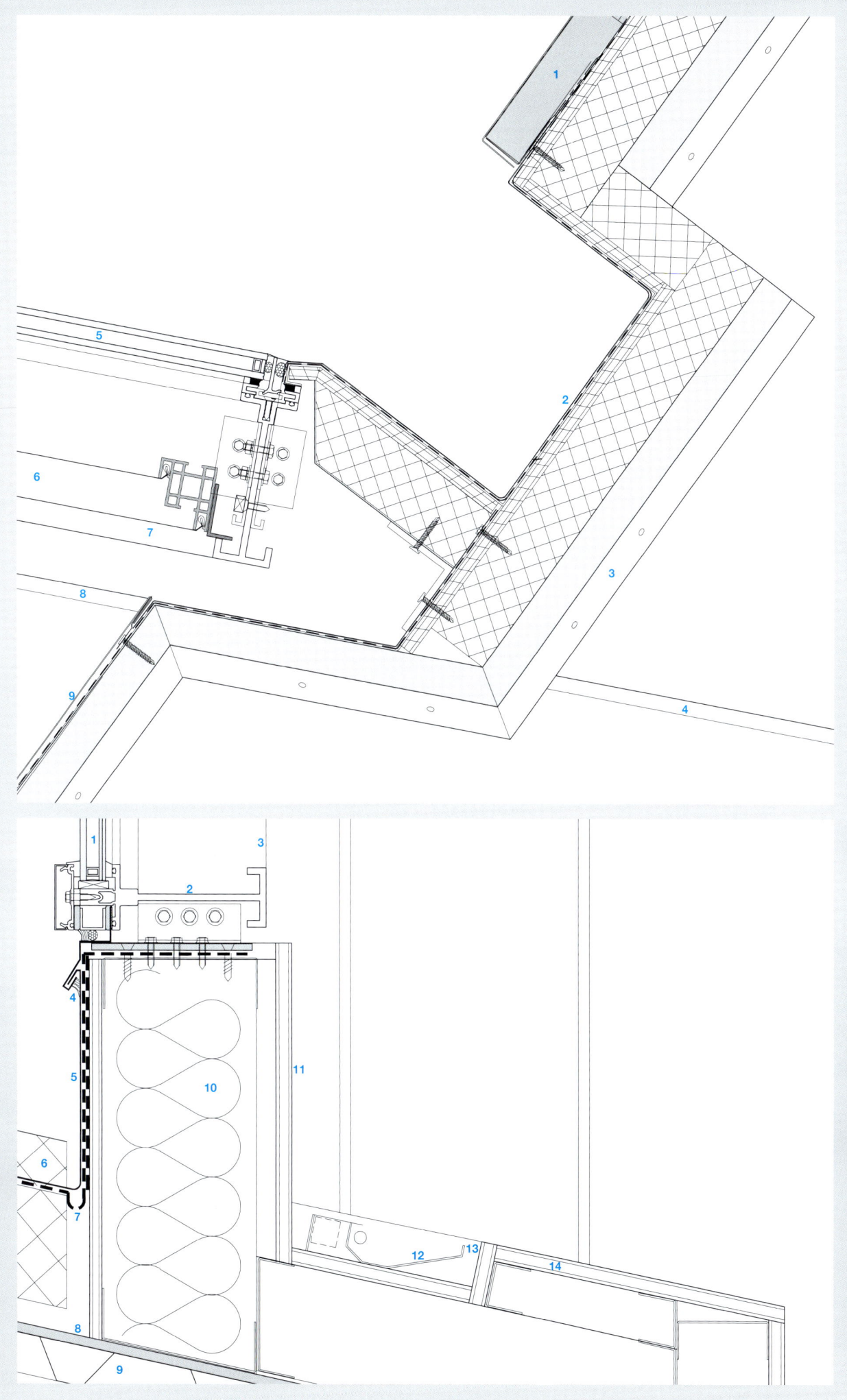

16.06
Detalhe do Fechamento da Cobertura de Metal e Vidro: Corte
1:5

1 Revestimento de metal sobre barreira de água e vapor
2 Calha de aço inoxidável
3 Painel pré-fabricado
4 Viga de aço em vista
5 Painel de cobertura de vidro duplo
6 Membrana dupla esticada sobre o painel de forro de tecido
7 Caibro em vista
8 Viga de aço em vista
9 Revestimento de metal

16.07
Detalhe da Sanca de Iluminação do Clerestório: Corte
1:5

1 Clerestório de vidro duplo
2 Travessa
3 Montante em vista
4 Pingadeira
5 Rufo sobre membrana de impermeabilização
6 Isolamento térmico rígido
7 Impermeabilização
8 Painel de base
9 Telhas de metal corrugado
10 Montante de metal com isolamento térmico
11 Chapa de gesso cartonado pintada
12 Luminária
13 Sanca ao longo de todo o clerestório
14 Telhado com juntas verticais em vista

17
Kazuyo Sejima + Ryue Nishizawa / SANAA

Pavilhão de Vidro do Museu de Arte de Toledo
Toledo, Ohio, Estados Unidos

Cliente
Museu de Arte de Toledo

Equipe de Projeto
Kazuyo Sejima, Ryue Nishizawa, Toshihiro Oki, Florian Idenburg, Takayuki Hasegawa, Mizuki Imamura, Junya Ishigami, Hiroshi Kikuchi, Tetsuo Kondo, Keiko Uchiyama

Projeto Estrutural
SAPS / Sasaki and Partners

Construção
Rudolph / Libbe

O Pavilhão de Vidro, um anexo do Museu de Arte de Toledo, contém uma grande coleção de obras de arte em vidro, galerias de exibição temporária e instalações para a fabricação de vidro. Devido à sua localização na extremidade sul de um bairro habitacional histórico, durante a elaboração do projeto foi necessário levar em consideração tanto a preservação das árvores com 150 anos de idade do parque como o contexto urbano histórico. SANAA projetou o prédio como um pavilhão baixo, de apenas um pavimento, com uma série de pátios internos, de modo que os visitantes, mesmo dentro do edifício, pudessem continuar com a sensação de que estavam caminhando sob as árvores.

O mote do projeto foi o conjunto de exigências visionárias do programa de necessidades do museu, que combinava o uso um tanto contraditório de uma oficina "rústica" de produção de vidro com as "refinadas" galerias do museu. A interiorização do parque, não apenas visualmente, mas também em termos de experiência, se soma à complexidade da planta baixa do prédio. As paredes de vidro curvado que separam os espaços internos do prédio colocam os visitantes em permanente contato visual com o exterior, as atividades de produção de vidro e as obras de arte. A forma das paredes de vidro guia os visitantes para diferentes direções, criando experiências únicas ao longo da sequência de espaços. Os 2.973 metros quadrados de vidro empregados vieram de um único lote de vidro flutuante fabricado na Alemanha. Antes de ser enviado ao terreno, em Toledo, o vidro foi curvado e laminado no sul da China. As esbeltas colunas maciças de aço, que resistem às cargas verticais, e os painéis de parede maciços, também de aço, utilizados para o contraventamento lateral, criam uma estrutura de extrema leveza que reforça a sensação de transparência e luminosidade.

1 Inaugurado em 2006, o Pavilhão de Vidro acomoda a mundialmente famosa coleção de vidro do Museu de Arte de Toledo, que contém mais de 5 mil obras de arte da antiguidade aos dias atuais.
2 O Pavilhão de Vidro é por si só uma obra de arte. Todas as suas paredes externas e praticamente todas as internas consistem de grandes chapas de vidro curvado, resultando em uma edificação transparente que atenua a distinção entre espaços internos e externos.
3 Cada uma das mais de 360 chapas que compõem as paredes de vidro – muitos dos quais são curvos – mede aproximadamente 2,4 metros de largura por 4,0 metros de altura.
4 e 5 De aparência simples e elegante, ainda que de organização complexa, o pavilhão de 6.875 metros quadrados se divide em um pavimento térreo principal e um pavimento de subsolo do mesmo tamanho.

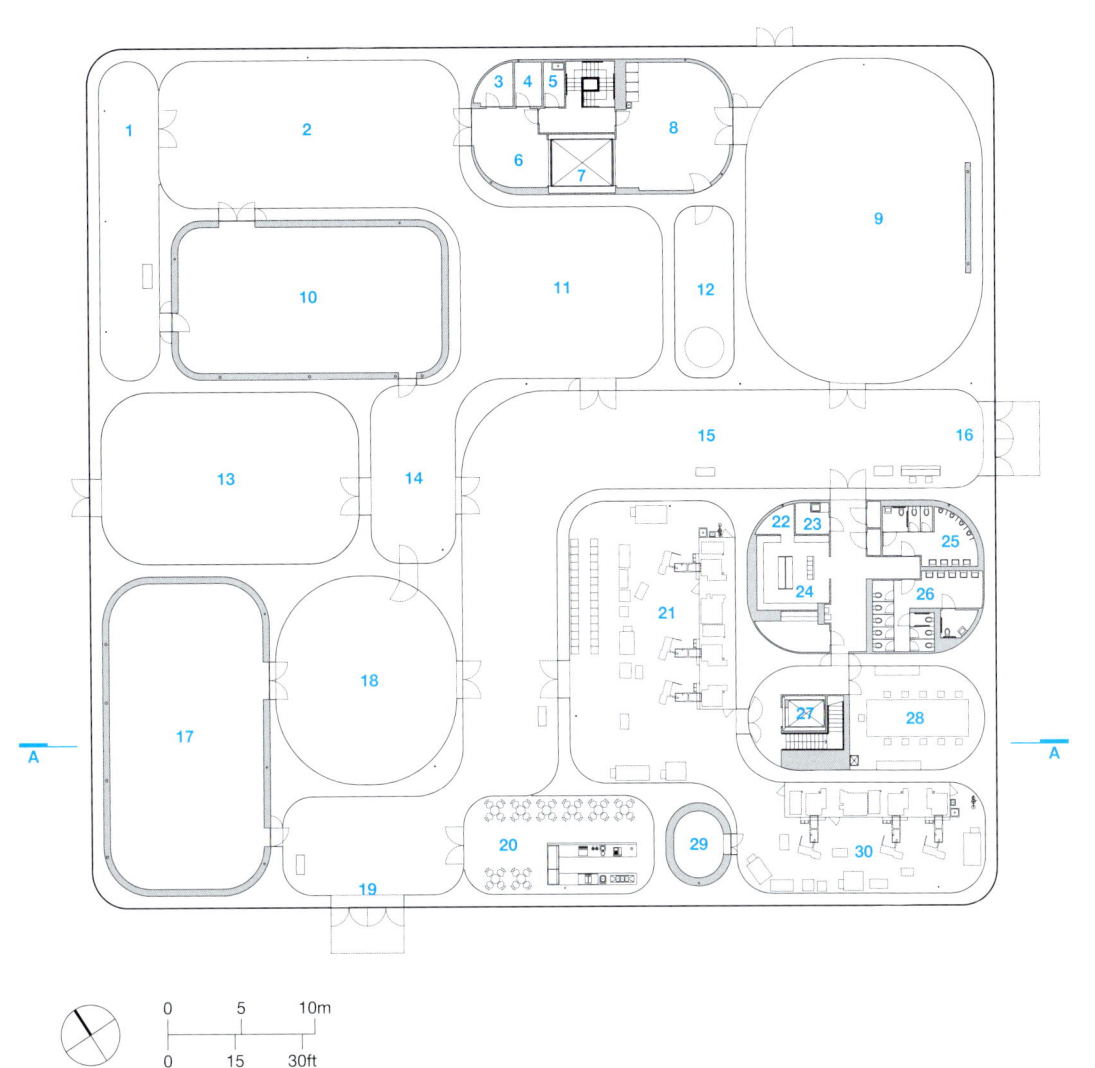

17.01
Planta Baixa do Pavimento Térreo
1:500

1. Área de descanso
2. Espaço principal para exibições 1
3. Depósito audiovisual
4. Sala de distribuição elétrica
5. Depósito de materiais de limpeza
6. Área de depósito temporário de obras de arte
7. Elevador
8. Depósito de equipamentos para exibições
9. Sala multifuncional
10. Espaço principal para exibições 3
11. Espaço principal para exibições 2
12. Pátio interno
13. Pátio interno
14. Saguão
15. Saguão
16. Entrada pelo parque
17. Sala de exibição do acervo 2
18. Sala de exibição do acervo 1
19. Entrada Monroe
20. Café
21. Oficina de produção de vidro 1
22. Depósito da chapelaria
23. Sala de primeiros socorros
24. Chapelaria
25. Banheiro masculino
26. Banheiro feminino
27. Elevador
28. Sala de reuniões
29. Pátio interno
30. Oficina de produção de vidro 2

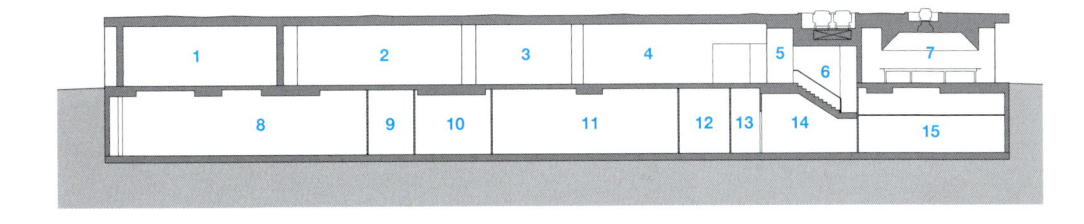

17.02
Corte A–A
1:500

1. Sala de exibição do acervo 2
2. Sala de exibição do acervo 1
3. Saguão
4. Oficina de produção de vidro 1
5. Corredor
6. Escada
7. Sala de reuniões
8. Espaço para expansão futura
9. Corredor
10. Sala da cera
11. Depósito da oficina de produção de vidro
12. Depósito dos técnicos
13. Corredor
14. Sala dos funcionários
15. Escritório

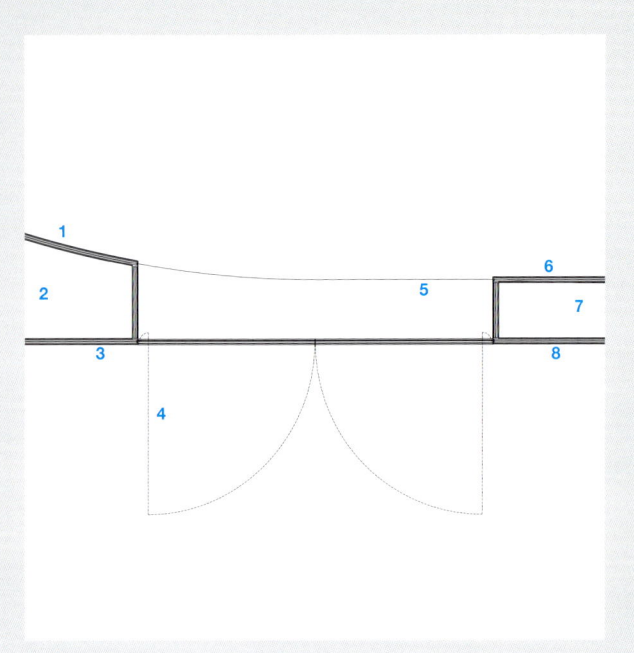

17 Kazuyo Sejima + Ryue Nishizawa / SANAA Pavilhão de Vidro do Museu de Arte de Toledo Toledo, Ohio, Estados Unidos

**17.03
Detalhe da Porta 3:
Planta Baixa
1:50**
 1 Duas chapas de vidro laminado com baixo teor de ferro de 10 mm
 2 Cavidade da parede de vidro
 3 Duas chapas de vidro laminado com baixo teor de ferro de 10 mm
 4 Porta de vidro temperado com baixo teor de ferro
 5 Projeção da verga de vidro
 6 Duas chapas de vidro laminado com baixo teor de ferro de 10 mm
 7 Cavidade da parede de vidro
 8 Duas chapas de vidro laminado com baixo teor de ferro de 10 mm

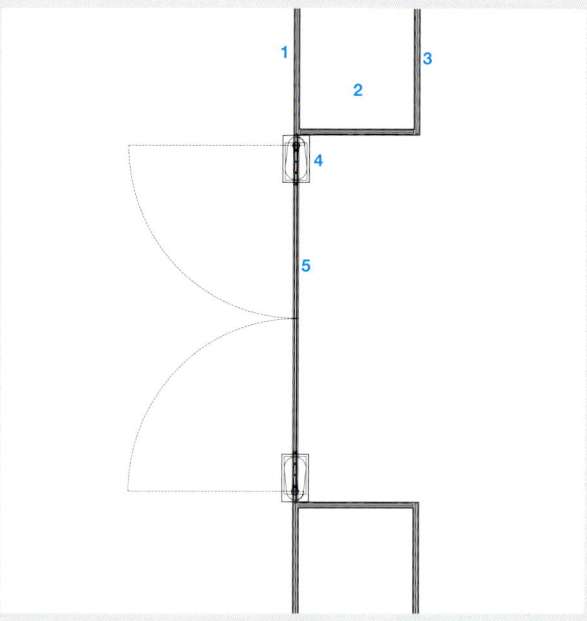

**17.04
Detalhe da Porta 15:
Planta Baixa
1:50**
 1 Duas chapas de vidro laminado com baixo teor de ferro de 10 mm
 2 Cavidade da parede de vidro
 3 Duas chapas de vidro laminado com baixo teor de ferro de 10 mm
 4 Mecanismo de fechamento automático da porta recuada
 5 Porta de vidro temperado com baixo teor de ferro

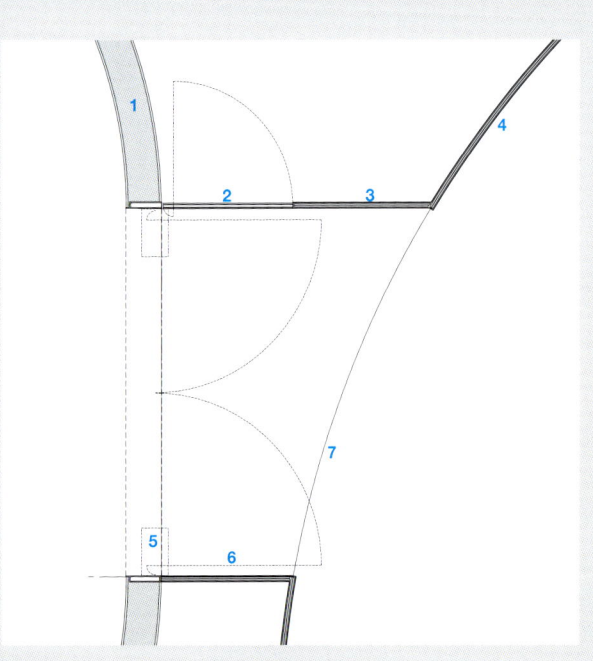

**17.05
Detalhe da Porta 10:
Planta Baixa
1:50**
 1 Parede de montantes leves
 2 Porta de vidro temperado com baixo teor de ferro para acesso à cavidade da parede
 3 Duas chapas de vidro laminado com baixo teor de ferro de 10 mm
 4 Duas chapas de vidro laminado com baixo teor de ferro de 10 mm
 5 Mecanismo de fechamento automático da porta recuada
 6 Porta de metal oca
 7 Projeção da verga de vidro

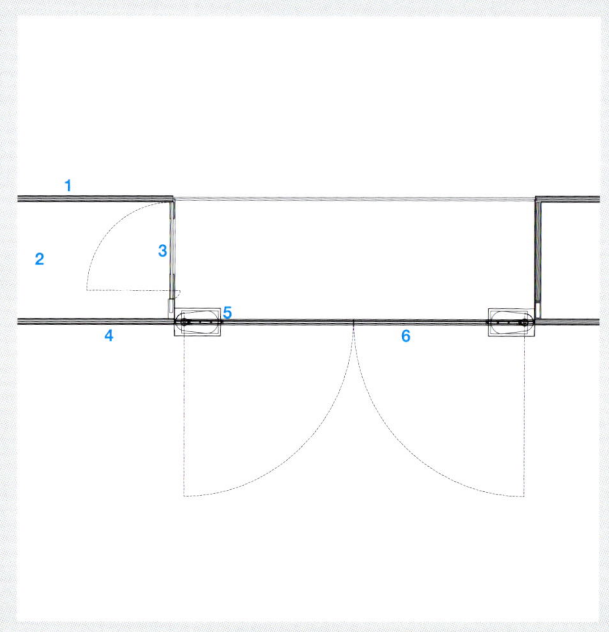

**17.06
Detalhe da Porta 12:
Planta Baixa
1:50**
 1 Duas chapas de vidro laminado com baixo teor de ferro de 10 mm
 2 Cavidade da parede de vidro
 3 Porta de vidro temperado com baixo teor de ferro para acesso à cavidade da parede
 4 Duas chapas de vidro laminado com baixo teor de ferro de 10 mm
 5 Mecanismo de fechamento automático da porta recuada
 6 Porta de vidro temperado com baixo teor de ferro

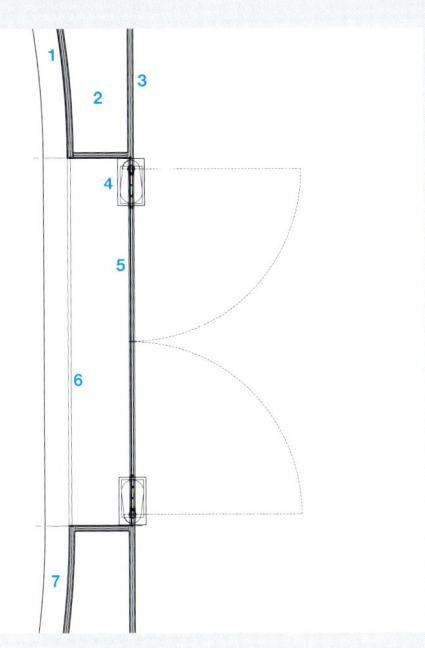

17.07
**Detalhe da Porta 16:
Planta Baixa**
1:50
1 Duas chapas de vidro laminado com baixo teor de ferro de 10 mm
2 Cavidade da parede de vidro
3 Duas chapas de vidro laminado com baixo teor de ferro de 10 mm
4 Mecanismo de fechamento automático da porta recuada
5 Porta de vidro temperado com baixo teor de ferro
6 Projeção da verga de vidro
7 Grade de piso em volta do prédio

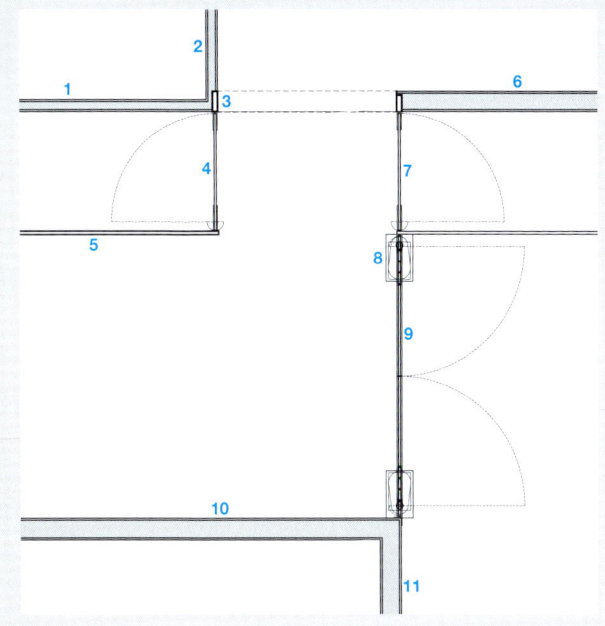

17.08
**Detalhe da Porta 6:
Planta Baixa**
1:50
1 Parede de montantes leves de madeira revestida com chapas de gesso cartonado
2 Parede de montantes leves de madeira revestida com chapas de gesso cartonado
3 Projeção da verga de vidro
4 Porta de vidro temperado com baixo teor de ferro para acesso à cavidade da parede
5 Parede de chapa de aço de 12,7 mm
6 Parede de montantes leves de madeira revestida com chapas de gesso cartonado
7 Porta de vidro temperado com baixo teor de ferro para acesso à cavidade da parede
8 Mecanismo de fechamento automático da porta recuada
9 Porta de vidro temperado com baixo teor de ferro
10 Parede de montantes leves de madeira revestida com chapas de gesso cartonado
11 Parede de montantes leves de madeira revestida com chapas de gesso cartonado

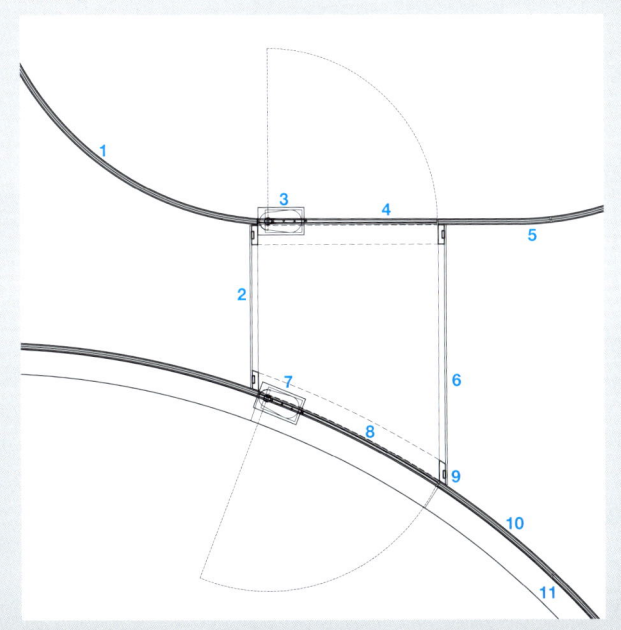

17.09
**Detalhe da Porta 17:
Planta Baixa**
1:50
1 Duas chapas de vidro laminado com baixo teor de ferro de 10 mm
2 Painel de acrílico temporário
3 Mecanismo de fechamento automático da porta recuada
4 Porta de vidro temperado com baixo teor de ferro
5 Duas chapas de vidro laminado com baixo teor de ferro de 10 mm
6 Painel de acrílico temporário
7 Mecanismo de fechamento automático da porta recuada
8 Projeção da verga de vidro
9 Esquadria de aço inoxidável da porta
10 Duas chapas de vidro laminado com baixo teor de ferro de 10 mm
11 Grade de piso em volta do prédio

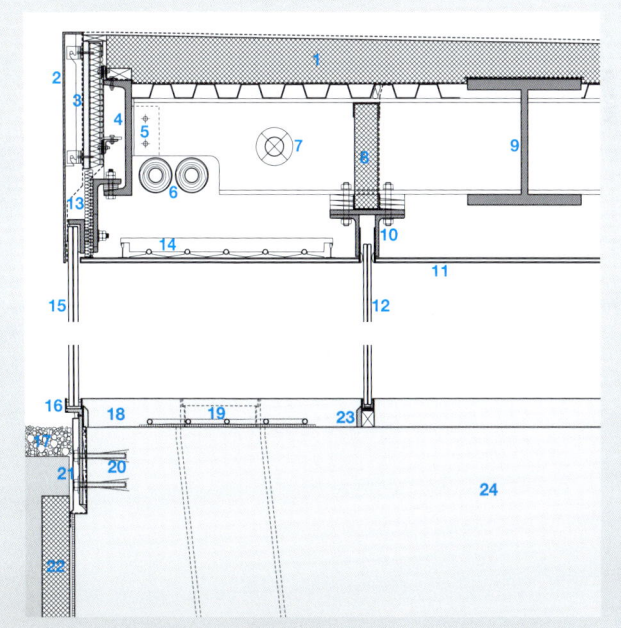

17.10
Detalhe da Parede Externa de Vidro e da Cobertura: Corte
1:20
1 Sistema de cobertura composto de membrana de impermeabilização, isolamento térmico, barreira de vapor e chapas de aço corrugadas
2 Remate de chapa de alumínio anodizado incolor de 6 mm
3 Estrutura de sustentação da platibanda
4 Viga de borda da cobertura
5 Conexão parafusada
6 Tubulação com isolamento térmico
7 Furo na viga para a passagem de dutos e tubos
8 Barreira de vapor com isolamento térmico
9 Longarina de perfil I de aço
10 Cantoneira superior de sustentação da vidraça
11 Forro de chapa de gesso cartonado
12 Duas chapas de vidro laminado com baixo teor de ferro de 10 mm
13 Chapa dobrada
14 Painéis de calefação por radiação no pleno da cobertura
15 Duas chapas de vidro laminado com baixo teor de ferro de 12 mm
16 Base de perfil U
17 Enchimento de cascalho
18 Capa de concreto de 76 mm
19 Sistema de calefação por radiação embutido na capa de concreto e conduítes para fiação
20 Chumbadores
21 Chapa de base no perímetro
22 Isolamento térmico rígido
23 Base da vidraça em perfil U
24 Laje de piso de concreto estrutural

QVE Arquitectos

Centro de Interpretação da Natureza de Salburúa
Vitoria, Espanha

Cliente
Centro de Estudos Ambientais

Equipe de Projeto
José María García Del Monte, Ana María Montiel Jiménez, Fernando García Colorado

Projeto Estrutural
José Luis Fernández Cabo

Construção
Urazca Construcciones

O ponto de partida para o projeto foi a criação de uma área natural de pântano próxima à cidade, que serviria como uma zona de transição entre dois mundos – o urbano e o natural. O pântano foi criado devolvendo uma fazenda drenada à sua condição natural. Um aspecto crucial da recuperação da área de pântano foi a inclusão de um centro de interpretação como local de contato com o pântano. O centro se eleva sobre a água, colocando os visitantes em uma posição privilegiada dentro do parque, e voltando-os para a água, com a cidade às suas costas. A vista espetacular é intensificada elevando os visitantes em uma estrutura tubular de aço e vidro em balanço, 21 metros acima do nível d'água.

O prédio de madeira de dois pavimentos que está por trás do promontório contém instalações de caráter tanto público como privado. No pavimento térreo estão os escritórios, os espaços de administração, um pequeno auditório, sala de aulas e uma sala para o tratamento de aves. No segundo nível, os equipamentos de uso público incluem um café, espaços para exibições temporárias e permanentes, terraços e o promontório. O prédio inteiro é extremamente sustentável em termos ecológicos, pois usa materiais de construção renováveis, além de tirar partido da ventilação cruzada e de estratégias de sombreamento e insolação para calefação e refrigeração, evitando a necessidade de condicionamento mecânico do ar. A estrutura foi projetada com seis pórticos idênticos que podem repetidos infinitamente, caso as exigências de espaço aumentem. O concreto foi utilizado para afastar o prédio do solo. Em seguida, usou-se madeira em um ritmo vertical rigoroso por todo o bloco principal, que então se abre com a estrutura de aço e as grandes chapas de vidro que formam o promontório.

1 O vidro foi utilizado como contraste ao concreto e à madeira de aspecto rústico do corpo do prédio, criando um bloco leve e em balanço que flutua sobre a água. **2** As vidraças são mantidas no lugar e conectadas à estrutura de madeira que as sustentam por meio de cantoneiras de aço anodizadas. A base das vidraças não possui qualquer moldura, acentuando a leveza da estrutura. **3** O interior do promontório é caracterizado pelo ritmo vertical da estrutura de madeira à qual as vidraças são fixadas. Uma grande chapa de vidro incolor na extremidade do promontório permite vistas ininterruptas do pântano.

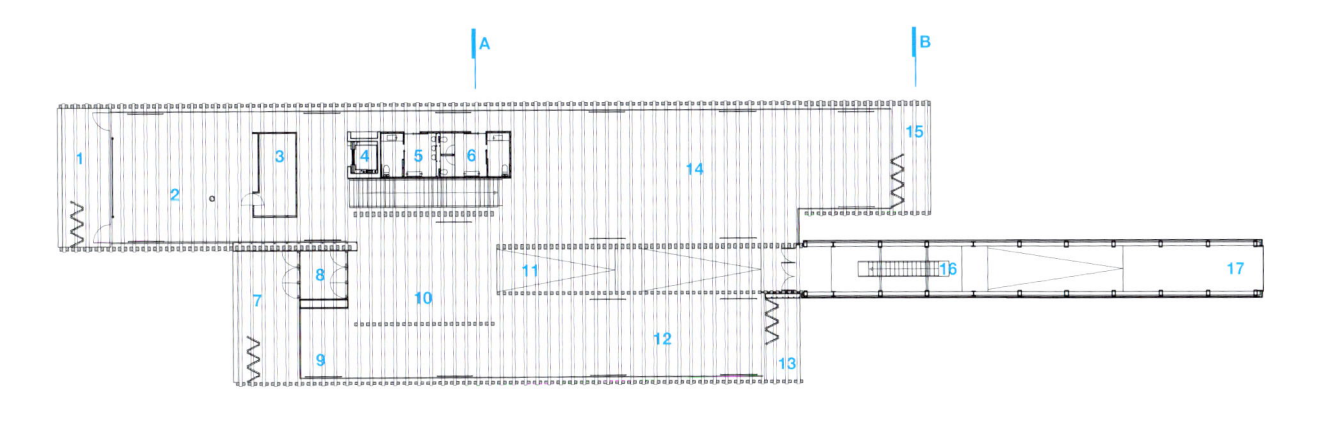

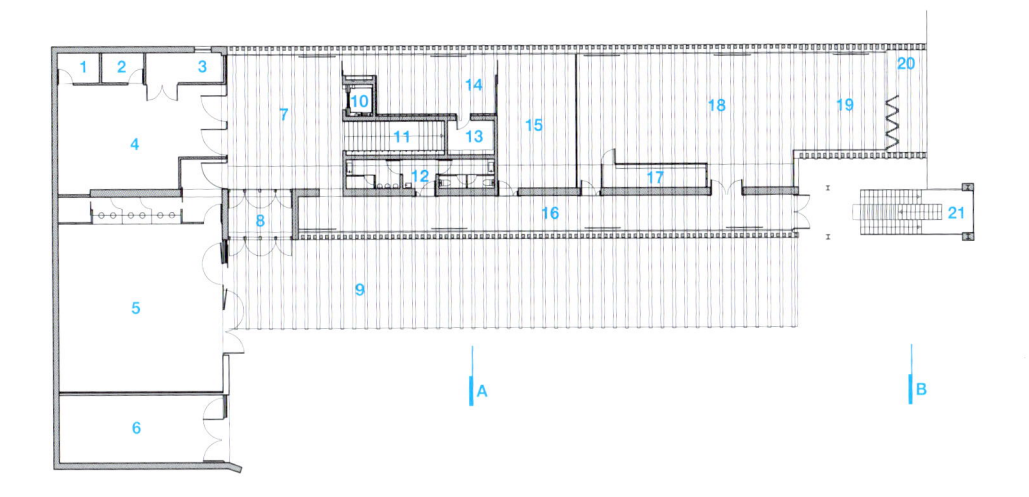

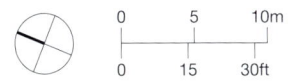

18.01
Planta Baixa do Pavimento Superior
1:500
1. Terraço
2. Café
3. Cozinha
4. Elevador
5. Banheiro masculino
6. Banheiro feminino
7. Plataforma de acesso
8. Vestíbulo
9. Área dos computadores
10. Saguão
11. Rampa até o promontório
12. Exibições temporárias
13. Terraço
14. Exibições permanentes
15. Terraço de leitura
16. Escada externa para o promontório
17. Promontório

18.02
Planta Baixa do Pavimento Inferior
1:500
1. Depósito
2. Arquivos
3. Casa de caldeiras
4. Depósito
5. Auditório
6. Sala de tratamento de aves
7. Saguão
8. Vestíbulo
9. Terraço coberto
10. Elevador
11. Escada até o nível superior
12. Banheiro
13. Depósito da administração
14. Administração
15. Sala de aula
16. Corredor
17. Depósito
18. Laboratório e sala de aula
19. Sala das crianças
20. Terraço das crianças
21. Escada externa até o promontório

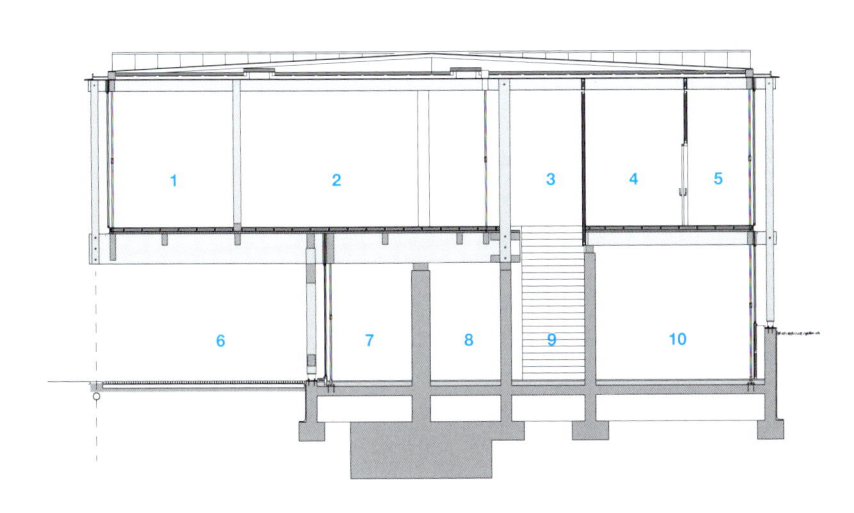

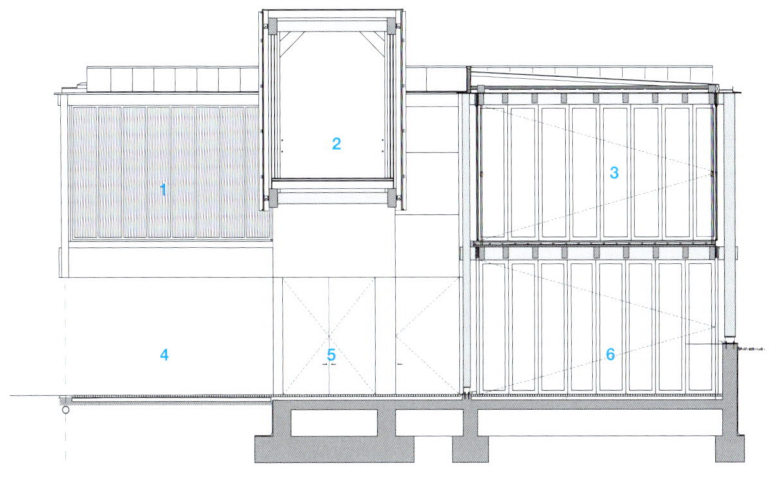

18.03
Corte A–A
1:200
1. Área dos computadores
2. Saguão
3. Patamar superior da escada
4. Banheiro feminino
5. Corredor
6. Terraço coberto
7. Corredor
8. Banheiro dos funcionários
9. Escada
10. Administração

18.04
Corte B–B
1:200
1. Terraço da área de exibição
2. Promontório
3. Terraço de leitura
4. Terraço coberto
5. Entrada
6. Terraço das crianças

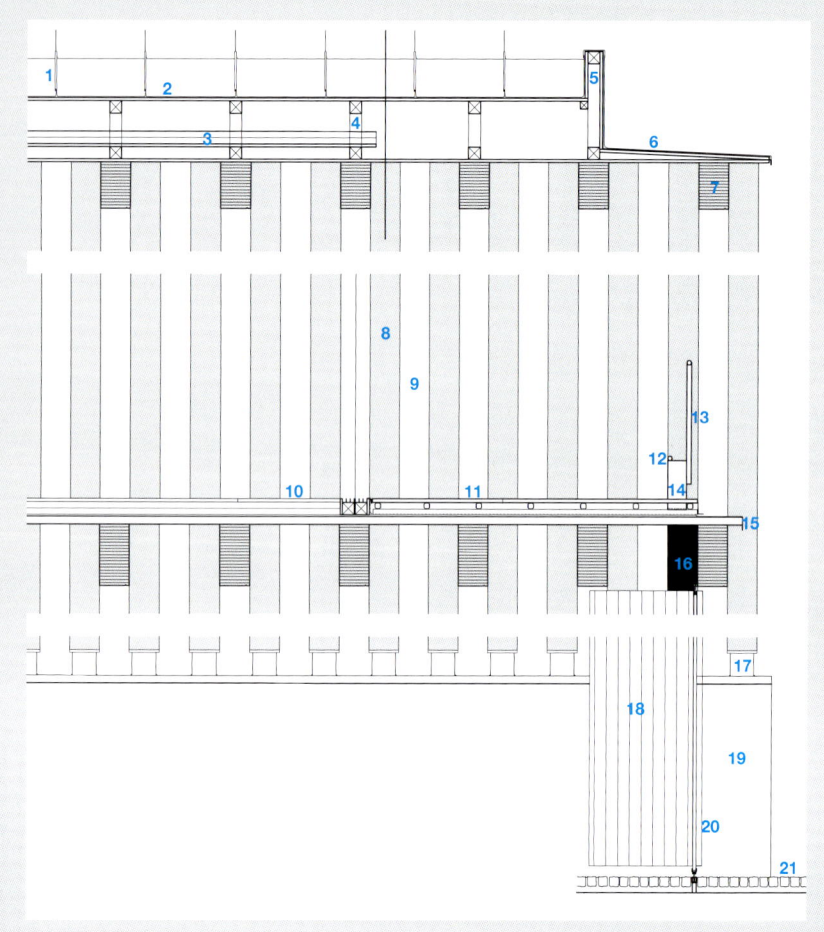

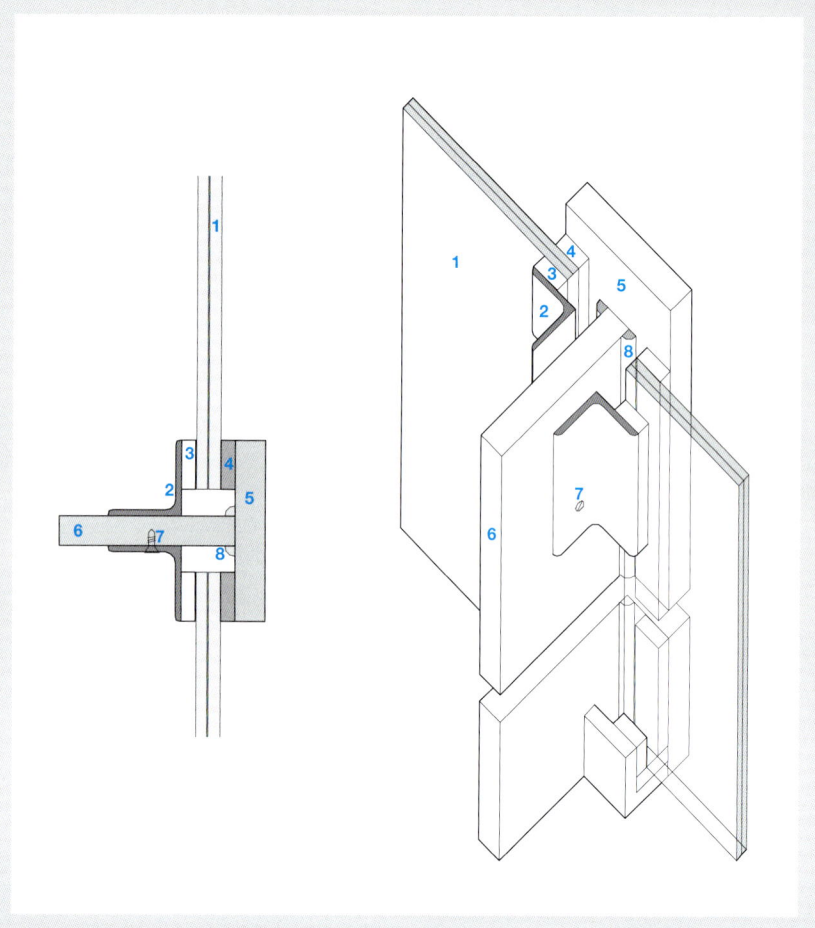

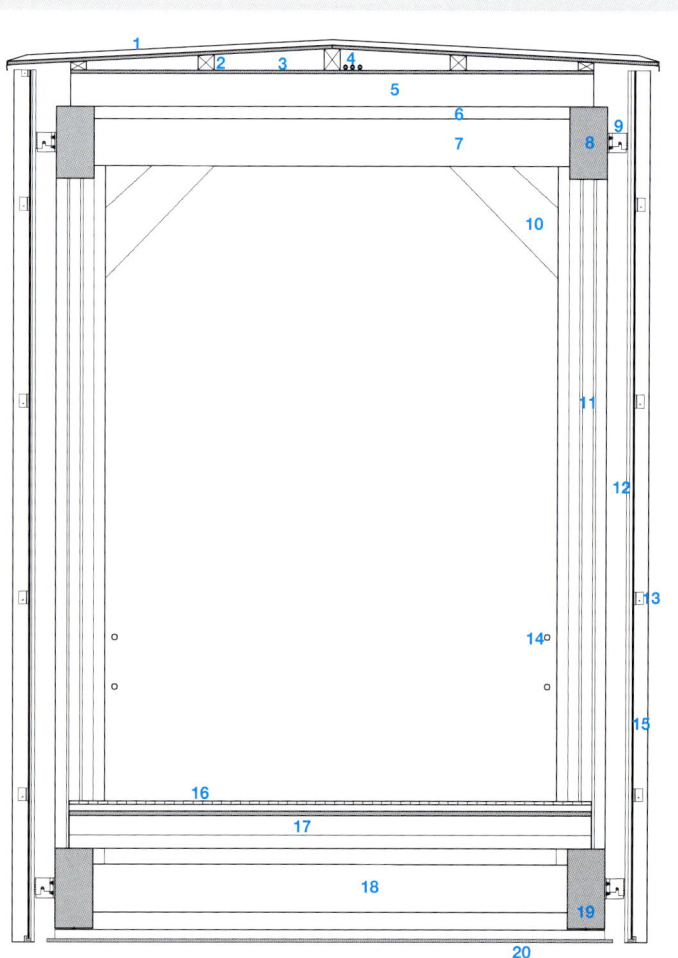

18 QVE Arquitectos — Centro de Interpretação da Natureza de Salburúa — Vitoria, Espanha

18.05 Detalhe do Corpo Principal do Prédio: Corte 1:50
1 Painéis de zinco
2 Chapa de aglomerado de 13 mm
3 Chapa de fibra de vidro de 80 mm
4 Estrutura de madeira para facilitar o caimento da cobertura
5 Oitão
6 Chapa de zinco sobre aglomerado
7 Viga de madeira laminada de 300 × 200 mm
8 Montantes de madeira laminada de 200 × 200 mm
9 Espaço aberto entre montantes
10 Piso de madeira de carvalho
11 Tábuas de madeira de carvalho tratadas a vácuo
12 Grade de aço da parte inferior do guarda-corpo
13 Guarda-corpo de vidro
14 Tábuas de madeira de carvalho tratadas a vácuo
15 Proteção de zinco
16 Viga de madeira laminada de 200 × 400 mm
17 Suporte de aço galvanizado
18 Tampo de aço
19 Parede de concreto
20 Tampo de aço
21 Piso de pedra portuguesa

18.06 Detalhes da Vidraça do Promontório: Corte 1:5
1 Duas chapas de vidro de segurança de 8 mm
2 Cantoneira de aço de abas iguais
3 Junta de dilatação entre a cantoneira de aço e o vidro
4 Enchimento elástico contínuo
5 Chapa de aço de 100 × 20 mm
6 Chapa de aço de 120 × 20 mm
7 Junta parafusada
8 Junta soldada

18.07 Detalhe do Promontório: Corte 1:50
1 Painéis de zinco
2 Estrutura de madeira para facilitar o caimento da cobertura
3 Chapa de compensado
4 Conduítes elétricos
5 Viga de madeira laminada de 20 × 40 mm
6 Câmara de ar
7 Viga de madeira laminada de 700 × 200 mm
8 Parte superior da viga de madeira microlaminada de 230 × 440 mm
9 Travessa de aço galvanizado para os perfis verticais da fachada
10 Viga de contraventamento transvesal
11 Barras de aço diagonais de contraventamento longitudinal
12 Duas chapas de vidro de segurança de 8 mm
13 Chapa de aço de 100 × 20 mm
14 Corrimão de aço
15 Chapa de aço de 120 × 20 mm
16 Piso de madeira de carvalho
17 Viga de madeira laminada de 100 × 200 mm
18 Viga de madeira laminada de 20 × 30 mm
19 Parte superior da viga de madeira microlaminada de 230 × 440 mm
20 Base de madeira compensada

18.08 Detalhe da Estrutura de Aço: Corte 1:20
1 Tensor com 30 mm de diâmetro
2 Chapa de aço de 500 × 350 × 315 mm
3 Suporte de aço
4 Chapa de aço de 50 mm
5 Viga de aço
6 Chapa de aço de 200 mm
7 Perfil tubular redondo de aço com 120 mm de diâmetro e junta engraxada
8 Banzo inferior da treliça de madeira microlaminada
9 Duas chapas de aço de 25 mm
10 Chapa de aço de 40 mm
11 Base de concreto de 500 × 900 mm

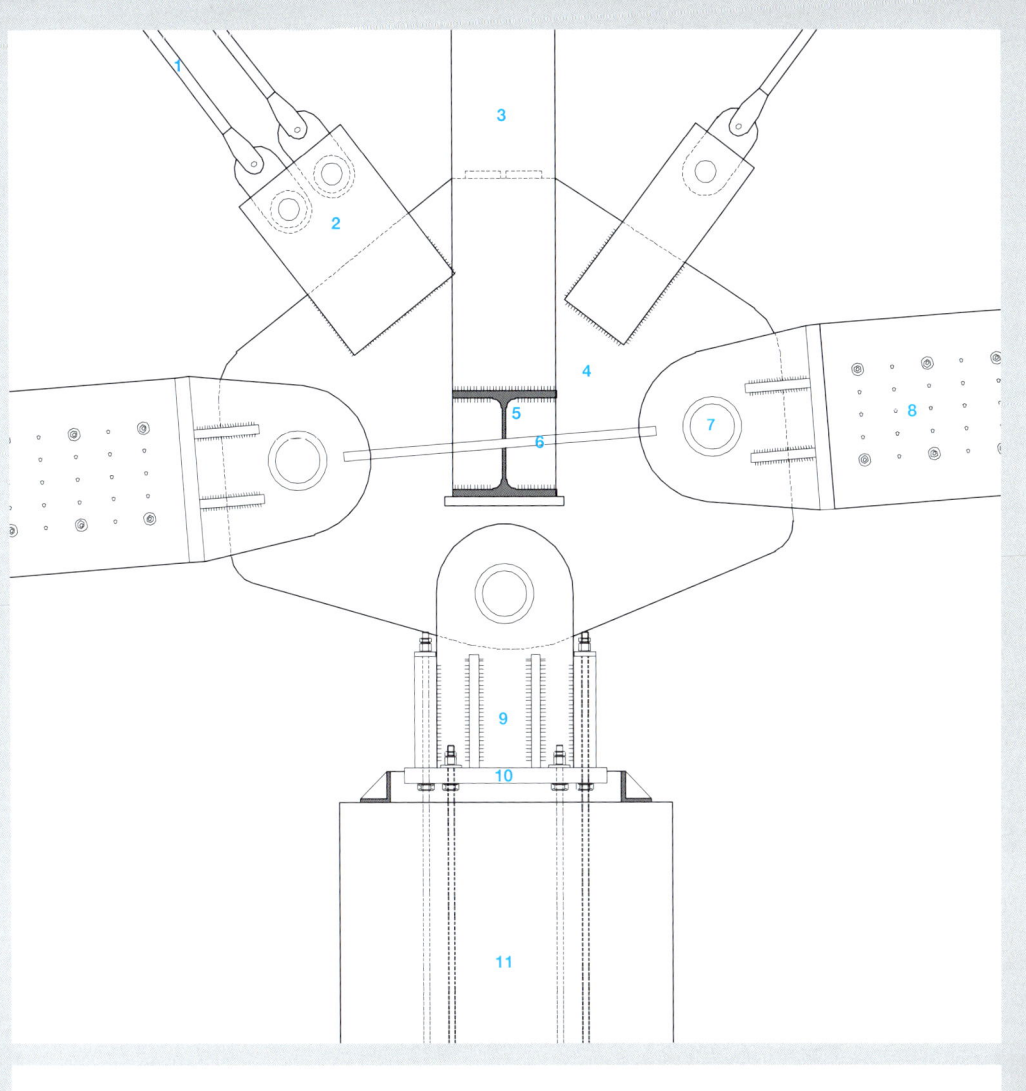

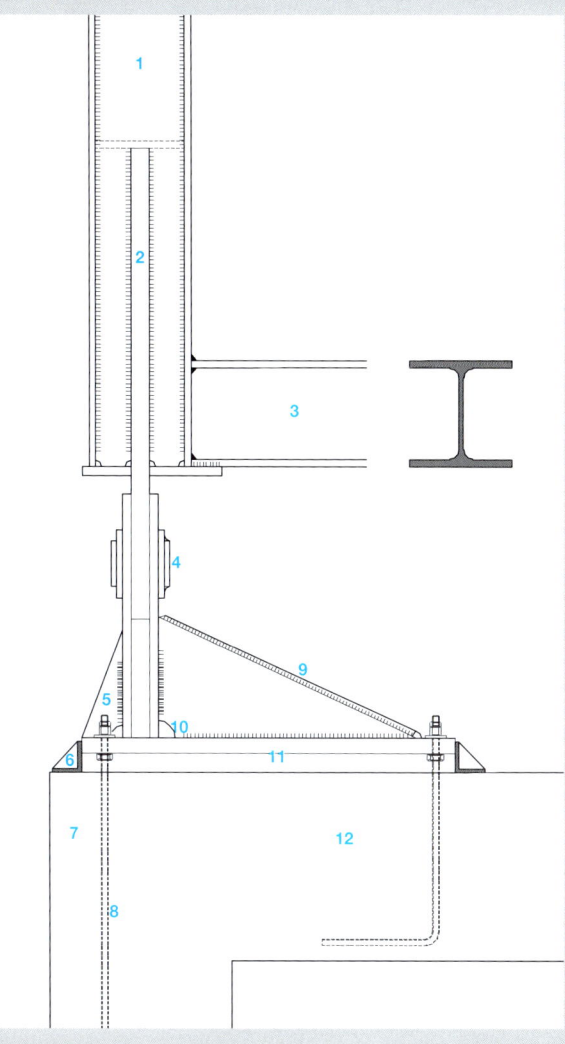

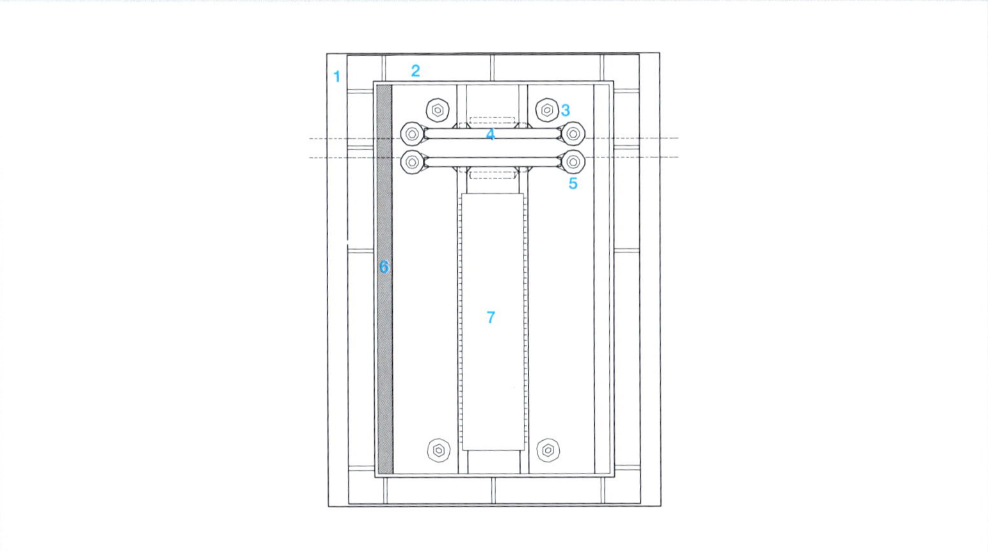

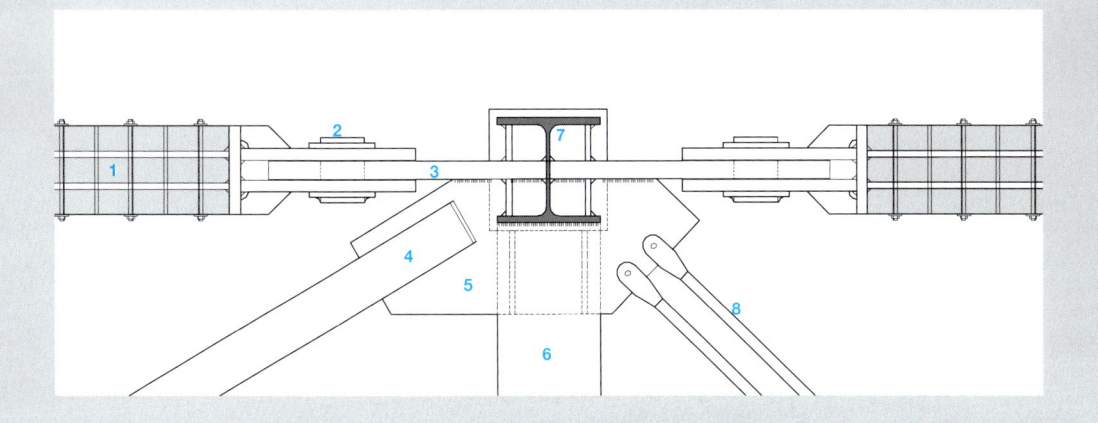

18.09
Detalhe do Concreto da Base: Corte
1:20
1 Suporte de aço
2 Chapa de aço de 50 mm
3 Viga de aço
4 Cilindro de aço com 120 mm de diâmetro e junta engraxada
5 Chapa de aço indeformável de 25 mm
6 Perfil de aço
7 Base de concreto
8 Barra protendida
9 Chapa de aço indeformável de 25 mm
10 Junta soldada
11 Chapa de aço de 40 mm
12 Pórtico de concreto

18.10
Detalhe do Concreto da Base: Corte
1:20
1 Extremidade do pórtico de concreto
2 Cantoneira de aço
3 Barra protendida com 20 mm de diâmetro
4 Chapa de aço de 25 mm
5 Barras de aço perfuradas
6 Junta preenchida
7 Chapa de aço de 25 mm

18.11
Detalhe da da Estrutura de Aço: Corte
1:20
1 Banzo inferior da treliça de madeira microlaminada
2 Junta de aço
3 Chapa de aço principal
4 Perfil de aço
5 Chapa de aço de 35 mm
6 Viga de aço
7 Suporte de aço
8 Barra de aço com 30 mm de diâmetro

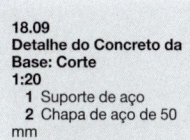

19
Tony Fretton Architects

Nova Embaixada da Grã-Bretanha na Polônia
Varsóvia, Polônia

Cliente
Escritório das Relações Exteriores e da Comunidade Britânica de Nações da Grã-Bretanha

Equipe de Projeto
Tony Fretton, Jim McKinney, David Owen, Donald Matheson, Matthew Barton, Nina Lundvall, Frank Furrer, Laszlo Csutoras, Martin Nassen, Max Lacey, Tom Grieve, Piram Banpabutr, Chris Snow, Chris Neve

Projeto Estrutural
Buro Happold Polska

Construção
Porr (Polska)

Implantado em seu terreno particular voltado para um parque e em uma zona da cidade reservada para embaixadas, o longo prédio da Embaixada da Grã-Bretanha na Polônia é centralizado por um pavimento de cobertura envidraçado de caráter neoclássico e minimalista. As elevações de vidro funcionam como a pele de vidro externa de uma fachada dupla, que oferece um isolamento térmico substancial durante o inverno e reduz os ganhos térmicos no verão. A camada externa, caracterizada por montantes de alumínio de cor bronze claro e vidro reflectivo, reflete o céu e as árvores do jardim do entorno. Por trás dessa pele, há uma fachada mais pesada com janelas distribuídas entre pilares e tímpanos pesados, em uma composição modulada similar.

O acesso à embaixada é por uma portaria, após a qual há uma faixa de rolamento que leva a um abrigo de veículos no centro da fachada. O pavimento térreo é reservado a atividades públicas e apresenta um grande espaço para exibições e eventos, além de um café aberto para o jardim. Também no térreo se localizam a Seção Consular e a Agência Alfandegária do Reino Unido, que são servidas por uma área de espera pública acessada por sua entrada própria. Os escritórios administrativos estão no segundo e no terceiro pavimentos e recebem luz natural abundante das peles de vidro e de dois grandes pátios internos com vegetação, que ficam no centro da planta. No pavimento de cobertura e no terceiro pavimento ficam as salas do embaixador, abertas em ambos os lados para amplos terraços. Nela, os escritórios do embaixador têm a escala de Ministérios de Estado, cujo padrão continua nas pequenas salas de espera que configuram nichos entre as amplas áreas com vegetação dos dois lados do terraço de cobertura. A vegetação utilizada na cobertura é similar à dos jardins que circundam a embaixada e o parque mais além. Por meio destes gestos bem orquestrados, a Embaixada da Grã-Bretanha mantém sua importância na cultura e no tecido urbano de Varsóvia.

1 A simetria formal do prédio da embaixada é reforçada pelos elementos horizontais dos muros e dos gradis que marcam as divisas do terreno.
2 A pele externa da fachada dupla é caracterizada pelos montantes de alumínio de cor bronze claro e pelos vidros espelhados que refletem o céu e as árvores dos jardins.
3 Por trás da pele externa de vidro há uma fachada mais pesada, com janelas inseridas entre grandes pilares e painéis de tímpano.

19.01
Planta Baixa do Pavimento Térreo
1:500
1 Café
2 Balcão do café
3 Auditório/Sala de exibições
4 Corredor
5 Depósito
6 Saguão
7 Marquise da entrada
8 Recepção e depósito
9 Cozinha
10 Elevador
11 Escritório
12 Escritório
13 Escritório
14 Entrada do Consulado
15 Agência Alfandegária e Consulado do Reino Unido
16 Estacionamento
17 Depósito
18 Escritórios
19 Escritório
20 Acesso de veículos
21 Portaria

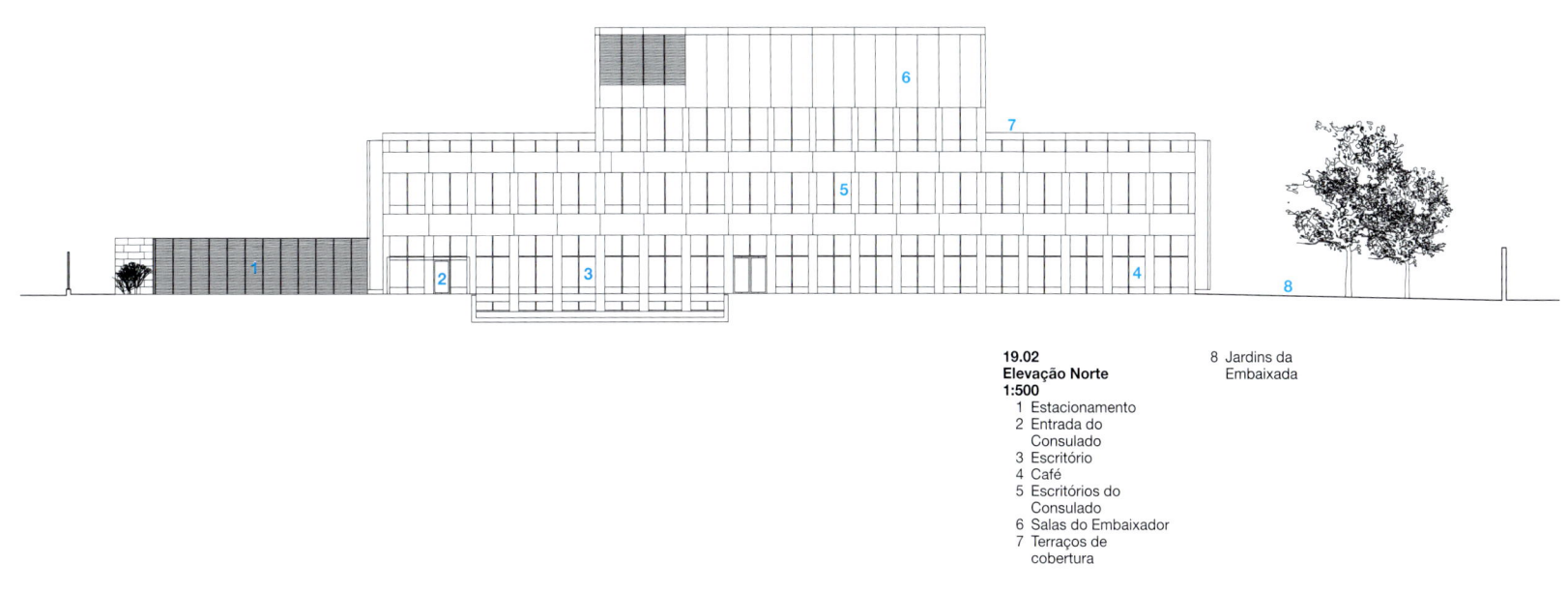

19.02
Elevação Norte
1:500
1 Estacionamento
2 Entrada do Consulado
3 Escritório
4 Café
5 Escritórios do Consulado
6 Salas do Embaixador
7 Terraços de cobertura
8 Jardins da Embaixada

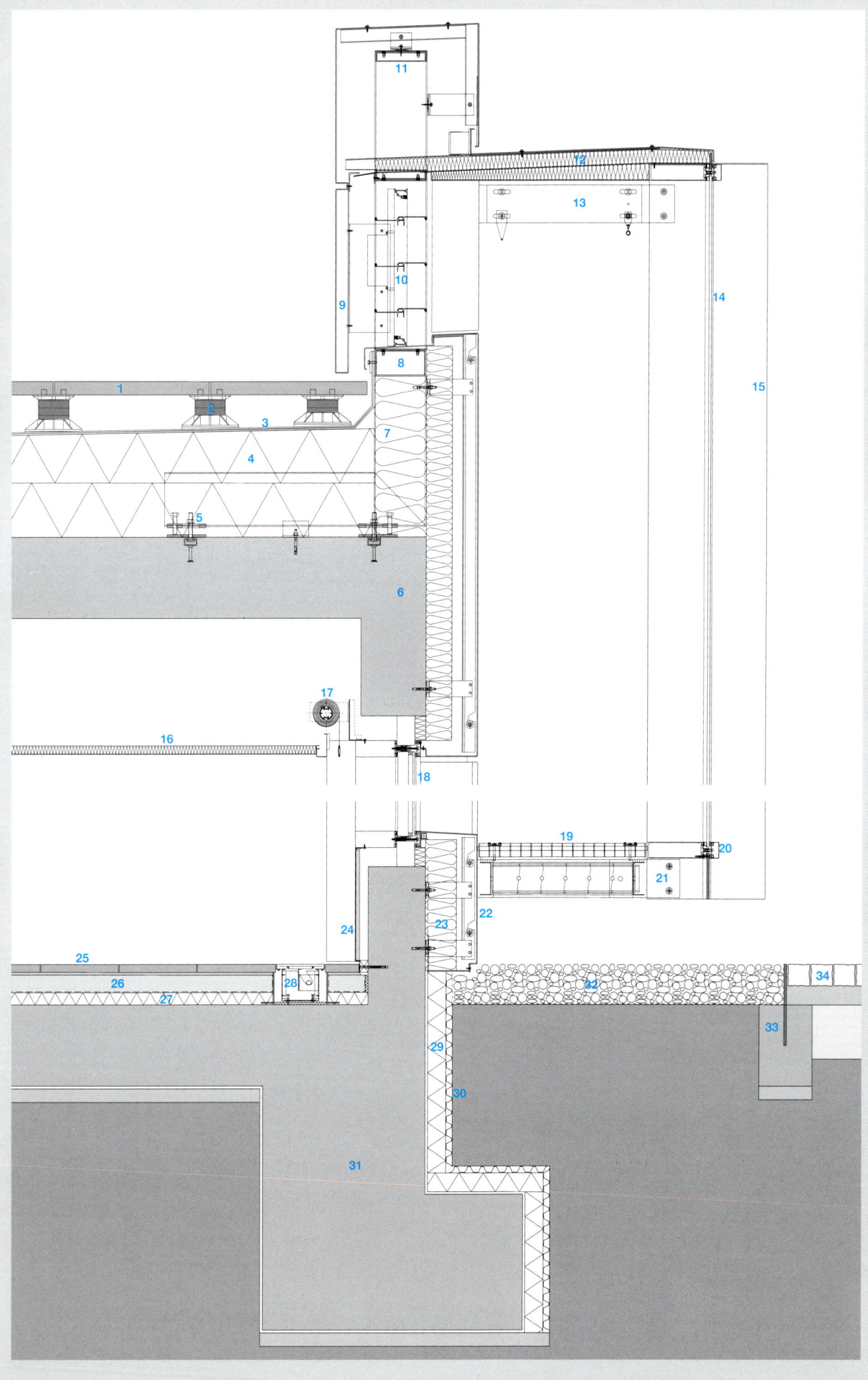

19 Tony Fretton Architects Nova Embaixada da Grã-Bretanha na Polônia Varsóvia, Polônia

19.03
Detalhe da Fachada Dupla: Corte
1:20
1 Lajota de granito polido
2 Pedestais
3 Membrana de impermeabilização
4 Isolamento térmico cortado de modo a dar caimento
5 Ancoragem chumbada na laje
6 Laje de cobertura e viga de borda em concreto armado moldadas *in loco*
7 Isolamento térmico
8 Perfil tubular retangular de aço
9 Revestimento perfurado de alumínio anodizado
10 Lâminas de ventilação de alumínio anodizado de acionamento automático
11 Perfil de topo da platibanda
12 Isolamento térmico
13 Sistema de segurança para os trabalhadores da manutenção
14 Vidro reforçado com revestimento "Supersilver"
15 Montante de alumínio anodizado da vidraça
16 Teto falso
17 Cortina antiofuscamento
18 Vidro laminado duplo com cavidade com argônio resistente a explosões
19 Grade de alumínio anodizado para acesso de manutenção
20 Junta de dilatação para o montante de alumínio anodizado da vidraça
21 Mísula de aço inoxidável para a sustentação da camada externa de vidro
22 Revestimento de chapa de alumínio anodizado
23 Isolamento térmico semirrígido
24 Painel de aço anodizado
25 Lajota de granitina
26 Capa de concreto
27 Isolamento térmico
28 Sistema de calefação embutido
29 Isolamento térmico
30 Impermeabilização em colmeia
31 Laje de piso e sapata em concreto armado moldadas *in loco*
32 Cascalho
33 Retém de aço inoxidável
34 Pedra portuguesa polida

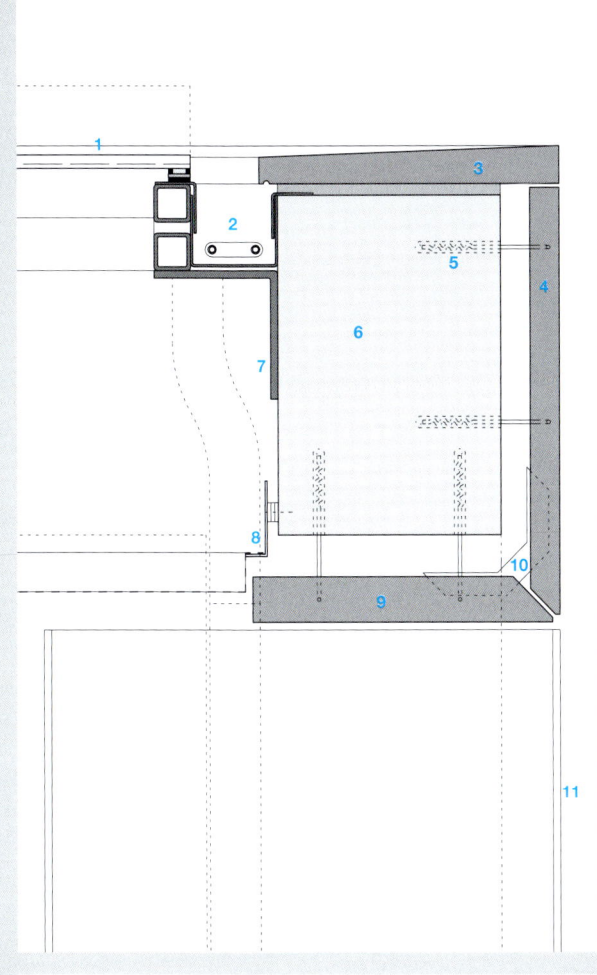

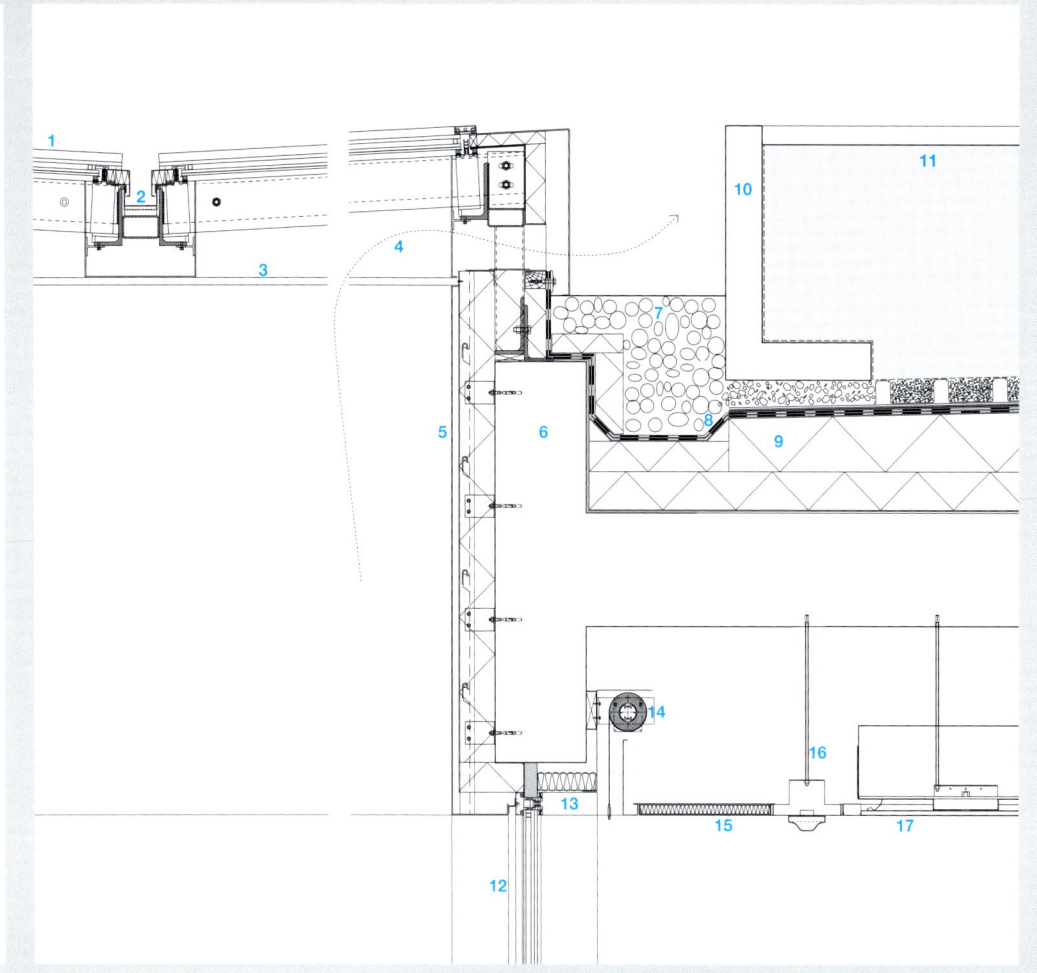

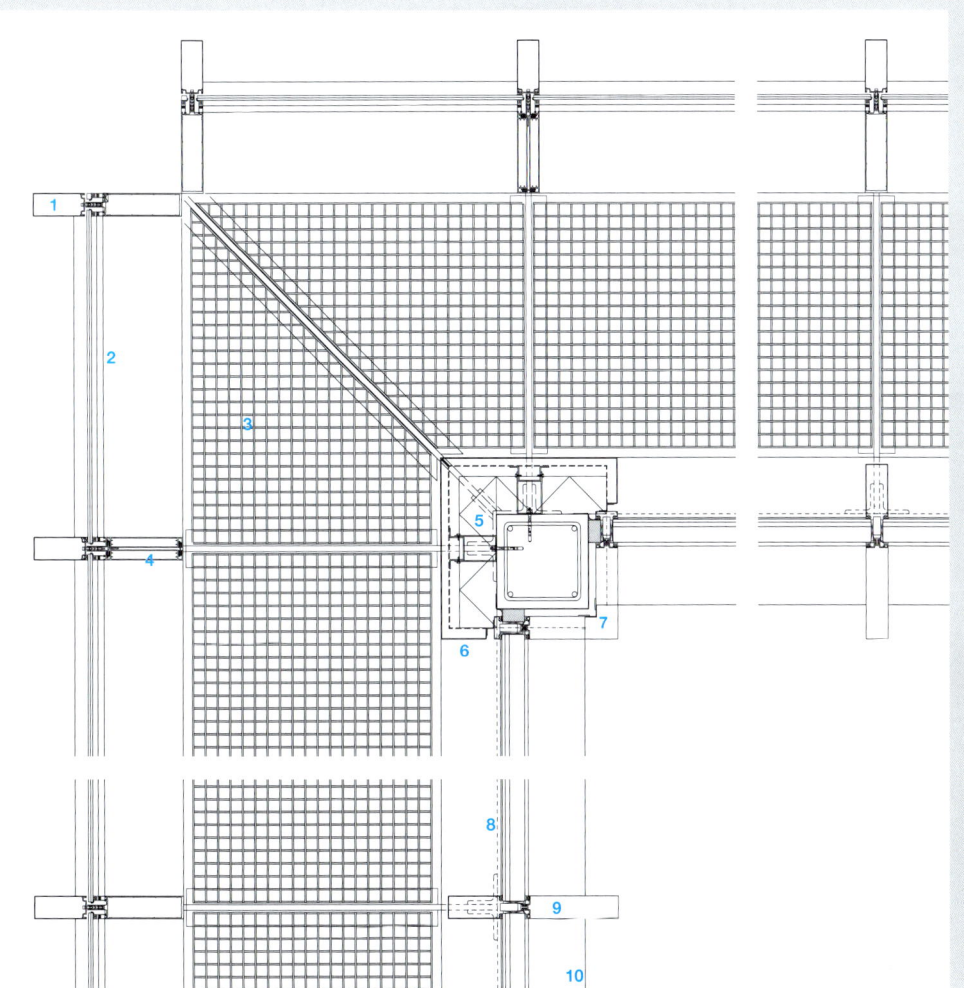

19.04
Detalhe da Marquise de Entrada: Corte
1:20
 1 Cobertura de vidro
 2 Calha interna aquecida
 3 Cimalha de pedra com caimento para a calha interna
 4 Revestimento de pedra da viga de borda
 5 Parafuso de fixação do revestimento de pedra à viga de borda de concreto
 6 Viga de borda de concreto armado
 7 Cantoneira de fixação da cobertura de vidro
 8 Cantoneira de alumínio anodizado aprumada e nivelada com a viga de concreto armado
 9 Revestimento de pedra com bordas polidas da face inferior da viga de borda de concreto
 10 Fixação dos revestimentos de pedra
 11 Pilar de pedra em vista

19.05
Detalhe do Átrio do Segundo Pavimento: Corte
1:20
 1 Vidro fixo da claraboia
 2 Calha de perfil U de aço inoxidável
 3 Painel de alumínio anodizado
 4 Percurso de saída do ar
 5 Revestimento de alumínio anodizado
 6 Estrutura de concreto armado da cobertura
 7 Enchimento de cascalho da calha
 8 Membrana de impermeabilização
 9 Isolamento térmico rígido
 10 Floreira de concreto pré-fabricada
 11 Cobertura formada por floreira, camada de filtragem, camada de drenagem, camada de proteção mecânica, duas camadas de folha de separação e fixação, chapa de revestimento impermeável e resistente a raízes, impermeabilização, isolamento térmico com caimento e barreira de vapor
 12 Vidro duplo
 13 Painel de remate de forro
 14 Cortina antiofuscamento
 15 Teto falso
 16 Sistema de sustentação do teto falso
 17 Viga refrigerada a água

19.06
Detalhe da Fachada: Planta Baixa
1:20
 1 Peça de recobrimento de alumínio anodizado
 2 Vidro de segurança com baixo teor de ferro
 3 Grelha da passarela de segurança em alumínio anodizado
 4 Montante de alumínio anodizado
 5 Isolamento térmico de Styrofoam (poliestireno expandido)
 6 Revestimento do pilar em alumínio anodizado
 7 Cantoneira de proteção em alumínio anodizado
 8 Vidro duplo
 9 Montante de alumínio anodizado
 10 Peitoril de alumínio anodizado

86

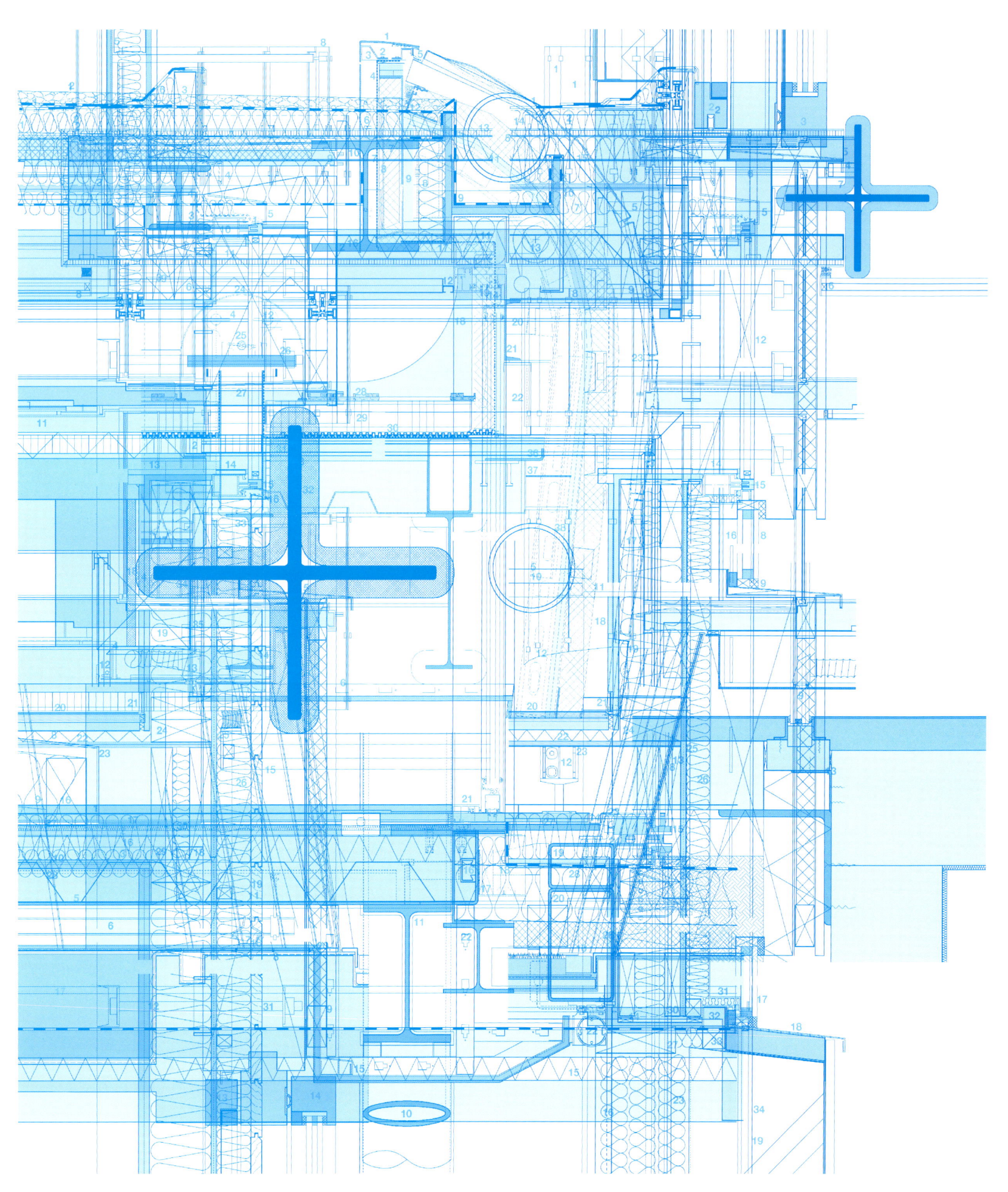

Edificações Habitacionais 20–25

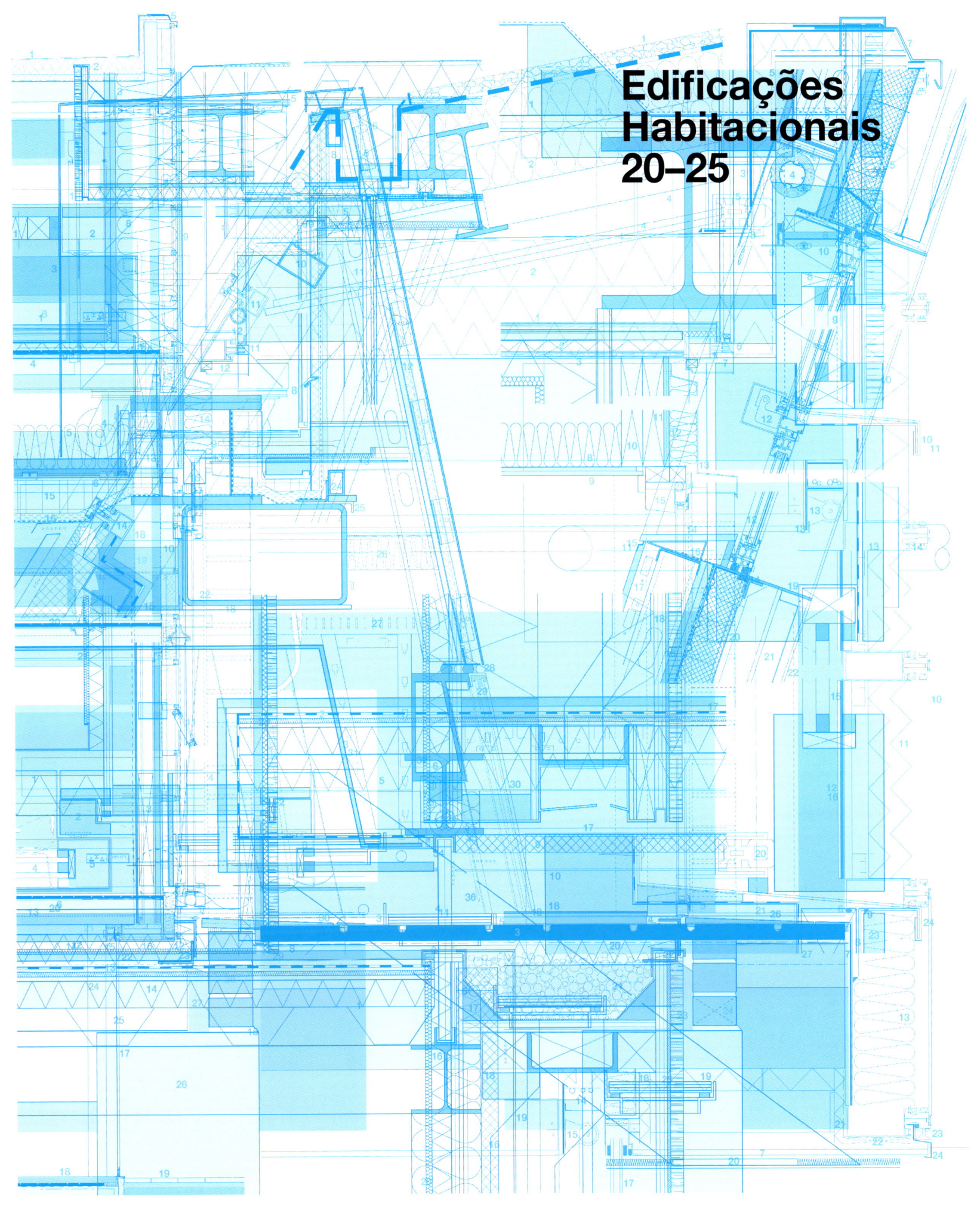

20
Powerhouse Company

Vila 1
Veluwe Zoom, Países Baixos

Equipe de Projeto
Nanne de Ru, Charles Bessard, Alexander Sverdlov, Nolly Vos, Wouter Hermanns, Anne Luetkenhues, Bjørn Andreassen, Joe Matthiessen

Projeto Estrutural
BREED ID

Construção
Valleibouw BV Veenendaal

A casa Vila 1 foi implantada no meio de um bosque e de modo a aproveitar ao máximo as vistas e a luz natural. Metade dos espaços previstos pelo programa de necessidades foi acomodada no subsolo, para que se pudesse atender às normas municipais de ocupação do solo. Isso resultou em um arranjo bipartido formado por uma caixa de vidro no pavimento térreo, onde toda a massa ficou concentrada no mobiliário, e um pavimento de subsolo fechado, no qual os espaços foram escavados.

A forma em Y da planta resultou da distribuição ideal do programa de necessidades na planta baixa, em termo de insolação e vistas. O gabinete, a sala de música e a biblioteca se localizam na ala nordeste, onde os cômodos são configurados por um núcleo de móveis de madeira de nogueira. A cozinha é definida por um elemento de ardósia com os móveis embutidos na pequena ala sudeste, que desfruta do sol o dia inteiro (hemisfério norte), enquanto a sala de estar e o gabinete são definidos pelas paredes de concreto da ala oeste, as quais também são aquecidas pelo sol que vem do sul. No pavimento térreo, a casa se abre para as amplas vistas, graças às paredes contínuas de vidro que vão do piso ao teto e que foram fabricadas sob encomenda e usam peças curvas de união entre os braços do Y. As vidraças sem esquadrias são de correr e possuem trilhos ocultos, permitindo que a casa se abra para várias direções. As varandas cobertas entre as alas da casa oferecem proteção solar. Contrastando com o pavimento térreo, de caráter público, o pavimento de subsolo acomoda os recintos de uso privado, todos com paredes cegas, exceto pelas janelas cuidadosamente posicionadas nos dormitórios. Em uma das alas, o dormitório principal é definido por um elemento de madeira que contém a escada, a banheira, a lavanderia, o *closet* e a cama. Em outra, há dois dormitórios para hóspedes, um de cada lado de um pátio interno. Todos os armários ficam ao longo de um comprido corredor lateral.

1 A casa foi implantada com sutileza em seu terreno muito arborizado, e, de fora, é difícil imaginar seu tamanho real, uma vez que metade dos espaços foi acomodada no pavimento subsolo.
2 A garagem está sob a cozinha, e o acesso ao nível superior é por meio de uma rampa, a qual leva os visitantes ao saguão centralizado.
3 As paredes externas do pavimento térreo, quase todas compostas de vidraças do piso ao teto, fazem com que a paisagem se torne parte integral da vida na casa. Um painel de pedra sem aberturas que compõe a parede da sala de estar é de correr, dando acesso ininterrupto à varanda com orientação sul (hemisfério norte).
4 Grandes elementos com os móveis embutidos dividem a zona social do pavimento térreo, como esta caixa revestida com ardósia que separa a cozinha da sala de jantar.

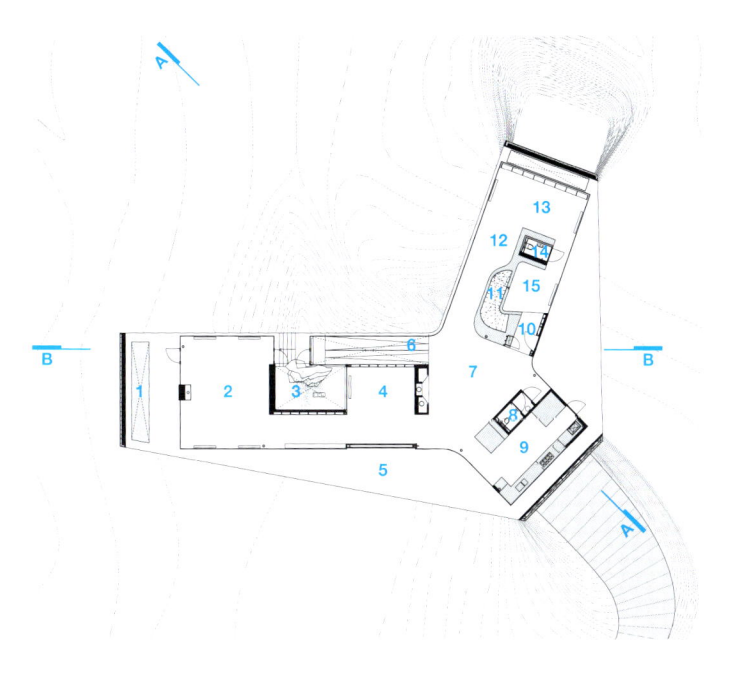

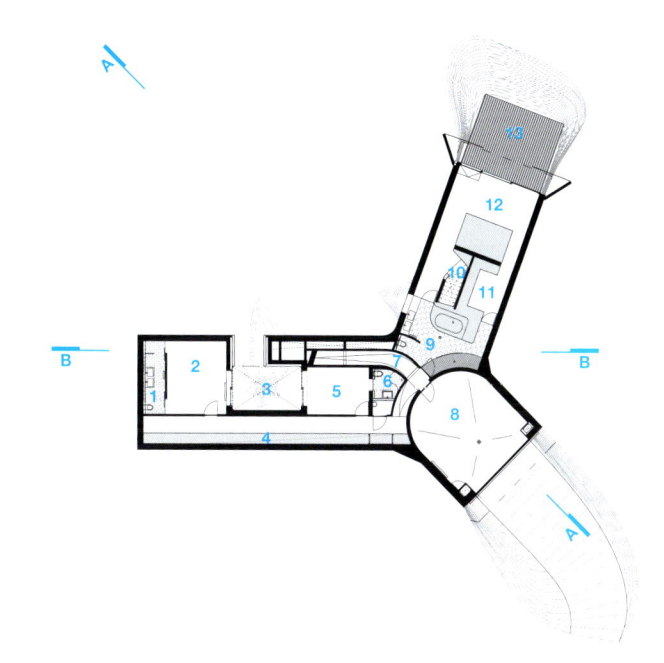

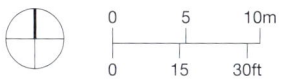

20.01
Planta Baixa do Pavimento Térreo
1:500
1 Espelho d'água
2 Gabinete
3 Pátio interno
4 Sala de estar
5 Varanda
6 Rampa que sobe da garagem
7 Saguão
8 Lavabo
9 Cozinha
10 Entrada
11 Escada que desce ao pavimento de subsolo
12 Sala de música
13 Biblioteca
14 Lavabo
15 Gabinete

20.02
Planta Baixa do Pavimento de Subsolo
1:500
1 Banheiro
2 Dormitório para hóspedes
3 Pátio interno
4 Parede dos armários
5 Dormitório para hóspedes
6 Banheiro
7 Rampa que leva ao pavimento térreo
8 Garagem
9 Banheiro
10 Escada que leva ao pavimento térreo
11 Closet
12 Dormitório principal
13 Varanda

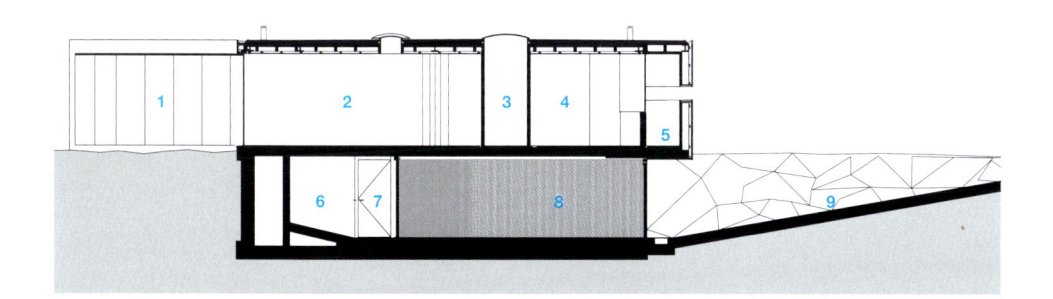

20.03
Corte A–A
1:200
1 Parede de vidro da sala de música e da biblioteca
2 Saguão
3 Lavabo
4 Cozinha
5 Varanda da cozinha
6 Rampa que sobe da garagem
7 Porta da garagem
8 Garagem
9 Rampa externa de acesso à garagem

20.04
Corte B–B
1:200
1 Varanda
2 Saguão
3 Banheiro
4 Rampa que sobe da garagem
5 Pátio interno
6 Gabinete
7 Dormitório para hóspedes
8 Banheiro
9 Varanda

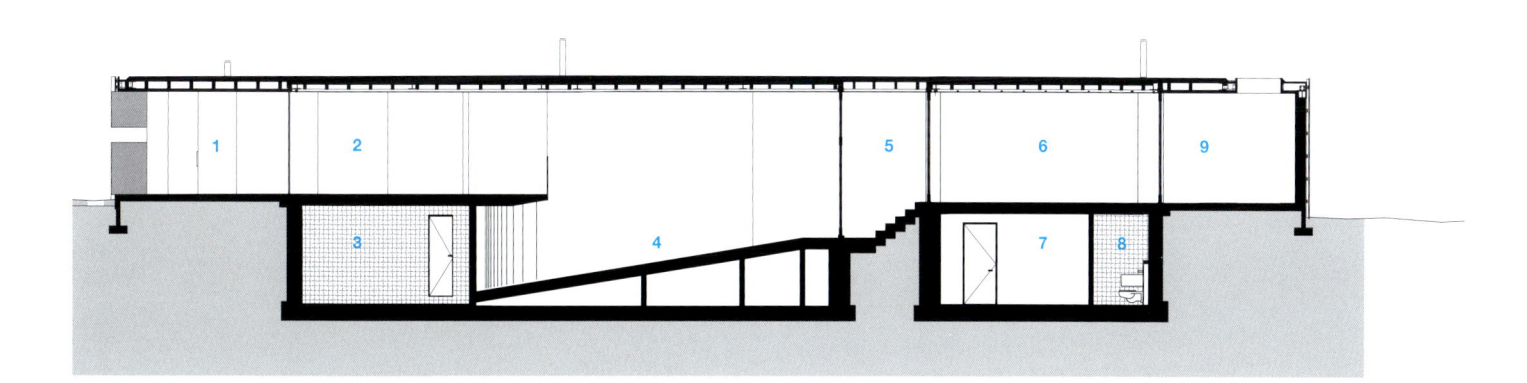

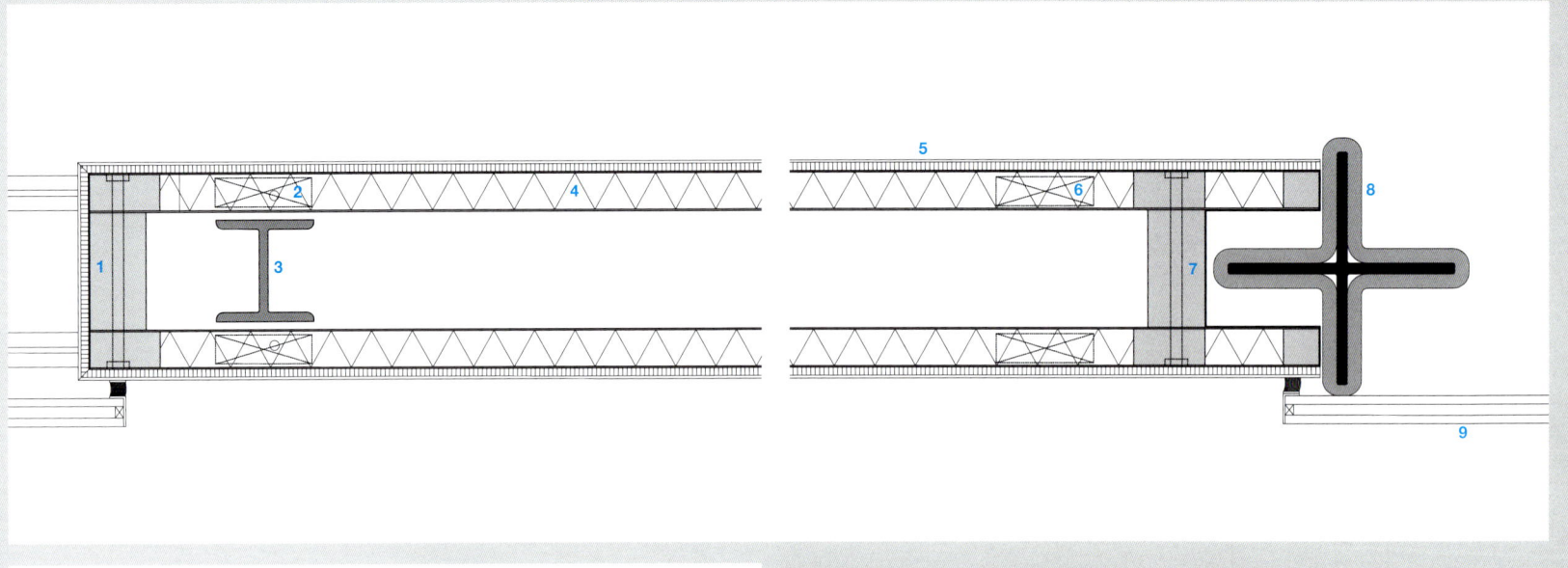

20 Powerhouse Company   Vila 1   Veluwe Zoom, Países Baixos

**20.05
Detalhe da Porta
Corrediça de Mármore
e do Pilar Cruciforme:
Planta Baixa
1:10**
1 Estrutura de alumínio que conecta ambas as faces dos painéis que compõem a porta com 300 mm de espessura
2 Rodízio
3 Estrutura principal embutida na porta, em perfis H de aço
4 Porta de painel sanduíche de 50 mm composto de estrutura de alumínio, núcleo de Styrofoam (poliestireno expandido) e duas chapas de de alumínio 2 mm
5 Revestimento da porta em painel de mármore verde Ultralite sobre painel alveolar de alumínio de 20 mm colado à subestrutura da porta
6 Rodízio
7 Estrutura de alumínio que conecta ambos os painéis e compõe a porta com 300 mm de espessura
8 Pilar de aço cruciforme de 320 × 320 mm revestido com 10 mm de borracha
9 Vidro duplo do piso ao teto

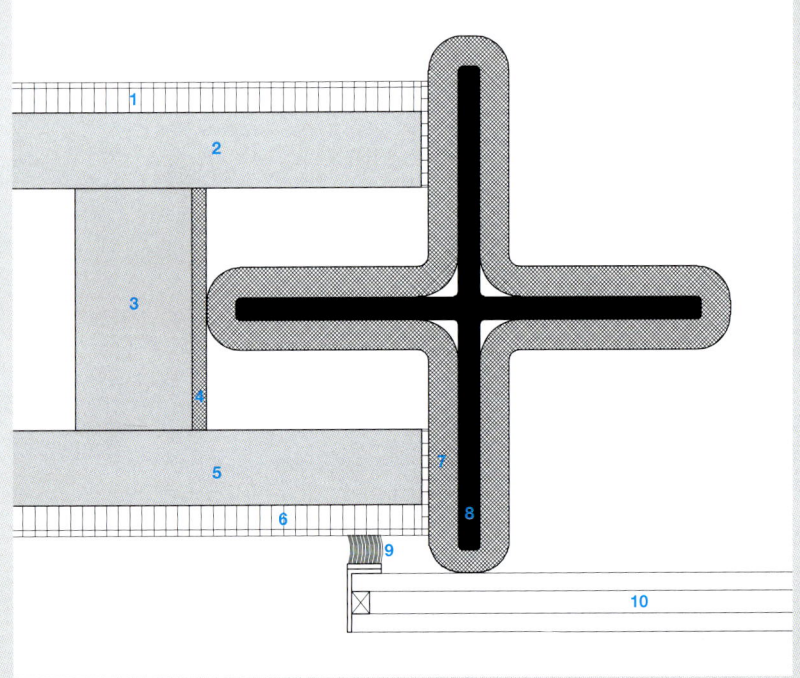

**20.06
Detalhe do Pilar
Cruciforme: Planta
Baixa
1:5**
1 Revestimento da porta em painel de mármore verde Ultralite sobre painel alveolar de alumínio de 20 mm colado à subestrutura da porta
2 Porta de painel sanduíche de 50 mm composto de estrutura de alumínio, núcleo de Styrofoam (poliestireno expandido) e duas chapas de alumínio de 2 mm
3 Estrutura da porta
4 Borracha com espessura de 10 mm
5 Porta de painel sanduíche de 50 mm composto de estrutura de alumínio, núcleo de Styrofoam (poliestireno expandido) e duas chapas de alumínio de 2 mm
6 Revestimento da porta em painel de mármore verde Ultralite sobre painel alveolar de alumínio de 20 mm colado à subestrutura da porta
7 Revestimento de borracha do pilar cruciforme
8 Pilar de aço cruciforme de 320 × 320 mm
9 Escova para evitar a infiltração de ar fixada ao perfil de alumínio
10 Vidro duplo do piso ao teto

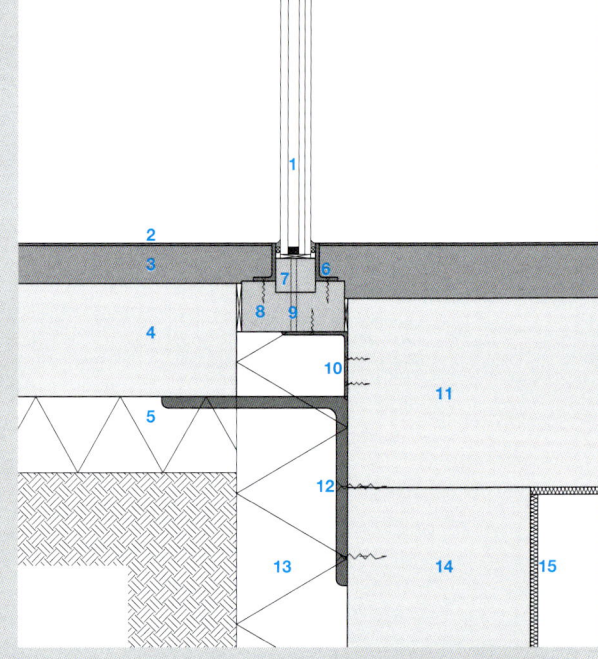

**20.07
Detalhe da Vidraça
Fixa: Corte
1:10**
1 Vidro duplo fixo
2 Piso de poliuretano branco com 3 mm de espessura
3 Capa de concreto de 50 mm
4 Laje de concreto armado estrutural de 150 mm
5 Isolamento térmico rígido com 100 mm de espessura
6 Cantoneiras de alumínio de fixação, com 50 × 30 × 5 mm
7 Blocagem de madeira de 50 × 51 mm
8 Blocagem de madeira de 139 × 67 mm
9 Canal para condensação
10 Cantoneira de aço de 90 × 90 mm
11 Laje de concreto armado estrutural de 250 mm
12 Cantoneira de aço inoxidável de 250 × 250 × 25 mm para sustentação do piso da varanda
13 Isolamento térmico rígido com 150 mm de espessura
14 Parede do subsolo em concreto armado estrutural de 250 mm
15 Reboco de argamassa de cimento de 12 mm

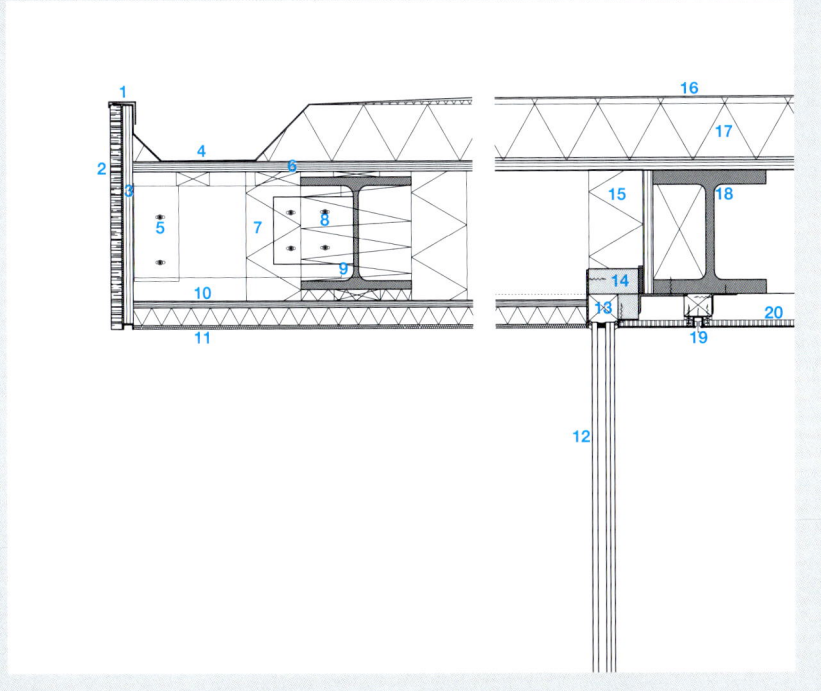

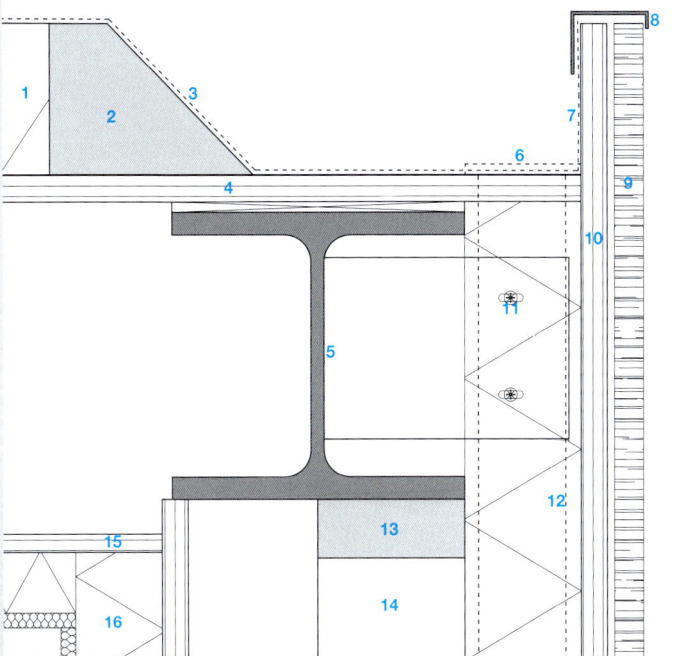

**20.08
Detalhe do Beiral: Corte
1:12,5**
1 Cantoneira de alumínio de proteção da platibanda
2 Painéis de revestimento de mármore travertino de 400 × 800 × 20 mm
3 Madeira compensada Multiplex de 18 mm
4 Calha de chapa metálica dobrada
5 Cantoneira de aço
6 Madeira compensada Multiplex de 18 mm
7 Isolamento térmico com 100 mm de espessura
8 Painel de aço soldado à viga, para sustentar o beiral e a estrutura da calha
9 Viga de perfil H de aço de 200 × 200 mm
10 Chapa de fibrocimento de 12 mm
11 Painel de forro com isolamento térmico com 12 mm e reboco
12 Chapa de vidro estrutural fixa
13 Vazio para erguer a vidraça
14 Esquadria da vidraça com 90 × 90 mm
15 Isolamento térmico com 140 mm de espessura
16 Membrana de impermeabilização de EPDM (borracha de monômero de etileno propileno dieno)
17 Painéis de uretano rígido para isolamento térmico
18 Estrutura da cobertura com viga de perfil H de aço
19 Trilho para cortina embutido e oculto
20 Forro de gesso cartonado rebocado

**20.09
Detalhe da Calha Oculta: Corte
1:5**
1 Isolamento térmico com 100 mm de espessura
2 Base de madeira revestida com mástique
3 Membrana de impermeabilização de EPDM (borracha de monômero de etileno propileno dieno)
4 Madeira compensada Multiplex de 18 mm
5 Viga de perfil H de aço de 200 × 200 mm
6 Projeção do tubo de queda pluvial com 60 mm de diâmetro
7 Mástique impermeável aplicado à estrutura de madeira da platibanda
8 Cantoneira de alumínio de proteção da platibanda
9 Painéis de revestimento de mármore travertino de 400 × 800 × 20 mm
10 Madeira compensada Multiplex de 18 mm
11 Painel de aço soldado à viga, para sustentar o beiral e a estrutura da calha
12 Projeção do tubo de queda pluvial
13 Suporte de madeira com 100 × 56 mm
14 Estrutura de madeira
15 Chapa de fibrocimento de 12 mm
16 Chapa de fibrocimento de 18 mm

**20.10
Detalhe da Projeção do Pavimento Térreo: Corte
1:10**
1 Chapa de isolamento térmico Stotherm com 10 mm rebocada na face voltada para o interior do prédio
2 Isolamento térmico com 30 mm de espessura
3 Chapa de fibrocimento de 12 mm
4 Montantes e travessas de madeirra de 60 mm
5 Montante de madeira de 180 × 67 mm
6 Chapa de compensado impermeável de 18 mm
7 Painéis de revestimento de mármore travertino de 400 × 800 × 20 mm colados ao compensado
8 Rodapé de alumínio para o nivelamento do reboco da parede
9 Acabamento de piso em Polyurea branco de 3 mm
10 Capa de concreto de 50 mm, com caimento
11 Isolamento térmico de 80 mm resistente à compressão
12 Travessas de base de madeira de 139 × 54 mm
13 Laje de piso de concreto armado
14 Tubo pluvial oculto
15 Isolamento térmico com 30 mm de espessura
16 Chapa de isolamento térmico Stotherm com 10 mm rebocada
17 Perfil U de alumínio

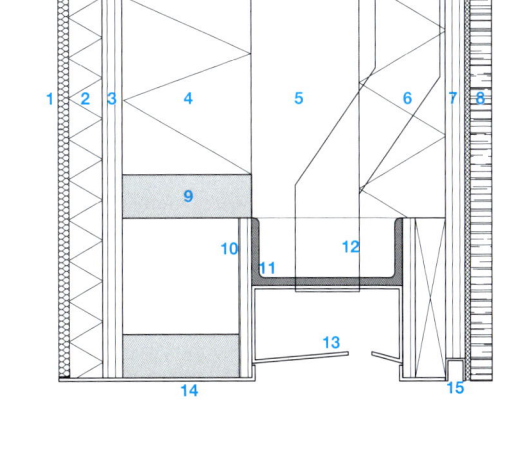

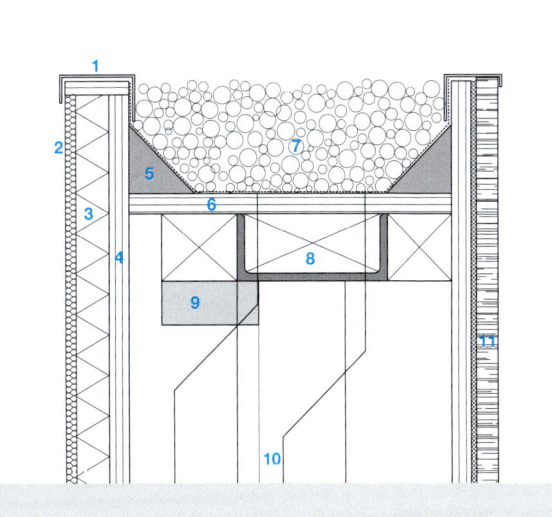

**20.11
Detalhe da Queda d'Água da Varanda da Cozinha (Parte Superior): Corte
1:7,5**
1 Chapa de isolamento térmico Stotherm com 10 mm rebocada
2 Isolamento térmico com 30 mm de espessura
3 Chapa de compensado impermeável de 18 mm
4 Isolamento térmico com 130 mm de espessura
5 Estrutura de madeira
6 Isolamento térmico
7 Chapa de compensado impermeável de 18 mm
8 Painéis de revestimento de mármore travertino de 400 × 800 × 20 mm colados ao compensado
9 Travessas de madeira de 130 × 45 mm
10 Chapa de compensado impermeável de 18 mm
11 Perfil U de aço para saída da água
12 Tubo de drenagem com 60 mm de diâmetro
13 Perfil dobrado de alumínio com pintura eletrostática a pó para formar a queda d'água
14 Chapa de remate de alumínio com pintura eletrostática a pó

**20.12
Detalhe da Queda d'Água da Varanda da Cozinha (Parte Inferior): Corte
1:7,5**
1 Chapa de remate de alumínio com pintura eletrostática a pó
2 Chapa de isolamento térmico Stotherm com 10 mm rebocada
3 Isolamento térmico com 30 mm de espessura
4 Chapa de compensado impermeável de 18 mm
5 Apoio de madeira
6 Chapa de compensado impermeável de 18 mm
7 Sarjeta com pedras de cor branca e membrana de impermeabilização de EPDM
8 Perfil U de aço para saída da água
9 Travessas de madeira de 90 × 56 mm
10 Tubo de drenagem com 100 mm de diâmetro
11 Painéis de revestimento de mármore travertino de 400 × 800 × 20 mm colados ao compensado

21
TNA Architects

Casa dos Anéis
Karuizawa, Nagano, Japão

Cliente
Hill Karuizawa

Equipe de Projeto
Yuuichirou Katagiri, Hideki Nakamura, Masaki Watanabe, Seiichi Iwamaru

Projeto Estrutural
Akira Suzuki

Construção
Niitsu-gumi Co.

Projeto de Luminotécnica
Masahide Kakudate Lighting

Karuizawa é uma área de lazer nas montanhas, aos pés do vulcão ativo de Monte Asama, na província de Nagano, a uma altitude de aproximadamente mil metros. O local é muito apreciado para a construção de casas de fim de semana para aqueles que buscam se refugiar do calor do verão, especialmente os moradores de Tóquio, que estão a apenas uma hora de automóvel. A Casa dos Anéis é uma casa de férias localizada na floresta, que foi projetada para proprietários que passam a maior parte do tempo na capital e que, portanto, pediram um refúgio que oferecesse uma experiência completamente distinta daquela de suas vidas cotidianas. O terreno de 1.300 metros quadrados é considerado grande para os padrões japoneses de uma casa de campo e desfruta de pinheiros, cerejeiras e diversas outras espécies de árvores. A implantação da casa foi determinada pela vegetação, devido à forte declividade do terreno, e os recuos obrigatórios determinaram a área de ocupação do terreno.

Em vez de ter uma vista externa predominante, a casa foi projetada de modo que a floresta pudesse ser apreciada e sentida por todos os lados. A composição verticalizada e com área de ocupação do terreno mínima foi escolhida também para integrar ao máximo a casa ao seu contexto; assim, a melhor maneira de definir esta edificação não é pelo número de pavimentos, mas sim como uma casa que se funde com o bosque. A casa em forma de torre foi revestida por anéis alternados de madeira e vidro – uma vedação em faixas de tamanhos variados que equilibra adequadamente cheios e vazios. Seja por meio da luz do sol que banha os interiores durante o dia ou do brilho da luz elétrica durante a noite, as vedações permitem vistas internas de lado a lado. Os três níveis da casa são conectados por uma escada leve de aço e madeira com espelhos vazados que garantem a visibilidade máxima do bosque.

1 Os anéis de madeira que envolvem a fachada foram distribuídos de forma a proteger de modo adequado os espaços de uso privativo e os equipamentos da casa. A altura de cada anel foi determinada de acordo com aquilo que se desejava ocultar.
2 As faixas de madeira pintadas de preto no exterior contrastam com os interiores, onde predomina o branco.
3 Os móveis da cozinha e a lareira foram cuidadosamente posicionados atrás de um dos anéis de madeira da vedação externa.
4 Uma escada leve de aço e madeira posicionada em uma das quinas da planta baixa quadrada conecta os três pavimentos da casa.

21.01
Planta Baixa do Pavimento Térreo
1:100
1 Sala dos tatames
2 Armário para casacos
3 Lavabo
4 Vestíbulo
5 Escada

21.02
Planta Baixa do Segundo Pavimento
1:100
1 Cozinha
2 Mesa de jantar
3 Lareira
4 Escada
5 Área de estar

21.03
Planta Baixa do Terceiro Pavimento
1:100
1 Banheira
2 Roupeiro
3 Lavatório
4 Lavabo
5 Escada
6 Dormitório

21.04
Corte A–A
1:100
1 Guarda-corpo da cobertura
2 Telhado em vertente
3 Lavatório
4 Porta do lavabo (em vista)
5 Dormitório
6 Escada
7 Entrada do segundo pavimento
8 Cozinha, sala de estar e sala de jantar integradas
9 Sala dos tatames
10 Porta do lavabo (em vista)
11 Vestíbulo

21.05
Corte B–B
1:100
1 Guarda-corpo da cobertura
2 Telhado em vertente
3 Banheira
4 Lavatório
5 Escada
6 Cozinha, sala de estar e sala de jantar integradas
7 Armário para casacos
8 Sala dos tatames

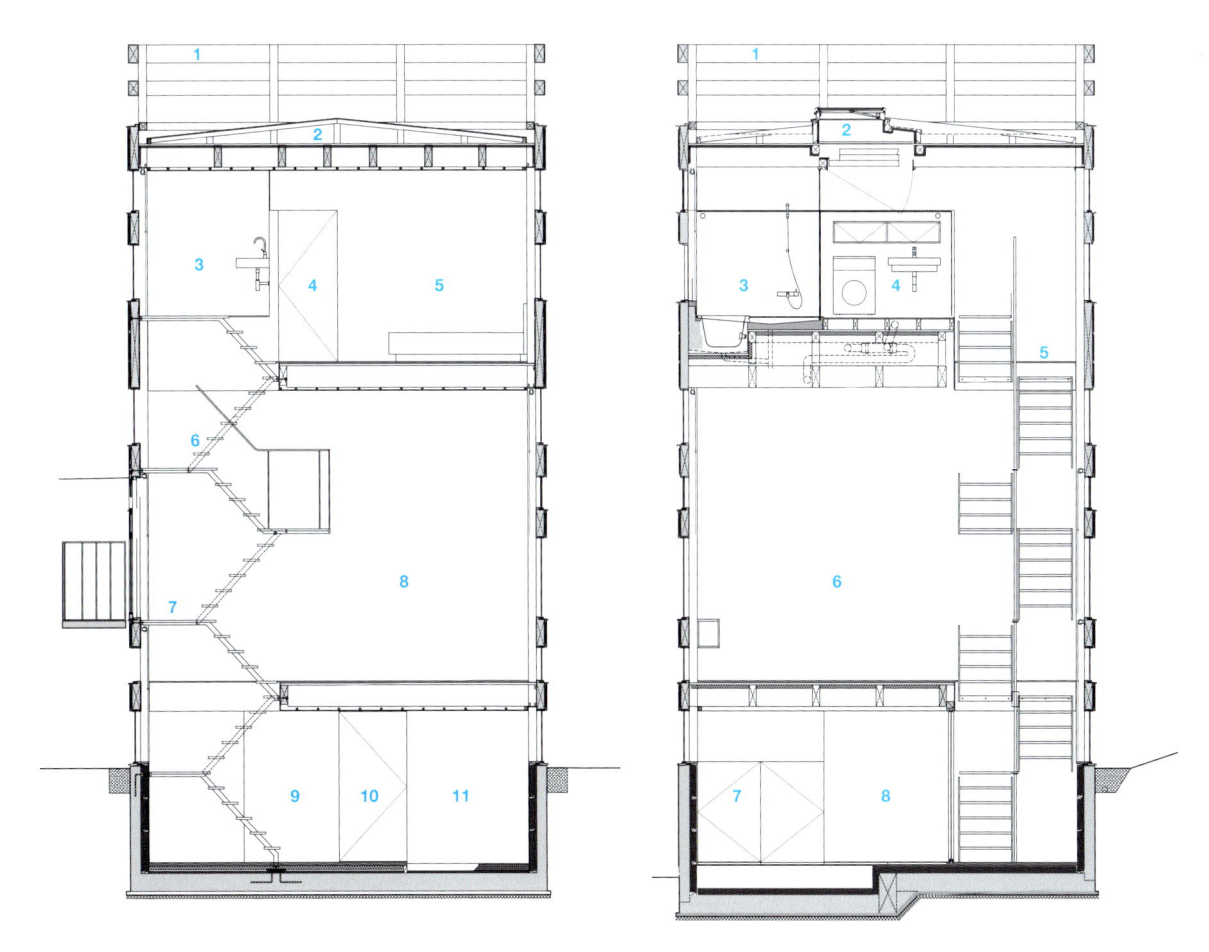

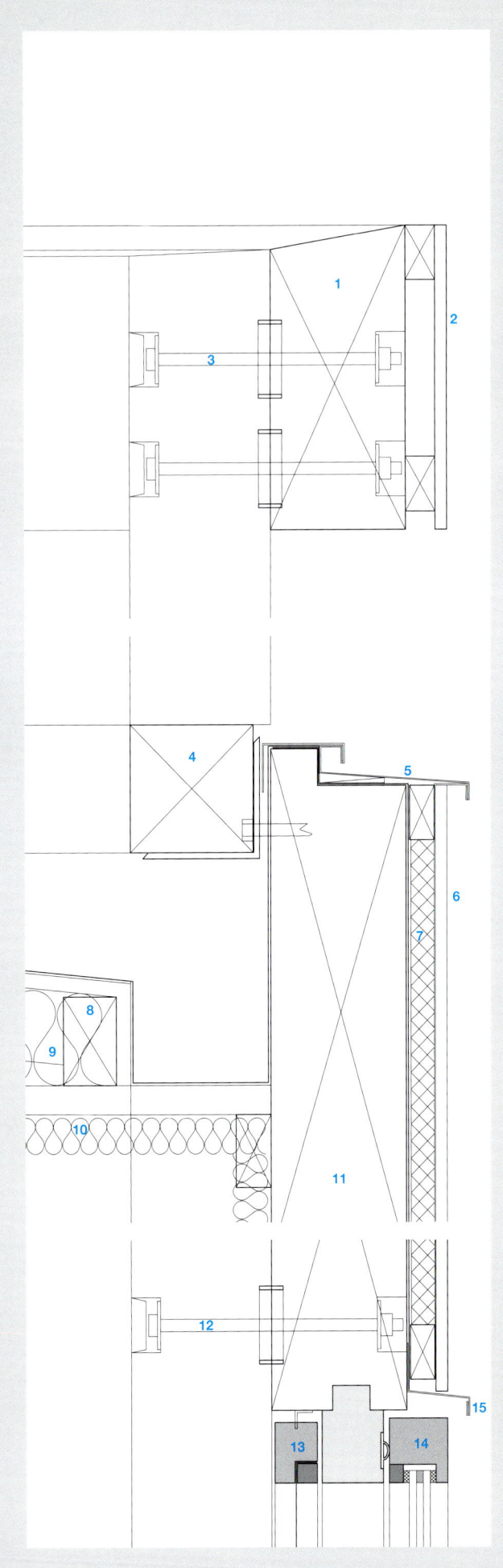

21 TNA Architects   Casa dos Anéis   Karuizawa, Nagano, Japão

21.05
Detalhe da Parede Externa 1: Corte
1:5

1 Guarda-corpo da cobertura de madeira de tábuas de conífera norte-americana (Douglas fir) de 115 × 210 × 240 mm
2 Revestimento de tábuas de madeira de cedro termorretificadas e tratadas com conservantes de 10 mm de espessura
3 Conexão parafusada do guarda-corpo na estrutura do prédio
4 Corrimão de madeira de 10,5 × 10,5 cm apoiado em cantoneira de aço de abas iguais de 100 mm
5 Rufo de chapa de aço galvanizado
6 Revestimento de tábuas de madeira de cedro termorretificadas e tratadas com conservantes de 10 mm de espessura
7 Isolamento térmico de Styrofoam (poliestireno expandido) de 20 mm
8 Travessa de madeira
9 Isolamento térmico em lã de vidro grauteado sobre compensado estrutural de 24 mm
10 Isolamento térmico em espuma de uretano
11 Guarda-corpo da cobertura de madeira de tábuas de madeira de conífera norte-americana (Douglas fir) de 115 × 210 × 240 mm
12 Conexão parafusada do sistema de fachada na estrutura do prédio
13 Moldura da tela da janela de cipreste norte-americano tratado com conservante
14 Esquadria da janela de cipreste norte-americano tratado com conservante
15 Rufo de chapa de aço galvanizado

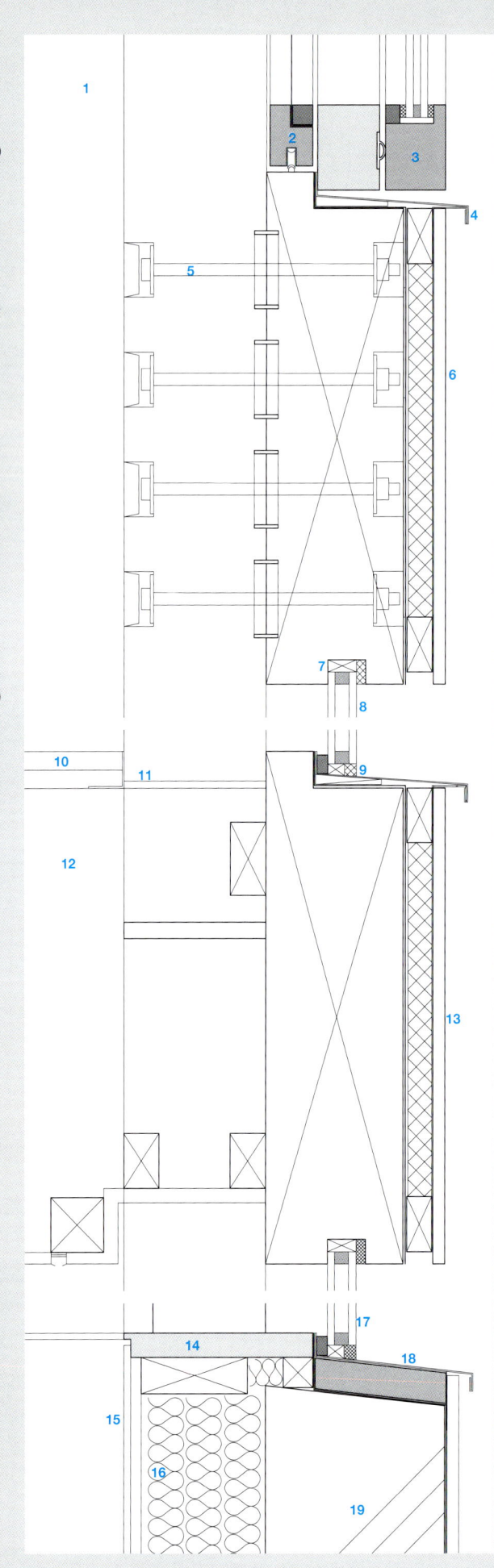

21.06
Detalhe da Parede Externa 2: Corte
1:5

1 Montante de madeira de conífera norte-americana (Douglas fir) de 120 × 120 mm
2 Esquadria da janela de cipreste norte-americano tratado com conservante
3 Moldura da tela da janela de cipreste norte-americano tratado com conservante
4 Rufo com pingadeira de chapa de aço galvanizado
5 Parafuso de aço inoxidável para a fixação dos painéis de madeira de revestimento da fachada
6 Revestimento de tábuas de madeira de cedro termorretificadas e tratadas com conservantes de 10 mm de espessura sobre isolamento térmico de Styrofoam (poliestireno expandido) e papel de construção impermeável
7 Caixilho de madeira de 20 × 10 mm
8 Janela com vidro duplo
9 Vedação de silicone estrutural
10 Piso de madeira de bétula japonesa com sistema elétrico de calefação embutido (piso radiante) sobre compensado estrutural
11 Chapa de aço sobre compensado estrutural de 6 mm
12 Viga de conífera norte-americana (Douglas fir) de 105 × 300 mm
13 Revestimento de tábuas de madeira de cedro termorretificadas e tratadas com conservantes de 10 mm de espessura sobre isolamento térmico de Styrofoam (poliestireno expandido) e papel de construção impermeável
14 Esquadria de madeira da janela
15 Revestimento interno da parede em compensado estrutural de 9 mm
16 Isolamento térmico de uretano grauteado
17 Vidro incolor duplo
18 Peitoril Galvalume de chapa metálica com vedação
19 Parede de alvenaria de blocos de concreto com pintura impermeável

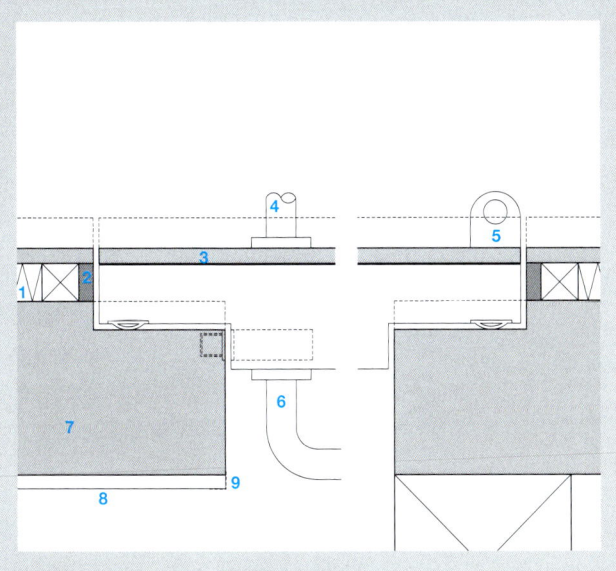

21.07
Detalhe da Porta de Entrada de Aço: Planta Baixa
1:5

1 Isolamento térmico em plástico esponjoso rígido de 25 mm
2 Calafetagem
3 Revestimento de tábuas de madeira de cedro termorretificadas e tratadas com conservantes de 10 mm de espessura
4 Maçaneta da porta em aço inoxidável
5 Dobradiça da porta em aço inoxidável
6 Maçaneta da porta em aço inoxidável
7 Montante da parede em madeira de conífera norte-americana (Douglas fir)
8 Isolamento térmico de chapa de fibra de madeira de 9 mm
9 Cantoneira de proteção da quina assentada com massa

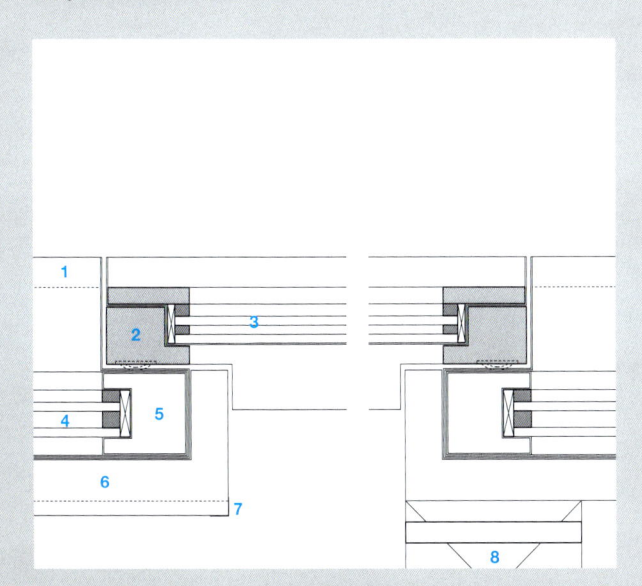

21.08
Detalhe da Porta de Vidro: Planta Baixa
1:5

1 Chapa de base em aço galvanizado
2 Batente de cipreste
3 Porta com vidro duplo composta de duas chapas de vidro de 6 mm e câmara de ar de 12 mm
4 Janela com vidro duplo composta de duas chapas de vidro de 6 mm e câmara de ar de 12 mm
5 Caixilho de madeira
6 Revestimento de madeira de conífera norte-americana (Douglas fir) em vista
7 Cantoneira de proteção da quina assentada com massa
8 Montante de madeira de 120 × 120 mm

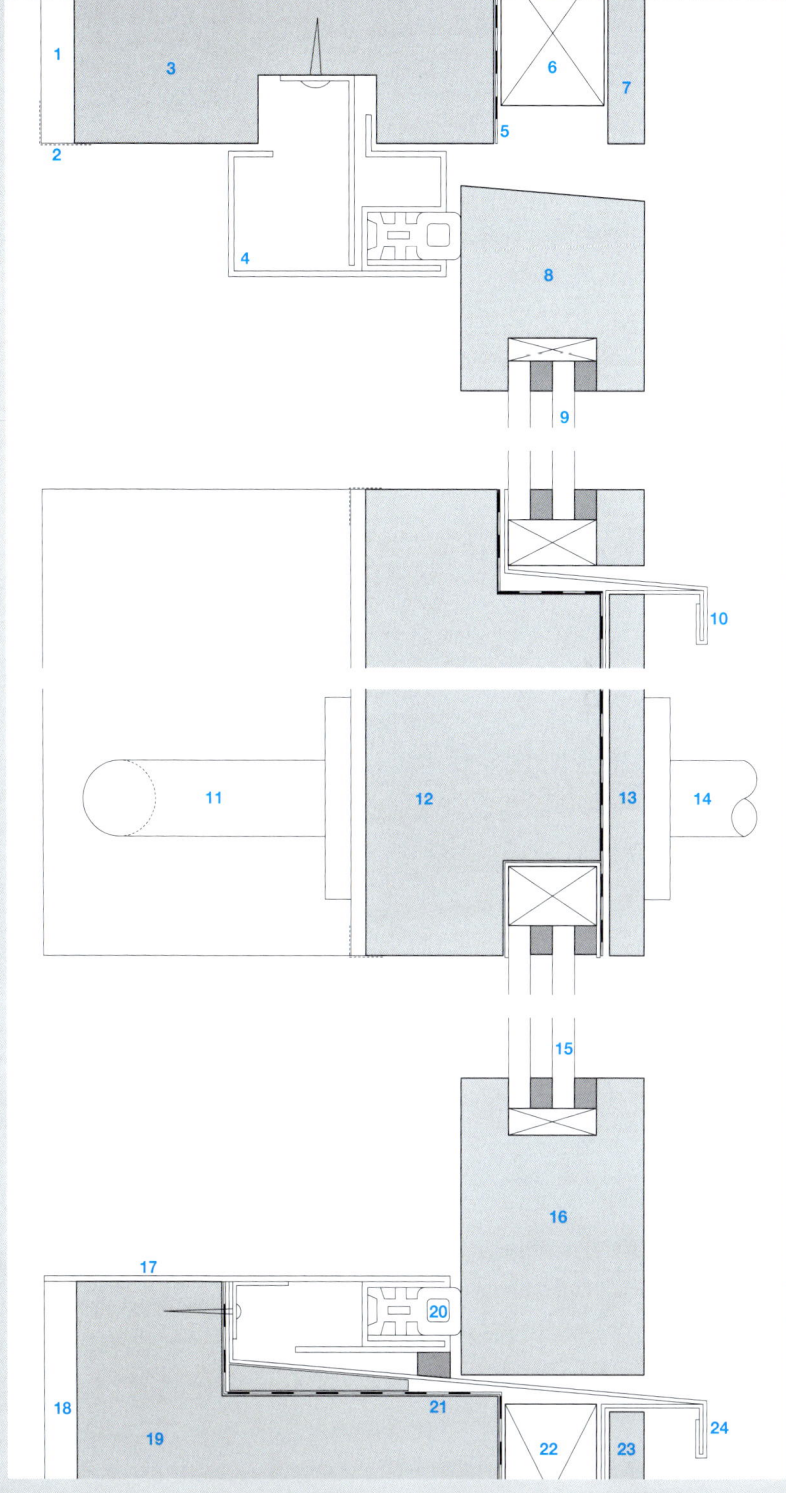

21.09
Detalhe da Porta de Aço: Corte
1:2

1 Isolamento térmico de chapa de fibra de madeira de 9 mm
2 Cantoneira de proteção da quina assentada com massa
3 Verga de madeira de conífera norte-americana (Douglas fir)
4 Travessa superior do batente da porta em perfil de chapa de aço dobrada de 1,5 mm
5 Membrana de impermeabilização
6 Travessa de madeira
7 Revestimento de tábuas de madeira de cedro termorretificadas e tratadas com conservantes de 10 mm de espessura
8 Caixilho de madeira de cipreste
9 Vidro incolor duplo
10 Pingadeira de chapa de aço galvanizado
11 Maçaneta da porta em aço inoxidável
12 Painel de madeira de conífera norte-americana (Douglas fir)
13 Revestimento de tábuas de madeira de cedro termorretificadas e tratadas com conservantes de 10 mm de espessura
14 Maçaneta da porta em aço inoxidável
15 Vidro incolor duplo
16 Caixilho de madeira de cipreste
17 Chapa de aço inoxidável de 2 mm
18 Isolamento térmico de chapa de fibra de madeira de 9 mm
19 Estrutura de madeira de conífera norte-americana (Douglas fir)
20 Soleira da porta em perfil de chapa de aço dobrada de 1,5 mm
21 Membrana de impermeabilização
22 Blocagem de madeira
23 Revestimento de tábuas de madeira de cedro termorretificadas e tratadas com conservantes de 10 mm de espessura
24 Pingadeira de chapa de aço galvanizado

95

22
Niall McLaughlin Architects

Conjunto Habitacional do Peabody Trust
Londres, Inglaterra, Reino Unido

Cliente
Peabody Housing

Equipe de Projeto
Niall McLaughlin, Gus Lewis, Bev Dockray, Matt Driscoll

Projeto Estrutural
Whitby Bird Associates

Construção
Sandwood Construction

Este projeto foi desenvolvido após vencer o concurso "Novas Ideias para Habitação de Baixo Custo", destinado a três terrenos de Silvertown, a leste de Londres. O escritório Niall McLaughlin Architects venceu com a proposta para o terreno maior, com um condomínio de 12 apartamentos. Cada uma das unidades conta um espaço alto e bem iluminado junto com a sua melhor vista para a rua, um balcão ou um jardim. A fachada principal orientada para o sul (hemisfério norte) é composta de painéis de vidro duplo individualizados, os quais trabalham como um sistema de vedação com fachada de chuva. Todas as janelas e os painéis de vedação usam o mesmo sistema de parede-cortina, o que permitiu que pudessem estar perfeitamente nivelados. Os 20 centímetros da câmara da fachada contêm duas camadas de persianas ou brises internos – a primeira fica centralizada em relação às esquadrias, a outra, junto à segunda pele da fachada.

Os brises foram fabricados com chapas de acrílico revestidas com uma película dicroica. Esta película, que na verdade não tem cor própria, é composta de camadas de óxidos de metal incolor que geram um espectro de cores que mudam constantemente. Fresnel, um físico do século XVIII, descobriu que a luz do espectro é difratada em uma superfície ao ser refletida pelas diferentes camadas internas de um material, criando padrões de interferência na sua trajetória para o exterior. A película dicroica utilizada nos brises deste projeto explora esse fenômeno e foi fabricada para o uso na astronomia. O resultado é uma fachada incrivelmente colorida e realmente dinâmica que deriva apenas da reflexão, e não da transmissão da luz de dentro dos ambientes. As cores mudam constantemente à medida que passamos ao longo da fachada, o sol se desloca no céu ou as árvores ao vento são refletidas.

1 A fachada principal ao longo da Evelyn Road é caracterizada por uma parede-cortina de três pavimentos com brises internos de acrílico, que são operados individualmente nas salas de estar dos 12 apartamentos.
2 Os apartamentos se localizam no East End londrino, a uma pequena distância do projeto de renovação urbana das docas da cidade.
3 Vista da fachada principal, com seus brises internos.
4 O efeito impressionante da película dicroica que reveste cada um dos brises é ilustrado nesta fotografia, que apresenta toda uma gama de cores.

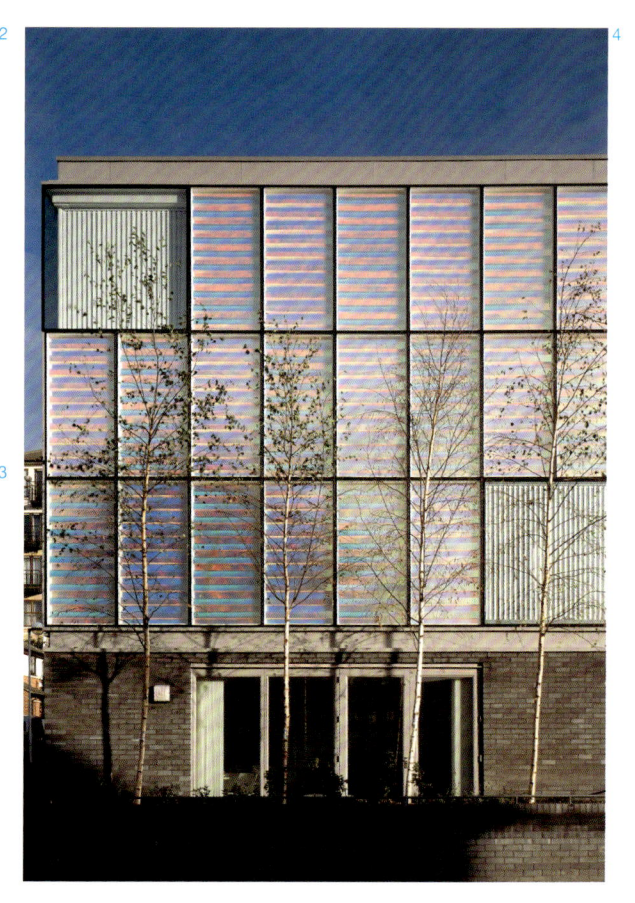

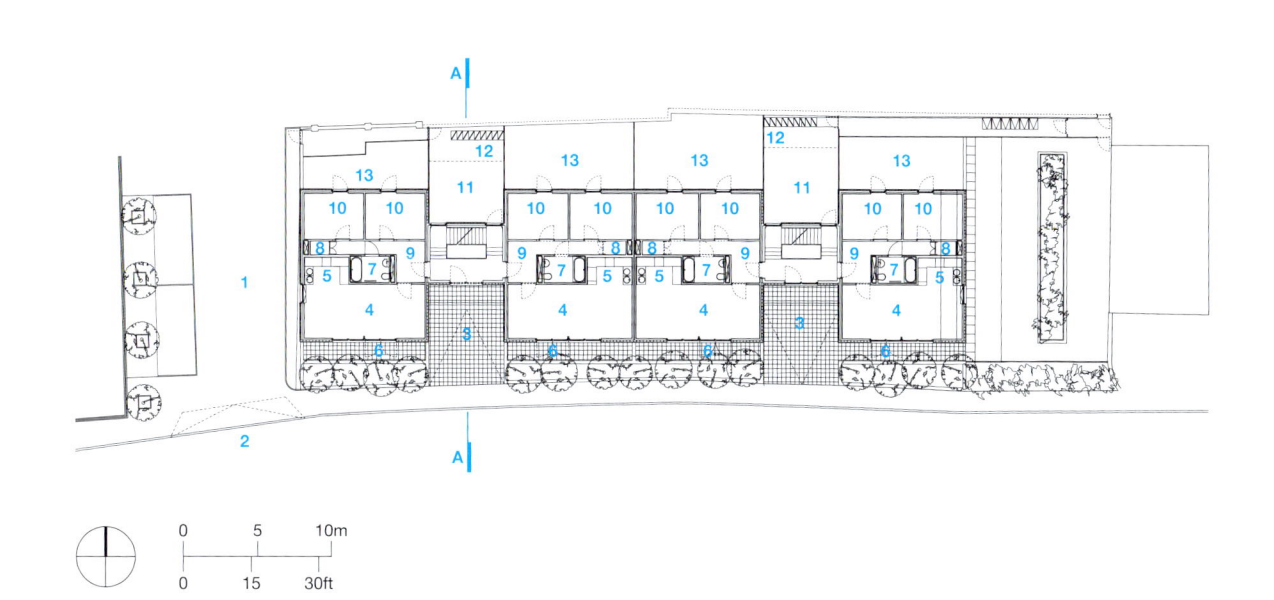

22.01
Planta Baixa do
Pavimento Térreo
1:500
1 Julia Garfield Mews
2 Evelyn Road
3 Entrada
4 Sala de estar
5 Cozinha
6 Balcão
7 Banheiro
8 Depósito
9 Vestíbulo do
  apartamento
10 Dormitório
11 Pátio do condomínio
12 Bicicletário
13 Pátio privativo

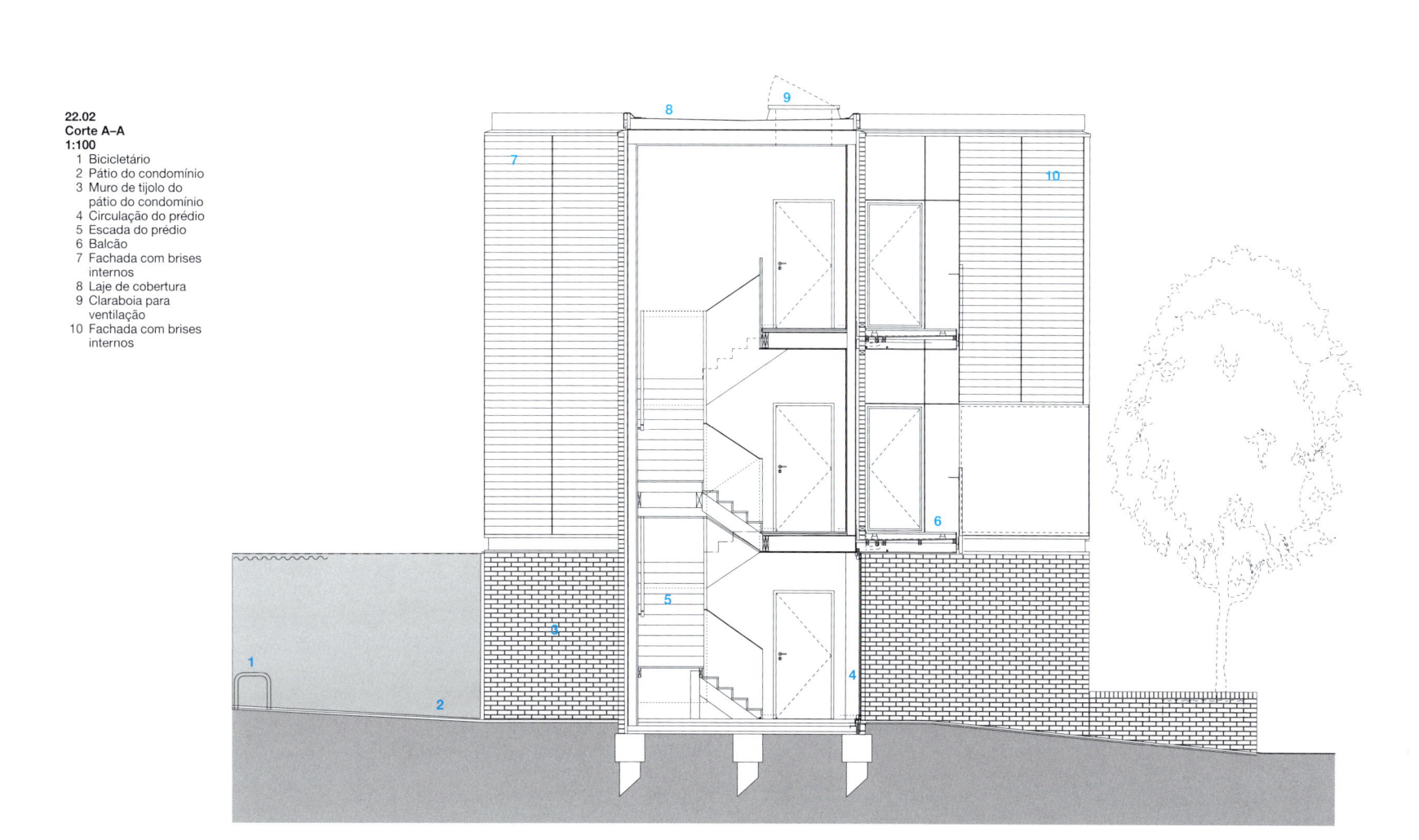

22.02
Corte A–A
1:100
1 Bicicletário
2 Pátio do condomínio
3 Muro de tijolo do
  pátio do condomínio
4 Circulação do prédio
5 Escada do prédio
6 Balcão
7 Fachada com brises
  internos
8 Laje de cobertura
9 Claraboia para
  ventilação
10 Fachada com brises
  internos

97

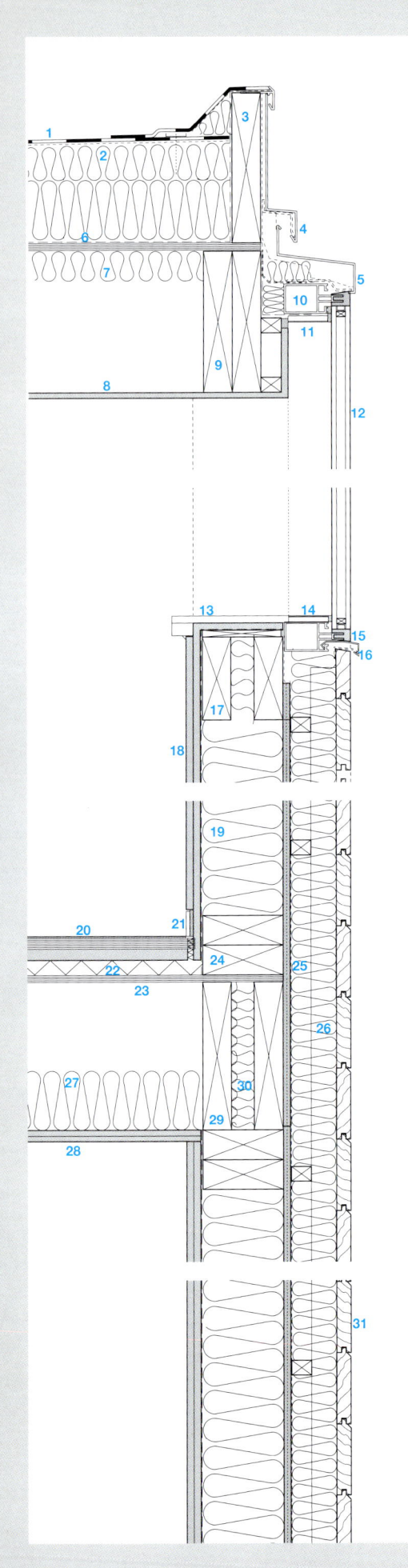

22 Niall McLaughlin Architects — Conjunto Habitacional do Peabody Trust — Londres, Inglaterra, Reino Unido

22.03
Detalhe 1 da Verga e do Peitoril da Janela: Corte 1:10
1 Membrana polimérica de impermeabilização fixada ao isolamento térmico
2 Isolamento térmico
3 Travessa da platibanda em madeira macia
4 Rufo superior de alumínio prensado com pintura eletrostática a pó e revestido com poliéster
5 Rufo inferior de alumínio prensado com pintura eletrostática a pó e revestido com poliéster
6 Membrana de impermeabilização
7 Isolamento térmico entre os caibros
8 Chapa de gesso cartonado de 12,5 mm
9 Travessa de madeira da estrutura da cobertura
10 Perfil de alumínio com pintura eletrostática a pó e revestimento de poliéster para sustentação da vidraça
11 Chapa de aço inoxidável escovado colada a uma chapa de Superflex de 10 mm
12 Vidro duplo fixado ao perfil de alumínio com pintura eletrostática a pó e revestimento de poliéster
13 Peitoril de MDF pintado
14 Chapa de aço inoxidável escovado colada a uma chapa de Superflex de 10 mm
15 Perfil de alumínio com pintura eletrostática a pó e revestimento de poliéster para sustentação da vidraça
16 Pingadeira de alumínio com pintura eletrostática a pó e revestimento de poliéster
17 Travessa de madeira macia
18 Duas chapas de gesso cartonado de 12,5 mm e barreira de vapor
19 Isolamento térmico
20 Carpete instalado sobre uma chapa de compensado de 18 mm e uma chapa resistente ao fogo de 19 mm
21 Rodapé de MDF pintado
22 Isolamento térmico em plástico esponjoso rígido de 25 mm
23 Chapa de compensado de 15 mm
24 Travessa de madeira macia
25 Revestimento resistente ao fogo, membrana contra infiltração de ar e chapa de OSB de 10 mm
26 Isolamento térmico
27 Isolamento térmico
28 Duas chapas de gesso cartonado de 12,5 mm
29 Travessa de madeira da estrutura do piso
30 Isolamento térmico
31 Tábuas de lariço de 24 mm

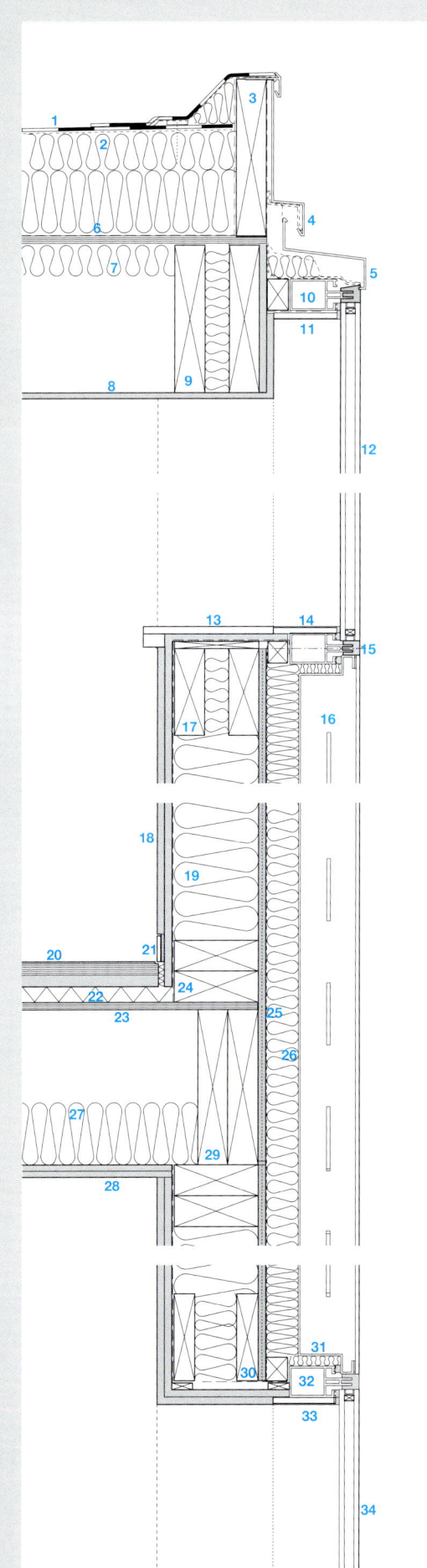

22.04
Detalhe 2 da Verga e do Peitoril da Janela: Corte 1:10
1 Membrana polimérica de impermeabilização fixada ao isolamento térmico
2 Isolamento térmico
3 Travessa da platibanda em madeira macia
4 Rufo superior de alumínio prensado com pintura eletrostática a pó e revestido com poliéster
5 Rufo inferior de alumínio prensado com pintura eletrostática a pó e revestido com poliéster
6 Membrana de impermeabilização
7 Isolamento térmico entre os caibros
8 Chapa de gesso cartonado de 12,5 mm
9 Travessa de madeira da estrutura da cobertura
10 Perfil de alumínio com pintura eletrostática a pó e revestimento de poliéster para sustentação da vidraça
11 Chapa de aço inoxidável escovado colada a uma chapa de Superflex de 10 mm
12 Vidro duplo fixado ao perfil de alumínio com pintura eletrostática a pó e revestimento de poliéster
13 Peitoril de MDF pintado
14 Chapa de aço inoxidável escovado colada a uma chapa de Superflex de 10 mm
15 Perfil de alumínio com pintura eletrostática a pó e revestimento de poliéster para sustentação da vidraça
16 Painéis da parede-cortina
17 Travessa de madeira macia
18 Duas chapas de gesso cartonado de 12,5 mm e barreira de vapor
19 Isolamento térmico de 140 mm
20 Carpete instalado sobre uma chapa de compensado de 18 mm e uma chapa resistente ao fogo de 19 mm
21 Rodapé de MDF pintado
22 Isolamento térmico em plástico esponjoso rígido de 25 mm
23 Chapa de compensado de 15 mm
24 Travessa de madeira macia
25 Revestimento resistente ao fogo, membrana contra infiltração de ar e chapa de OSB de 10 mm
26 Barreira corta-fogo
27 Isolamento térmico
28 Duas chapas de gesso cartonado de 12,5 mm
30 Travessa de madeira da estrutura do piso
31 Bandeja de alumínio com fendas laterais para fixação
32 Perfil de alumínio com pintura eletrostática a pó e revestimento de poliéster para sustentação da vidraça
33 Chapa de aço inoxidável escovado colada a uma chapa de Superflex de 10 mm
34 Vidro duplo com isolamento térmico

22.05
Detalhe 1 da Verga e da Soleira da Porta: Corte 1:10

1 Carpete instalado sobre uma chapa de compensado de 18 mm e uma chapa resistente ao fogo de 19 mm
2 Rodapé de MDF pintado
3 Isolamento térmico em plástico esponjoso rígido de 25 mm
4 Chapa de compensado de 15 mm
5 Isolamento térmico
6 Duas chapas de gesso cartonado de 12,5 mm
7 Duas chapas de gesso cartonado de 12,5 mm e barreira de vapor
8 Isolamento térmico de 140 mm
9 Cavidade ventilada de 50 mm
10 Vidraça fixada diretamente ao perfil de alumínio
11 Perfil de alumínio com pintura eletrostática a pó e revestimento de poliéster para sustentação da vidraça
12 Perfil de alumínio com pintura eletrostática a pó e revestimento de poliéster
13 Travessa de madeira da estrutura do piso
14 Isolamento térmico
15 Perfil de alumínio prensado com pintura eletrostática a pó e revestido com poliéster, com ventilador embutido
16 Travessa de madeira macia
17 Esquadria da porta em perfil de alumínio com pintura eletrostática a pó e revestimento de poliéster
18 Revestimento de tijolo de engenheiro aparente
19 Porta de vidro duplo com isolamento térmico
20 Piso de linóleo
21 Contrapiso de concreto
22 Isolamento térmico rígido
23 Cantoneiras de aço estrutural
24 Viga e painéis de piso
25 Cavidade
26 Sapata corrida
27 Enchimento de argamassa
28 Tijolos de engenheiro
29 Subleito compactado com 10 cm
30 Lajotas de 25 mm sobre leito de argamassa de cimento

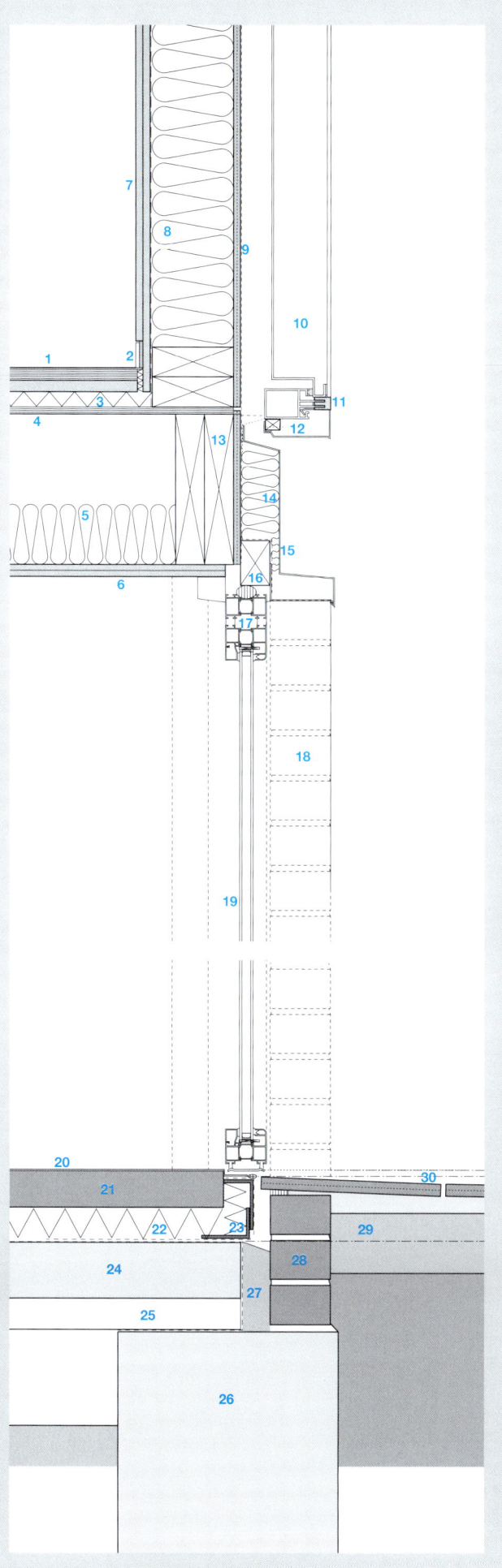

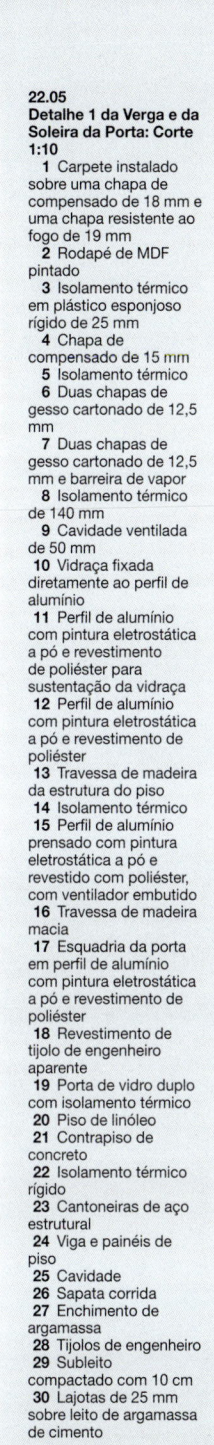

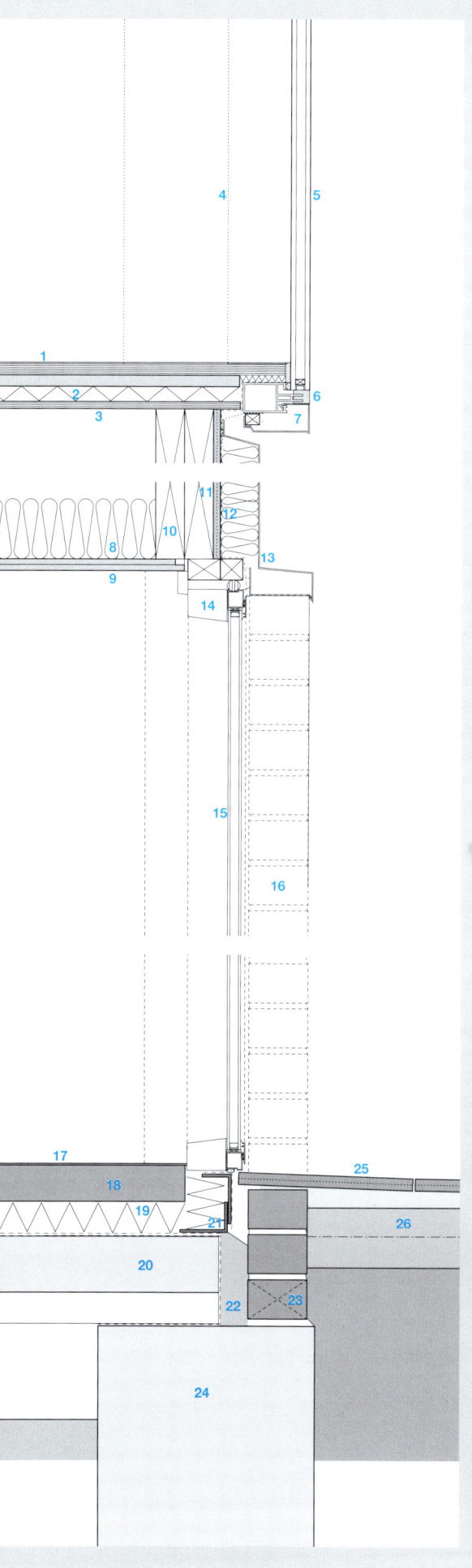

22.06
Detalhe 2 da Verga e da Soleira da Porta: Corte 1:10

1 Carpete instalado sobre uma chapa de compensado de 18 mm e uma chapa resistente ao fogo de 19 mm
2 Isolamento térmico em plástico esponjoso rígido de 25 mm
3 Chapa de compensado de 15 mm
4 Silicone estrutural
5 Vidro duplo fixado ao perfil de alumínio com pintura eletrostática a pó e revestimento de poliéster
6 Perfil de alumínio nivelado, com pintura eletrostática a pó e revestimento de poliéster para sustentação da vidraça
7 Perfil de alumínio com pintura eletrostática a pó e revestimento de poliéster
8 Isolamento térmico
9 Duas chapas de gesso cartonado de 12,5 mm
10 Travessa de madeira da estrutura do piso
11 Travessa de madeira da estrutura do piso
12 Isolamento térmico
13 Perfil de alumínio prensado com pintura eletrostática a pó e revestido com poliéster, com ventilador embutido
14 Perfil de alumínio com pintura eletrostática a pó e revestimento de poliéster para sustentação da vidraça
15 Porta de vidro duplo com isolamento térmico
16 Revestimento de tijolo de engenheiro em vista
17 Piso de linóleo
18 Contrapiso de concreto
19 Isolamento térmico rígido
20 Barrotes e painéis de piso
21 Cantoneiras de aço estrutural
22 Enchimento de argamassa
23 Barbacã (nesta fiada e na acima)
24 Sapata corrida
25 Lajotas de 25 mm sobre leito de argamassa de cimento
26 Subleito compactado com 10 cm

23
Wood Marsh Architects

Apartmentos YVE
Melbourne, Victoria, Austrália

Cliente
Sunland Group

Equipe de Projeto
Randal Marsh, Roger Wood, Domenic Chirico

Projeto Estrutural
Waley Consulting Group

Projeto de Instalações Prediais
Lincolne Scott

O Edifício de Apartamentos YVE foi projetado como uma estrutura iconográfica tridimensional revestida principalmente de vidro, com várias texturas e camadas. A intenção foi criar um prédio sutil que tivesse uma implantação harmônica em seu contexto e, ao mesmo tempo, contribuísse de maneira positiva à paisagem urbana. O prédio tem planta baixa e elevações simétricas; os pisos a partir de 45 metros de altura recuam em relação às quinas, mas um pouco menos em relação ao centro. Este movimento realça a perspectiva e cria um coroamento para o edifício, sem alterar sua linguagem geral.

A fachada apresenta muitos níveis, que, em conjunto com a forma do prédio, enfatizam a tridimensionalidade do volume. A camada interna de vidraças é composta de vidros cinza escuro levemente reflexivos e se eleva dos pisos aos tetos, e os montantes também escuros criam um padrão vertical. Essa camada contrasta com as faixas horizontais da camada externa. As lajes de piso, todas de concreto, têm suas extremidades encobertas por tais faixas horizontais contínuas de vidro ondulado, que funcionam tanto como guarda-corpos quanto como elementos de proteção solar. Os vidros ondulados dos guarda-corpos são semitransparentes e formam faixas tremeluzentes quando vistos à distância e, uma vez que estão afastados das paredes de vedação das fachadas, filtram a luz que penetra no prédio. No nível da rua, há uma saia inclinada, também de painéis de vidro, cujo topo recuado faz parecer que os pavimentos acima estão flutuando.

1 A camada externa de vidraças, que confere movimento à geometria do edifício, serve de guarda-corpos para os balcões contínuos que circundam todo o prédio, além de dar proteção solar.
2 Vista da fachada, realçando as duas camadas de vidro que revestem o prédio – uma camada interna do piso ao teto, que oferece segurança para os usuários e proteção contra o clima, e a camada horizontal dos guarda-corpos.
3 As vidraças inclinadas do pavimento térreo apresentam vários matizes suaves, contrastando com os tons acinzentados dos pavimentos acima.

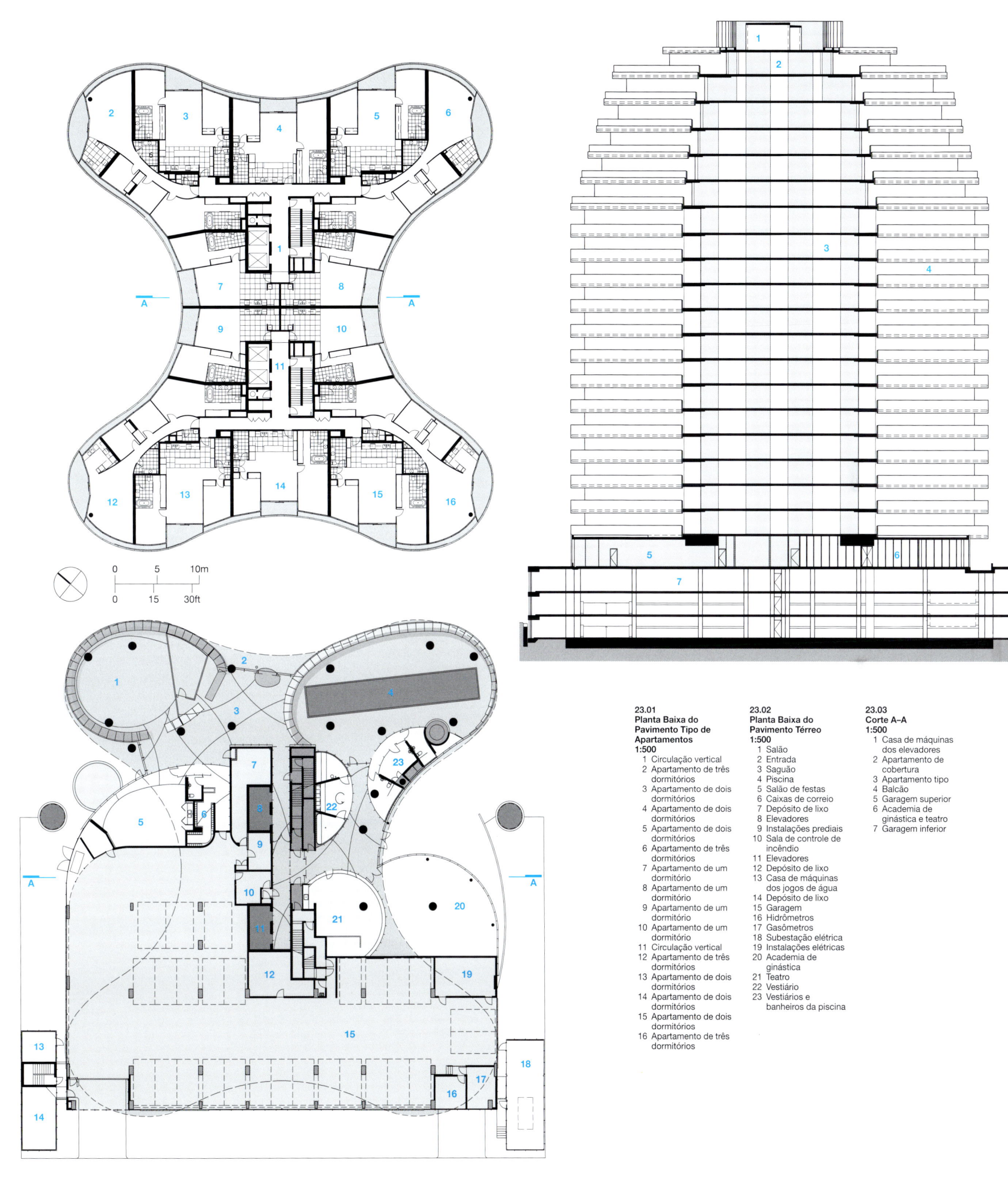

23.01
Planta Baixa do
Pavimento Tipo de
Apartamentos
1:500
 1 Circulação vertical
 2 Apartamento de três
   dormitórios
 3 Apartamento de dois
   dormitórios
 4 Apartamento de dois
   dormitórios
 5 Apartamento de dois
   dormitórios
 6 Apartamento de três
   dormitórios
 7 Apartamento de um
   dormitório
 8 Apartamento de um
   dormitório
 9 Apartamento de um
   dormitório
10 Apartamento de um
   dormitório
11 Circulação vertical
12 Apartamento de três
   dormitórios
13 Apartamento de dois
   dormitórios
14 Apartamento de dois
   dormitórios
15 Apartamento de dois
   dormitórios
16 Apartamento de três
   dormitórios

23.02
Planta Baixa do
Pavimento Térreo
1:500
 1 Salão
 2 Entrada
 3 Saguão
 4 Piscina
 5 Salão de festas
 6 Caixas de correio
 7 Depósito de lixo
 8 Elevadores
 9 Instalações prediais
10 Sala de controle de
   incêndio
11 Elevadores
12 Depósito de lixo
13 Casa de máquinas
   dos jogos de água
14 Depósito de lixo
15 Garagem
16 Hidrômetros
17 Gasômetros
18 Subestação elétrica
19 Instalações elétricas
20 Academia de
   ginástica
21 Teatro
22 Vestiário
23 Vestiários e
   banheiros da piscina

23.03
Corte A–A
1:500
 1 Casa de máquinas
   dos elevadores
 2 Apartamento de
   cobertura
 3 Apartamento tipo
 4 Balcão
 5 Garagem superior
 6 Academia de
   ginástica e teatro
 7 Garagem inferior

101

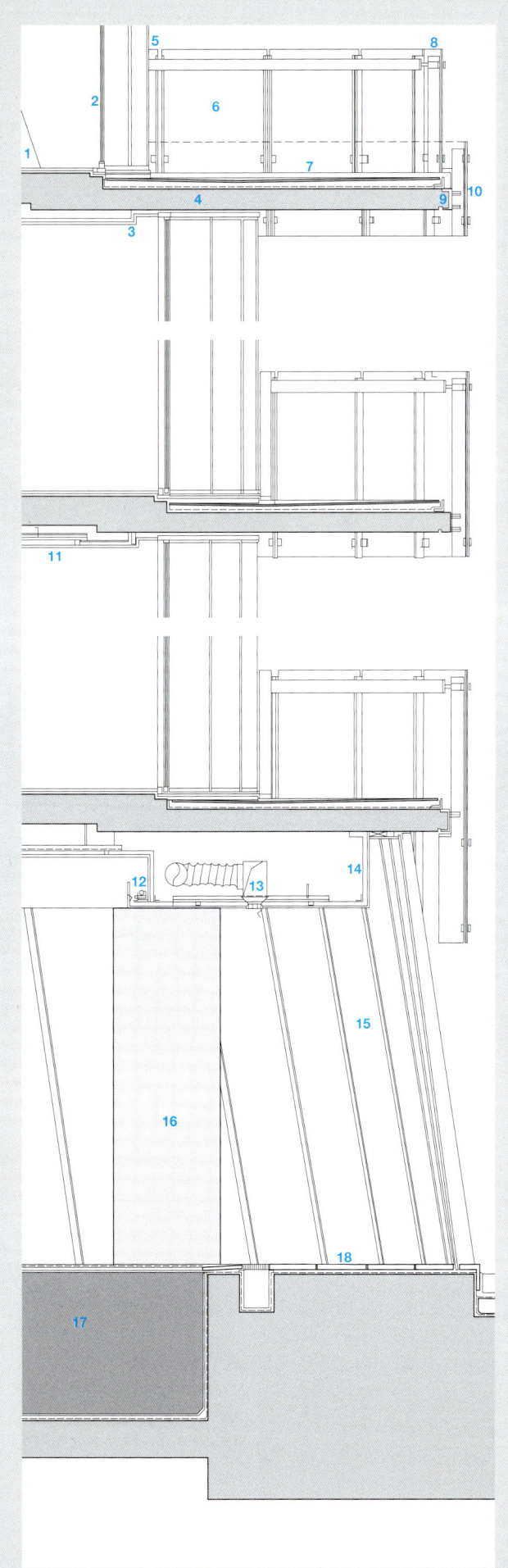

23 Wood Marsh Architects — Apartmentos YVE — Melbourne, Victoria, Austrália

23.04
Detalhe 1 da Fachada: Corte
1:50

1 Pilar de concreto inclinado
2 Porta de vidro de correr em perfil com pintura eletrostática a pó
3 Painel de fechamento em MDF da sanca, pintado com a mesma cor do forro
4 Laje de piso de concreto armado
5 Painel divisório de vidro entre a saliência e o balcão
6 Guarda-corpo em vista
7 Piso de lajotas sobre capa de argamassa com caimento e membrana de impermeabilização
8 Cantoneira de 60 × 40 × 5 mm por trás da estrutura do guarda-corpo
9 Remate em cantoneira laminada e pintada de aço doce galvanizado, de 90 × 90 mm
10 Vidro texturizado recobrindo a borda da laje
11 Teto falso de gesso cartonado pintado e nivelado
12 Sanca de iluminação
13 Grelha do insuflamento de ar com difusor linear e duto
14 Forro
15 Pele de vidro do pavimento térreo em vista
16 Pilar estrutural em concreto armado revestido com azulejos
17 Piscina
18 Piso cerâmico sobre argamassa de regularização e membrana de impermeabilização

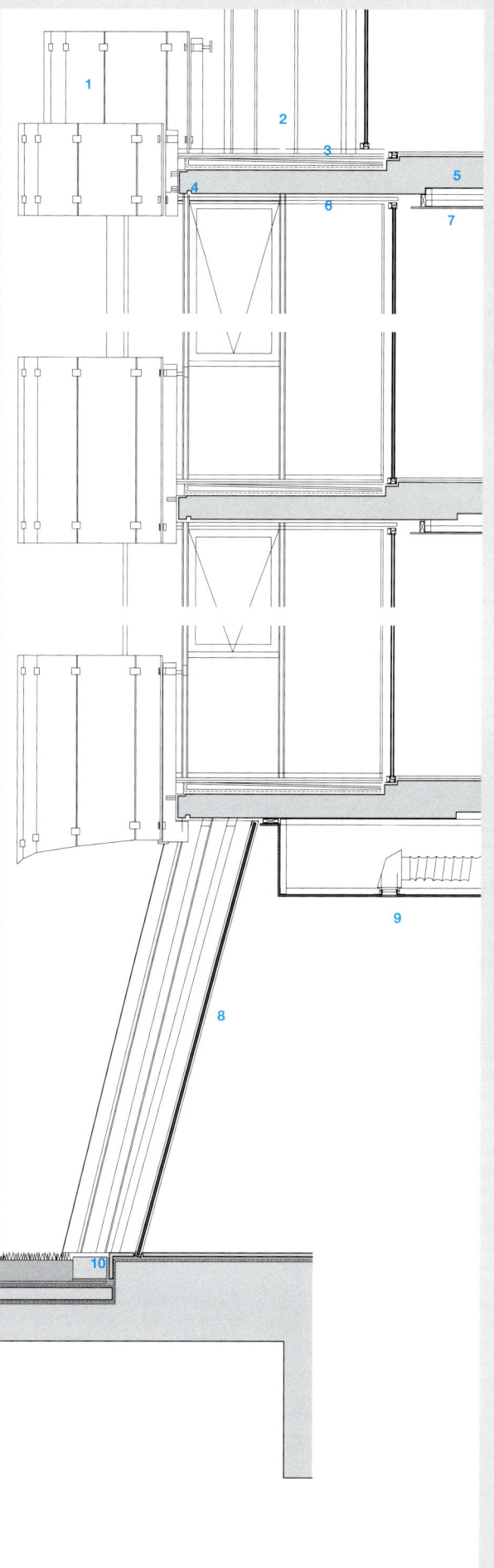

23.05
Detalhe 2 da Fachada: Corte
1:50

1 Guarda-corpo de vidro facetado e acompanhando a borda da laje
2 Vidro facetado da fachada
3 Piso cerâmico do balcão sobre argamassa de regularização com caimento, manta de absorção de impactos e membrana de impermeabilização
4 Remate em cantoneira laminada e pintada de aço doce galvanizado, de 90 × 90 mm
5 Laje de piso de concreto armado
6 Teto do balcão pintado
7 Painel de fechamento em MDF da sanca, pintado com a mesma cor do forro
8 Pele de vidro do pavimento térreo em vista
9 Grelha do insuflamento de ar com difusor linear e duto
10 Bloco de concreto pré-moldado polido no perímetro do gramado

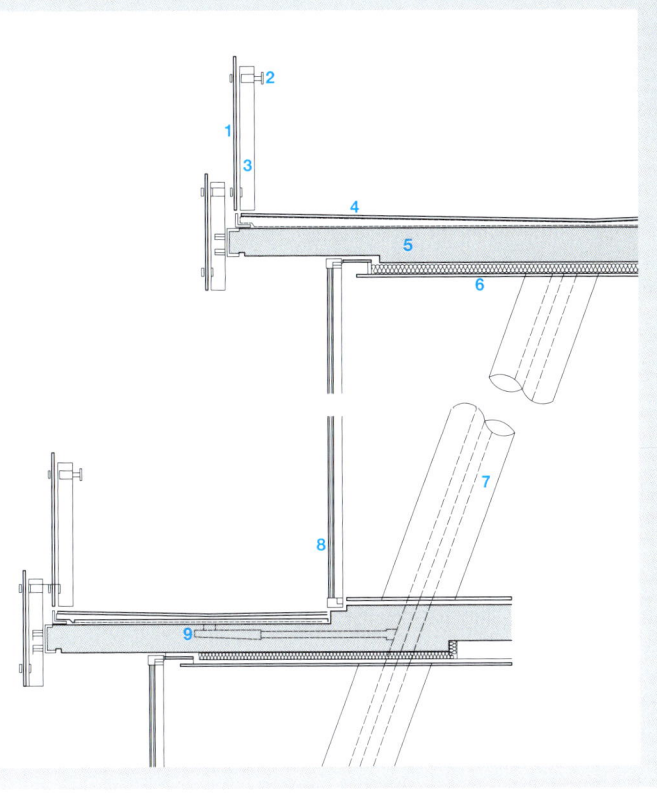

23.06
Detalhe do Guarda-Corpo de Vidro: Corte
1:50

1 Guarda-corpo de vidro facetado e acompanhando a borda da laje
2 Corrimão
3 Pontalete de aço inoxidável
4 Balcão revestido com piso cerâmico com caimento sobre argamassa de regularização e membrana de impermeabilização e ralos embutidos de acordo com as tubulações de queda
5 Laje de piso do concreto armado
6 Forro de gesso cartonado sobre isolamento térmico foilboard necessário para a classificação de proteção térmica necessária
7 Coluna de concreto armado de seção cilíndrica com reboco de 6 mm e pintura; tubo de queda pluvial de 150 mm embutido (tracejado)
8 Esquadria da janela em alumínio com pintura eletrostática a pó
9 Ralo e caixa de PVC embutida com tubo de 50 mm até o tubo de queda pluvial

23.07
Detalhe da Escada: Corte
1:10

1 Banzo fixado com parafusos escareados e espaçadores de aço inoxidável de 250 mm
2 Banzo de aço doce pintado com 250 mm de altura
3 Perfil de aço doce de 60 × 40 × 5 mm para sustentação do degrau
4 Patamar superior e pisos de vidro laminado de 12 mm fixados com fita de envidraçamento em ambas as extremidades
5 Perfil frontal de aço doce de 40 × 40 × 5 mm para sustentação do degrau
6 Conexão de pino escareada de aço polido de 25 mm entre o banzo de aço doce e o vidro
7 Chapa de base de 300 × 75 × 12 mm soldada ao banzo, permitindo a ancoragem da laje de concreto por meio de parafusos escareados

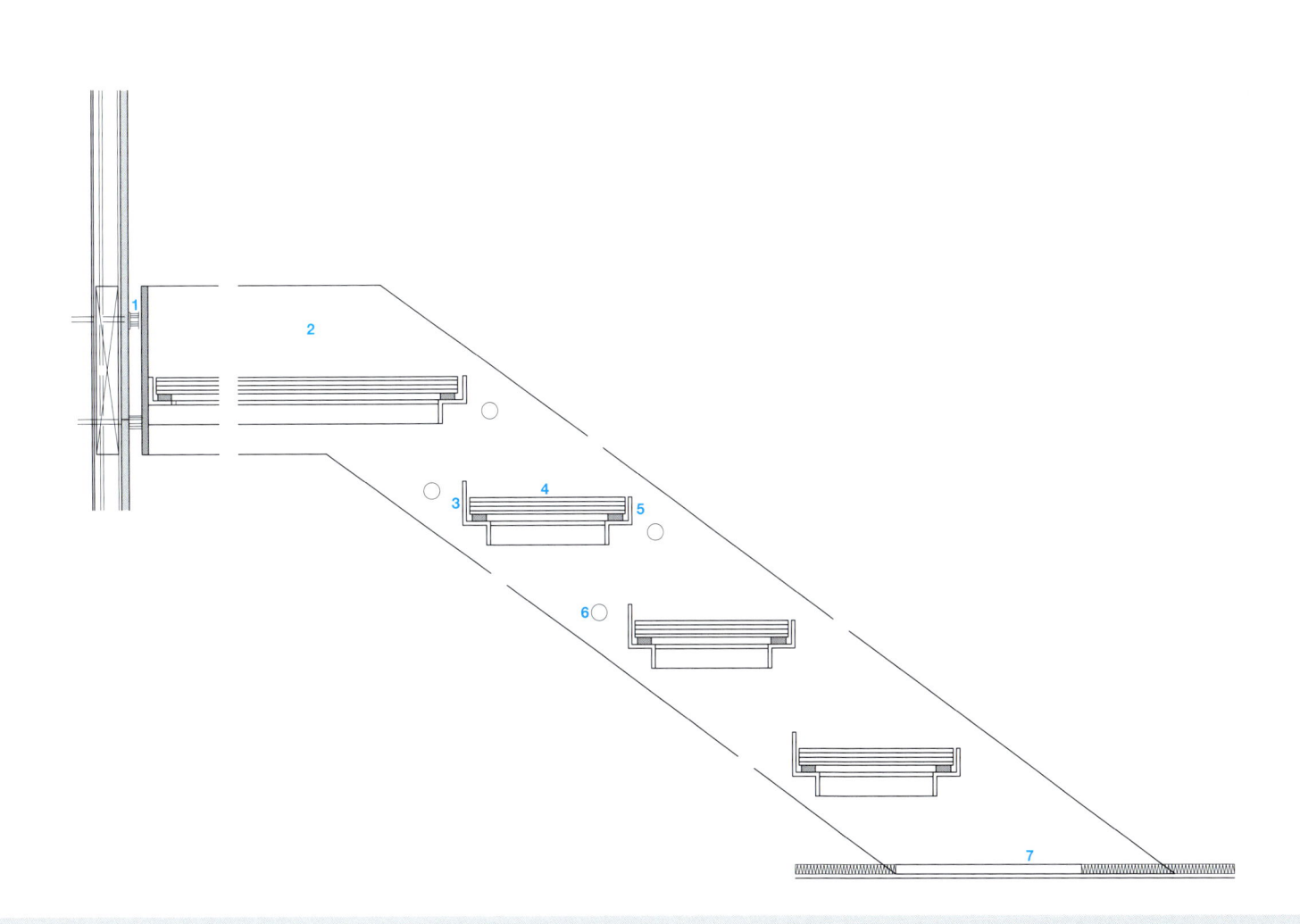

Neil M. Denari Architects

Edifício HL23
Nova York, Nova York, Estados Unidos

Cliente
Highline LLC, Alf Naman Real Estate, Garrett Heher

Equipe de Projeto
Neil Denari, Stefano Paiocchi, Duks Koschitz, David Aguilo, Carmen Cham, Antonio Torres, Alex Janowski, Philip Traexler, Yoichiro Mizuno, Rick Michod, Christian Kotzemanis

Projeto Estrutural
Desimone Consulting Engineers

Construção
T. G. Nickel and Associates

O HL23 é um edifício de apartamentos vertical que responde a um terreno único e desafiador adjacente ao High Line, na 23rd Street, em West Chelsea, o bairro nova-iorquino das artes. O High Line é um novo parque linear elevado em relação à rua e construído sobre uma antiga linha de trem que oferece às pessoas uma oportunidade de interagir com a rica herança arquitetônica da cidade. Da mesma maneira, o HL23 é um prédio que foi cuidadosamente projetado a partir da confluência de forças locais. O terreno (e o cliente investidor) exigiram uma resposta muito específica, o que resultou em um projeto que é uma combinação entre os parâmetros impostos e aqueles encontrados no sítio, além de uma arquitetura audaz.

Para o cliente, a questão principal era ampliar a área de piso dentro de um volume limitado por normas de zoneamento que incluíam um recuo em relação ao parque High Line e um limite de altura. Assim, foi empregada uma geometria irregular que permitiu que o prédio ficasse bastante próximo ao parque elevado. Juntas, as exigências impostas resultaram em um prédio com a forma de um trapézio invertido (uma base menor do que o topo) com um apartamento por pavimento e três fachadas completamente distintas, ainda que coerentes entre si – uma raridade no traçado urbano de Nova York. As principais áreas de estar e vistas foram voltadas para o sul (hemisfério norte), enquanto a fachada leste, orientada para o parque High Line, foi configurada como uma superfície escultórica com janelas menores, garantindo a privacidade dos moradores e enquadrando as vistas de Manhattan. Uma parede-cortina de vidro e mega-chapas de aço inoxidável, sem painéis de tímpano, projetada e fabricada especialmente para este prédio, fica suspensa em uma complexa estrutura independente de aço, com vários balanços, resultando em expressão artística com economia de meios. Uma vez que o prédio está implantado no centro do bairro das artes, ele busca ser comercialmente viável, mas também ser um objeto extremamente escultórico com lugar garantido entre as obras de arte exibidas nas galerias de seu contexto urbano.

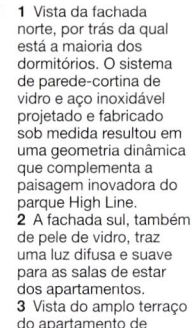

1 Vista da fachada norte, por trás da qual está a maioria dos dormitórios. O sistema de parede-cortina de vidro e aço inoxidável projetado e fabricado sob medida resultou em uma geometria dinâmica que complementa a paisagem inovadora do parque High Line.
2 A fachada sul, também de pele de vidro, traz uma luz difusa e suave para as salas de estar dos apartamentos.
3 Vista do amplo terraço do apartamento de cobertura.
4 Um apartamento dúplex no segundo nível do prédio apresenta um grande terraço protegido por vegetação de grande porte.

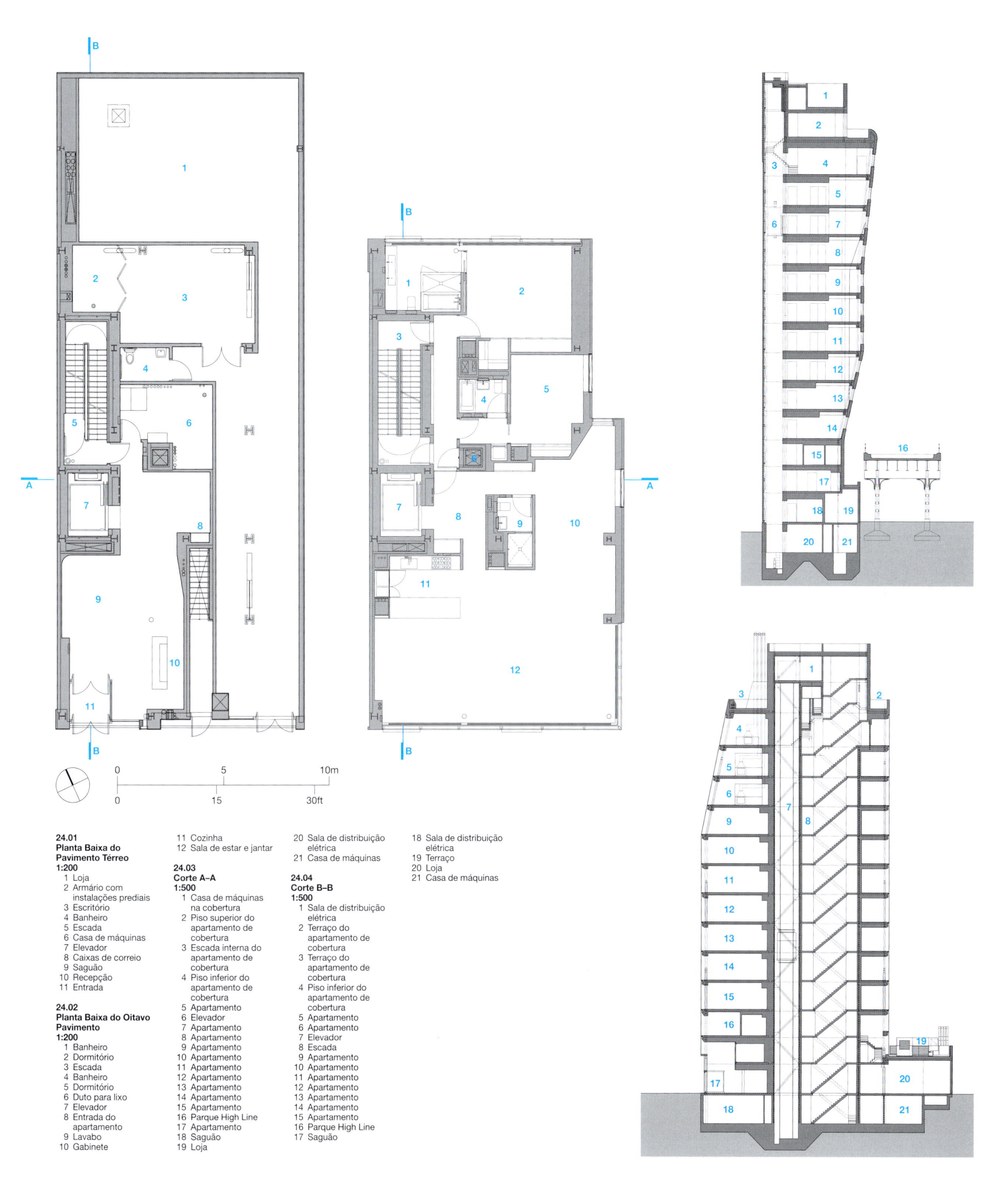

24.01
Planta Baixa do Pavimento Térreo
1:200
1. Loja
2. Armário com instalações prediais
3. Escritório
4. Banheiro
5. Escada
6. Casa de máquinas
7. Elevador
8. Caixas de correio
9. Saguão
10. Recepção
11. Entrada

24.02
Planta Baixa do Oitavo Pavimento
1:200
1. Banheiro
2. Dormitório
3. Escada
4. Banheiro
5. Dormitório
6. Duto para lixo
7. Elevador
8. Entrada do apartamento
9. Lavabo
10. Gabinete
11. Cozinha
12. Sala de estar e jantar

24.03
Corte A–A
1:500
1. Casa de máquinas na cobertura
2. Piso superior do apartamento de cobertura
3. Escada interna do apartamento de cobertura
4. Piso inferior do apartamento de cobertura
5. Apartamento
6. Elevador
7. Apartamento
8. Apartamento
9. Apartamento
10. Apartamento
11. Apartamento
12. Apartamento
13. Apartamento
14. Apartamento
15. Apartamento
16. Parque High Line
17. Apartamento
18. Saguão
19. Loja
20. Sala de distribuição elétrica
21. Casa de máquinas

24.04
Corte B–B
1:500
1. Sala de distribuição elétrica
2. Terraço do apartamento de cobertura
3. Terraço do apartamento de cobertura
4. Piso inferior do apartamento de cobertura
5. Apartamento
6. Apartamento
7. Elevador
8. Escada
9. Apartamento
10. Apartamento
11. Apartamento
12. Apartamento
13. Apartamento
14. Apartamento
15. Apartamento
16. Parque High Line
17. Saguão
18. Sala de distribuição elétrica
19. Terraço
20. Loja
21. Casa de máquinas

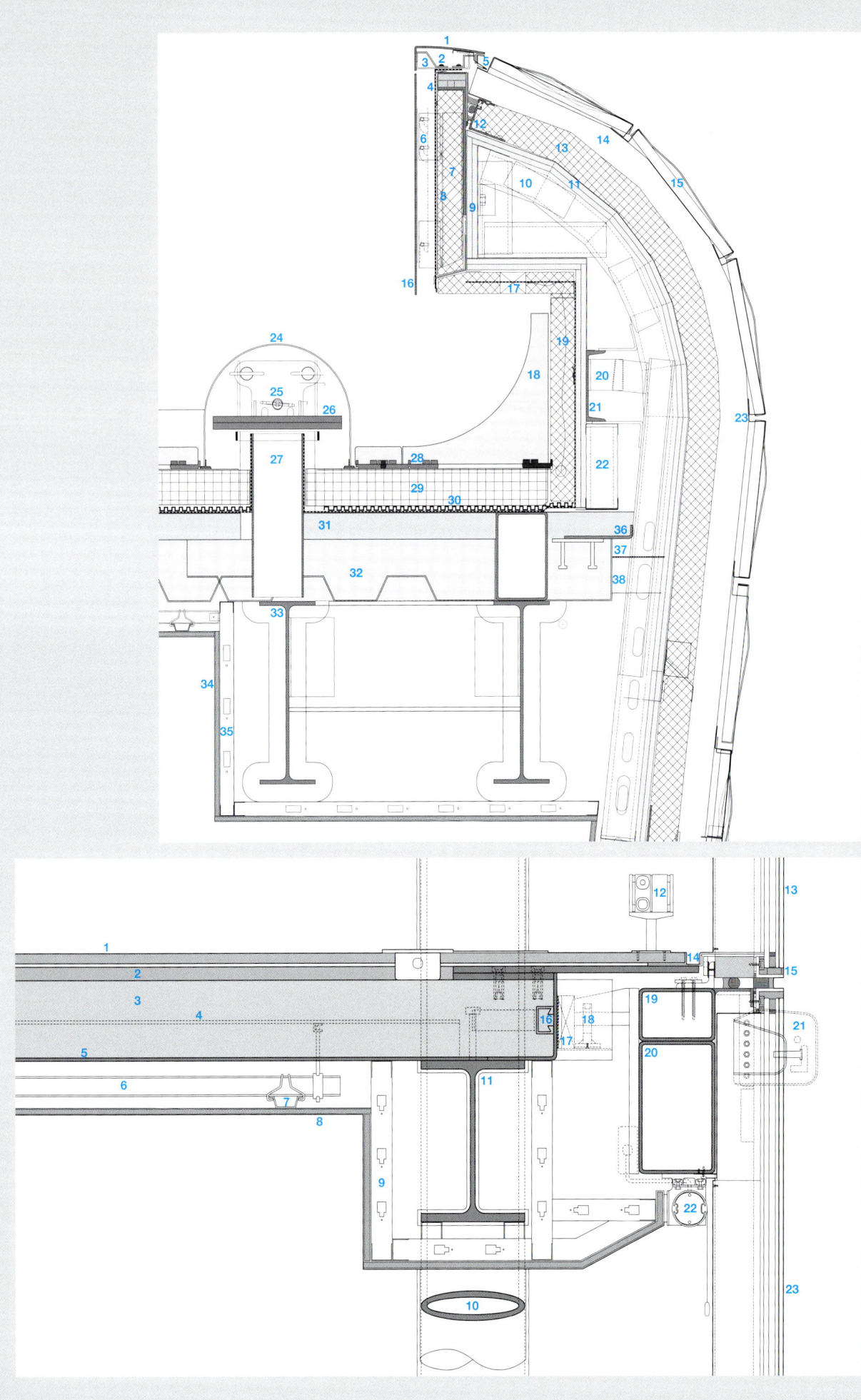

24 Neil M. Denari Architects   Edifício HL23   Nova York, Nova York, Estados Unidos

24.05
Detalhe da Platibanda da Cobertura: Corte
1:20

1 Remate em chapa de alumínio dobrada
2 Perfil de alumínio superior de sustentação do remate do guarda-corpo
3 Perfil de alumínio inferior de sustentação do remate do guarda-corpo
4 Revestimento de alumínio
5 Rufo de alumínio
6 Sistema de sustentação dos painéis em aço de 75 mm
7 Isolamento térmico
8 Barreira de vapor
9 Painel pré-fabricado Densglass, com núcleo resistente à água e revestimento de vidro fosco
10 Estrutura de 100 mm de sustentação dos painéis
11 Chapa Glasroc de gesso cartonado reforçado com vidro de 50 × 16 mm
12 Perfil de fixação do isolamento térmico e sustentação dos caibros
13 Isolamento térmico Thermafiber de 89 mm sem revestimento
14 Caibro de perfil extrudado de alumínio
15 Painéis de revestimento de fachada de aço inoxidável
16 Painel de alumínio
17 Luminária embutida
18 Bloco de quina de concreto pré-fabricado
19 Conduíte para fiação elétrica
20 Estrutura de sustentação dos painéis de 100 mm
21 Perfil U de aço
22 Estrutura de base da platibanda
23 Caibro
24 Revestimento do turco
25 Base do turco
26 Chapa de aço
27 Pedestal do turco
28 Pedestal para encaixe do bloco de quina
29 Isolamento térmico rígido
30 Impermeabilização
31 Capa de concreto de regularização, com caimento
32 Laje de concreto com forma de metal corrugada incorporada (sistema *steel deck*)
33 Viga de aço
34 Chapa de gesso cartonado
35 Estrutura de montantes leves de aço
36 Cantoneira de aço contínua de 152 × 25 mm
37 Vedação antifumaça
38 Barreira corta-fogo de lã de rocha de 100 mm

24.06
Detalhe de Piso Típico: Corte
1:10

1 Piso de madeira de carvalho com recortes tipo fenda, de 19 mm
2 Contrapiso
3 Laje de concreto armado
4 Armadura
5 Laje de concreto com forma de metal corrugada incorporada (sistema *steel deck*)
6 Perfil U do forro
7 Perfil de sustentação do forro
8 Forro à prova d'água
9 Estrutura de montantes leves de aço
10 Viga de aço de seção elíptica de 200 mm de largura
11 Viga de aço com tinta intumescente
12 Sistema de calefação periférico Runtal
13 Pele de vidro
14 Junta de dilatação do piso de madeira
15 Faixa de revestimento de alumínio
16 Perfil de ancoragem Halfen
17 Blocagem de aço
18 Ancoragem
19 Viga espaçadora da pele de vidro
20 Viga espaçadora da pele de vidro
21 Ancoragem de estabilização intermitente para manutenção da fachada
22 Caixa da cortina
23 Pele de vidro

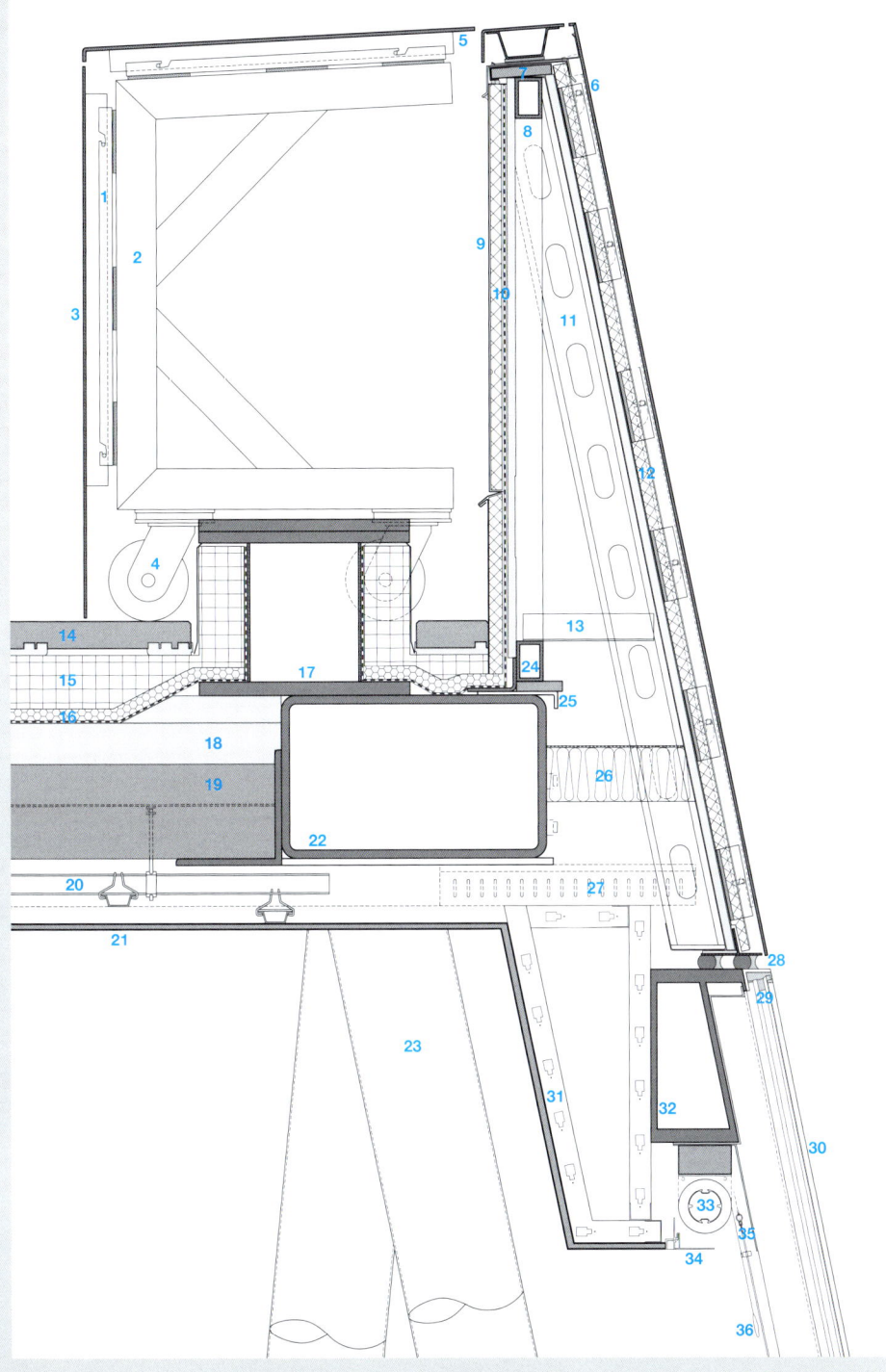

**24.07
Detalhe da Platibanda
Inclinada: Corte
1:12,5**
1 Sistema de sustentação de aço doce
2 Carrinho com roletes para serviços de manutenção
3 Painel de alumínio
4 Pneus com ar
5 Barreira de vapor
6 Sistema de revestimento da fachada em aço inoxidável
7 Espaçador
8 Travessa de perfil tubular de aço
9 Isolamento térmico rígido
10 Painel pré-fabricado Densglass, com núcleo resistente à água e revestimento de vidro fosco
11 Montantes de aço de chapa com 1,61 mm de espessura e 100 mm de largura a cada 406 mm entre eixos
12 Suporte da fachada em chapa de aço com 1,61 mm de espessura
13 Cantoneira de apoio
14 Piso de concreto pré-moldado
15 Isolamento térmico rígido
16 Impermeabilização
17 Chapa de aço
18 Capa de regularização
19 Laje de concreto com forma de metal corrugada incorporada (sistema *steel deck*) de 75 mm
20 Chapa de suporte do forro
21 Forro de gesso cartonado à prova de água
22 Vigas de aço de perfil tubular retangular
23 Travamento diagonal
24 Perfil tubular da estrutura dos painéis da fachada
25 Cantoneira da estrutura dos painéis da fachada
26 Barreira corta-fogo e vedação antifumaça de 100 mm, no mínimo
27 Cantoneira de travamento lateral
28 Corpo de apoio e mástique
29 Perfil extrudado de alumínio, para sustentação da pele de vidro
30 Pele de vidro
31 Mísula
32 Viga espaçadora da pele de vidro
33 Rolo da cortina com motor embutido
34 Perfil padrão de acabamento de 75 mm de cor branco padrão
35 Cabo tracionado com mola
36 Cortina com barra de bainha interna

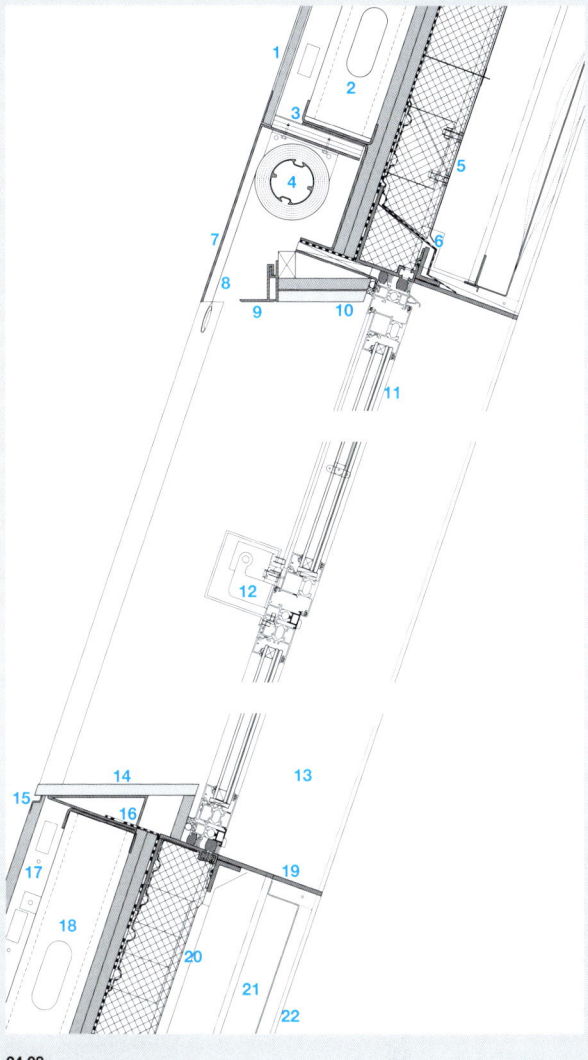

**24.08
Detalhe da Parede
Inclinada com Janela:
Corte
1:10**
1 Revestimento interno com chapa de gesso cartonado
2 Montante leve de aço de 100 mm
3 Perfil contínuo de 19 mm
4 Cortina de enrolar
5 Membrana de proteção
6 Chapa de alumínio contínua, para revestimento
7 Tampa da caixa da cortina em aço inoxidável
8 Cabo da cortina de enrolar
9 Cantoneira de acabamento
10 Madeira pintada
11 Janela com caixilhos móveis
12 Motor da janela
13 Revestimento de alumínio
14 Peitoril de madeira
15 Perfil Z
16 Perfil triangular de apoio
17 Junta deslizante
18 Montante leve de aço de 100 mm
19 Peitoril externo em chapa de alumínio de 6 mm
20 Membrana de proteção
21 Perfil de sustentação do peitoril externo
22 Linha externa da parede, em vista

25
Delugan Meissl Associated Architects

Casa Raio 1
Viena, Áustria

Cliente
Delugan Meissl

Equipe de Projeto
Anke Goll, Christine Hax, Martin Josst

Projeto Estrutural
Werkraum ZT

Construção
Baumeister Tupy

Construída sobre a laje de cobertura de um edifício de escritórios da década de 1960 e no meio das silhuetas formadas pelas coberturas do quarto distrito de Viena, a Casa Raio 1 evoluiu a partir tanto de estímulos diretos como das peculiaridades de sua implantação. A justaposição da massa estática do edifício preexistente com a forma dinâmica da arquitetura da nova unidade conseguiu valorizar o prédio. O novo edifício surgiu da conexão com o bloco contíguo, seguindo a linha de projeção das empenas para criar uma unidade. Assim, o apartamento de cobertura resultante é visto como uma zona de transição permeável entre a terra e o céu que se tornou um espaço habitacional.

Os recuos e as dobras das elevações da casa criam zonas transparentes e áreas de terraço protegidas em ambos os lados do prédio, criando oportunidades para sentir o leiaute com planta livre da moradia, que se estende da entrada ao terraço de cobertura da casa. O espaço interno foi projetado como um *loft*, cujas várias áreas funcionais são definidas por diferenças de nível. As escadas e rampas distribuídas por todo o espaço principal de planta livre conectam as zonas de jantar, estar e lazer do centro e da extremidade sudoeste da casa, enquanto os cômodos de uso mais privativo (dormitórios e banheiros) ficam junto à fachada nordeste. Os vários espaços cobertos do exterior oferecem amplas vistas para ambas as direções da cidade. O revestimento exterior, de Alucobond, define os contornos dos espaços internos do apartamento, sugerindo diversas sutilezas para diferentes zonas e nichos. A intenção foi criar uma vedação que funcionaria como um pano de fundo dinâmico para o mobiliário, que foi em grande parte projetado e construído sob medida.

1 O prédio de escritórios sem personalidade foi transformado pelo acréscimo da arquitetura de camadas e planos plissados da Casa Raio 1.
2 Grandes faixas de vidro incolor abrem o interior do apartamento para os vários terraços. Os tabuados de madeira utilizados tanto no interior como no exterior reforçam a conexão entre interiores e exteriores.
3 À noite, as faixas de vidro proporcionam vislumbres dos espaços de estar.
4 Um piso inclinado de madeira, uma rampa elevada branca e uma passarela conferem dinamismo inesperado ao principal nível de estar. A cozinha é formada por uma longa área recuada e encaixada na parede atrás da rampa flutuante.

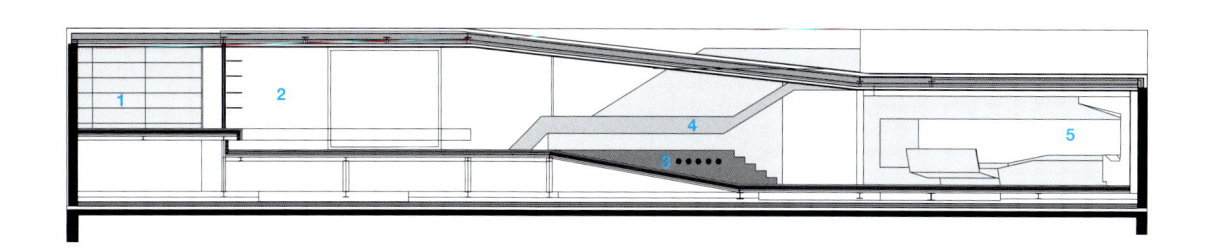

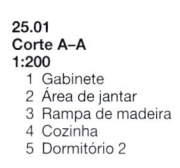

25.01
Corte A–A
1:200
1 Gabinete
2 Área de jantar
3 Rampa de madeira
4 Cozinha
5 Dormitório 2

25.02
Planta Baixa
1:200
1 Dormitório 1
2 Banheiro
3 Bacia sanitária e chuveiro
4 Dormitório 2
5 Banheiro
6 Área de serviço
7 Piso de madeira inclinado
8 Terraço
9 Rampa de madeira
10 Entrada
11 Lavabo
12 Cozinha
13 Piscina
14 Terraço da piscina
15 Área de estar
16 Área de jantar
17 Gabinete
18 Terraço

25.03
Corte B–B
1:100
1 Dormitório 1
2 Piso de madeira
3 Rampa
4 Escada de acesso

25.04
Corte C–C
1:100
1 Gabinete
2 Área de estar
3 Área de jantar

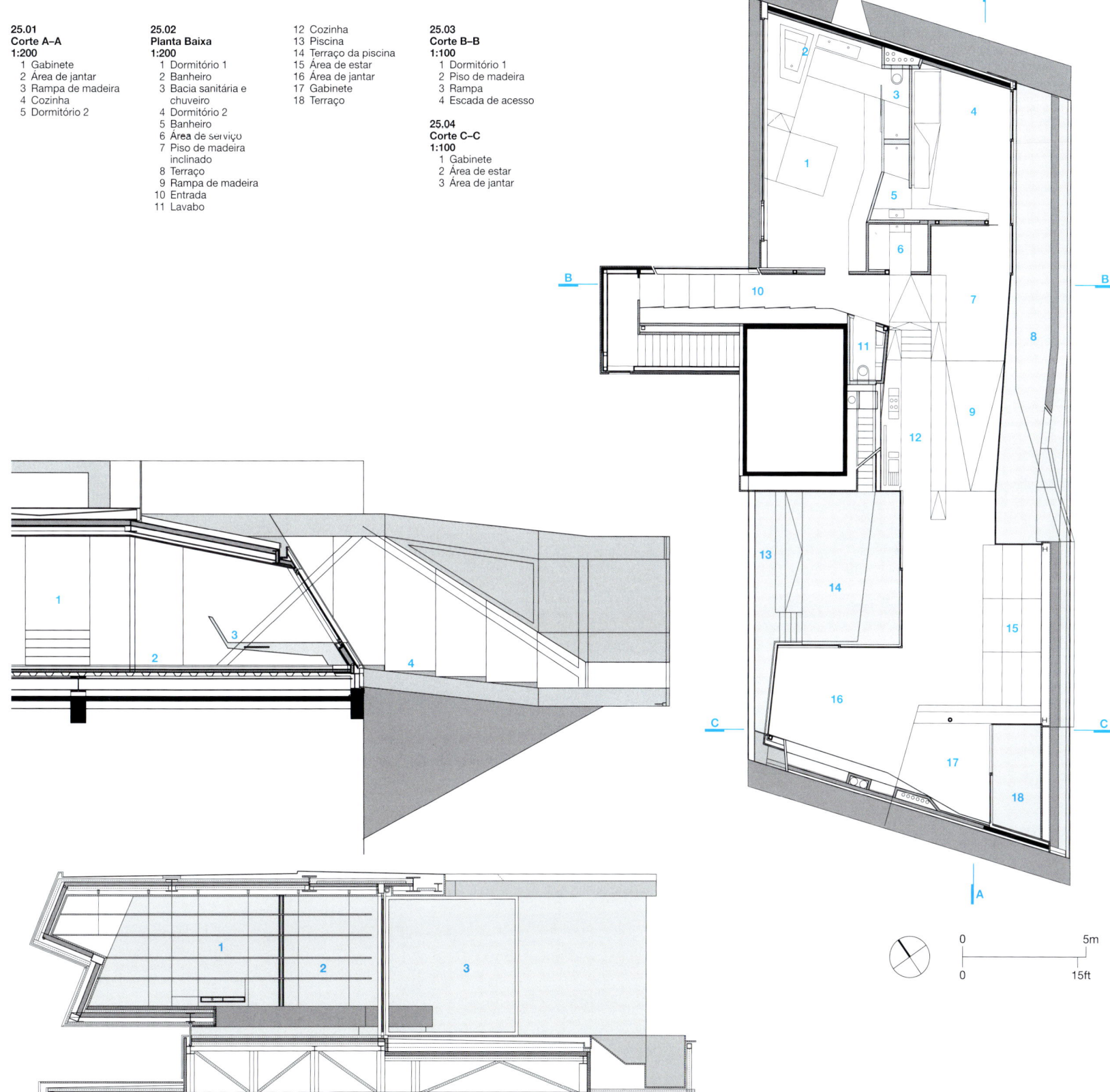

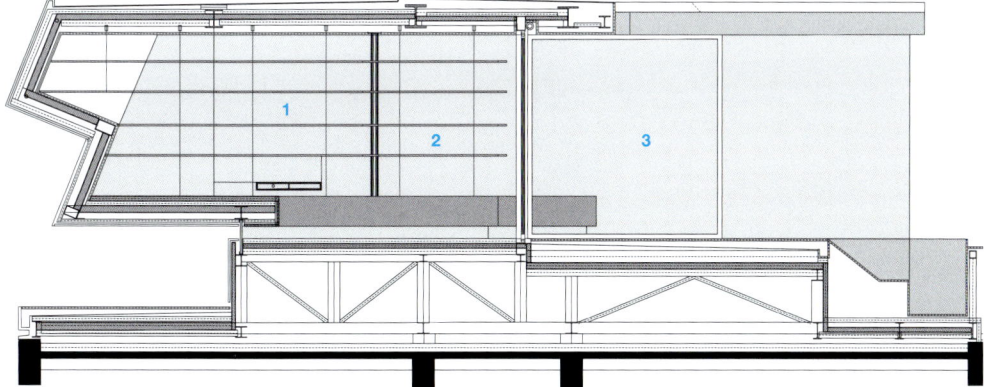

109

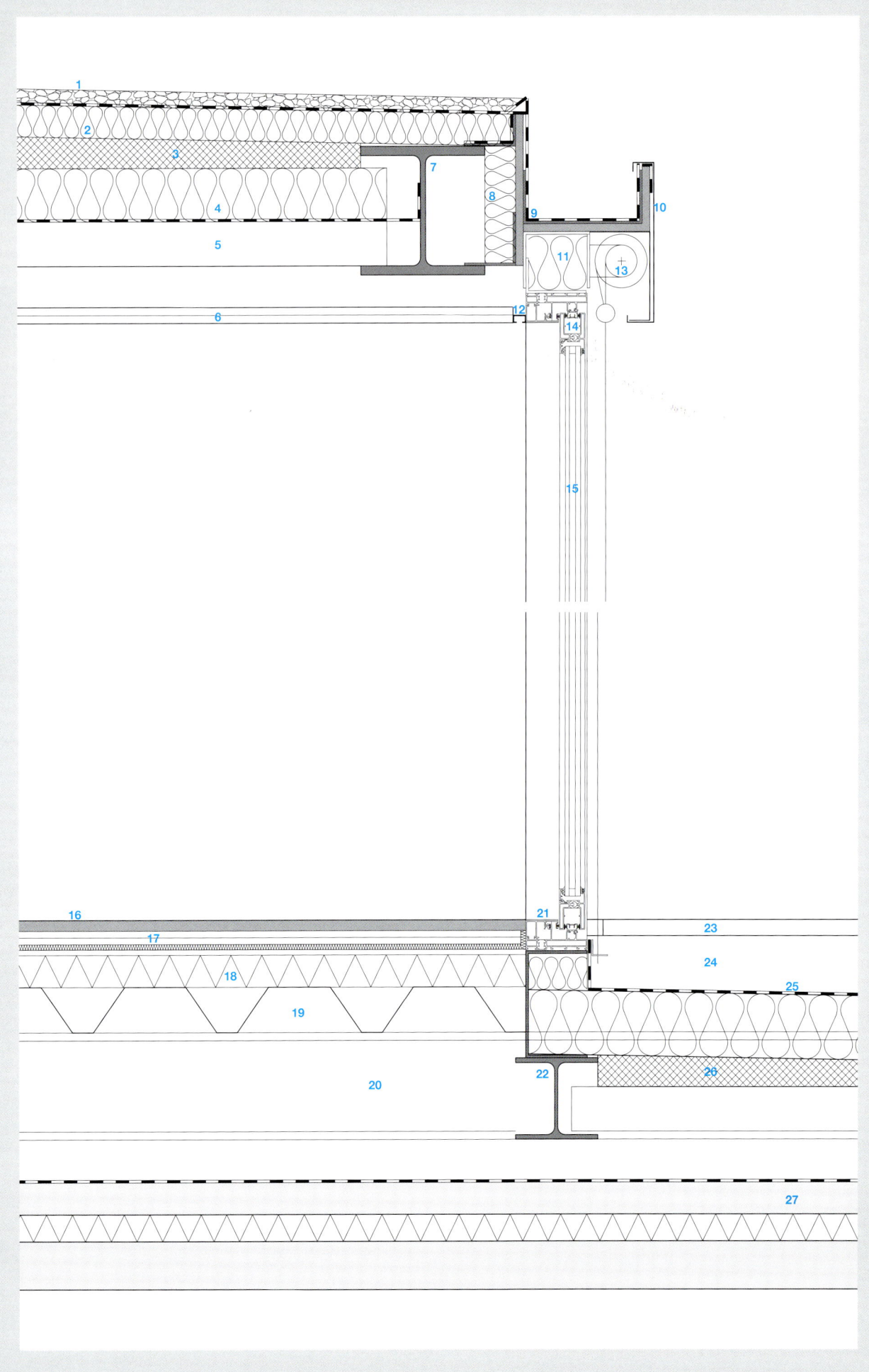

25 Delugan Meissl Associated Architects — Casa Raio 1 — Viena, Áustria

25.05
Detalhe de Cobertura, Calha, Porta de Vidro de Correr e Piso: Corte 1:10

1 Laje de cobertura de 10 mm lixada com areia de quartzo sobre chapas de 20 mm de OSB com Sarnafil, com caimento
2 Isolamento térmico de 60 mm
3 Isolamento térmico de 85 mm com chapa de metal corrugada embutida
4 Painel Thermax de 15 mm sobre barreira de vapor até a borda
5 Pleno de 50 mm, para passagem da fiação elétrica
6 Duas chapas de gesso cartonado de 12,5 mm revestidas de massa de calafetar e pintados
7 Viga em perfil H de aço de 240 mm
8 Isolamento térmico
9 Membrana de impermeabilização sobre compensado estrutural, formando a calha
10 Calha em chapa dobrada de alumínio
11 Isolamento térmico
12 Sanca de roda-teto formada por perfil de alumínio
13 Persiana de enrolar externa
14 Trilho da porta de correr de vidro
15 Porta de correr de vidro duplo
16 Parquê de 20 mm de espessura
17 Leito de argamassa de 25 mm sobre borracha de 10 mm para amortecimento de ruídos
18 Chapa de fibra de madeira e gesso de 10 mm
19 Isolamento térmico rígido de 60 mm
20 Chapa de metal corrugado de 85 mm
21 Soleira em perfil de alumínio
22 Viga de aço de perfil H
23 Tabuado de madeira do terraço
24 Câmara de ar e substrutura
25 Sarnafil aplicado a chapas de OSB de 15 mm, com caimento
26 Isolamento térmico de 120 mm
27 Isolamento térmico de 85 mm com chapa de metal corrugada embutida

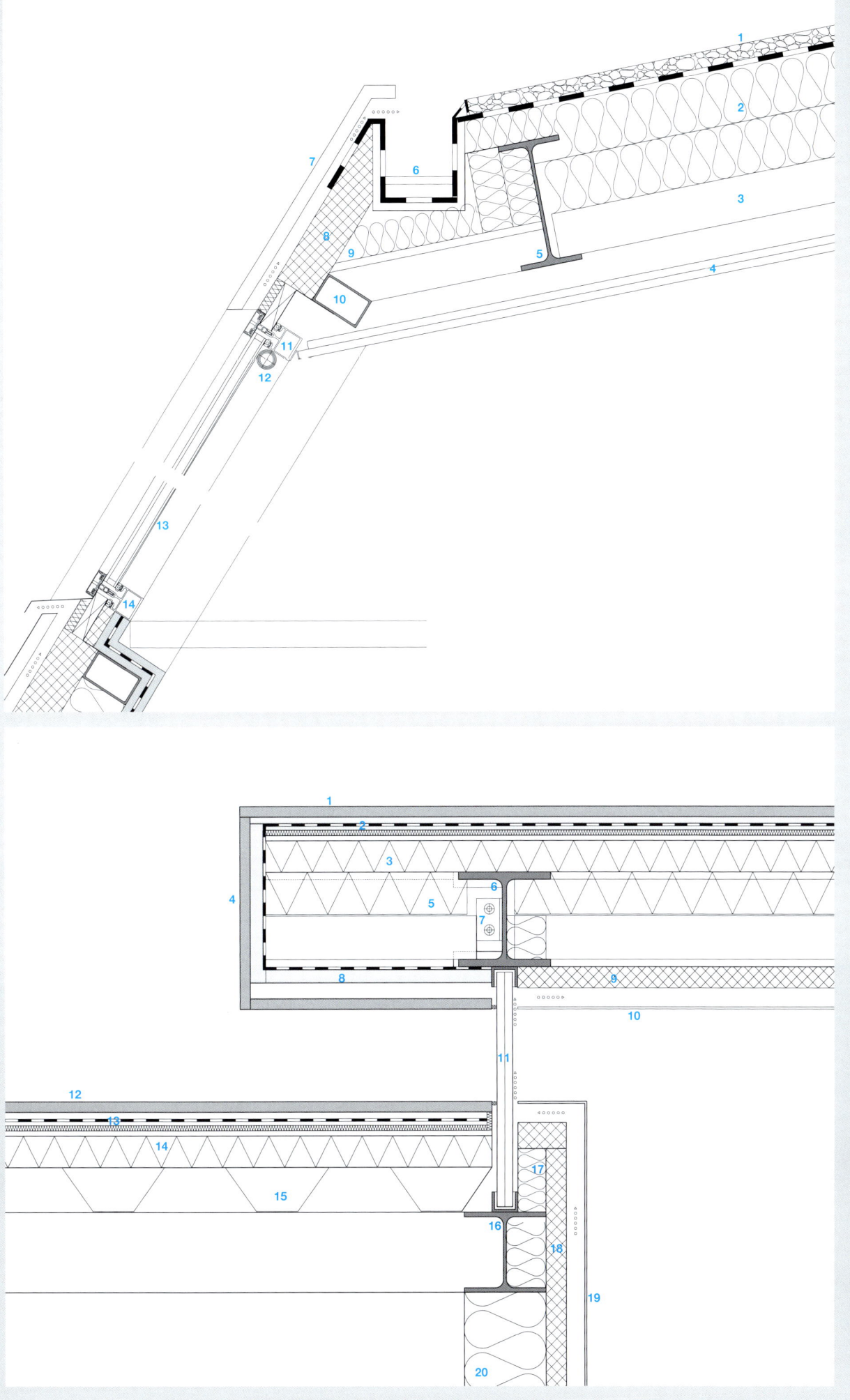

25.06
Detalhe da Borda da Cobertura e da Parede de Vidro Inclinada do Pátio Interno: Corte 1:10

1 Laje de cobertura de 10 mm lixada com areia de quartzo sobre chapas de 20 mm de OSB com Sarnafil, com caimento
2 Duas chapas de fibra mineral de 60 mm com 240 mm de isolameno térmico com chapa de metal corrugada no meio
3 Painel Thermax sobre barreira de vapor até a borda
4 Duas chapas de gesso cartonado de 12,5 mm revestidas de massa de calafetar e pintados
5 Viga de aço de perfil
6 Membrana de impermeabilização sobre compensado estrutural, formando a calha
7 Revestimento externo em painéis Alupanel com pintura elestrostática a pó
8 Perfil de aço cheio de lã de rocha
9 Painel Thermax
10 Perfil de aço tubular retangular
11 Verga da janela em perfil de alumínio
12 Persiana de enrolar
13 Janela com caixilhos fixos e vidros duplos
14 Peitoril interno da janela em perfil de alumínio

25.07
Detalhe da Plataforma da Área de Lazer: Corte 1:10

1 Madeira aglomerada revestida com couro
2 Barreira de vapor
3 Isolamento térmico
4 Madeira aglomerada revestida com couro
5 Isolamento térmico
6 Viga de perfil H de aço
7 Chapa de união de aço
8 Painel cimentício
9 Painel de lã de rocha
10 Painel Alucobond com ventilação traseira
11 Chapa de vidro duplo
12 Piso de madeira
13 Capa de regularização de argamassa
14 Isolamento térmico rígido
15 Painéis estruturais de chapa dobrada
16 Viga de perfil I de aço
17 Isolamento térmico
18 Painel de lã de rocha
19 Painel Alucobond com ventilação traseira
20 Isolamento térmico

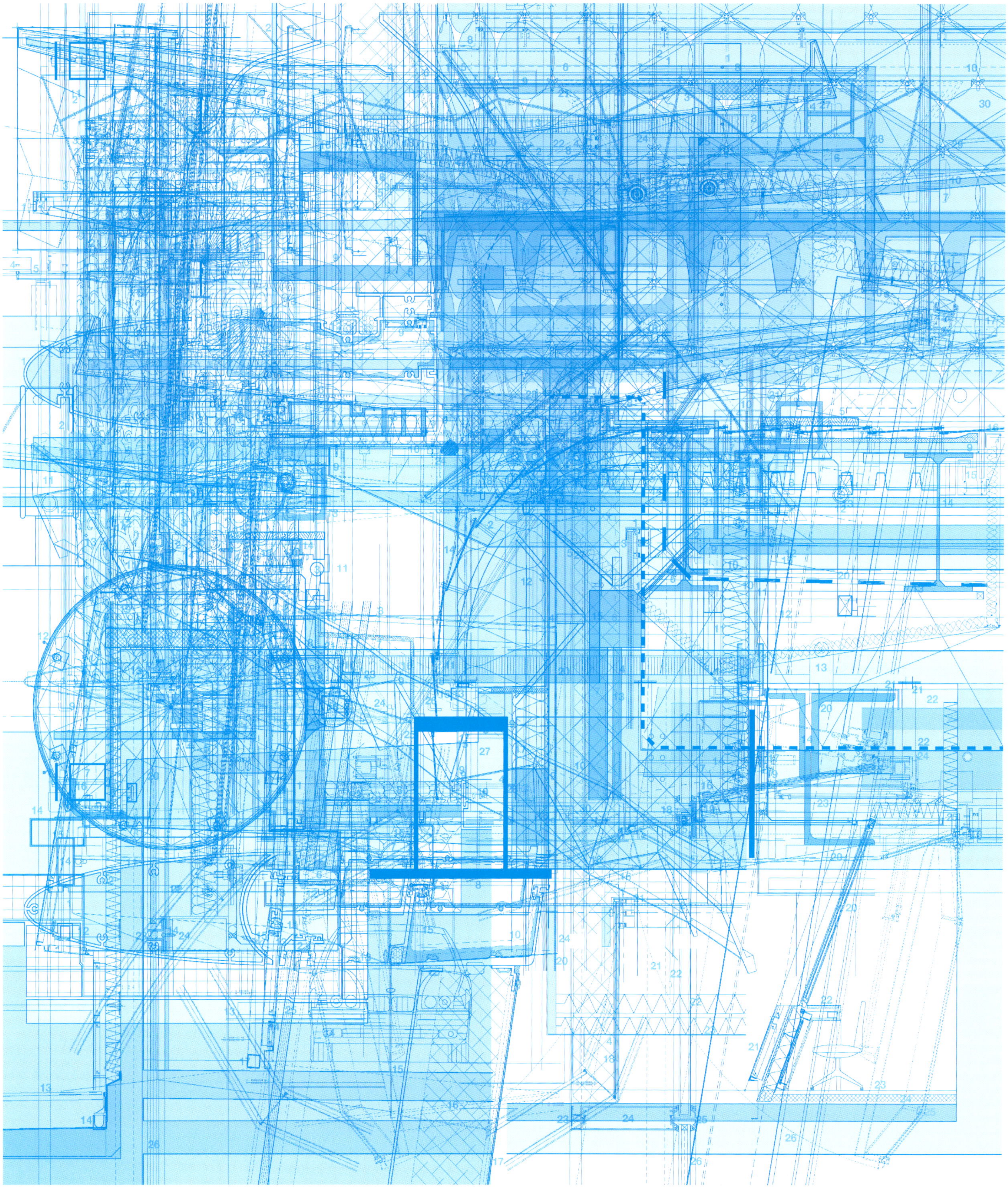

Edificações Públicas e Empresariais
26–41

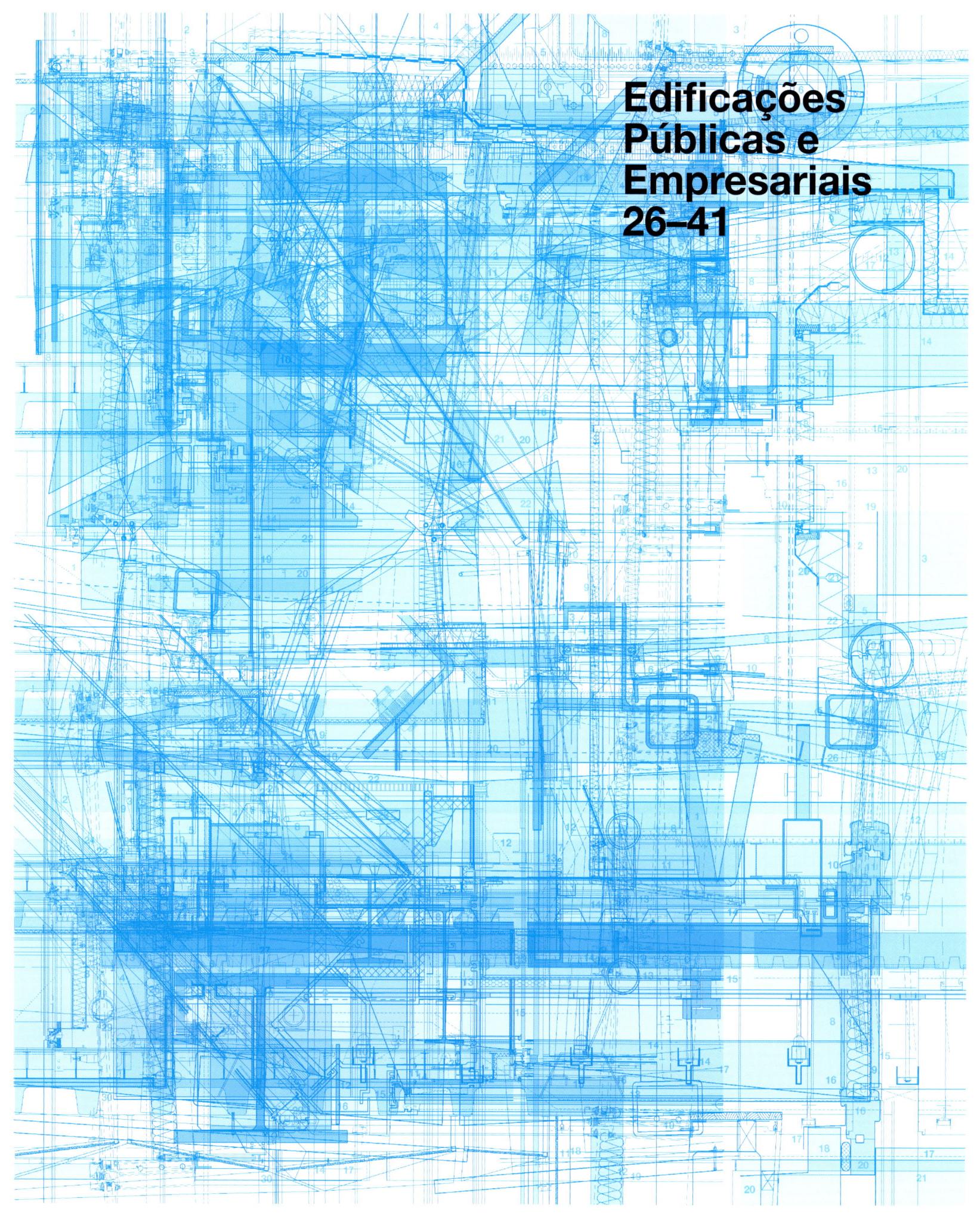

26
Foreign Office Architects

Loja de Departamentos John Lewis, Cineplex e Passarelas de Pedestres
Leicester, Inglaterra, Reino Unido

Cliente
GP Limited: Hammerson / Hermes

Equipe de Projeto
Farshid Moussavi, Alejandro Zaera-Polo

Projeto Estrutural
Adams Kara Taylor

Construção
Sir Robert McAlpine

A nova Loja de Departamentos John Lewis faz parte de um projeto maior focado na regeneração da região central da cidade de Leicester. A loja de departamentos e o Cineplex opõem-se às fachadas cegas convencionais que tipificam tais edificações, explorando novas formas de conectá-las a um contexto urbano. Com o intuito de produzir uma experiência e um edifício singulares, foram usadas diversas referências culturais e históricas para dar vida à estrutura e enriquecer os momentos de compras e lazer. Normalmente, as lojas de departamentos apresentam fachadas cegas, oferecendo aos comerciantes a flexibilidade necessária para redistribuir os leiautes internos. O conceito da loja John Lewis, porém, é o uso de uma cortina que ofereça privacidade ao interior sem bloquear a luz natural.

O projeto proporciona o leiaute flexível necessário sem dissociar o interior da experiência urbana. O revestimento foi concebido como uma pele de vidro dupla com função de cortina. Isso resulta em uma transparência controlada que permite que os panoramas externos e a iluminação natural cheguem aos pavimentos comerciais. A estampa dos vidros faz referência aos 200 anos de desenho e fabricação de produtos têxteis na cidade, à vibração dos saris utilizados pela grande comunidade indiana de Leicester e também à própria tradição da John Lewis, que produz tecidos de qualidade. A estampa propriamente dita é formada por quatro painéis com diferentes densidades, que resultam em um grau variável de transparência. Eles se encontram de modo contínuo no perímetro, produzindo um revestimento quase têxtil. Vistas dos pavimentos comerciais, as camadas da fachada dupla alinham-se de maneira a mostrar o exterior, ao passo que a visão oblíqua da rua desloca as duas estampas e gera um efeito moiré, o que reduz a visibilidade e aumenta a complexidade visual.

1 Aplicou-se uma estampa de espelho fritado às duas camadas da cortina de vidro. A estampa espelhada reflete o entorno, o que a integra ainda mais ao contexto.
2 Para criar uma identidade consistente entre a loja de departamentos (esquerda) e o cinema (direita), o conceito da cortina foi estendido. A cortina do cinema assemelha-se a um para-brisa opaco de aço inoxidável.
3 Duas novas passarelas fazem parte de uma rota para pedestres que conecta o *shopping* Shires à nova John Lewis.
4 A passarela foi inserida no volume da loja, conectando-se ao estacionamento de múltiplos pavimentos por meio de uma ponte para pedestres coberta e com ventilação natural, que passa sobre Vaughan Way.

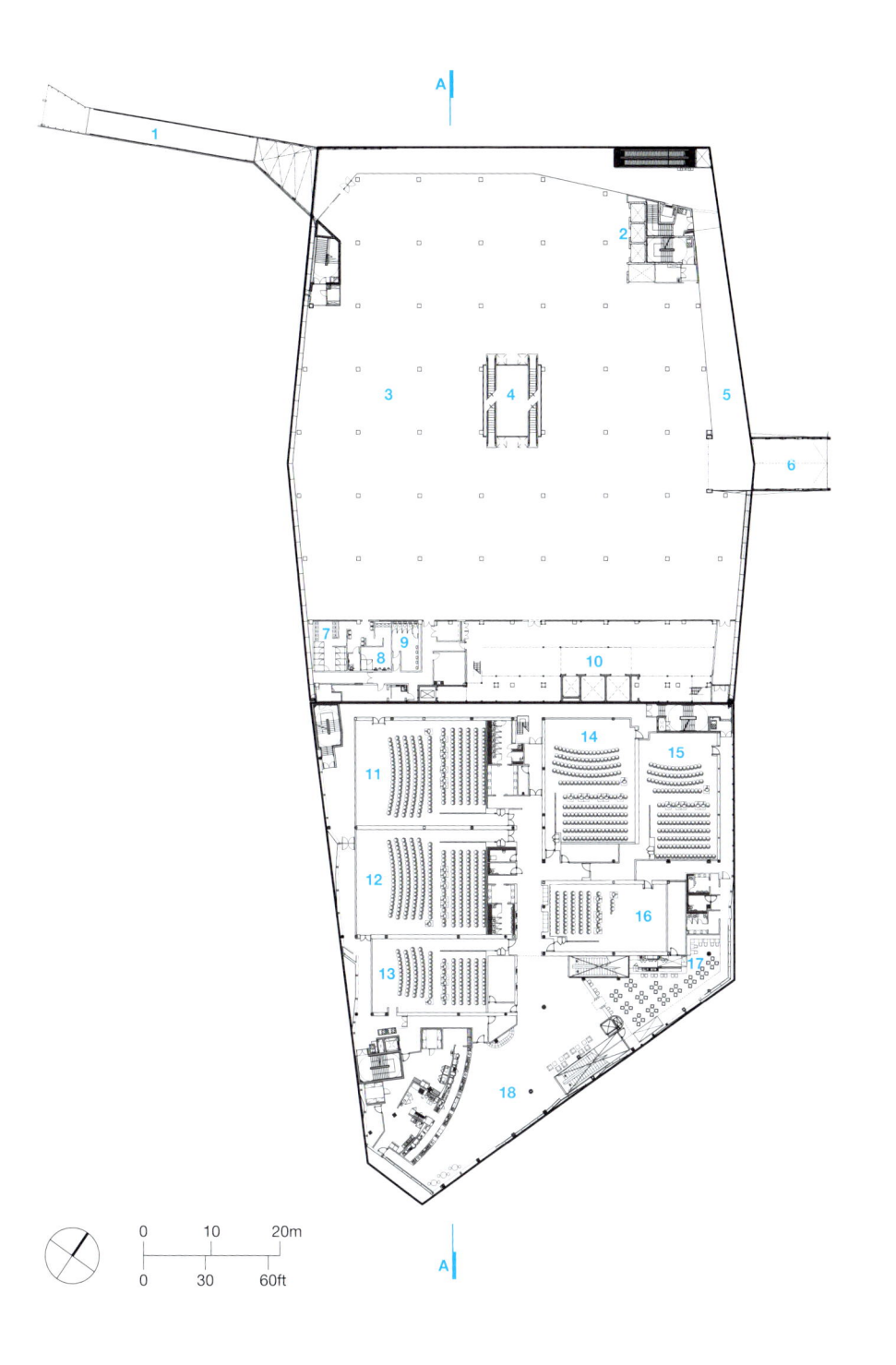

26.01
Planta Baixa do
Segundo Nível
1:1.000
 1 Passarela de pedestres
 2 Núcleo de circulação vertical
 3 Salão de varejo da loja de departamentos John Lewis
 4 Núcleo de circulação vertical
 5 Circulação pública horizontal e periférica
 6 Passarela de pedestres ao *shopping*
 7 Banheiro feminino
 8 Banheiro masculino
 9 Banheiros dos funcionários
10 Serviços de apoio da loja de departamentos John Lewis
11 Sala de projeção de cinema
12 Sala de projeção de cinema
13 Sala de projeção de cinema
14 Sala de projeção de cinema
15 Sala de projeção de cinema
16 Sala de projeção de cinema
17 Café
18 Saguão do cinema

26.02
Corte A–A
1:1.000
 1 Equipamentos mecânicos do pavimento de cobertura
 2 Claraboia sobre o núcleo de circulação vertical da loja de departamentos
 3 Garagem
 4 Loja de departamentos John Lewis
 5 Circulação vertical
 6 Loja de departamentos John Lewis
 7 Docas de carga e descarga
 8 Cineplex

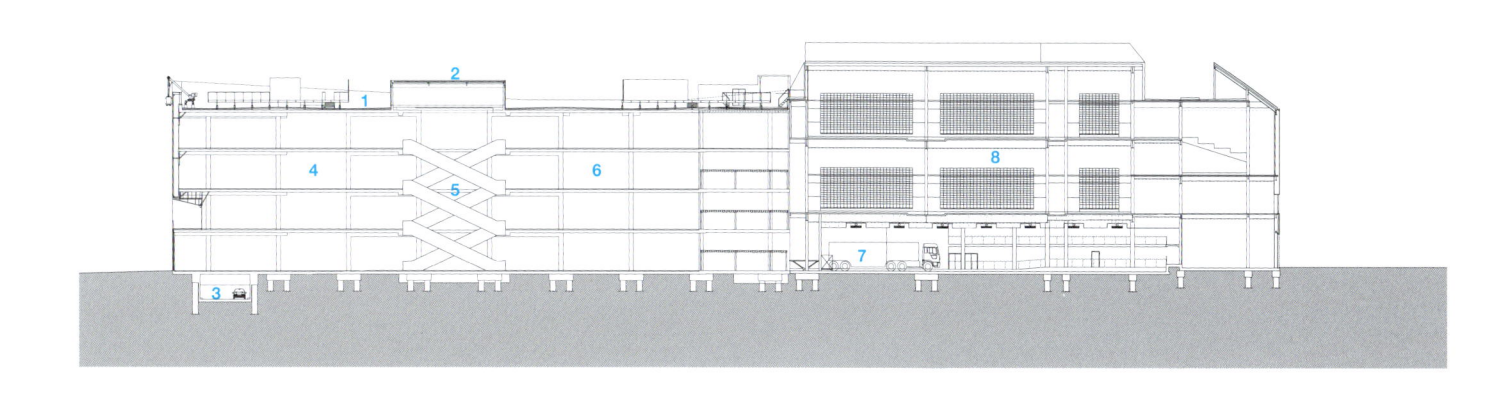

115

26 Foreign Office Architects
Loja de Departamentos John Lewis, Cineplex e Passarelas de Pedestres
Leicester, Inglaterra, Reino Unido

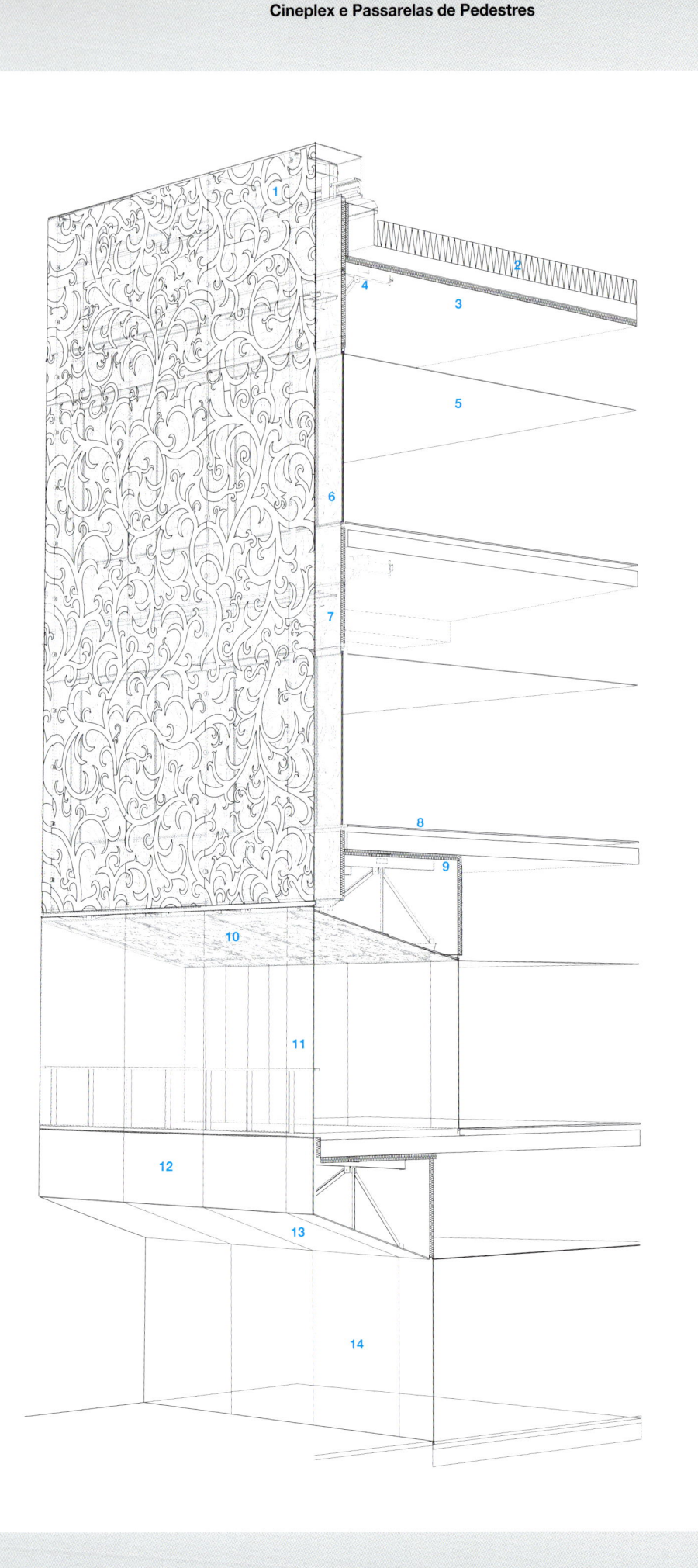

26.03
Detalhe do Revestimento Externo de Vidro da Loja de Departamentos: Corte Pespectivado
Sem Escala
1 Revestimento de chapas simples de vidro com padrão de frita reflexivo
2 Membrana asfáltica sobre laje de concreto armado
3 Isolamento térmico sob a laje
4 Sistema de sustentação dos painéis da fachada
5 Forro suspenso do salão da loja
6 Chapa dupla de vidro com padrão de frita cerâmica
7 Painel de tímpano de chapas de vidro com isolamento térmico e padrão de frita cerâmica
8 Passarela de vidro laminado, com padrão de frita antiescorregamento
9 Isolamento térmico sob a laje
10 Revestimento inclinado de chapas simples de vidro com padrão de frita reflexivo
11 Chapa simples de vidro
12 Painel de tímpano de vidro corado
13 Forro de aço inoxidável
14 Chapa simples de vidro

26.04
Detalhe da Fachada 1: Corte de Pele
1:100
1 Sistema de andaime suspenso para limpeza da fachada
2 Remate da pele de vidro
3 Revestimento de chapas simples de vidro com padrão de frita reflexivo
4 Luminária Color Blast 12 a cada 240 cm entre eixos
5 Membrana asfáltica sobre laje de concreto armado
6 Painel de tímpano de chapas de vidro com isolamento térmico e padrão de frita cerâmica
7 Passarela de vidro laminado de 27 mm, com padrão de frita antiescorregamento
8 Forro suspenso do salão da loja
9 Revestimento externo de chapas simples de vidro com padrão de frita reflexivo
10 Chapa dupla de vidro com padrão de frita cerâmica
11 Painel de tímpano de chapas de vidro com isolamento térmico e padrão de frita cerâmica
12 Passarela de vidro laminado de 27 mm, com padrão de frita antiescorregamento
13 Forro suspenso do salão da loja
14 Sanca de roda-teto formada por perfil metálico
15 Chapa dupla de vidro com padrão de frita cerâmica
16 Revestimento externo de chapas simples de vidro com padrão de frita reflexivo
17 Painel de tímpano de chapas de vidro com isolamento térmico e padrão de frita cerâmica
18 Passarela de vidro laminado de 27 mm, com padrão de frita antiescorregamento
19 Luminária Color Blast
20 Parafusos de olhal para resistência às cargas horizontais e verticais da pele de vidro
21 Luminária Color Blast
22 Revestimento inclinado de chapas simples de vidro com padrão de frita reflexivo
23 Chapa simples de vidro incolor
24 Chapa simples de vidro
25 Piso de pedra
26 Guarda-corpo de metal com luminárias embutidas
27 Parte inferior da pele de vidro com painéis de tímpano de vidro corado presos por trás
28 Painéis de aço inoxidável
29 Luminária linear embutida
30 Chapa simples de vidro

26.05
Detalhe da Fachada 2: Corte de Pele
1:100
1 Membrana de impermeabilização com isolamento semirrígido com caimento e barreira de vapor
2 Calha de aço inoxidável
3 Revestimento de aço inoxidável polido
4 Chapa de gesso cartonado instalada no interior da fachada do cinema
5 Auditório do cinema
6 Chapa de gesso cartonado sobre a parede interna
7 Chapa de gesso cartonado sobre a face do corredor da parede interna
8 Revestimento de aço inoxidável polido
9 Parafusos de olhal a cada 240 cm entre eixos, para fixação da decoração de Natal
10 Chapa de gesso cartonado sobre a face do corredor da parede interna
11 Revestimento de plaquetas de aço inoxidável polido
12 Forro de aço inoxidável com aberturas para ventilação
13 Luminária linear embutida
14 Revestimento de aço inoxidável especular
15 Loja
16 Piso instalado pelo inquilino sobre o contrapiso de concreto

117

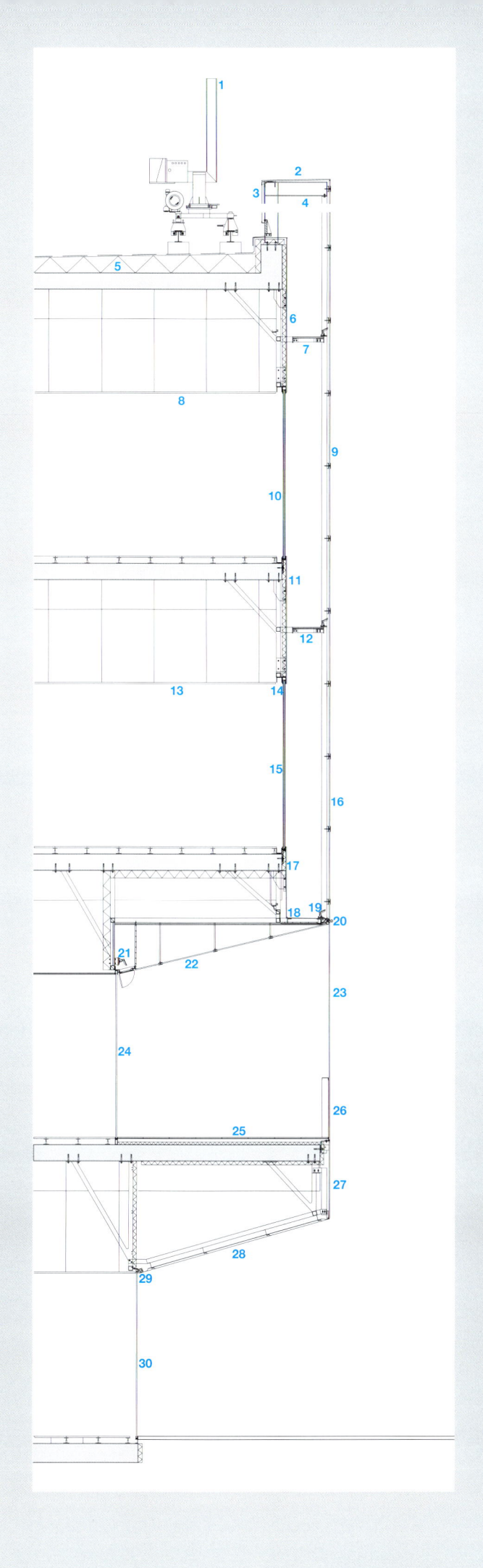

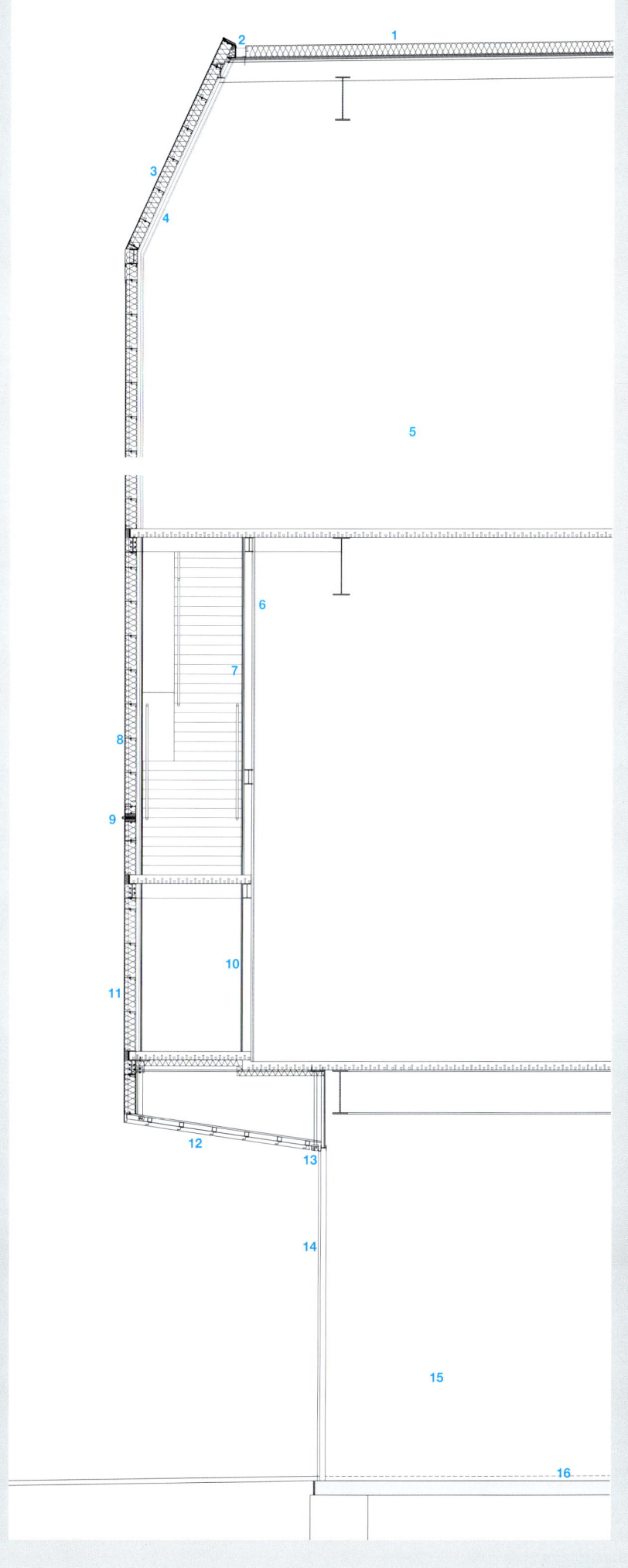

27
COOP HIMMELB(L)AU

BMW Welt
Munique, Alemanha

Cliente
BMW AG

Equipe de Projeto
Wolf D. Prix, Paul Kath, Tom Wiscombe, Waltraut Hohenender, Mona Marbach

Projeto Estrutural
B+G Ingenieure, Bollinger und Grohmann

Construção
Ingenieurbüro Schoenenberg

A concretização do BMW Welt, um centro multiuso dedicado a exposições e à experiência do cliente, resultou em um projeto composto por três blocos temáticos denominados Premiere, Forum e Double Cone, conectados entre si por uma leve passarela ondulante. No coração do BMW Welt, encontra-se a área de entrega de veículos, que age como núcleo espacial e coluna funcional da edificação. Veículos novos são entregues às respectivas áreas de carga e descarga nos pavimentos inferiores e, em seguida, transportados em elevadores de vidro transparentes ao nível de entrega, conhecido como Premiere. Os clientes os recebem em plataformas giratórias. Outra função-chave do BMW Welt é representada pelo Forum, em cujo centro há um auditório com capacidade para 800 pessoas. O auditório, que conta com uma topografia variável de plataformas hidráulicas, pode ser utilizado para diversos eventos, de conferências a espetáculos teatrais. Os pavimentos inferiores do Forum incluem doca de carga e descarga para caminhão, cozinhas industriais, camarins para artistas e cabinas para interpretação, além de espaços para armazenamento e manutenção.

    A Torre, assim como o Forum, oferece cômodos internos com vistas do Salão e do Olimpiapark, além de terraços internos e externos. A base subterrânea de quatro andares do BMW Welt contém um estacionamento de dois pavimentos, que acomoda até 600 carros. As áreas subterrâneas de serviços ocupam um total de 48 mil metros quadrados – o dobro da área de piso dos níveis superiores. O Double Cone é uma esfera completa para eventos que cobre diversos níveis, incluindo infraestrutura para concertos e exposições. Todas essas estruturas assumem a forma de esculturas inseridas em uma paisagem urbana, dominada pela cobertura quase flutuante gerada pelo Double Cone.

1 Vista do BMW Welt mostrando o Double Cone (primeiro plano), o Premiere, com sua fachada de vidro, e a Torre ao fundo. A passarela conectora vai da Lerchenauerstrasse ao terreno da BMW no lado oposto da rua, o que inclui a administração e o museu.
2 A fachada foi concebida como um sistema arquitravado modificado, com dez graus de inclinação em relação ao plano vertical. As vidraças foram presas com grampos diretamente às vigas e coladas com juntas de topo. Também foram fixadas o mais perto possível das extremidades, a fim de minimizar os momentos fletores das vigas.
3 O Double Cone tem a forma de dois cones truncados inclinados, com uma transição arredondada entre eles. Sua concepção é a de uma estrutura em concha composta por anéis horizontais e duas faixas diagonais ascendentes.
4 Imagem do novo espaço de entrega de veículos Premiere.

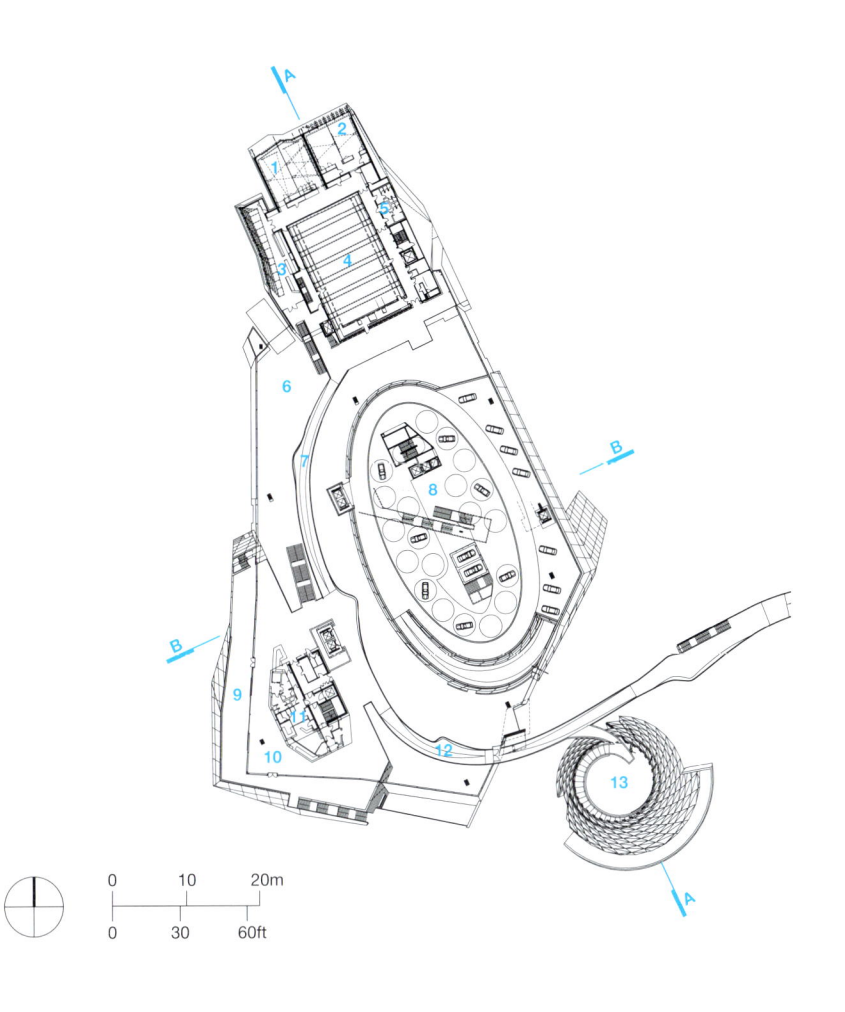

27.01	27.02	27.03
Planta Baixa do Terceiro Pavimento 1:1.000	Corte A–A 1:500	Corte B–B 1:500
1 Centro de negócios Forum Foyer	1 Double Cone	1 Passarela ao Museu BMW
2 Centro de negócios Forum Foyer	2 Passarela	2 Estrutura da cobertura do Double Cone
3 Centro de negócios Forum Foyer	3 Garagem subterrânea	3 Entrada principal do Double Cone
4 Auditório	4 Serviço Premier de entrega de veículos	4 Depósito de veículos da doca de carga e descarga
5 Banheiros	5 Salão VIP	5 Entrada principal do BMW Welt
6 Showroom dos automóveis do pavimento térreo (em vista)	6 Elevador panorâmico para o serviço Premier de entrega de veículos	6 Passarela
7 Passarela	7 Doca de carga e descarga	7 Claraboia do restaurante
8 Área Premiere de entrega de veículos novos	8 Elevador	8 Área de preparo do serviço Premier de entrega de veículos
9 Terraço do restaurante	9 Forro da cobertura curva	9 Serviço Premier de entrega de veículos
10 Restaurante	10 Showroom de motocicletas do Forum	10 Restaurante
11 Área de serviço do restaurante	11 Terraço externo do Forum	11 Escritórios
12 Passarela	12 Centro de negócios do Forum	12 Doca de carga e descarga de veículos
13 Vazio do Double Cone	13 Auditório	
	14 Área técnica das plataformas hidráulicas	
	15 Salas técnicas	
	16 Rampa de acesso para a descarga de caminhões cegonheiros	

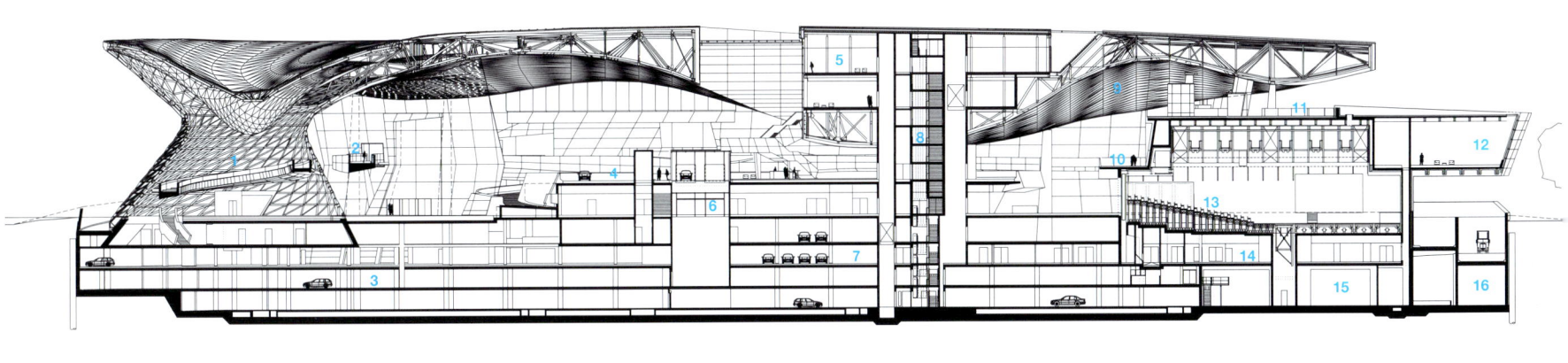

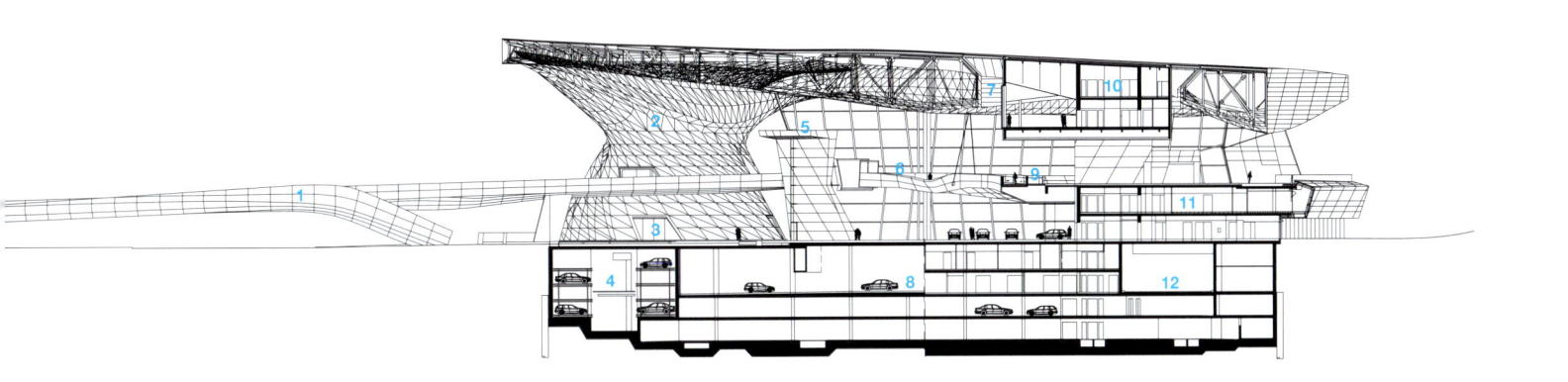

27 COOP HIMMELB(L)AU   BMW Welt   Munique, Alemanha

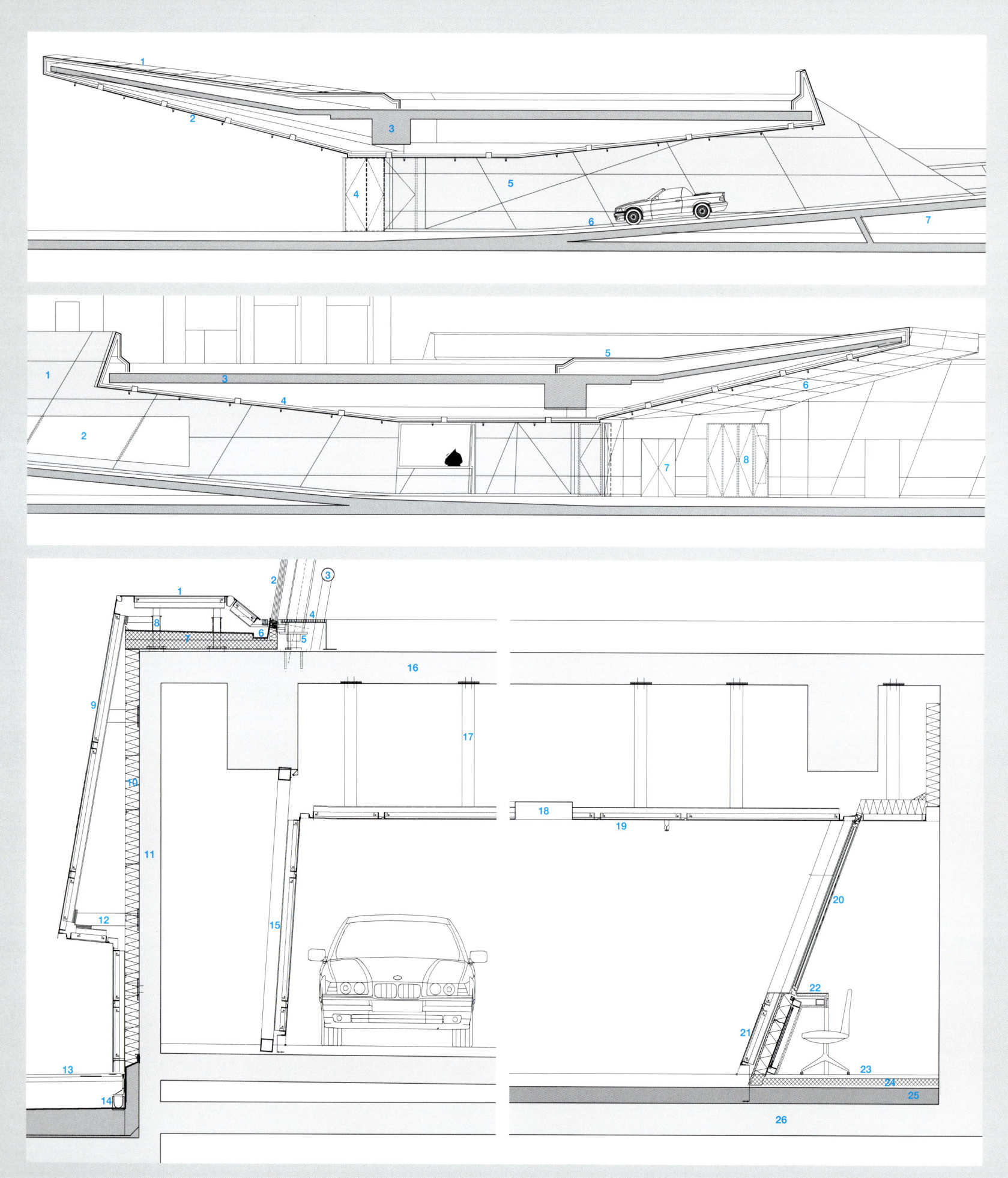

**27.04
Detalhe da Rampa de Saída da Área Premiere: Corte
1:200**
1 Marquise com impermeabilização e revestimento de painéis de aço inoxidável
2 Forro de painéis de aço inoxidável com luminárias e *sprinklers* embutidos
3 Viga de borda
4 Porta de abertura rápida
5 Revestimento de painéis de aço inoxidável nas paredes da rampa
6 Piso da rampa em argamassa de cimento
7 Área técnica

**27.05
Detalhe da Rampa da Área Premiere: Corte
1:200**
1 Revestimento de painéis de aço inoxidável nas paredes da rampa
2 Janela da portaria
3 Laje de piso da área Premier acima, em argamassa de cimento
4 Forro da área da rampa em painéis de aço inoxidável com luminárias e *sprinklers* embutidos
5 Marquise com impermeabilização e revestimento de painéis de aço inoxidável
6 Forro da área da rampa em painéis de aço inoxidável com luminárias e *sprinklers* embutidos
7 Entrada de funcionários
8 Saída VIP da área de entrega de automóveis

**27.06
Detalhe da Parede de Vidro da Área Premiere: Corte
1:50**
1 Revestimento de painéis de aço inoxidável
2 Vidros triplos compostos de uma chapa de vidro de 10 mm, câmara de ar de 16 mm e duas chapas de 8 mm de vidro de segurança reforçado com o calor
3 Batente de proteção com luminárias embutidas
4 Grelha de aço que cobre o sistema de calefação por convecção
5 Sistema de calefação por convecção
6 Calha
7 Impermeabilização e isolamento térmico
8 Estrutura de sustentação do revestimento de aço da fachada
9 Revestimento de painéis de aço inoxidável
10 Isolamento térmico
11 Parede de concreto armado moldada *in loco*
12 Estrutura de sustentação do revestimento de aço inoxidável da fachada
13 Lajotas de concreto da área externa
14 Calha embutida para a drenagem da fachada
15 Revestimento de painéis de aço inoxidável da segunda fachada
16 Laje de cobertura de concreto armado
17 Montantes de sustentação do forro
18 Luminárias
19 Forro suspenso de aço inoxidável
20 Janela da portaria
21 Parede interna composta de painéis de revestimento de aço inoxidável, estrutura interna, isolamento térmico e revestimento de gesso cartonado na estrutura interna
22 Balcão do porteiro
23 Piso de madeira
24 Isolamento térmico
25 Capa de regularização em argamassa de cimento
26 Laje de piso de concreto armado

**27.07
Detalhe da Parede do Salão: Corte
1:20**
1 Revestimento da cobertura em painéis de aço inoxidável
2 Membrana de impermeabilização
3 Isolamento térmico com lã de rocha
4 Barreira de umidade
5 Perfil de remate da cobertura de aço inoxidável
6 Membrana de impermeabilização
7 Estrutura do beiral
8 Cantoneira de aço inoxidável em chapa dobrada de 3 mm
9 Painéis de parede com isolamento térmico em lã de rocha
10 Estrutura de apoio do sistema de revestimento da fachada
11 Revestimento de painéis de aço inoxidável
12 Laje de concreto armado
13 Perfis de aço corrugados incorporados à laje de concreto armado (sistema *steel deck*)
14 Barreira corta-fogo
15 Viga de perfil I da estrutura principal do prédio
16 Perfil de vedação de aço inoxidável
17 Perfil U de aço inoxidável com bordas dobradas servindo de recuo na pele de vidro
18 Cortina de enrolar
19 Perfil de remate de alumínio anodizado de cor preta, encaixado
20 Vidraça exterior
21 Piso de madeira
22 Grelha linear de aço inoxidável
23 Sistema de calefação por convecção
24 Laje de concreto com forma de aço corrugada incorporada (sistema *steel deck*)
25 Barreira corta-fogo
26 Viga de perfil I da estrutura principal do prédio

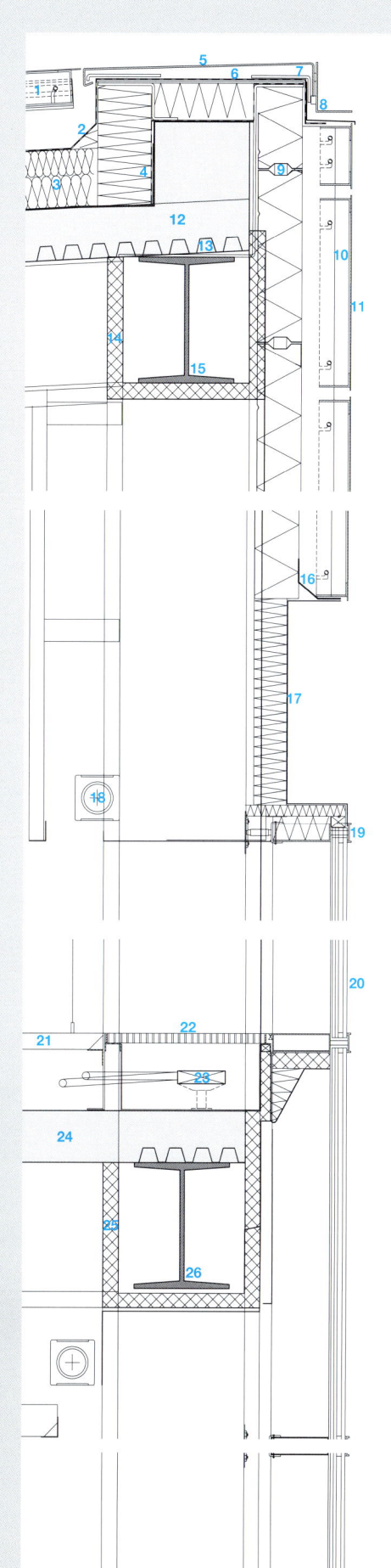

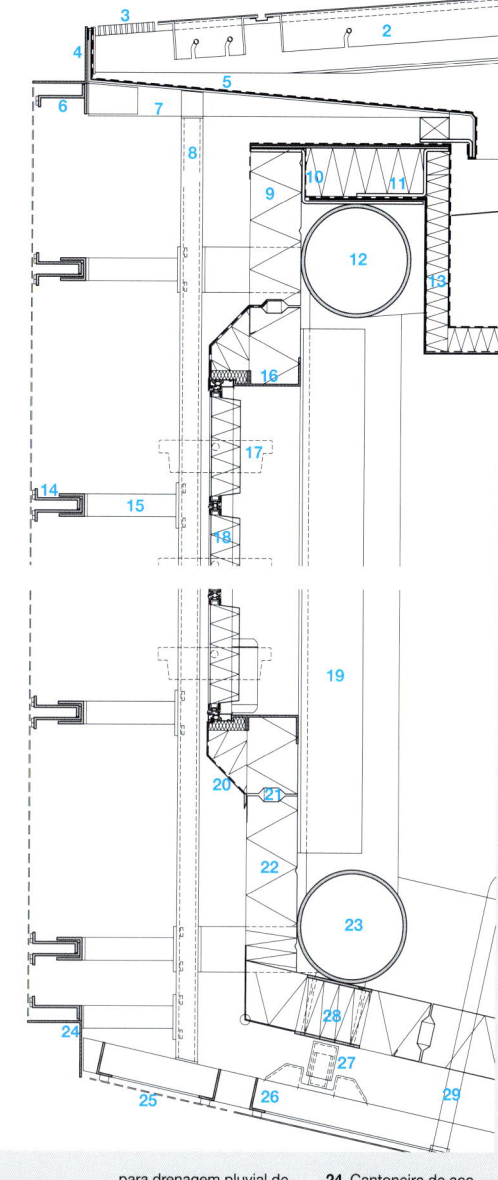

**27.08
Detalhe da Estrutura da Cobertura: Corte
1:20**
1 Revestimento da cobertura em painéis de aço inoxidável
2 Chapa de rigidez para o revestimento da cobertura
3 Grelha de drenagem
4 Cantoneira de aço inoxidável de abas iguais em chapa de 3 mm
5 Membrana de impermeabilização
6 Travessas de alumínio para sustentar o revestimento de fachada de chapas de aço perfuradas
7 Estrutura da cobertura
8 Montantes de sustentação do revestimento de fachada de perfil tubular retangular de 200 × 80 mm
9 Painéis de parede com isolamento térmico em lã de rocha
10 Estrutura da cobertura com ladrão para drenagem pluvial de emergência
11 Estrutura da cobertura com ladrão para drenagem pluvial de emergência
12 Banzo superior da treliça de perfis tubulares de aço com 300 mm de diâmetro
13 Calha
14 Travessas de alumínio para sustentar o revestimento de fachada de chapas de aço perfuradas
15 Barras de sustentação do revestimento de fachada de perfil tubular quadrado de 90 × 90 mm
16 Perfil U de aço como base de apoio para os painéis de parede
17 Tomada de ar de alumínio aberta (linha tracejada)
18 Tomada de ar de alumínio fechada
19 Treliça de perfis tubulares de aço com 300 mm de diâmetro
20 Perfil de sustentação da tomada de ar
21 Barreira corta-vento dos painéis de parede
22 Painéis de parede com isolamento térmico em lã de rocha
23 Banzo inferior da treliça de perfis tubulares de aço com 300 mm de diâmetro
24 Cantoneira de aço inoxidável de abas iguais em chapa de 3 mm
25 Forro de chapa de aço inoxidável perfurada de 3 mm
26 Perfil para sustentar os painéis de forro de chapa de aço perfurada
27 Sistema de sustentação do forro suspenso
28 Isolamento térmico
29 *Sprinkler*

28
Manuelle Gautrand Architecture

Showroom Principal da Citroën
Paris, França

Cliente
Citroën

Equipe de Projeto
Manuelle Gautrand, Anne Feldman

Projeto Estrutural
Khephren

Projeto de Equipamentos Mecânicos
ALTO

O novo *showroom* da Citroën, localizado na Champs Elysées, em Paris, exibe uma fachada de vidro exuberante que incorpora ao projeto o emblemático motivo em V invertido da marca. No alto do edifício, a fachada se torna mais tridimensional devido à introdução de prismas que conferem maior profundidade ao projeto. Por fim, a seção superior da edificação parece uma grande escultura de vidro, que, em função de sua complexidade, lembra um origami. Sugeriu-se, originalmente, que o vermelho – cor que representa a marca – cobrisse toda a fachada; porém, a ideia foi considerada demasiadamente ousada, dado o contexto histórico da Champs Elysées. A alternativa encontrada foi construir dentro das vedações de vidro um filtro que, à primeira vista, oculta o vermelho do exterior. O filtro também minimiza os ganhos térmicos e cria uma atmosfera perolada e translúcida no interior da edificação.

A função principal do edifício é exibir automóveis, e, por essa razão, sua forma inspirou-se em um carro. Como tal, o edifício não parece um objeto com frente, traseira e cobertura, mas algo esculpido com curvas e fluidez, criando uma identidade entre o local e o produto. O interior apresenta oito plataformas circulares que servem de áreas para a exposição de veículos. As plataformas, com seis metros de diâmetro, giram para mostrar os carros de todos os lados, e possuem bases espelhadas que refletem a parte de baixo dos mesmos. Os visitantes são conduzidos por uma série de escadas e passarelas que passam pelos carros em espiral, assemelhando-se mais a um museu ou centro cultural – um espaço que encoraja as pessoas a admirar os automóveis e as vistas excepcionais de Paris.

1 Durante o dia, o vidro com filtro especial confere dignidade à fachada escultórica, em sinal de respeito aos vizinhos da Champs Elysées.
2 À noite, o emblemático logo em V invertido da Citroën torna-se aparente conforme a iluminação interna se sobrepõe aos efeitos dos filtros.
3 As passarelas e rampas que acompanham toda a altura do edifício proporcionam vistas impressionantes da cidade.
4 Oito plataformas giratórias com bases espelhadas mostram os carros, com um efeito extremamente teatral.

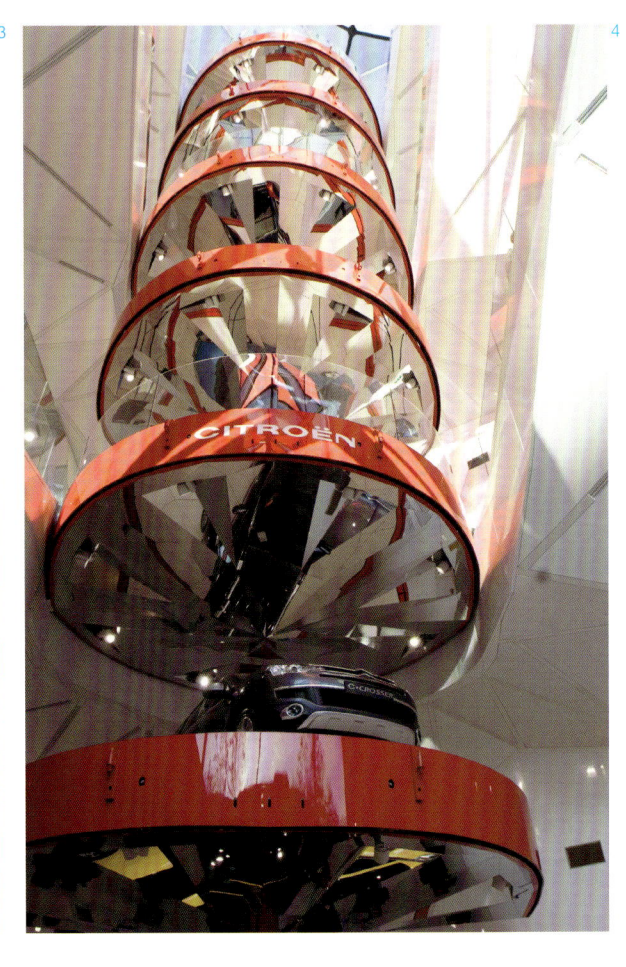

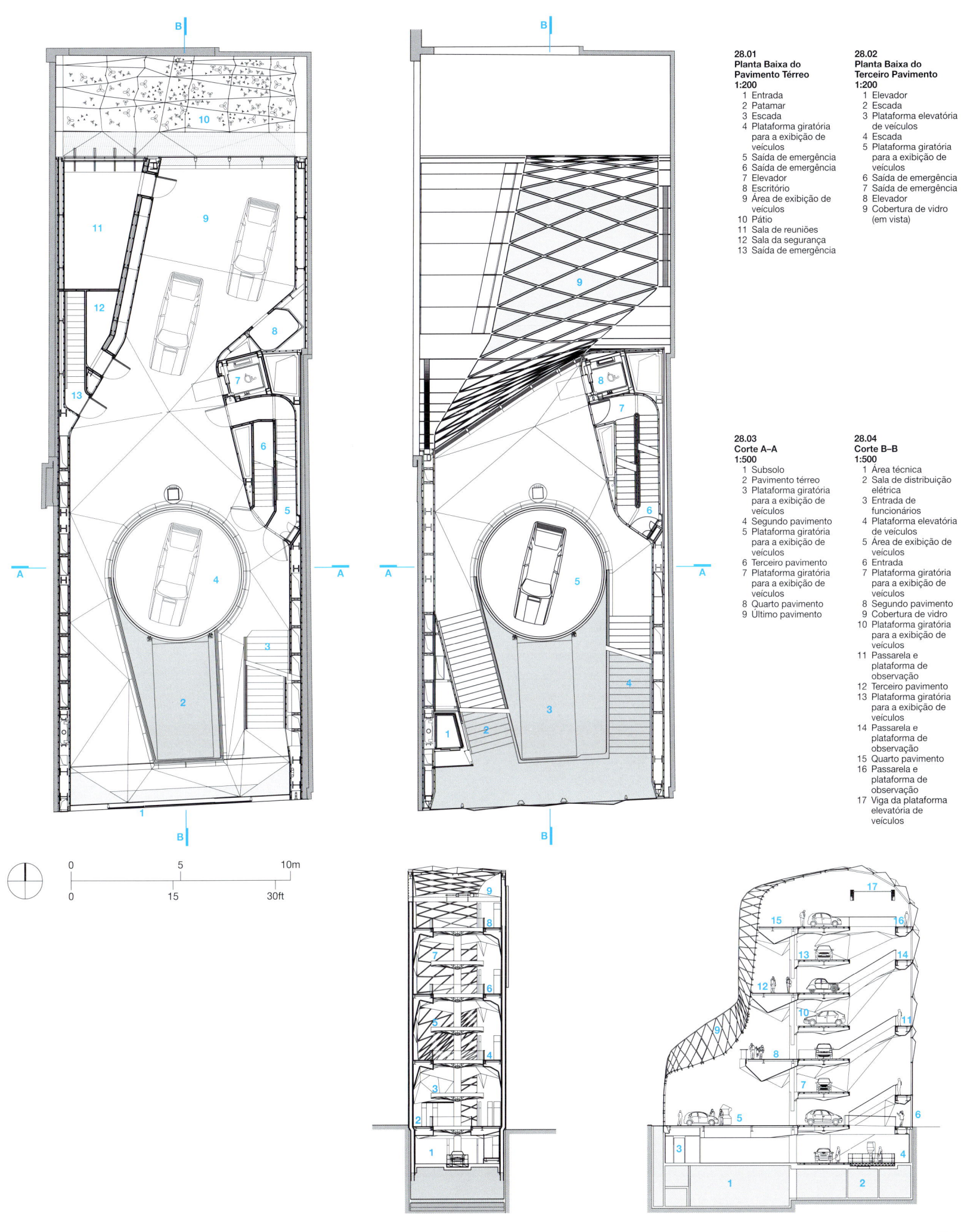

28.01
Planta Baixa do Pavimento Térreo
1:200
1. Entrada
2. Patamar
3. Escada
4. Plataforma giratória para a exibição de veículos
5. Saída de emergência
6. Saída de emergência
7. Elevador
8. Escritório
9. Área de exibição de veículos
10. Pátio
11. Sala de reuniões
12. Sala da segurança
13. Saída de emergência

28.02
Planta Baixa do Terceiro Pavimento
1:200
1. Elevador
2. Escada
3. Plataforma elevatória de veículos
4. Escada
5. Plataforma giratória para a exibição de veículos
6. Saída de emergência
7. Saída de emergência
8. Elevador
9. Cobertura de vidro (em vista)

28.03
Corte A–A
1:500
1. Subsolo
2. Pavimento térreo
3. Plataforma giratória para a exibição de veículos
4. Segundo pavimento
5. Plataforma giratória para a exibição de veículos
6. Terceiro pavimento
7. Plataforma giratória para a exibição de veículos
8. Quarto pavimento
9. Último pavimento

28.04
Corte B–B
1:500
1. Área técnica
2. Sala de distribuição elétrica
3. Entrada de funcionários
4. Plataforma elevatória de veículos
5. Área de exibição de veículos
6. Entrada
7. Plataforma giratória para a exibição de veículos
8. Segundo pavimento
9. Cobertura de vidro
10. Plataforma giratória para a exibição de veículos
11. Passarela e plataforma de observação
12. Terceiro pavimento
13. Plataforma giratória para a exibição de veículos
14. Passarela e plataforma de observação
15. Quarto pavimento
16. Passarela e plataforma de observação
17. Viga da plataforma elevatória de veículos

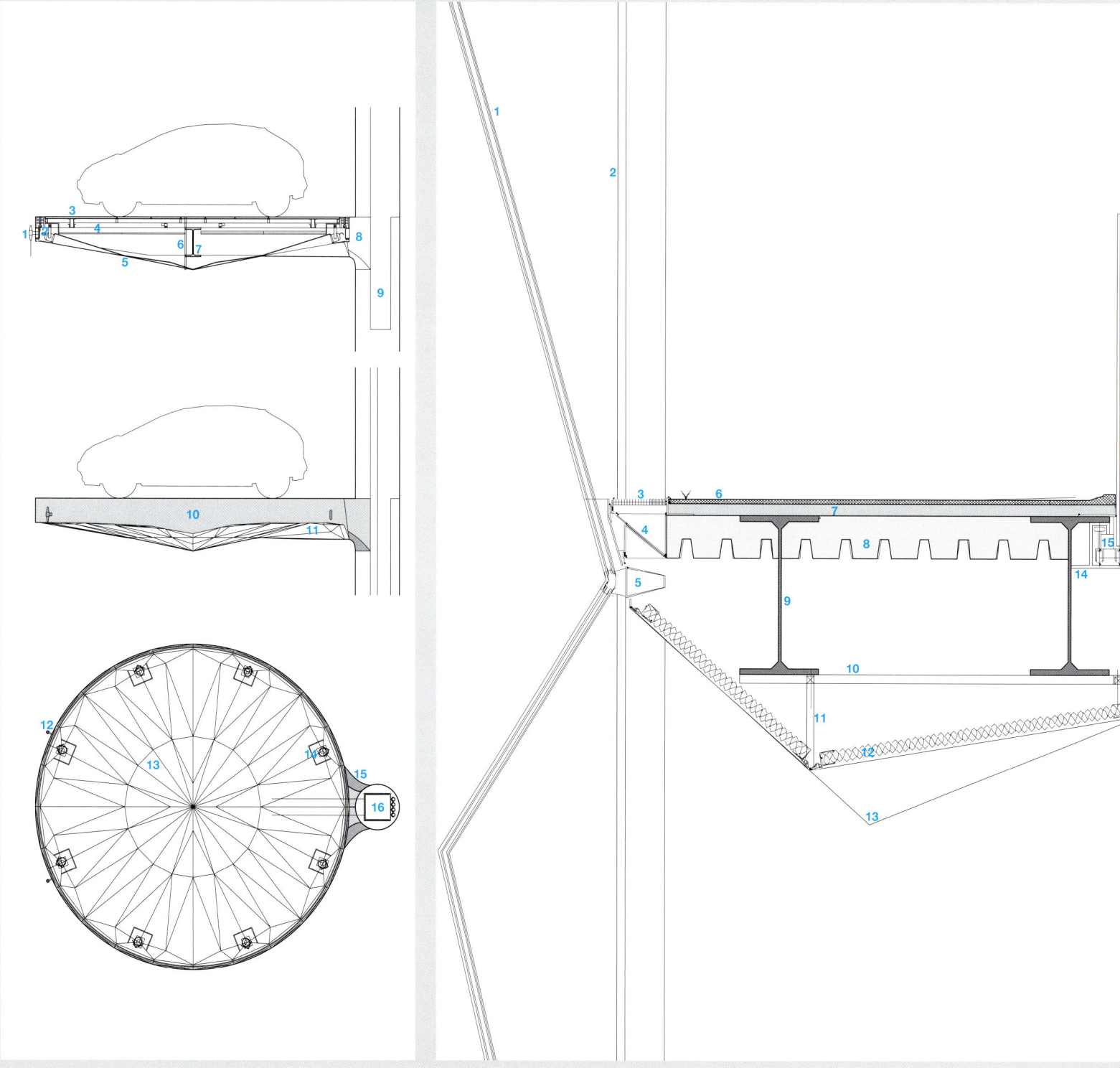

28 Manuelle Gautrand Architecture *Showroom* Principal da Citroën Paris, França

28.05
Detalhe da Plataforma Giratória Para a Exibição de Veículos: Corte, Elevação e Planta Baixa
1:100
1 Guia da plataforma elevatória
2 Trilho
3 Piso de resina
4 Estrutura de alumínio do piso
5 Forro em aço inoxidável especular
6 Estrutura de alumínio da plataforma
7 Viga de aço de perfil
8 Viga de aço revestida com resina
9 Pilar de aço
10 Piso de resina
11 Forro em aço inoxidável especular
12 Guia da plataforma elevatória do subsolo
13 Forro em aço inoxidável especular
14 Luminária do tipo *spot*
15 Viga de aço
16 Conexão entre a viga e o pilar

28.06
Detalhe da Fachada e da Passarela do Mezanino: Corte
1:20
1 Pele de vidro contínua
2 Estrutura revestida com argamassa
3 Grelha de aço inoxidável na borda do piso
4 Painel de borda do forro
5 Estrutura de aço que sustenta a pele de vidro
6 Piso de resina
7 Parte superior do sistema de piso de perfis de alumínio e plástico
8 Parte inferior do sistema de piso de perfis de alumínio e plástico
9 Viga de perfil I de aço
10 Estrutura de alumínio
11 Estrutura de alumínio
12 Painel de isolamento acústico
13 Estrutura de alumínio
14 Viga de perfil I de aço
15 Sistema de guias e rolamentos para serviços de manutenção
16 Sistema de piso de perfis de alumínio e plástico
17 Guarda-corpo de vidro laminado

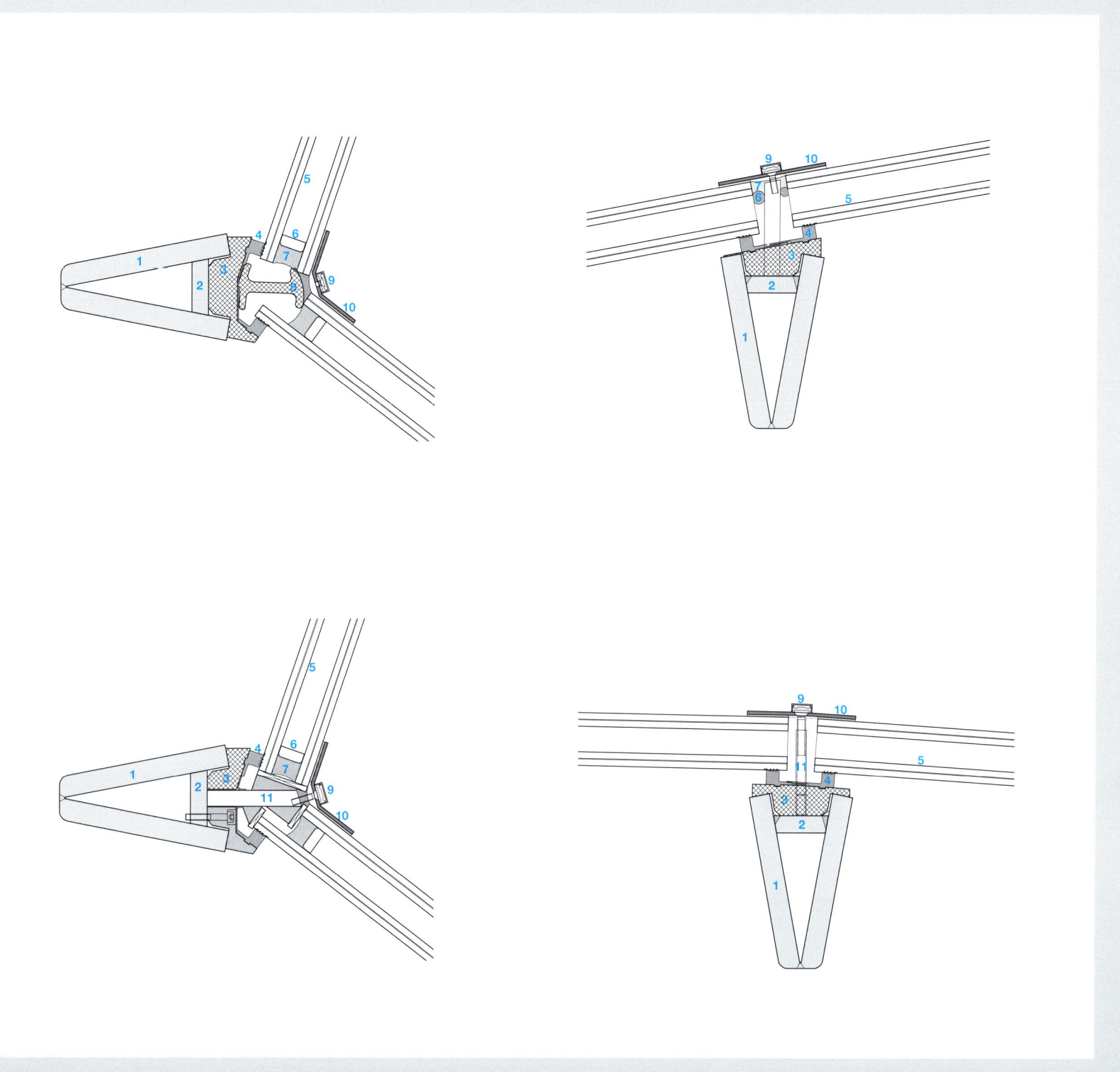

**28.07
Detalhe de Conexões
Típicas das Vidraças:
Cortes
1:5**
 1 Perfil de apoio da porta
 2 Travessa do perfil de apoio da porta
 3 Perfil de alumínio com recortes
 4 Junta com silicone
 5 Vidro duplo
 6 Perfil de vidraça
 7 Junta com silicone
 8 Perfil de apoio
 9 Perfil de vidraça
 10 Painel de recobrimento da junta do perfil da vidraça
 11 Vedação com borracha

29
Brand + Allen Architects

Edifício 185 Post Street
San Francisco, Califórnia, Estados Unidos

Cliente
Edifício 185 Post Street

Equipe de Projeto
Koonshing Wong, Maryam A. Belli

Projeto Estrutural
Murphy Burr Curry

Construção
Plant Construction

O Edifício 185 Post Street está situado na esquina sudeste da Post Street com a Grant Avenue, dentro do Kearny-Market-Mason-Sutter Conservation District. O cliente comprou a edificação com o objetivo de transformá-la em um equipamento de comércio moderno e singular. O projeto consiste na modernização das vedações e do núcleo de um edifício preexistente de seis pavimentos de lojas e escritórios. A estrutura original é um edifício de alvenaria portante de 1908, que foi totalmente descaracterizado com as inúmeras reformas que tiveram início em 1951. A modernização atual, feita por Brand + Allen, preserva a pele de alvenaria original de 1908 e, ao mesmo tempo, remove as adições posteriores, além de substituir as fachadas com painéis de metal, pilares de ferro fundido e sistemas de piso com barrotes de madeira. A renovação também inclui novos sistemas mecânicos centralizados, sistemas para circulação vertical e a adequação sísmica total da edificação, seguindo os padrões atuais.

A fachada de painéis de metal de 1951 foi substituída por uma cortina de vidro translúcida. Há um vão de 22,8 centímetros entre a nova pele de vidro e a estrutura de alvenaria original, o que gera um espaço intermediário para ar que atenua a diferença de temperatura entre o interior e o exterior. A fachada de vidro e a câmara de ar dispõem de iluminação interna, e é possível ver as paredes de alvenaria e aberturas para janelas preexistentes através das chapas de vidro transparentes e serigrafadas. Com as novas paredes de vedação dupla e o novo núcleo, o edifício atende aos requisitos mais recentes de eficiência energética para instalações prediais e também de ambientes construídos, em termos de iluminação natural e isolamento térmico e acústico.

1 A edificação histórica preexistente foi envolvida por uma tela de vidro diáfana, que faz da estrutura e história do prédio preexistente parte integrante da nova estética.

2 A cortina de vidro serve para unir o novo e o histórico, sendo enriquecida pela estrutura preexistente subjacente.

3 O aspecto exclusivo e dinâmico da fachada permite à pele de vidro refletir os edifícios históricos do entorno, ricos em detalhes, sem obscurecer por completo o edifício preexistente subjacente. Um projeto de iluminação consistente anima a edificação à noite.

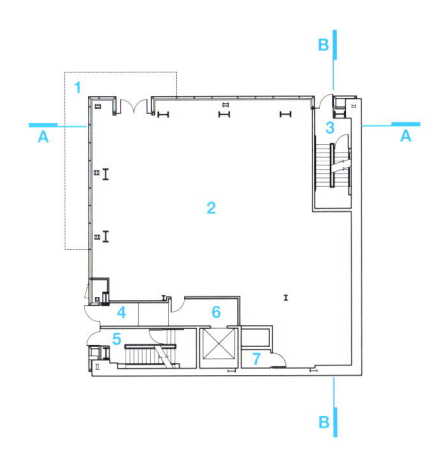

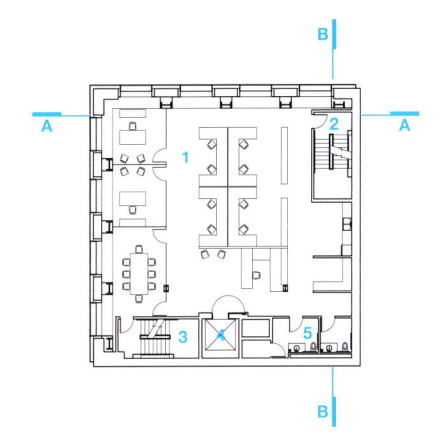

29.01
Planta Baixa do Pavimento Térreo
1:500
1 Projeção da marquise
2 Loja
3 Escada de emergência
4 Pleno para instalações
5 Escada de emergência
6 Elevador
7 Depósito

29.02
Planta Baixa do Segundo Pavimento
1:500
1 Escritório
2 Escada de emergência
3 Escada de emergência
4 Elevador
5 Banheiros

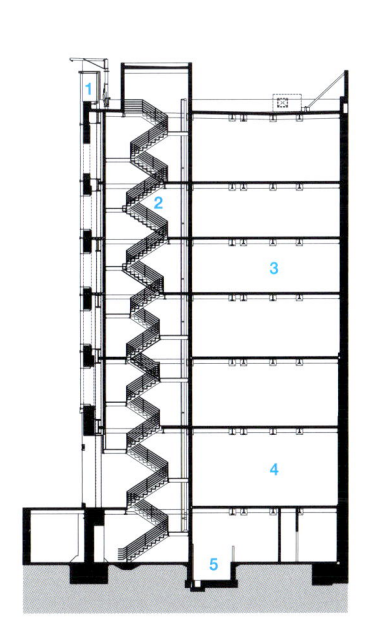

29.03
Corte A–A
1:500
1 Platibanda da cobertura
2 Escritório
3 Entrada
4 Loja
5 Subsolo

29.04
Corte B–B
1:500
1 Platibanda da cobertura
2 Escada de emergência
3 Escritório
4 Loja
5 Doca de carga e descarga do subsolo

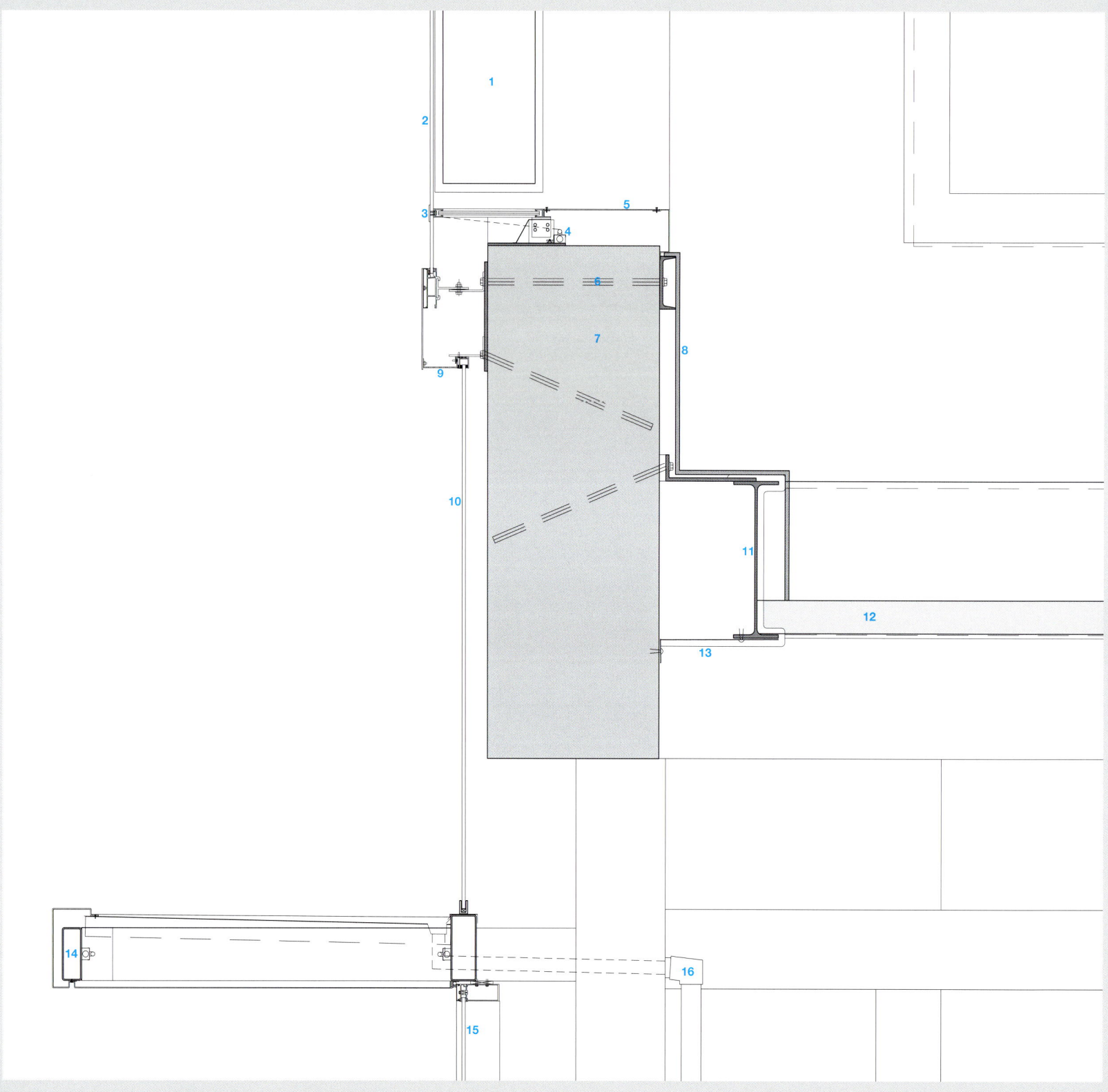

29 Brand + Allen Architects   Edifício 185 Post Street   San Francisco, Califórnia, Estados Unidos

**29.05
Detalhe 1 da Fachada:
Corte
1:20**

1 Chapa de vidro jateado de 12,5 mm iluminado por trás no alto e embaixo
2 Pele de vidro incolor de 12,5 mm
3 Travessa intermediária pintada da pele de vidro
4 Lâmpada fluorescente contínua da travessa
5 Tampa do painel difusor de luz
6 Chubador instalado com furadeira e preenchido com epóxi
7 Fachada preexistente de alvenaria de tijolo pintada
8 Perfil de fechamento do piso de chapa de alumínio de 5 mm
9 Abertura contínua para ventilação da fachada
10 Pele de vidro incolor de 12,5 mm
11 Viga estrutural de perfil I de aço
12 Laje de piso de concreto pré-moldada
13 Placa roda-forro de alumínio
14 Marquise de chapa de aço inoxidável perfurada com luminárias contínuas junto às extremidades anterior e posterior
15 Parede-cortina de alumínio e vidro
16 Tubo de drenagem pluvial da marquise

29.06
Detalhe 2 da Fachada: Corte
1:20

1 Platibanda contínua de concreto
2 Fachada preexistente de alvenaria de tijolo pintada
3 Luminária linear e contínua por trás da platibanda
4 Sistema de platibanda em perfis tubulares de aço de 100 × 100 mm
5 Sistema de fixação do equipamento de limpeza das janelas
6 Estrutura de perfis tubulares de aço de 203 × 203 mm de sustentação do equipamento de limpeza das janelas
7 Laje de concreto da cobertura
8 Viga estrutural de perfil I de aço
9 Perfil de encaixe pintado dos painéis de metal do sistema de parede-cortina
10 Vidro incolor de 12,5 mm da parede-cortina
11 Painel de revestimento de chapa de alumínio de 5 mm
12 Câmara de ar com ventilação contínua
13 Travessa intermediária pintada, do sistema de parede-cortina
14 Lâmpada fluorescente contínua da travessa e painel de fechamento translúcido
15 Chapa de vidro jateado de 12,5 mm iluminado por trás no alto e embaixo

29.07
Detalhe 3 da Fachada: Corte
1:20

1 Chapa de vidro jateado de 12,5 mm iluminado por trás no alto e embaixo
2 Travessa intermediária pintada, do sistema de parede-cortina
3 Vidro incolor de 12,5 mm da parede-cortina
4 Lâmpada fluorescente contínua da travessa e painel de fechamento translúcido
5 Painel de revestimento de chapa de alumínio de 5 mm
6 Chumbador instalado com furadeira e preenchido com epóxi
7 Chapa de piso de alumínio de 5 mm
8 Viga estrutural de perfil I de aço
9 Laje de concreto pré-moldada
10 Perfil de encaixe pintado dos painéis de metal do sistema de parede-cortina
11 Fachada preexistente de alvenaria de tijolo pintada
12 Painel de revestimento de chapa de alumínio de 5 mm

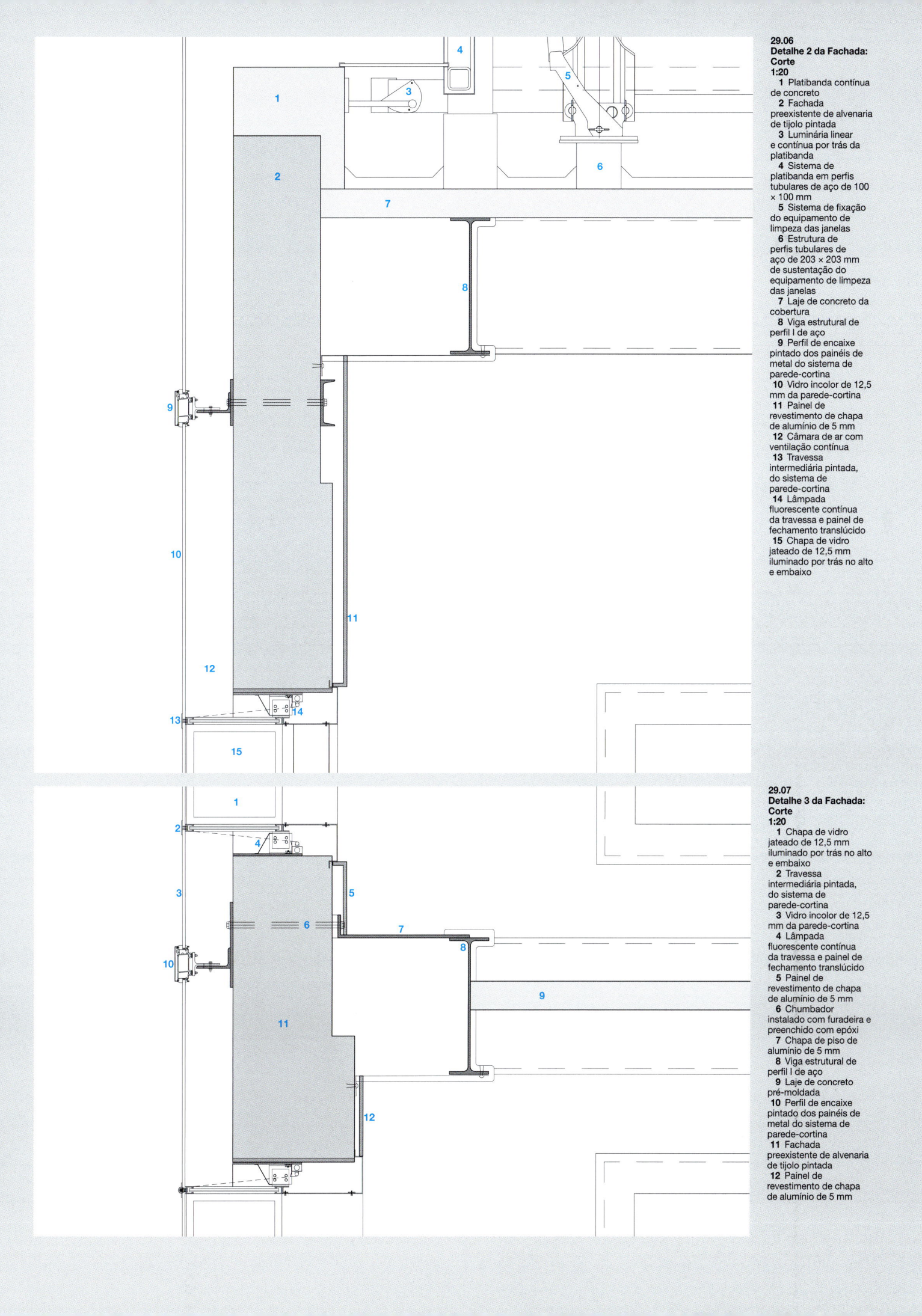

UNStudio

Loja de Departamentos Galleria
Seul, Coreia do Sul

Cliente
Lojas Hanwha

Equipe de Projeto
Ben van Berkel e Caroline Bos com Astrid Piber, Ger Gijzen, Cristina Bolis, Markus Hudert, Colette Parras, Arjan van der Bliek, Christian Veddeler, Albert Gnodde, Richard Crofts, Barry Munster, Mafalda Bothelo, Elke Uitz, Harm Wassink

Projeto Estrutural
Arup

Construção
Dongshin Glass

A Loja de Departamentos Galleria, juntamente com o Galleria Masterpiece Hall, nas proximidades, comercializa um grande número de grifes de renome e localiza-se, com destaque, no distrito Apgujeong-dong, uma das zonas comerciais mais populares de Seul. No entanto, vista do exterior, a loja preexistente era muito simplória. A Galleria contratou o UNStudio para projetar uma nova fachada, que envolveu a aplicação de 4.330 discos de vidro a uma subestrutura de metal fixada diretamente à fachada preexistente. Os discos de vidro criam uma superfície animada que tem uma aparência distinta para cada ponto de vista e em diferentes horários do dia e épocas do ano.

Os discos de vidro são feitos de vidro laminado e jateado, revestido com uma película iridescente especial que causa mudanças constantes na percepção da fachada. O projeto de iluminação especial, criado em conjunto pelo UNStudio e a Arup Lighting, colocou uma fonte de luz LED atrás de cada disco de vidro; as lâmpadas são controladas individualmente de modo a manipular a cor e a luz, e é possível programá-las para gerar diversos efeitos. A renovação do interior concentrou-se nas áreas de uso geral entre as lojas de marcas específicas. Os espaços de circulação foram alongados, oferecendo passarelas estreitas compostas por passarelas e tetos de cor clara coordenados, melhorando a orientação e dando uma imagem nova e luminosa às lojas.

1 É possível adaptar a fachada de vidro para ocasiões especiais e alterá-la de acordo com a estação, eventos de moda ou expressão artística.
2 Durante o dia, as mudanças atmosféricas e climáticas influenciam o grau de reflexão e absorção de luz e cor nos discos de vidro; assim, para diferentes pontos de vista, a aparência de cada disco e a superfície total mudam constantemente.
3 Os corredores de circulação principal apresentam um elemento de iluminação contínua integrado ao teto rebaixado.
4 As paredes que cercam o espaço de circulação vertical são compostas por uma série de vigas verticais revestidas em vidro em ambos os lados. O acabamento da face de vidro interna das escadas rolantes é uma película refletora parcialmente transparente.

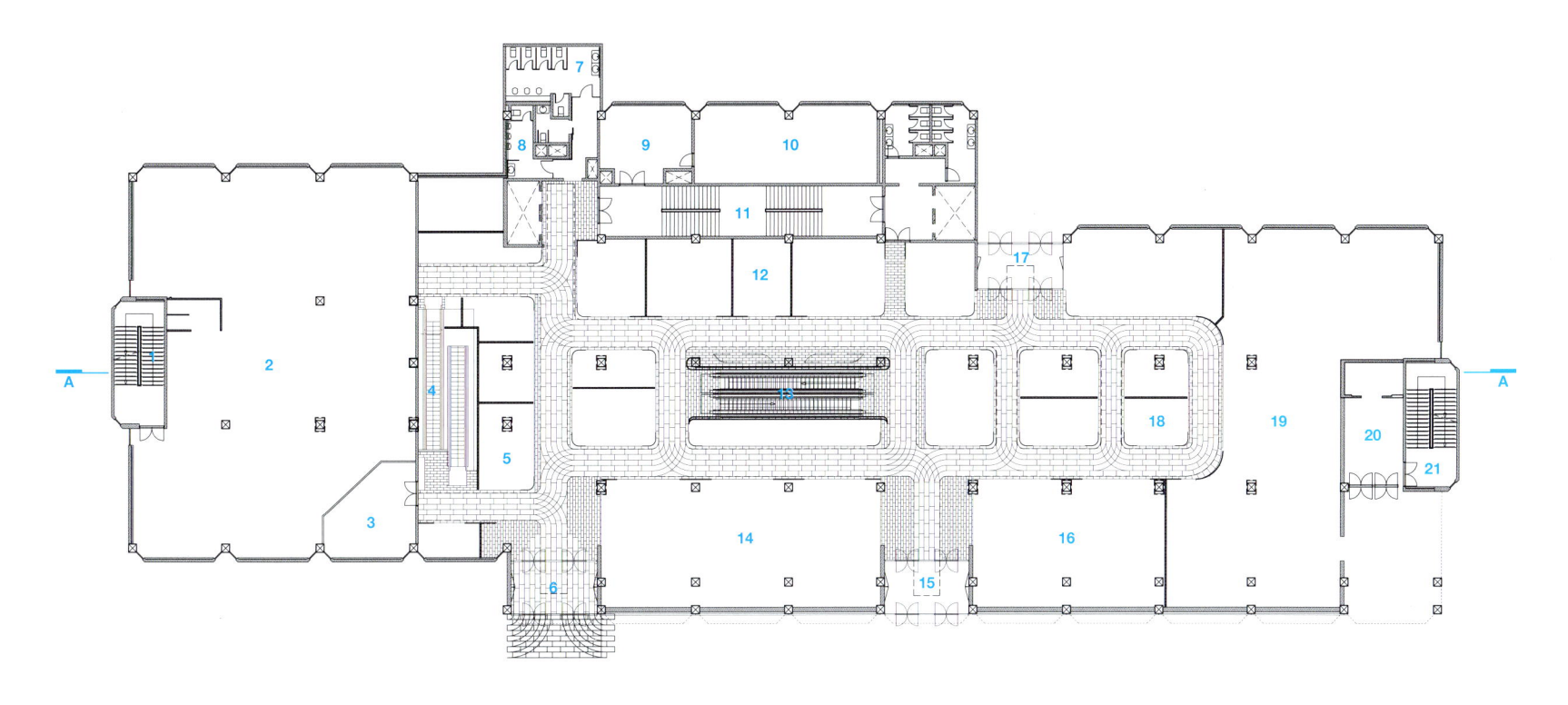

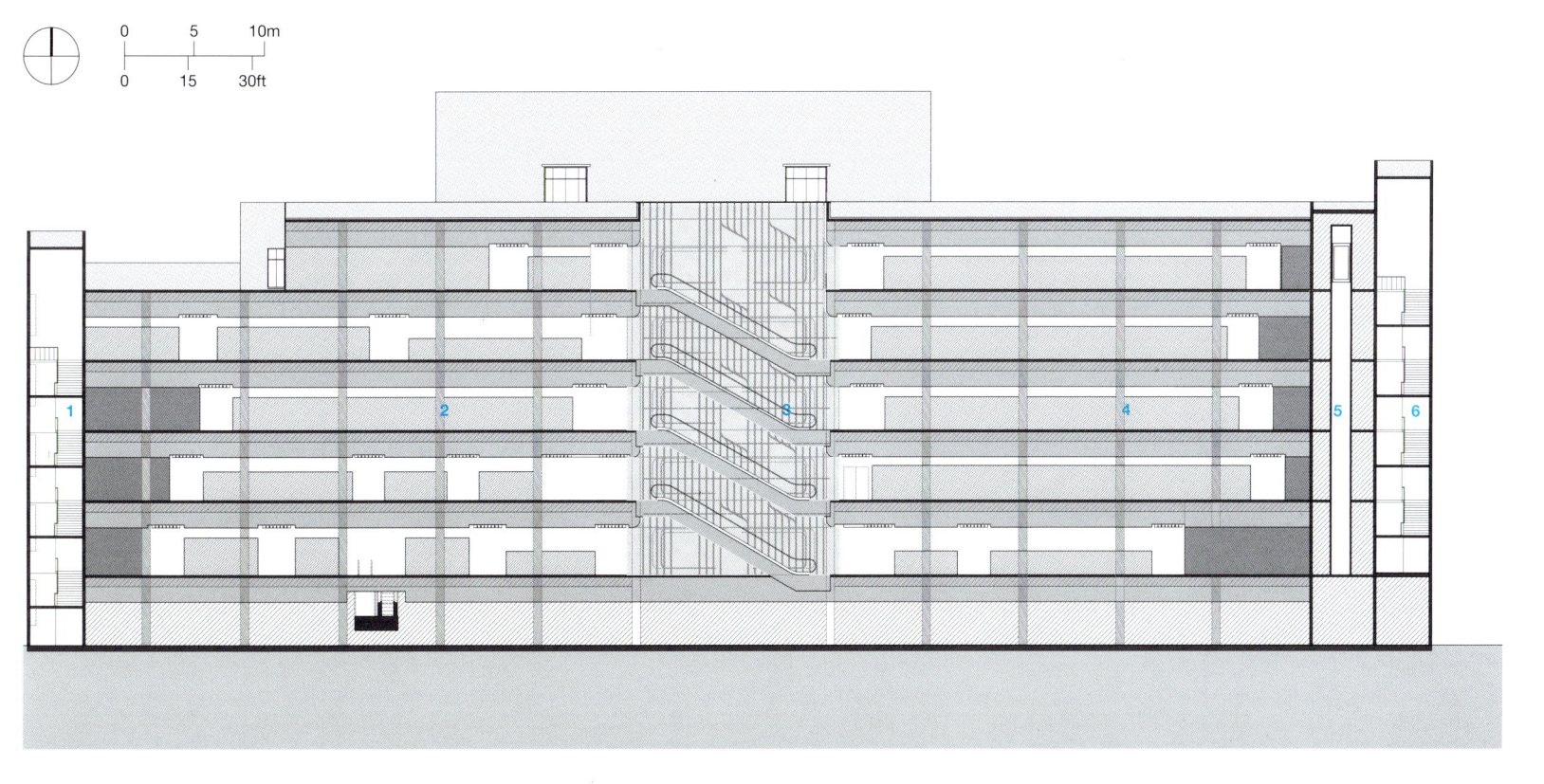

30.01
Planta Baixa do Pavimento Térreo
1:500
1 Escada de emergência
2 Loja
3 Portaria
4 Escadas rolantes
5 Loja
6 Entrada
7 Banheiro feminino
8 Banheiro masculino
9 Loja
10 Loja
11 Escada para circulação interna
12 Loja
13 Escadas rolantes
14 Loja
15 Entrada
16 Loja
17 Entrada
18 Loja
19 Loja
20 Entrada
21 Escada de emergência

30.02
Corte A–A
1:500
1 Escada de emergência
2 Lojas
3 Escadas rolantes
4 Lojas
5 Escada de emergência

131

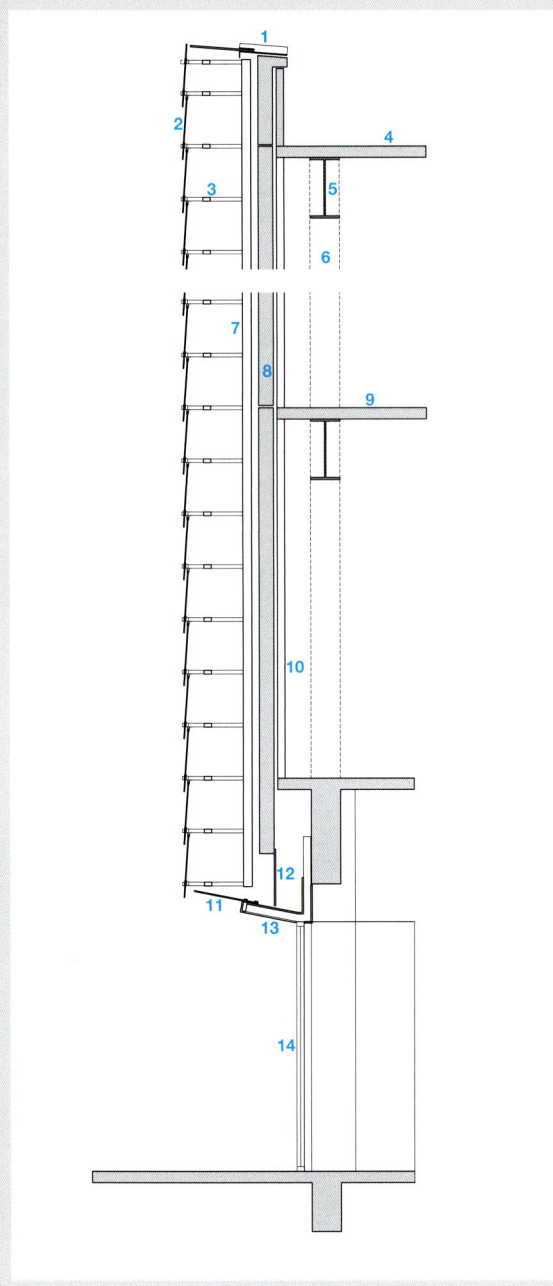

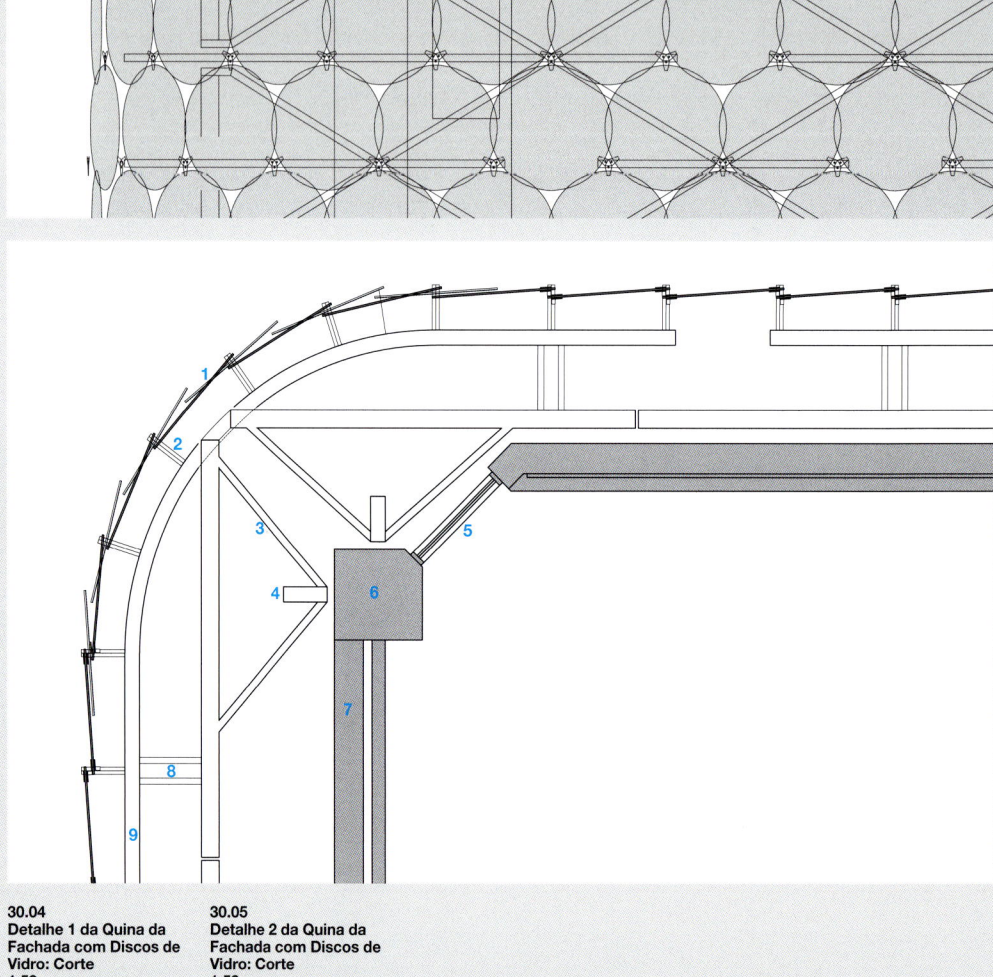

**30.03
Detalhe de Seção Típica da Fachada com Discos de Vidro: Corte
1:100**

1 Vidro de segurança grampeado às faixas de aço galvanizado
2 Revestimento de fachada com discos de vidro de segurança com 10 mm de espessura e 830 mm de diâmetro e duas camadas de manta de isolamento térmico
3 Espaçador de aço galvanizado entre os discos de vidro e a superfície do prédio
4 Laje de cobertura de concreto armado preexistente
5 Viga de aço pré-fabricada preexistente
6 Pilar de aço pré-fabricado preexistente
7 Treliça plana diagonal de aço galvanizado
8 Fachada pré-fabricada preexistente
9 Laje de piso de concreto armado preexistente
10 Fachada pré-fabricada preexistente
11 Vidro de segurança duplo, em balanço
12 Revestimento de chapa de alumínio dobrada e pintada
13 Estrutura de perfis tubulares de aço galvanizado revestida com chapa de alumínio dobrada e pintada
14 Portas de entrada, de vidro

**30.04
Detalhe 1 da Quina da Fachada com Discos de Vidro: Corte
1:50**

1 Revestimento de fachada com discos de vidro de segurança com 10 mm de espessura e 830 mm de diâmetro e duas camadas de manta de isolamento térmico
2 Treliça plana diagonal de aço galvanizado
3 Fixador de aço inoxidável

**30.05
Detalhe 2 da Quina da Fachada com Discos de Vidro: Corte
1:50**

1 Revestimento de fachada com discos de vidro de segurança com 10 mm de espessura e 830 mm de diâmetro e duas camadas de manta de isolamento térmico
2 Treliça plana diagonal de aço galvanizado
3 Espaçador de aço galvanizado entre os discos de vidro e a superfície do prédio
4 Montante de aço galvanizado fixado aos pilares estruturais preexistentes no prédio
5 Janela preexistente
6 Pilar preexistente
7 Fachada pré-fabricada preexistente
8 Espaçador de aço galvanizado de 50 × 50 mm
9 Estrutura de suporte do revestimento com discos de vidro

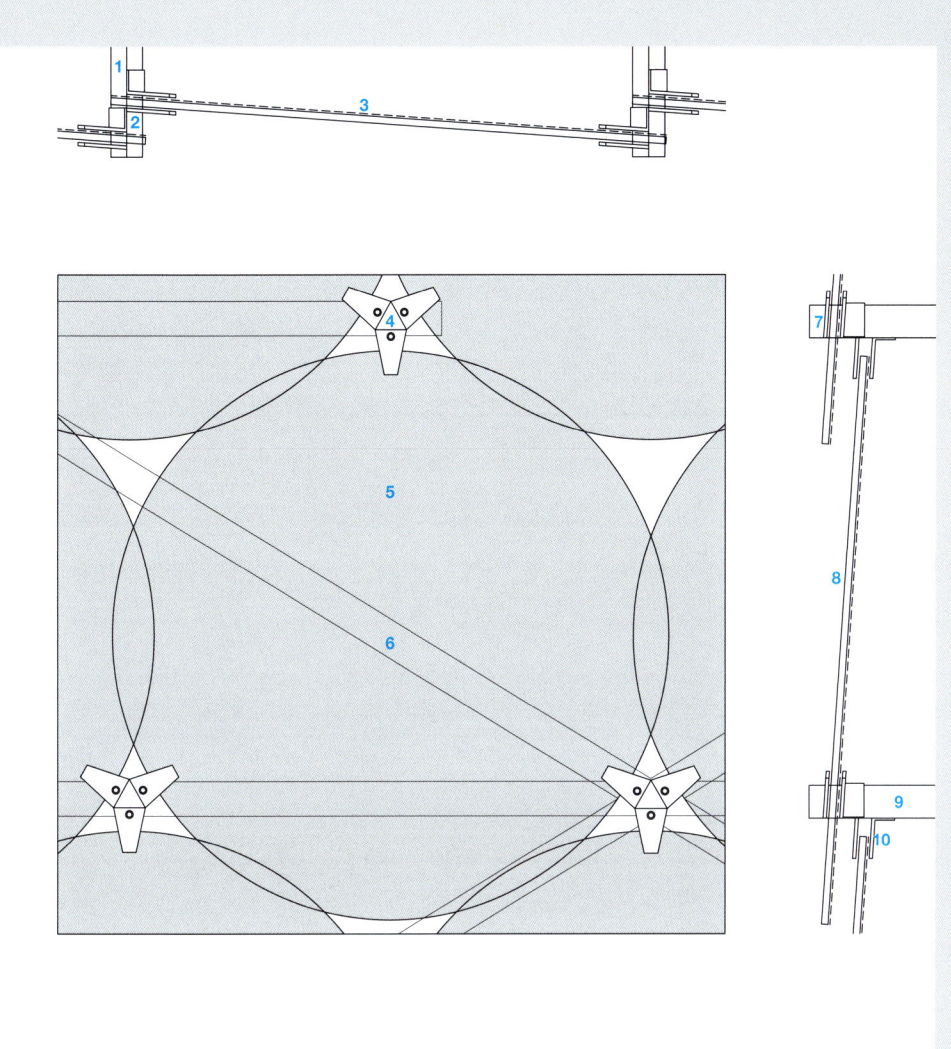

**30.06
Detalhe dos Discos de Vidro: Planta Baixa, Elevação e Corte
1:10**
 1 Perfil de aço triangular
 2 Fixador de aço inoxidável
 3 Revestimento de fachada com discos de vidro de segurança com 10 mm de espessura e 830 mm de diâmetro e duas camadas de manta de isolamento térmico
 4 Fixador de aço inoxidável
 5 Revestimento de fachada com discos de vidro de segurança com 10 mm de espessura e 830 mm de diâmetro e duas camadas de manta de isolamento térmico
 6 Treliça plana diagonal de aço galvanizado
 7 Treliça plana diagonal de aço galvanizado
 8 Revestimento de fachada com discos de vidro de segurança com 10 mm de espessura e 830 mm de diâmetro e duas camadas de manta de isolamento térmico
 9 Treliça plana diagonal de aço galvanizado
 10 Fixador de aço inoxidável

**30.07
Detalhe de Forro Típico do Salão da Loja: Corte
1:10**
 1 Laje de piso de concreto armado preexistente
 2 Sistema de tirantes de metal para sustentação do forro
 3 Duto de insuflamento de ar
 4 Forro de chapas de gesso cartonado pintado
 5 Sistema de perfis tubulares de aço para sustentação do forro
 6 Chapa de aço dobrada com pintura com tinta branca fosca
 7 Difusor do insuflamento de ar
 8 Sistema de perfis tubulares de aço para sustentação do forro
 9 Forro de chapas de gesso cartonado pintado
 10 Luminária
 11 Sanca de perfil metálico do forro Barrisol
 12 Perfil U extrudado de alumínio
 13 Forro plástico translúcido barrisol
 14 Perfil T extrudado de alumínio
 15 Pleno

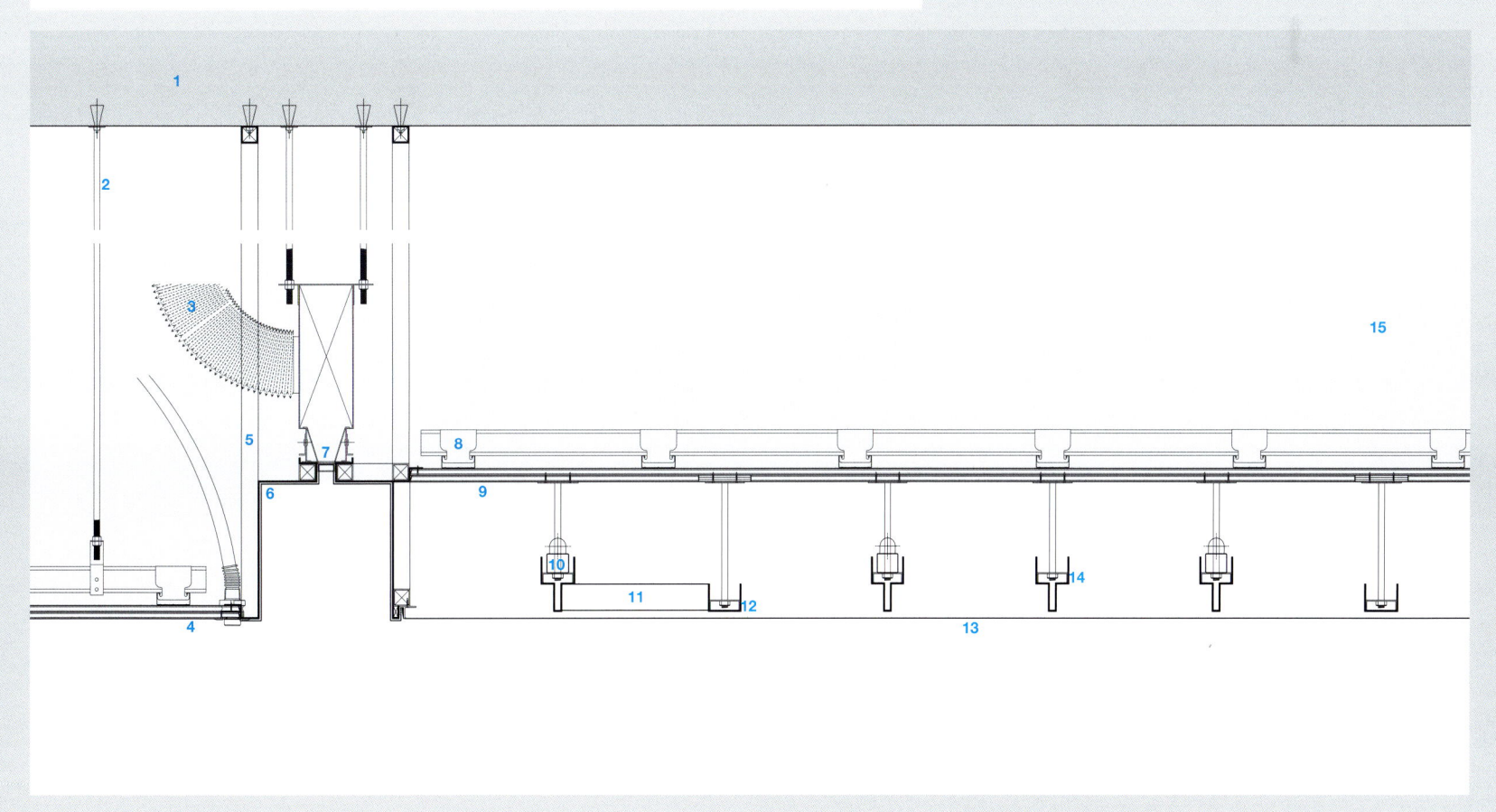

133

31
Baumschlager Eberle

Cube Biberwier-Lermoos Hotel
Biberwier, Áustria

Cliente
T1 Hotelerrichtungsgesellschaft

Equipe de Projeto
Christian Reischauer, Stephan Marending, Christian Bregulla, Matthias Dörer, Gregor Fasching, Gerhard Müller, Michaela Rajcekova, Kari Silloway, Veronika Hamsikova, Martin Palzenberger, Corina Bender, Tim P. Brendel

Projeto Estrutural
DI Heinz Nemec

Construção
Team GMI

O CUBE é um hotel de conceito inovador que serve como base para esportistas jovens ou de espírito jovem, pois combina esporte, entretenimento, *design* e vida comunitária. O CUBE Biberwier é o mais recente empreendimento dos diversos destinos CUBE encontrados na Suíça e na Áustria. Trata-se de um prédio compacto na forma de um cubo, envolto por uma delicada pele de vidro. O conceito da atmosfera de clube e equipamentos associados se reflete na arquitetura. Áreas públicas espaçosas em todos os pavimentos estimulam a comunicação; no saguão, o coração do CUBE, sofás de couro e uma grande lareira aberta sugerem um lar confortável para quem está longe de casa. O interior é simples, com uma abordagem funcional, que está presente em todo o edifício, e manifesta-se principalmente no conceito de rampa e passarela. As rampas – também chamadas de portões – conectam o átrio aos vários pavimentos. Elas permitem que os hóspedes transportem com facilidade todos os tipos de equipamentos esportivos, como esquis e bicicletas, até seus apartamentos. Os apartamentos dividem-se em dormitório e antessala com frente envidraçada, que funciona como um depósito para os equipamentos esportivos e, além de uma secadora de sapatos, conta com acessórios especiais para pendurar todos os tipos de apetrechos. Deu-se também atenção especial aos efeitos da luz dentro do CUBE. Elementos estáticos com peles de vidro coloridas no pavimento térreo, grandes superfícies envidraçadas coloridas em todos os níveis e chapas de vidro translúcido na fachada ajudam a definir o ambiente. Além da iluminação interna, feixes de luz coloridos são projetados no exterior, transformando-o no centro ótico da atração.

1 O conceito do CUBE representa uma arquitetura e um projeto de urbanismo nada convencionais inseridos em um cenário alpino espetacular. Todos os hotéis CUBE oferecem programas esportivos inovadores, englobando atividades de verão e inverno novas e clássicas.
2 A área denominada Wellness (Bem-Estar), no pavimento de cobertura do CUBE, tem acesso a um terraço periférico contínuo com vistas espetaculares das montanhas.
3 Um sistema de rampas de concreto atravessa o átrio central, permitindo aos hóspedes levar os equipamentos esportivos até seus apartamentos. Os guarda-corpos de vidro colorido criam uma atmosfera festiva nos espaços públicos.
4 Detalhe da fachada de vidro fixada a um sistema de seções de aço galvanizado, que, por sua vez, está preso a uma estrutura independente de concreto.

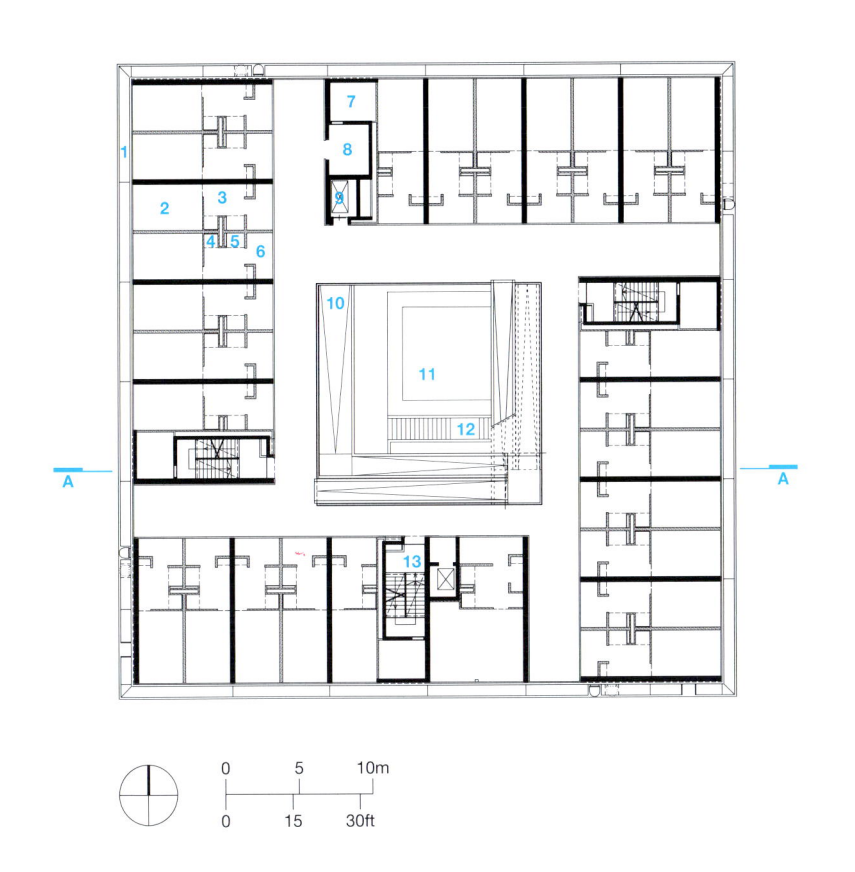

31.01
Planta Baixa de
Pavimento Superior
1:500
1 Balcão contínuo
2 Dormitório
3 Circulação interna
  entre o dormitório e
  a área de depósito
  de equipamentos
  esportivos
4 Bacia sanitária
5 Ducha
6 Antessala da área
  de depósito de
  equipamentos
  esportivos
7 Poço para
  instalações prediais
8 Depósito
9 Elevador
10 Rampa
11 Átrio
12 Escada solta dentro
   do átrio
13 Escada de
   emergência

31.02
Corte A–A
1:200
1 Balcão contínuo
2 Escada de
  emergência
3 Passarela do átrio
4 Rampa
5 Passarela do átrio
6 Antessala da área
  de depósito de
  equipamentos
  esportivos
7 Banheiro e armários
8 Dormitório
9 Saguão
10 Café
11 Depósito
   subterrâneo

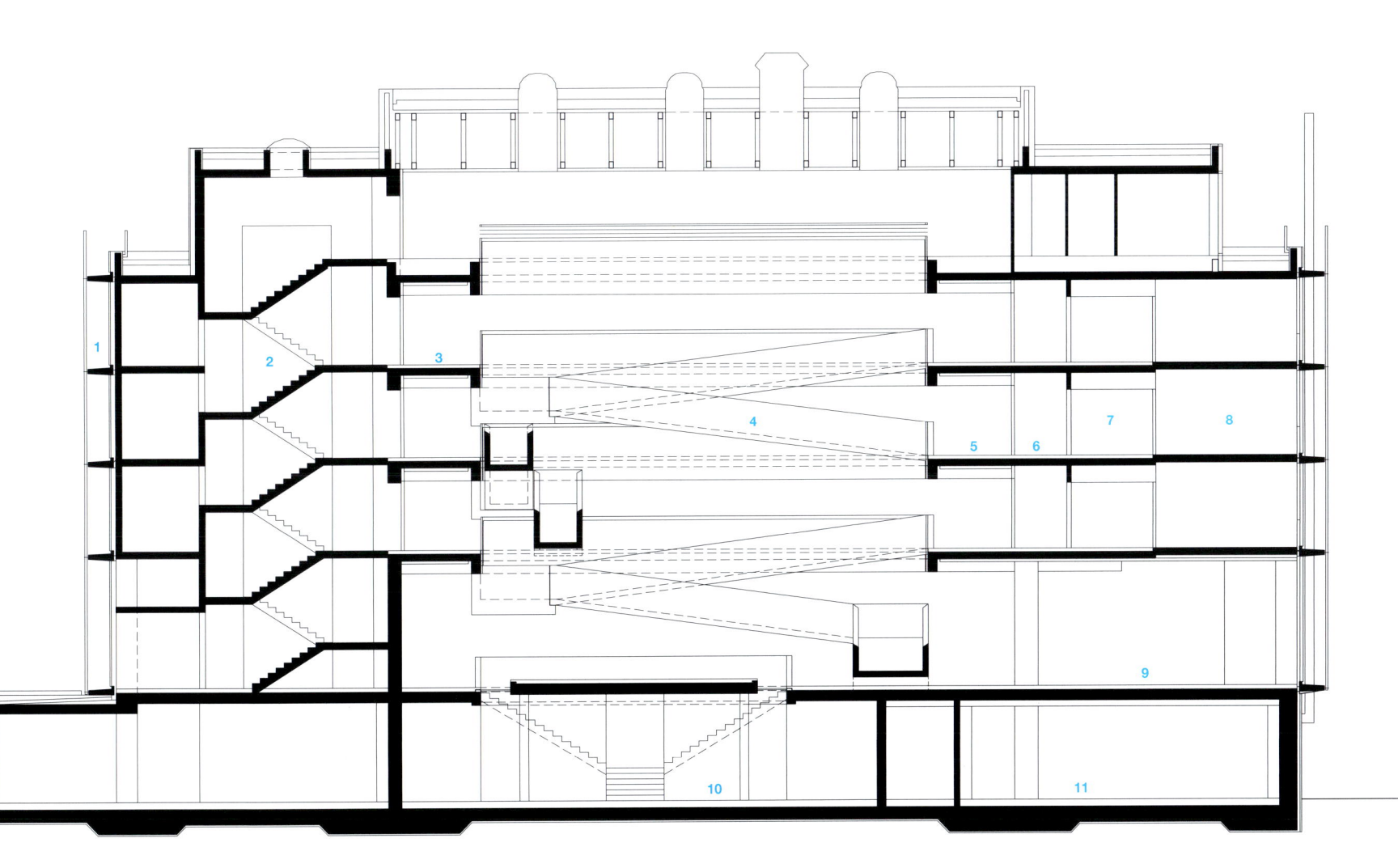

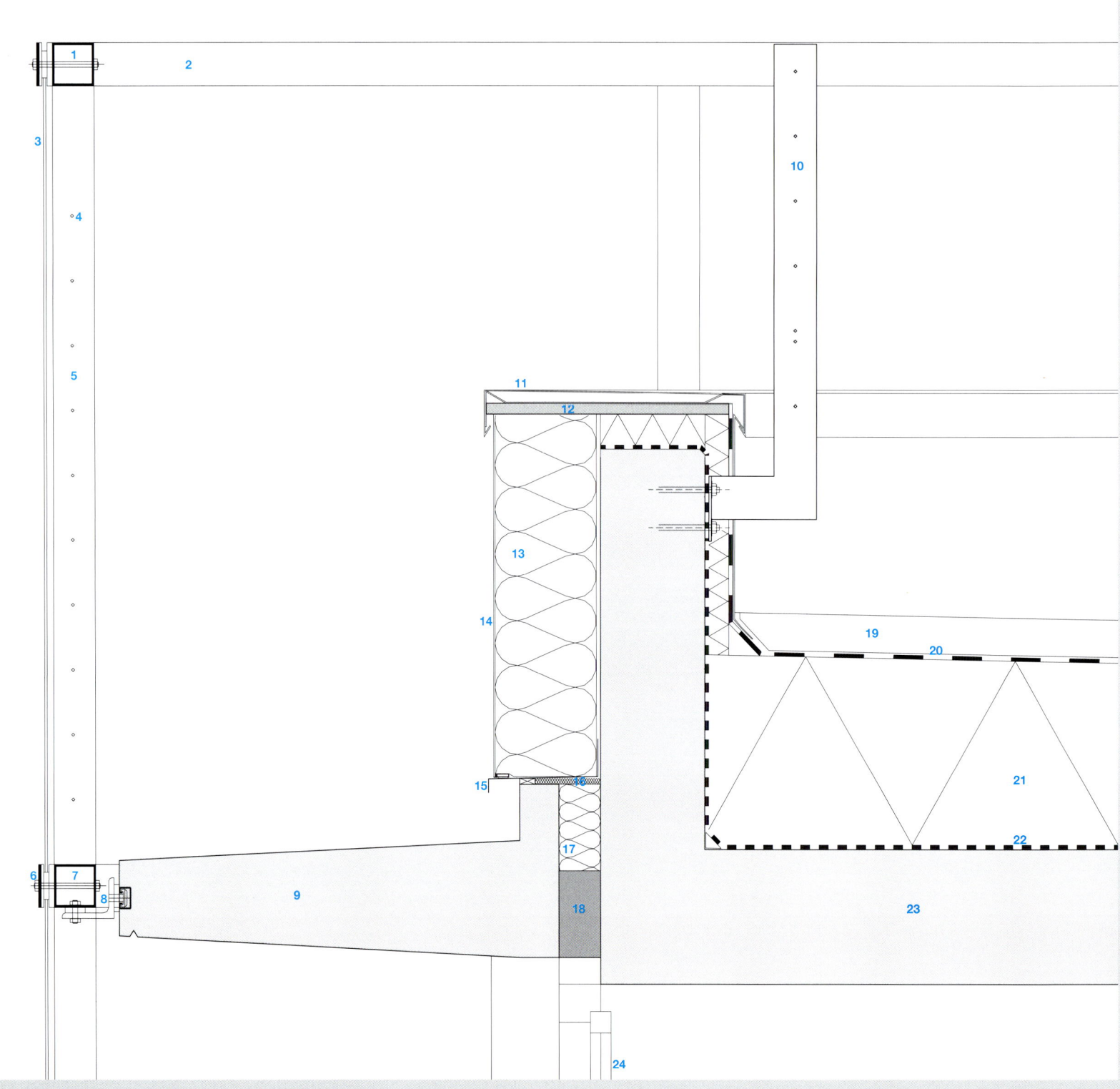

31 Baumschlager Eberle   Cube Biberwier-Lermoos Hotel   **Biberwier, Áustria**

**31.03
Detalhe do Terraço de Cobertura: Corte
1:10**

1 Corrimão de perfil tubular quadrado de aço galvanizado de 80 × 80 mm
2 Corrimão de perfil tubular quadrado de aço galvanizado de 80 × 80 mm
3 Vidraça de revestimento da fachada em vidro de segurança translúcido com acabamento acetinado gravado com ácido
4 Cabos de aço tracionados entre os montantes do guarda-corpo
5 Montante de perfil tubular quadrado de aço galvanizado de 80 × 80 mm
6 Perfil tubular de plástico para sustentação da vidraça com mata-junta quadrado em aço galvanizado de 80 × 100 × 5 mm
7 Travessa de perfil tubular quadrado de aço galvanizado de 80 × 80 mm
8 Cantoneira de aço de abas desiguais de 100 × 75 × 10 para conexão flexível entre a estrutura de aço da fachada e a estrutura de concreto principal do prédio
9 Laje de concreto armado pré-moldada do balcão, em balanço e com isolamento térmico Isokorb
10 Montante de perfil tubular quadrado de aço galvanizado de 80 × 80 mm com cabos de aço tracionados formando o guarda-corpo
11 Perfil de acabamento em chapa de aço dobrada
12 Chapa de compensado estrutural para fechar a platibanda
13 Sistema de isolamento térmico para paredes externas
14 Reboco
15 Pingadeira de chapa de alumínio dobrada
16 Fita de impermeabiliazação
17 Isolamento térmico
18 Ancoragem com isolamento térmico Isokorb
19 Camada de cascalho
20 Impermeabilização
21 Isolamento térmico
22 Barreira de vapor
23 Laje de cobertura e viga invertida de concreto armado
24 Janela com vidro duplo

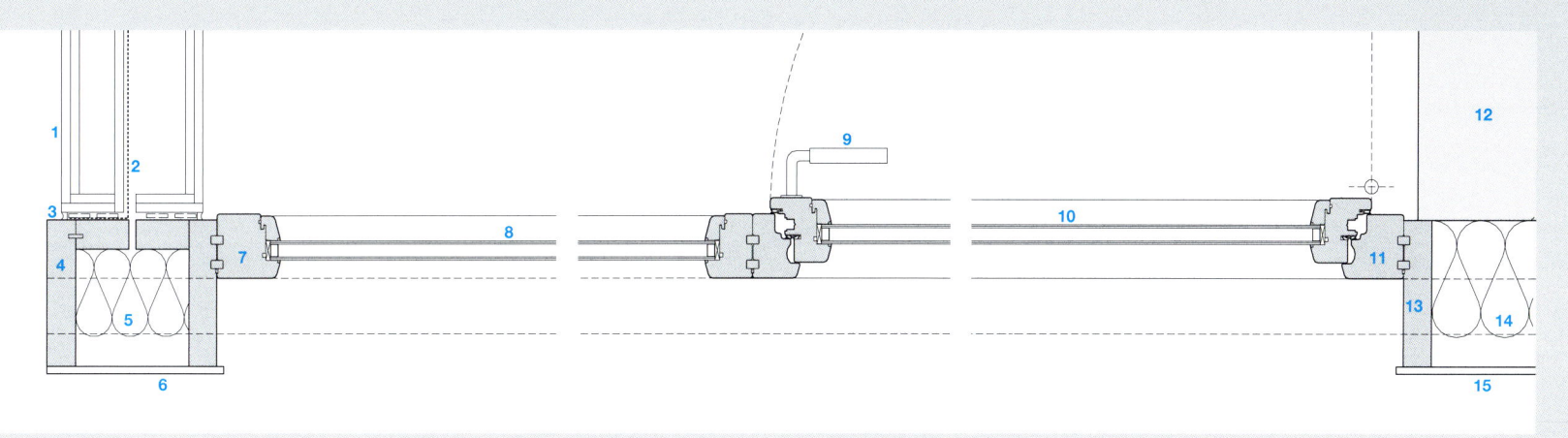

31.04
Detalhe das Janelas com Caixilho Fixo ou Móvel: Planta Baixa
1:10
1 Parede de gesso cartonado
2 Membrana betuminosa de impermeabilização
3 Junta vedada com acrílico
4 Montante de madeira
5 Isolamento térmico
6 Chapa de fibrocimento
7 Caixilho de madeira
8 Janela com caixilho fixo
9 Maçaneta de metal da janela com caixilho móvel
10 Janela com caixilho móvel
11 Caixilho de madeira
12 Parede de concreto armado
13 Montante de madeira

31.05
Detalhe 1 da Passarela e do Guarda-Corpo do Átrio: Corte
1:20
1 Perfil tubular de aço de 60 × 30 mm
2 Perfil tubular de aço de 60 × 50 mm
3 Guarda-corpo com vidro de segurança e padrão serigrafado
4 Perfil U de aço
5 Cantoneira de aço de abas desiguais
6 Piso de borracha natural
7 Contrapiso
8 Laje de piso de concreto armado da passarela em balanço,
9 Parafuso de fixação do guarda-corpo à viga de borda de concreto armado da passarela
10 Viga de borda de concreto armado da passarela
11 Luminária oculta
12 Perfil de aço

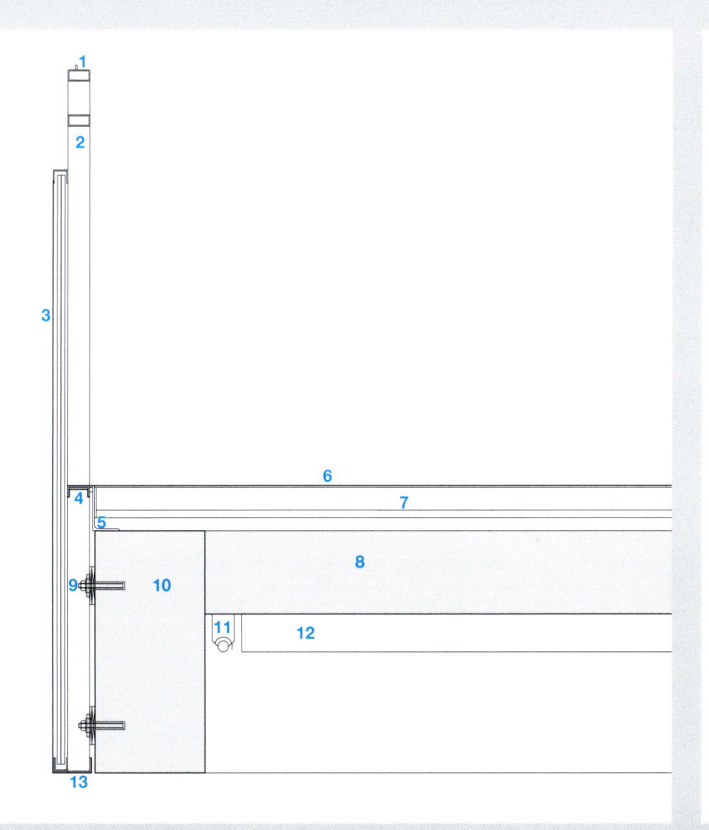

31.06
Detalhe 2 da Passarela e do Guarda-Corpo do Átrio: Corte
1:5
1 Guarda-corpo com vidro de segurança e padrão serigrafado
2 Perfil tubular de aço de 60 × 50 mm
3 Perfis de aço soldados
4 Junta com silicone
5 Piso de borracha natural
6 Contrapiso
7 Cantoneira de aço de abas desiguais de 75 × 150 mm
8 Cavidade
9 Porca de segurança
10 Arruela
11 Parafuso injetado com resina
12 Viga de concreto armado
13 Perfil U de aço

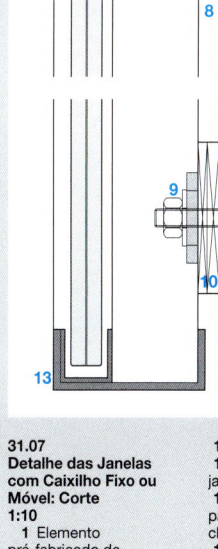

31.07
Detalhe das Janelas com Caixilho Fixo ou Móvel: Corte
1:10
1 Elemento pré-fabricado de concreto armado
2 Ancoragem com isolamento térmico Isokorb
3 Laje de concreto armado
4 Mástique
5 Perfil de fixação da esquadria
6 Travessa superior da janela
7 Caixilho da janela
8 Vidro de segurança
9 Janela de batente
10 Pingadeira
11 Travessa inferior da janela
12 Face externa da parede revestida com chapa de fibrocimento
13 Isolamento térmico
14 Face externa da parede revestida com painel de madeira
15 Perfil de base de madeira
16 Pingadeira
17 Viga de concreto invertida pré-fabricada
18 Mástique
19 Travessa
20 Laje de piso de concreto armado

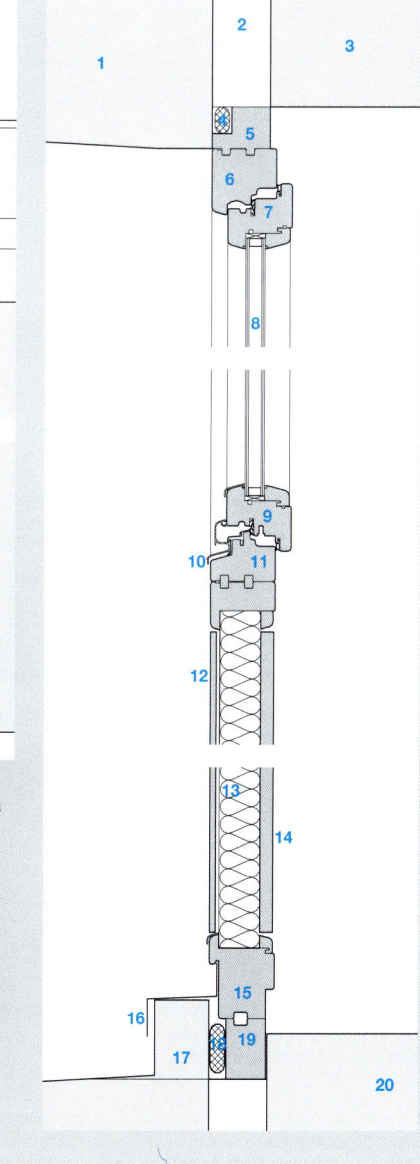

137

32
LAB architecture studio

SOHO Shangdu
Pequim, China

Cliente
SOHO China

Equipe de Projeto
Peter Davidson, Donald Bates, Mike Buttery, Melissa Bright, Wayne Sanderson, Matt Foley

Projeto Estrutural
Arup

Construção
CSCEC

O projeto SOHO Shangdu consiste em um edifício de uso misto com lojas e escritórios, localizado no novo distrito comercial a leste de Pequim. A organização da área comercial foi projetada a partir do princípio de reinterpretação da *hutong** chinesa tradicional, com uma série de ruas e passagens internas que variam em posição, largura e altura conforme o pavimento, gerando, assim, diferentes padrões de circulação que, por sua vez, criam zonas comerciais localizadas e especializadas. Dois grandes pátios internos, que sobem em espiral e conectam todos os pavimentos, dão foco à circulação e atividade das extremidades leste e oeste da área comercial, facilitando uma série de eventos, de desfiles de moda a lançamentos comerciais e concertos.

As fachadas facetadas das duas torres de 32 pavimentos e da torre de oito pavimentos são revestidas com um padrão aleatório de painéis de vidro e de alumínio na cor cinza. O dinamismo do padrão permite a redução imediata da proporção de vidro orientada para o sul e para o oeste, o que diminui os ganhos térmicos nas unidades voltadas nessas direções. Há, inscrita na fachada, uma grande rede paramétrica de linhas que confere ao projeto uma imagem noturna distinta. O padrão que acompanha a fachada foi gerado usando-se os mesmos princípios do padrão tradicional das treliças chinesas (*ice-ray*), criando uma ponte cultural que une os vários aspectos do projeto. Ao contrário da maioria dos prédios de uso misto adjacentes, que são voltados para dentro, o SOHO Shangdu está relacionado diretamente ao padrão viário consolidado do local, visto que aumenta a cobertura do terreno e cria fachadas animadas e orientadas para o exterior nas ruas adjacentes grandes e pequenas. Para tanto, as áreas comerciais principais foram limitadas a quatro pavimentos, em vez dos 12 pavimentos permitidos pelos critérios de desenvolvimento do terreno.

---
*N. do T.: Viela típica de Pequim, configurada por várias casas com pátio tradicionais.

1 As fachadas facetadas do SOHO Shangdu foram revestidas com painéis de vidro e de alumínio na cor cinza.
2 Há, inscrita nas facetas de vidro que compõem a fachada, uma rede geométrica de linhas em grande escala que, à noite, cria linhas de luz contínuas ao longo da altura e largura do edifício.
3 Os pavimentos dos elementos da torre aumentam em tamanho na parte alta do edifício de modo a aumentar a quantidade de área para alugar, e, ao mesmo tempo, manter a escala do empreendimento acompanhando os padrões urbanos preexistentes.
4 Dois grandes pátios internos sobem em espiral pelo prédio, para conectar todos os pavimentos e gerar espaço para uma série de eventos, de desfiles de moda e lançamentos comerciais a concertos e palestras.

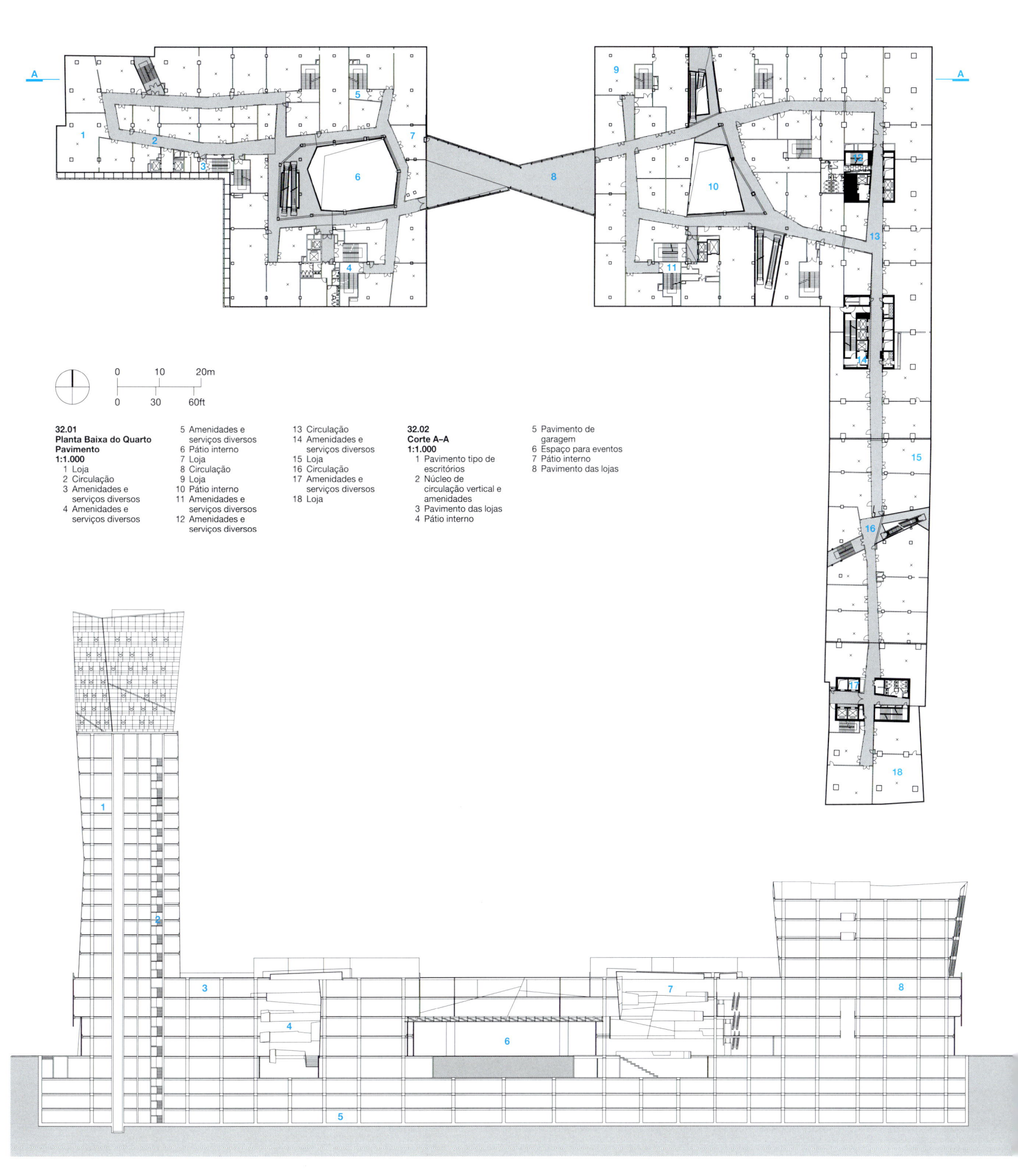

32.01
Planta Baixa do Quarto Pavimento
1:1.000
1 Loja
2 Circulação
3 Amenidades e serviços diversos
4 Amenidades e serviços diversos
5 Amenidades e serviços diversos
6 Pátio interno
7 Loja
8 Circulação
9 Loja
10 Pátio interno
11 Amenidades e serviços diversos
12 Amenidades e serviços diversos
13 Circulação
14 Amenidades e serviços diversos
15 Loja
16 Circulação
17 Amenidades e serviços diversos
18 Loja

32.02
Corte A–A
1:1.000
1 Pavimento tipo de escritórios
2 Núcleo de circulação vertical e amenidades
3 Pavimento das lojas
4 Pátio interno
5 Pavimento de garagem
6 Espaço para eventos
7 Pátio interno
8 Pavimento das lojas

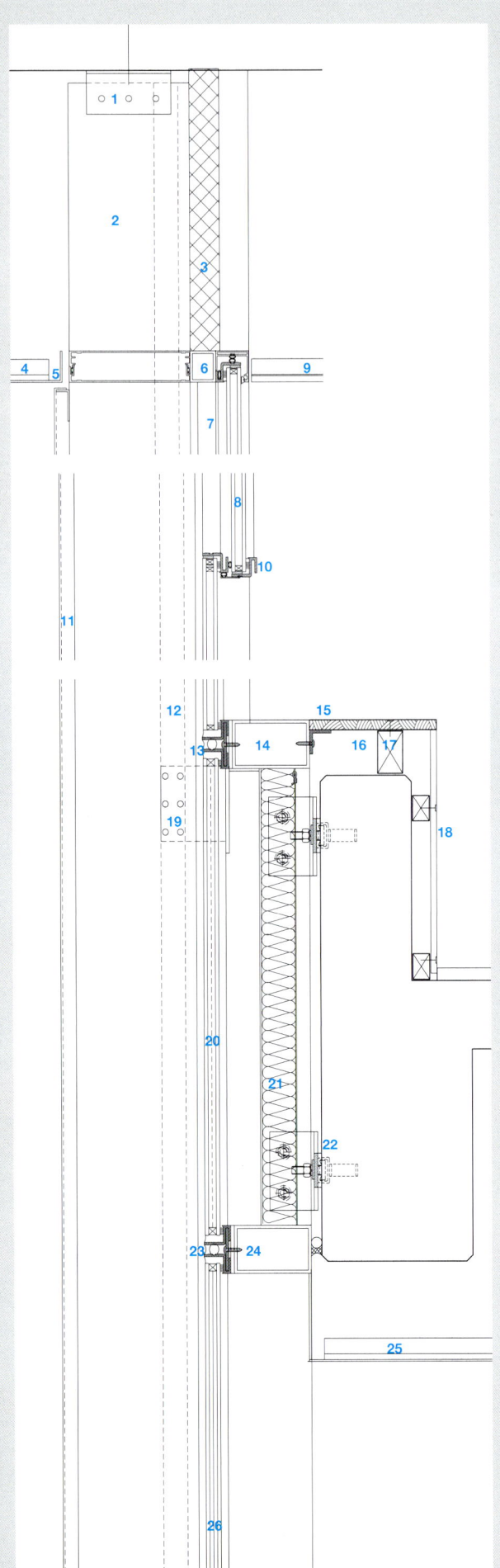

32 LAB architecture studio **SOHO Shangdu** **Pequim, China**

32.03
Detalhe da Janela de Guilhotina e do Peitoril da Fachada de Vidro: Corte
1:10
 1 Cantoneira de fixação do montante de alumínio à estrutura de concreto do prédio
 2 Montante de perfil extrudado de alumínio
 3 Isolamento térmico rígido
 4 Grelha do forro externo suspenso
 5 Revestimento pré-fabricado de alumínio do forro externo
 6 Travessa de perfil de alumínio extrudado
 7 Esquadria encaixada da janela com vidro duplo
 8 Vidro duplo com isolamento térmico
 9 Forro interno fixado à grelha suspensa
 10 Esquadria de perfil extrudado de alumínio, com vedações
 11 Painel externo de sinalização gráfica
 12 Montante de sustentação do painel externo de sinalização gráfica
 13 Esquadria de perfil extrudado de alumínio, com vedações
 14 Travessa extrudada de alumínio de suporte da esquadria e do revestimento interno
 15 Peitoril interno
 16 Câmara de ar
 17 Bloco de suporte do peitoril interno
 18 Revestimento da parede interna
 19 Painel externo de sinalização gráfica com mísula oculta
 20 Painel de vidro duplo com isolamento térmico e painel posterior opaco
 21 Painel posterior pré-fabricado de alumínio com isolamento térmico rígido colado
 22 Cantoneira de fixação da fachada com parafusos semiocultos
 23 Vedação de silicone estrutural
 24 Travessa extrudada de alumínio
 25 Forro interno fixado à grelha suspensa
 26 Painel de vidro duplo com isolamento térmico

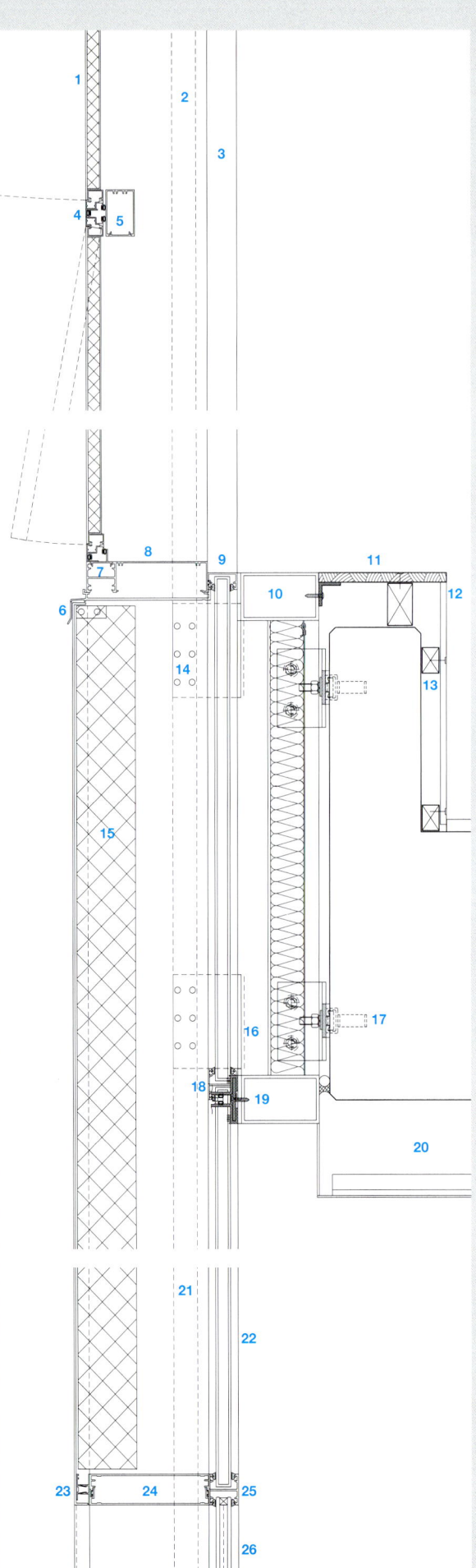

32.04
Detalhe do Painel Móvel e do Peitoril da Fachada de Painéis de Alumínio: Corte
1:10
 1 Painel de revestimento de alumínio com isolamento térmico rígido
 2 Montante de sustentação do painel externo de sinalização gráfica
 3 Montante de perfil extrudado de alumínio em vista
 4 Perfil extrudado de alumínio de acabamento da travessa
 5 Travessa de alumínio de sustentação do perfil
 6 Pingadeira de alumínio do peitoril
 7 Perfil extrudado de alumínio do painel móvel
 8 Peitoril de perfil extrudado de alumínio
 9 Chapa de alumínio dobrado de sustentação do peitoril
 10 Travessa interna
 11 Peitoril interno
 12 Revestimento da parede interna
 13 Câmara de ar
 14 Painel externo de sinalização gráfica com mísula oculta
 15 Isolamento térmico rígido fixado ao painel de revestimento da fachada
 16 Cantoneira de fixação da fachada com parafusos semiocultos
 17 Painel externo de sinalização gráfica com conexões ocultas
 18 Perfil de sustentação do painel de vidro
 19 Travessa intermediária de alumínio de sustentação do painel de vidro
 20 Forro interno fixado à grelha suspensa
 21 Montante de sustentação do painel externo de sinalização gráfica
 22 Janela com caixilho fixo e vidro duplo incolor com isolamento térmico
 23 Perfil de base do painel externo de sinalização gráfica
 24 Travessa extrudada de alumínio do painel externo de sinalização gráfica
 25 Caixilho fixo da vidraça
 26 Janela com caixilho fixo e vidro duplo incolor com isolamento térmico

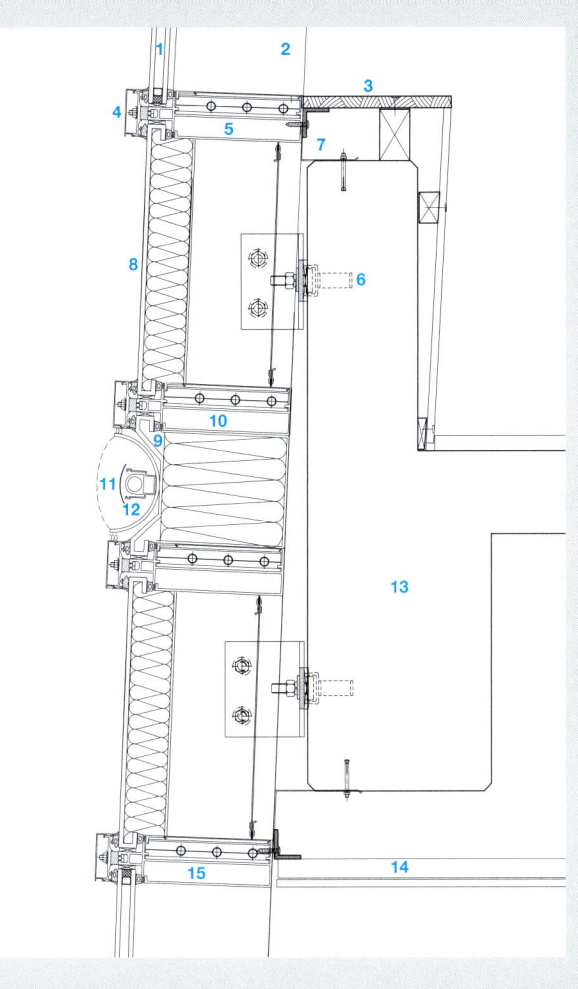

32.05
Detalhe de Seção Típica da Fachada: Corte
1:10
 1 Janela com caixilho fixo e vidro duplo com isolamento térmico
 2 Montante de perfil extrudado de alumínio em vista
 3 Peitoril interno
 4 Perfil extrudado de alumínio de acabamento da travessa
 5 Travessa extrudada de alumínio
 6 Cantoneira de sustentação de fachada Uni-Strut
 7 Perfil de chapa de aço inoxidável dobrada estanque ao ar
 8 Painel de tímpano de alumínio com isolamento térmico
 9 Perfil de apoio de chapa dobrada
 10 Travessa extrudada de alumínio
 11 LED
 12 Luminária
 13 Estrutura de concreto
 14 Forro interno fixado à grelha suspensa
 15 Travessa extrudada de alumínio

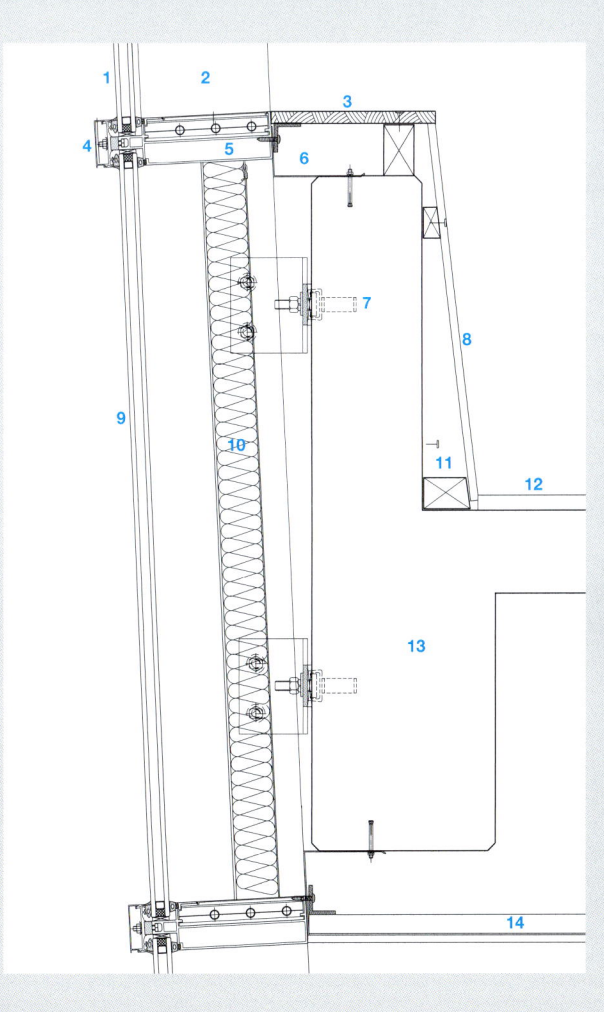

32.06
Detalhe de Seção Típica da Fachada no Painel de Tímpano: Corte
1:10
 1 Janela com caixilho fixo e vidro duplo com isolamento térmico
 2 Montante de perfil extrudado de alumínio em vista
 3 Peitoril interno
 4 Perfil extrudado de alumínio de acabamento da travessa
 5 Travessa extrudada de alumínio
 6 Perfil de chapa de aço inoxidável dobrada estanque ao ar
 7 Cantoneira de sustentação de fachada Uni-Strut
 8 Revestimento da parede interna
 9 Painel de tímpano de alumínio com isolamento térmico
 10 Isolamento térmico fixado ao painel de revestimento da fachada
 11 Bloco de suporte da parede interna
 12 Piso interno
 13 Estrutura de concreto
 14 Forro interno fixado à grelha suspensa

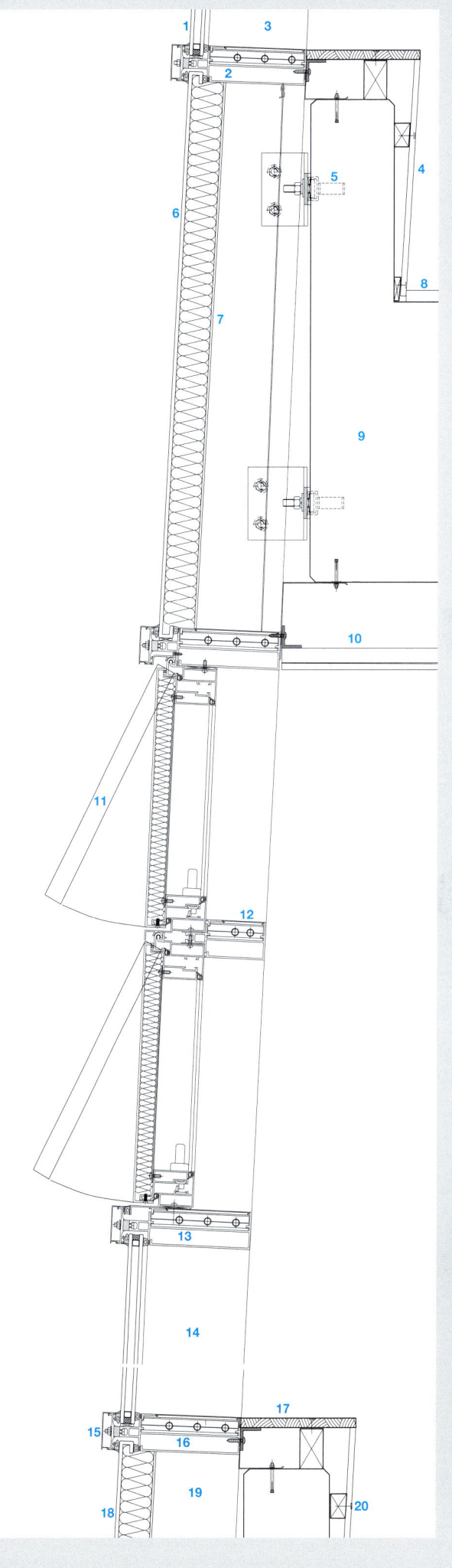

32.07
Detalhe de Seção Típica da Área de Parede com Painéis de Abrir: Corte
1:10
 1 Janela com caixilho fixo e vidro duplo com isolamento térmico
 2 Travessa extrudada de alumínio
 3 Montante de perfil extrudado de alumínio em vista
 4 Revestimento da parede interna
 5 Cantoneira de sustentação de fachada Uni-Strut
 6 Painel de tímpano de alumínio com isolamento térmico
 7 Isolamento térmico fixado ao painel de revestimento da fachada
 8 Piso interno
 9 Estrutura de concreto
 10 Forro interno fixado à grelha suspensa
 11 Painel metálico de abrir, sem vidros
 12 Travessa de perfil extrudado de alumínio
 13 Travessa de perfil extrudado de alumínio
 14 Montante de perfil extrudado de alumínio em vista
 15 Perfil extrudado de alumínio de acabamento da travessa
 16 Travessa extrudada de alumínio
 17 Revestimento da parede interna
 18 Painel de tímpano de alumínio com isolamento térmico
 19 Estrutura de concreto
 20 Revestimento da parede interna

Miralles Tagliabue – EMBT

**Sede da Natural Gas
Barcelona, Espanha**

Cliente
Torremarenostrum e Gas Natural

Equipe de Projeto
Josep Ustrell, Elena Rocchi, Andrea Salies Landell de Moura, Lluis Corbella, Roberto Sforza, Montse Galindo, Marco Dario Chirdel, Eugenio Cirulli, Adriana Ciocoletto, Liliana Sousa

Projeto Estrutural
MC2 Estudio de Ingenieria

Orçamentação
M.Roig i Assoc

Instalações Prediais
PGI Grup

A nova Sede da Natural Gas, localizada na orla marítima de Barcelona, bairro de La Barceloneta, trouxe a empresa de volta às suas origens. No terreno, encontrava-se a primeira estação de produção de gás natural da Espanha, construída há 160 anos. O edifício e sua relação com a periferia da cidade fazem da estrutura um importante ícone arquitetônico dentro de um grupo de edificações contemporâneas que está mudando a silhueta da cidade. O volume é fragmentado em uma série de construções que, juntas, formam um corpo único, o qual, por sua vez, responde às diferentes escalas da Barceloneta. O complexo inclui, além do bloco central de torres, três estruturas arquitetônicas adicionais – um edifício de quatro pavimentos na forma de uma queda d'água na direção do mar, um pavilhão horizontal com balanço de 35 metros em relação ao centro da torre, e, finalmente, um bloco pontiagudo acima da entrada principal. A parte mais baixa do último volume apresenta 100 painéis trapezoidais de vidro estratificado de diferentes tamanhos, extremamente rígidos e resistentes. O vidro espelhado altamente reflexivo utilizado para revestir toda a estrutura permite à edificação refletir o complexo contexto urbano, bem como o céu.

1 A Sede da Natural Gas situa-se em um bairro tradicional que apresenta uma grande diversidade de edifícios preexistentes. Em um contexto tão heterogêneo, a forte imagem arquitetônica criada pela EMBT consegue criar uma nova coerência para a Barceloneta.
2 A incorporação de um espaço paisagístico aberto na base da edificação fornece um espaço público muito importante para a área, além de definir a entrada.
3 Cada painel de vidro utilizado na fachada consiste em uma chapa interna de vidro temperado com oito milímetros de espessura, juntamente com um espaço de 1,52 milímetro e uma chapa externa de vidro temperado com oito milímetros de espessura.

33.01
Planta Baixa do Nível Sete
1:500
1. Equipamentos/Instalações prediais
2. Sala de reuniões
3. Escritório com planta livre
4. Escritório privativo
5. Escada de emergência
6. Banheiro
7. Elevadores
8. Elevador de carga
9. Escritório com planta livre
10. Escada de emergência
11. Banheiro
12. Escritório com planta livre
13. Sala de reuniões
14. Projeção do pavilhão conector
15. Equipamentos/Instalações prediais
16. Escada de emergência
17. Equipamentos/Instalações prediais
18. Elevadores
19. Escada de emergência
20. Elevador de carga
21. Banheiro
22. Escritório com planta livre
23. Sala de reuniões
24. Escritório com planta livre
25. Escritório com planta livre
26. Sala de reuniões

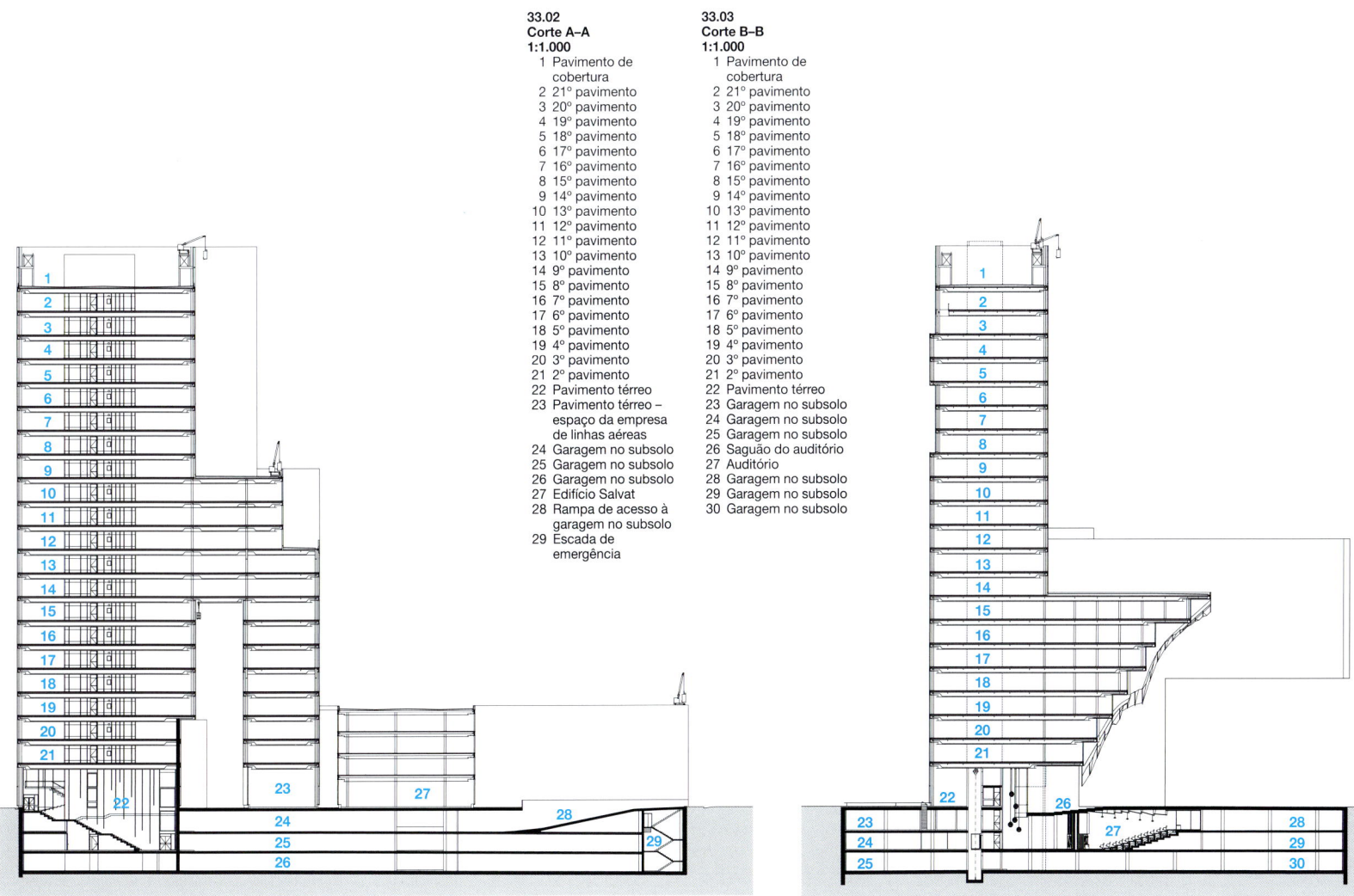

33.02
Corte A–A
1:1.000
1. Pavimento de cobertura
2. 21º pavimento
3. 20º pavimento
4. 19º pavimento
5. 18º pavimento
6. 17º pavimento
7. 16º pavimento
8. 15º pavimento
9. 14º pavimento
10. 13º pavimento
11. 12º pavimento
12. 11º pavimento
13. 10º pavimento
14. 9º pavimento
15. 8º pavimento
16. 7º pavimento
17. 6º pavimento
18. 5º pavimento
19. 4º pavimento
20. 3º pavimento
21. 2º pavimento
22. Pavimento térreo
23. Pavimento térreo – espaço da empresa de linhas aéreas
24. Garagem no subsolo
25. Garagem no subsolo
26. Garagem no subsolo
27. Edifício Salvat
28. Rampa de acesso à garagem no subsolo
29. Escada de emergência

33.03
Corte B–B
1:1.000
1. Pavimento de cobertura
2. 21º pavimento
3. 20º pavimento
4. 19º pavimento
5. 18º pavimento
6. 17º pavimento
7. 16º pavimento
8. 15º pavimento
9. 14º pavimento
10. 13º pavimento
11. 12º pavimento
12. 11º pavimento
13. 10º pavimento
14. 9º pavimento
15. 8º pavimento
16. 7º pavimento
17. 6º pavimento
18. 5º pavimento
19. 4º pavimento
20. 3º pavimento
21. 2º pavimento
22. Pavimento térreo
23. Garagem no subsolo
24. Garagem no subsolo
25. Garagem no subsolo
26. Saguão do auditório
27. Auditório
28. Garagem no subsolo
29. Garagem no subsolo
30. Garagem no subsolo

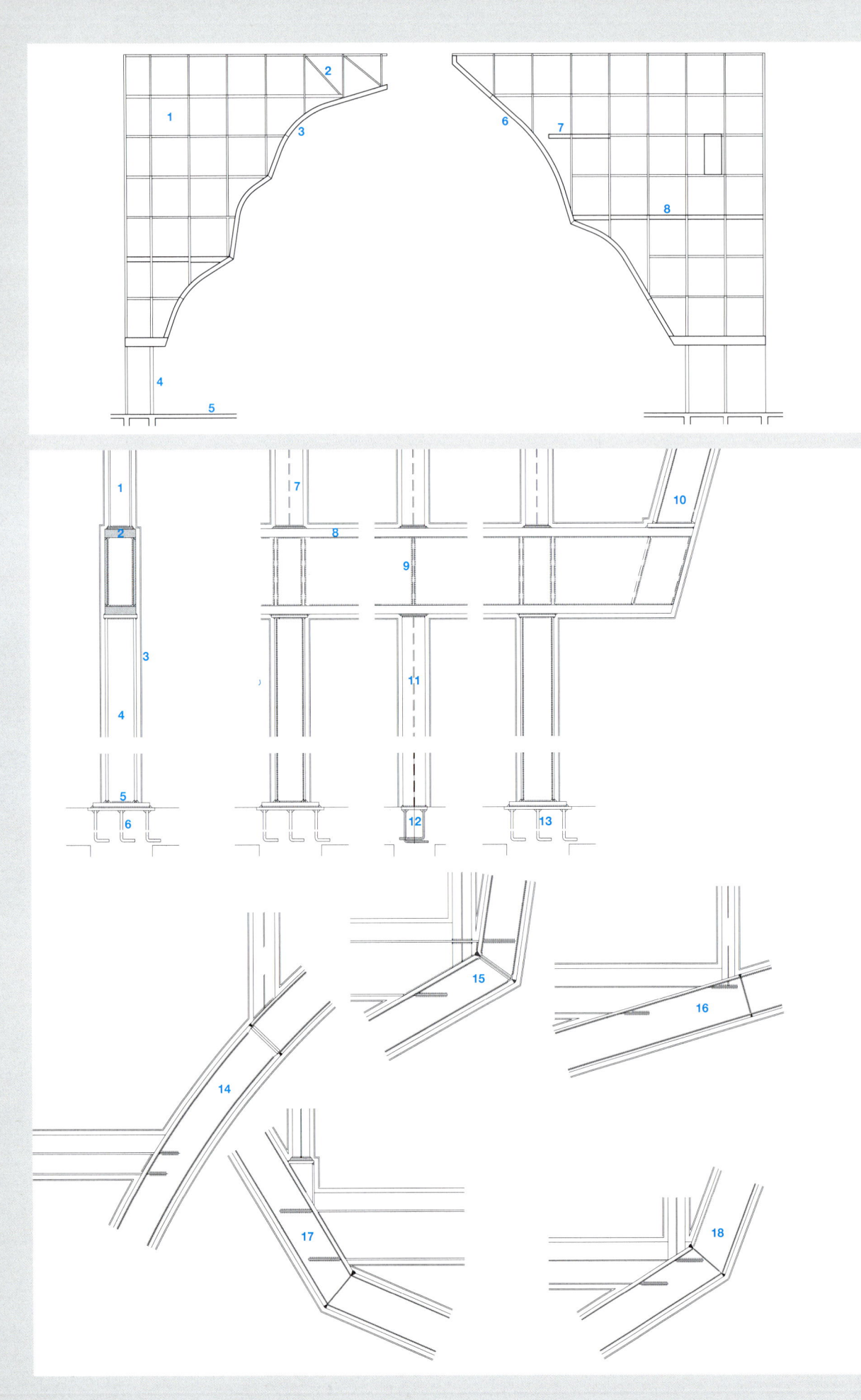

33.04
Detalhe da Pele de Vidro no Balanço: Corte 1:500
1 Sistema de fachada com vigas Vierendeel de aço em balanço
2 Contraventamento diagonal de aço
3 Viga-caixão de borda, em aço
4 Pilar de concreto armado até o piso térreo
5 Viga do piso térreo
6 Viga-caixão de borda, em aço
7 Viga em balanço
8 Viga

33.05
Detalhe da Estrutura de Aço do Balanço: Corte 1:50
1 Pilar de aço estrutural
2 Viga-caixão pré-fabricada
3 Camada contra-fogo jateada
4 Pilar de aço com reforços
5 Chapa de base de aço e conexões parafusadas
6 Sistema de ancoragem da chapa de base na viga de concreto armado
7 Pilar de aço estrutural
8 Viga de aço
9 Viga de aço
10 Viga-caixão de aço
11 Pilar de aço com reforços
12 Sistema de ancoragem da chapa de base na viga de concreto armado
13 Sistema de ancoragem da chapa de base na viga de concreto armado
14 Viga-caixão curva entre as vigas horizontais e os pilares
15 Viga-caixão em ângulo entre as vigas horizontais e os pilares
16 Viga-caixão inclinada entre as vigas horizontais e os pilares
17 Viga-caixão em ângulo entre as vigas horizontais e os pilares
18 Viga-caixão em ângulo entre as vigas horizontais e os pilares

33.06
Detalhe de Seção Típica da Pele de Vidro: Corte 1:20
1 Sistema de parede-cortina de alumínio
2 Piso elevado
3 Pedestais reguláveis para ajustar a altura do piso elevado
4 Laje de piso de concreto
5 Formas de aço corrugadas incorporadas à laje de piso (sistema *steel deck*)
6 Painel de tímpano de vidro
7 Isolamento térmico rígido
8 Tubo de água do sistema de *sprinklers*
9 Viga de aço de perfil I com proteção contra fogo pulverizada
10 Travessa da pele de vidro
11 Caixa embutida da persiana de enrolar
12 Painel do forro suspenso
13 Barra de alumínio de sustentação do forro suspenso
14 Luminária com lâmpadas fluorescentes no perímetro do forro
15 Painéis de forro suspenso de metal de 300 × 1200 mm
16 Barra de alumínio de sustentação do forro suspenso
17 Luminária embutida em caixa de chapa de alumínio dobrada
18 Parede do núcleo estrutural do prédio
19 Painéis de forro suspenso de metal
20 Pilarete de aço de 760 × 130 × 2800 mm
21 Chapa de metal sobre viga-caixão de aço

145

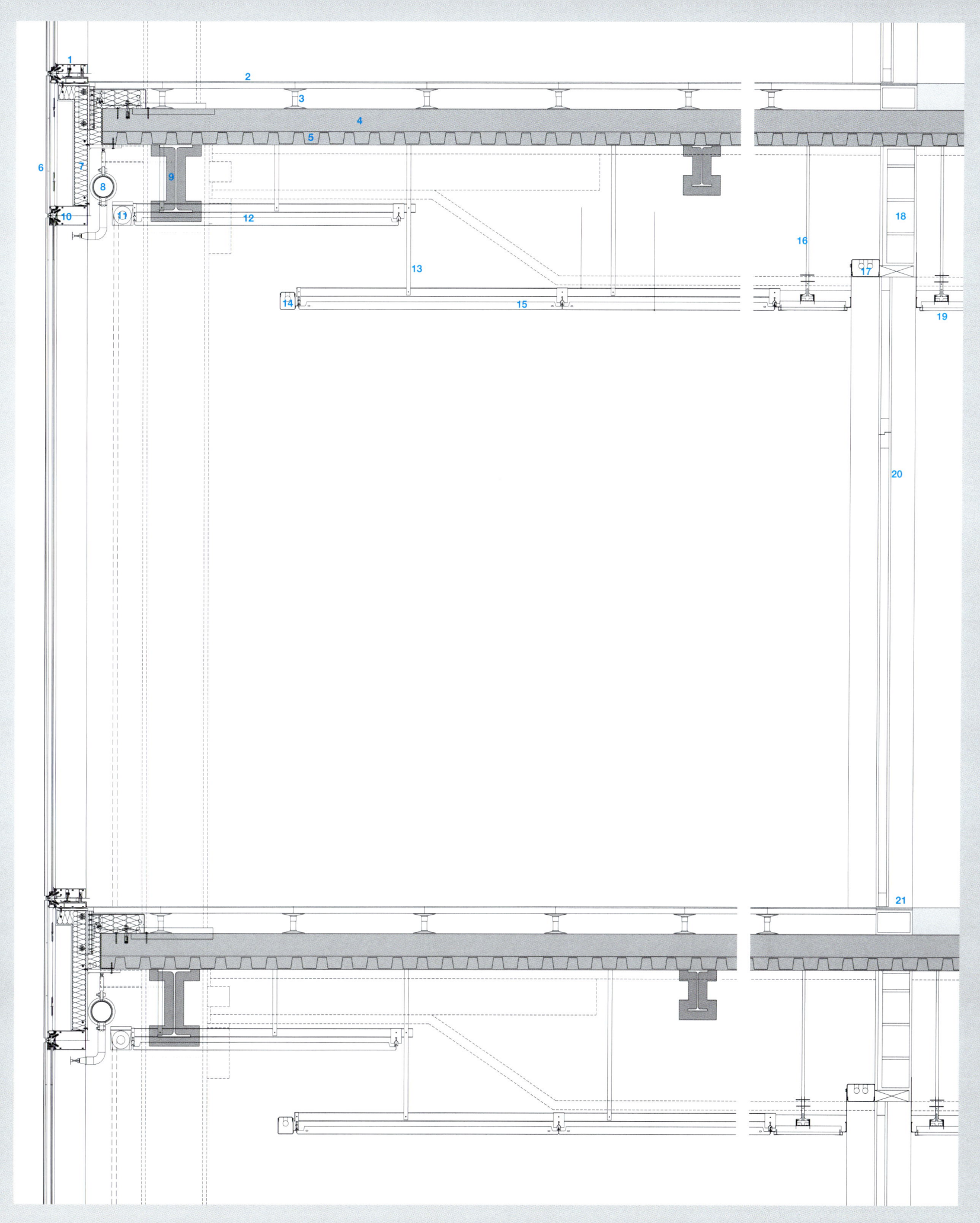

Murphy / Jahn

Sede da Merck-Serono
Genebra, Suíça

Cliente
Merck–Serono

Equipe de Projeto
Helmut Jahn, Sam Scaccia, Gordon Beckman, Scott Pratt, Stephen Kern, Oliver Henninger, Ingo Jannek, Tobias Dold, Robert Muller, Susan Pratt, John DeSalvo, Joachim Schüssler, Joan Hu, Michaela Fuchs, Bärbel Rudloff, Scott Becker, Christian Goebel, Christian Meyer, Anke Wolbrink, Michael Geroulis

Projeto Estrutural
Thomas Jundt Ingénieurs

Construção
Steiner Total Services Contractor

O terreno situa-se em um antigo distrito industrial próximo ao Lago Genebra, ocupado por grandes edifícios industriais, alguns dos quais tiveram de ser preservados. A irregularidade do terreno e os diversos usos dos edifícios, que incluem escritórios, laboratórios, restaurantes, lojas e salas de reuniões, permitiram aos arquitetos criar um *campus* cheio de vida, utilizando uma linguagem arquitetônica comum e contínua. Uma rede de espaços abertos e cobertos leva à sede central da Merck-Serono, com cobertura de vidro de abrir e grandes portas de vidro pivotantes que esmaecem as fronteiras entre o interior e o exterior. A conectividade do nível térreo se mantém nas passarelas dos pavimentos superiores, conectadas por escadas abertas e elevadores panorâmicos.

O projeto baseia-se em conceitos tais como iluminação diurna, ventilação natural, energia solar, uso de recursos naturais, minimização de equipamentos mecânicos e na ideia de que um edifício deve ser capaz de modular seu próprio clima. Isso fica evidente na pele de vidro permeável que lida, de maneira eficiente, com a ventilação natural e o sombreamento externo. O vidro com alto valor isolante, alta absorção solar e refletividade e transmissão máxima da luz diurna garante uma vedação com propriedades físicas ideais e também os controles climáticos desejados. A calefação e a refrigeração integradas às lajes de piso proporcionam condicionamento de ar básico, enquanto o ar externo é utilizado na calefação e refrigeração adicionais, quando necessário. Esses sistemas, componentes e materiais também determinam a estética, elevando os sistemas necessários à edificação ao nível de obras de arte.

1 Imagem da praça de entrada da Sede da Merck-Serono. A vegetação, que avança continuamente do exterior para o interior, reforça a meta da conectividade e a ideia de um lugar unificado.
2 A pele de vidro apresenta um sistema integrado de brises que promove a circulação do ar sem a necessidade de condicionamento do ar; enquanto isso, grandes portas de vidro pivotantes conduzem ao belíssimo espaço de entrada. Aqui, árvores plantadas no átrio aumentam ainda mais a conexão com a paisagem externa.
3 Uma rede de espaços abertos, cobertos ou conversíveis percorre o *campus*, como um diagrama público de ruas e locais.
4 As escadas soltas e os elevadores panorâmicos nos pavimentos superiores dão continuidade ao tema da conectividade.

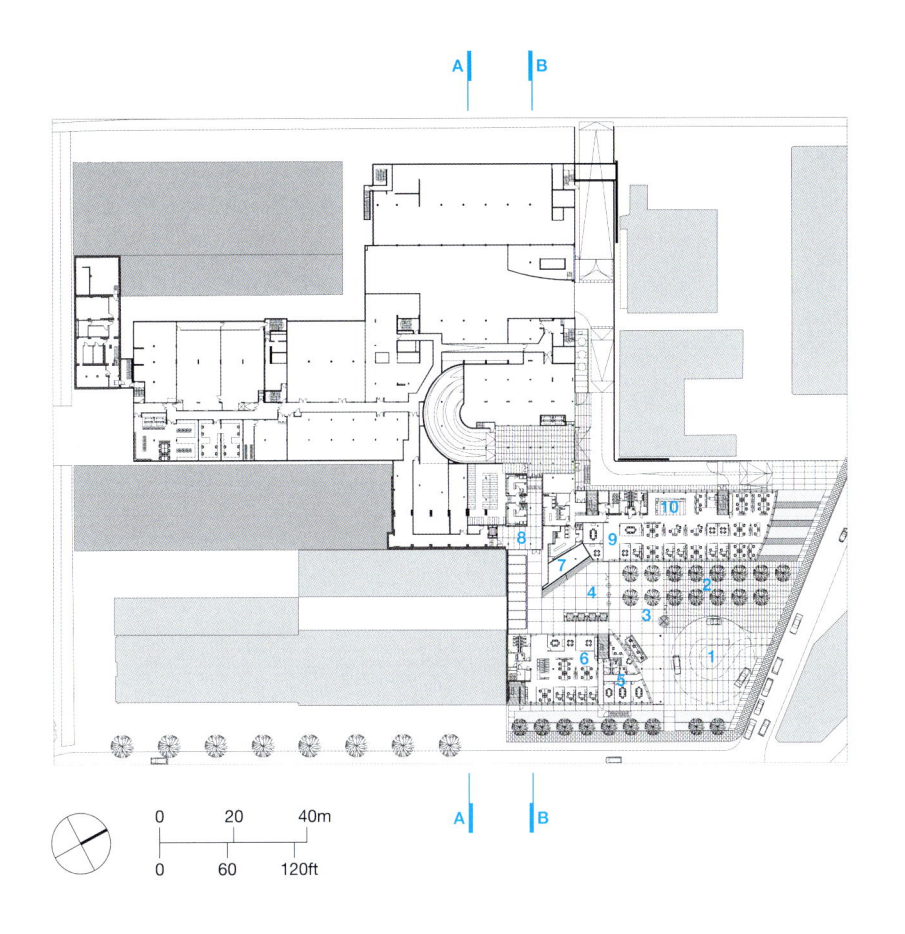

34.01
Planta Baixa do Pavimento Térreo
1:2.000
1. Área de desembarque de automóveis
2. Praça
3. Recepção
4. Átrio
5. Salas de reuniões
6. Escritório
7. Escada monumental do Forum
8. Entrada de funcionários
9. Escritório
10. Arquivos

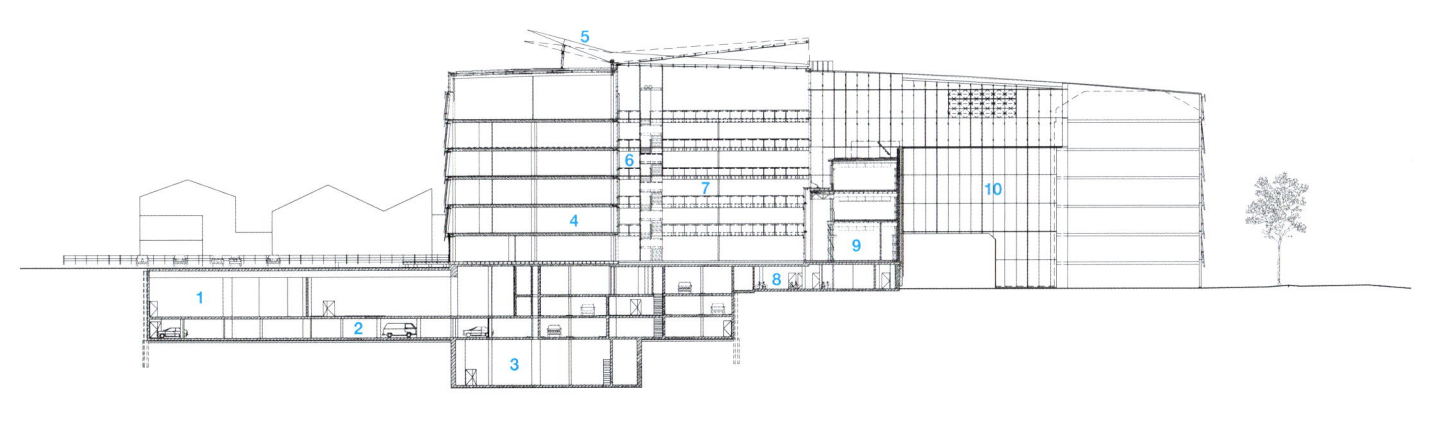

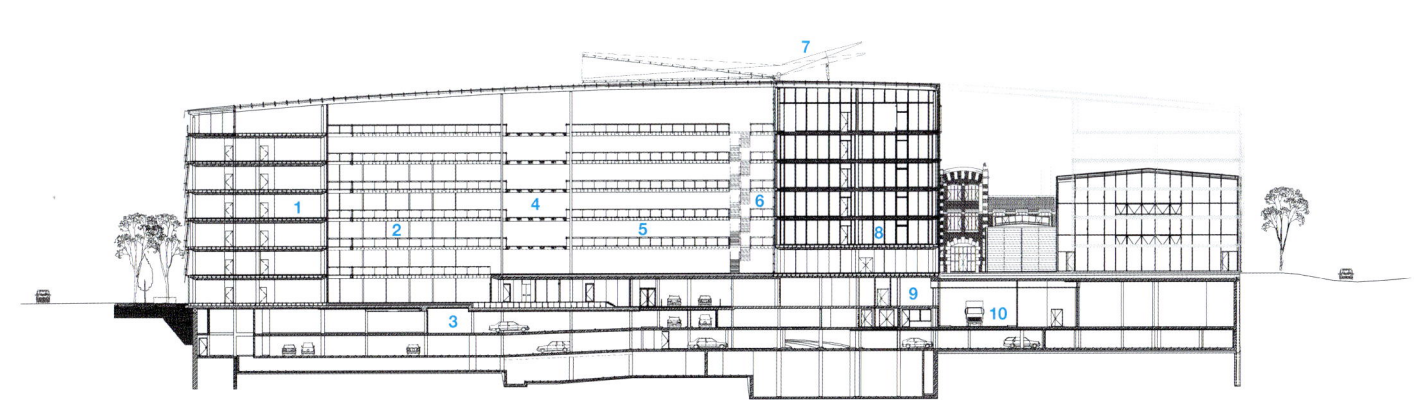

34.02
Corte A–A
1:1.000
1. Doca de carga e descarga
2. Garagem
3. Casa de máquinas
4. Laboratório
5. Cobertura de vidro de abrir
6. Núcleo de circulação vertical
7. Forum
8. Áreas de suporte do laboratório
9. Escritório
10. Edifício contíguo

34.03
Corte B–B
1:1.000
1. Escritório
2. Átrio
3. Garagem
4. Áreas de encontros informais
5. Passarelas de pedestres e Forum
6. Núcleo de circulação vertical
7. Cobertura de vidro de abrir
8. Laboratório
9. Áreas de suporte do laboratório
10. Acesso à doca de carga e descarga

147

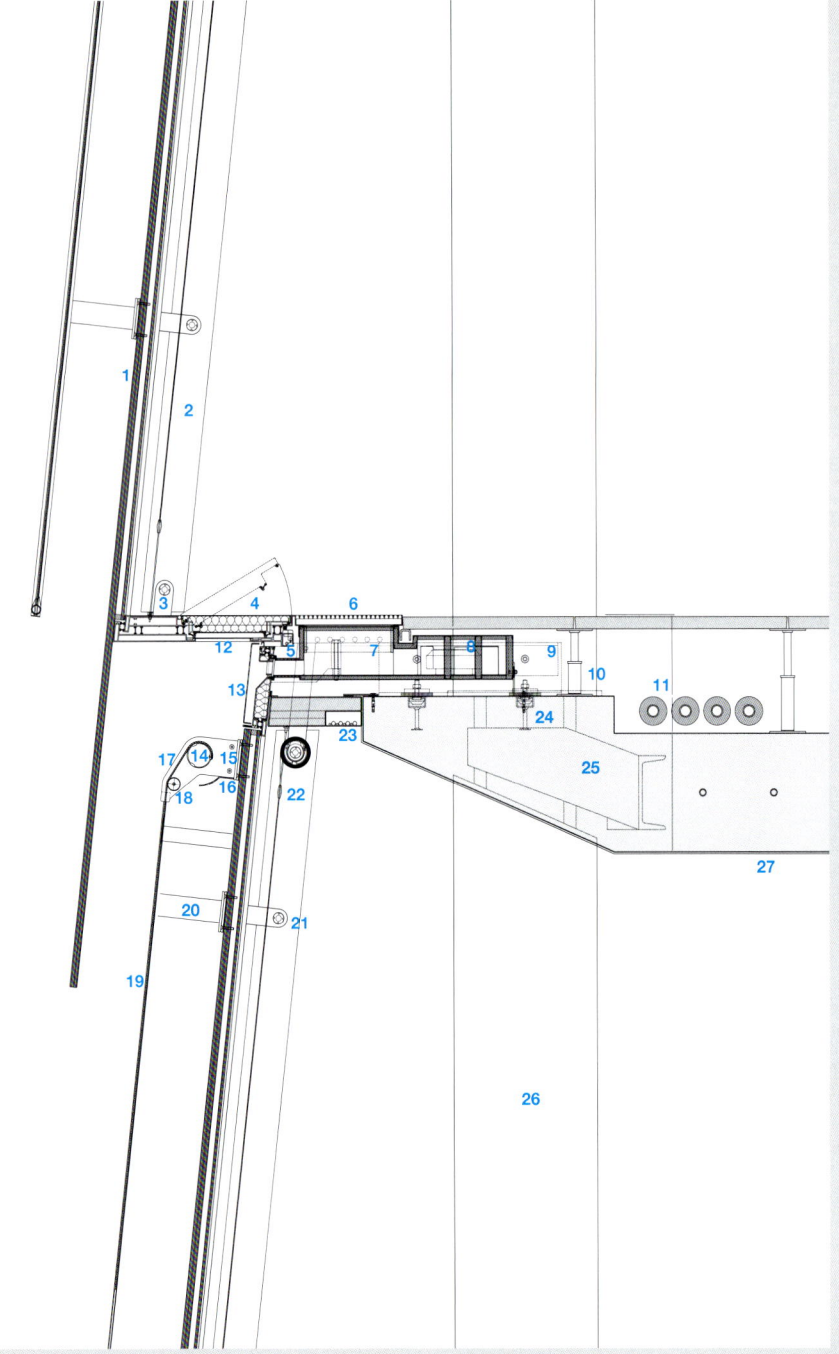

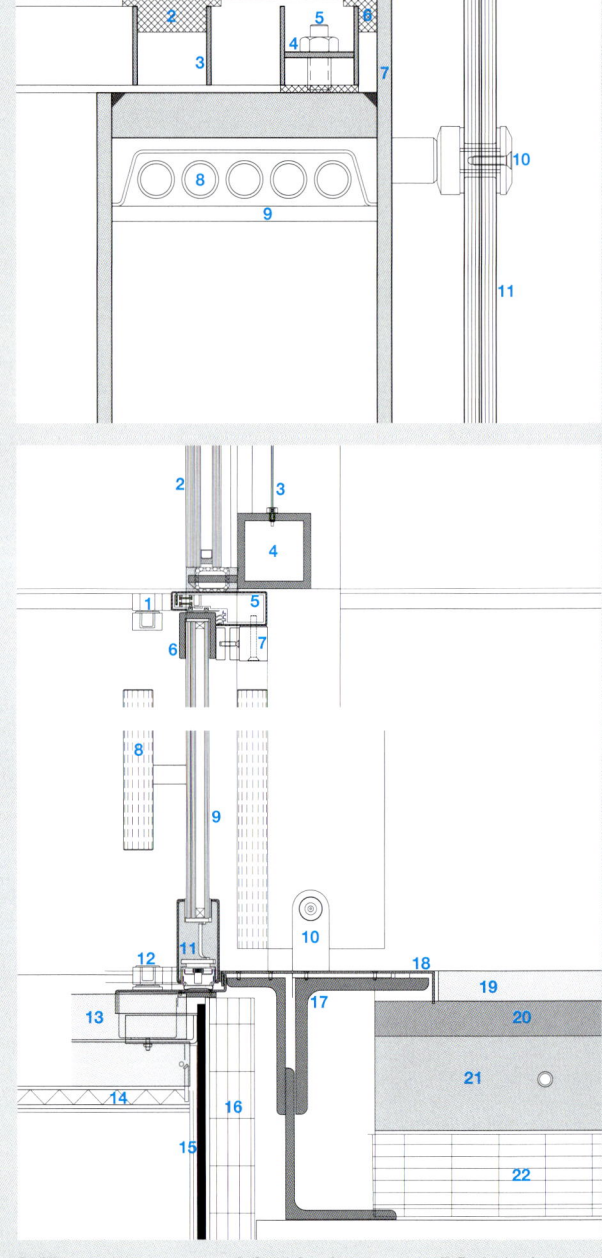

34 Murphy / Jahn   Sede da Merck-Serono   Genebra, Suíça

**34.04
Detalhe da Fachada:
Corte
1:20**

1 Vidro duplo com isolamento térmico
2 Montante de aço inoxidável
3 Soleira em perfil extrudado de alumínio anodizado, sem ponte térmica
4 Painel de abrir de aço inoxidável com isolamento térmico, face externa de alumínio anodizado e face interna de aço inoxidável com acabamento pontilhado e acetinado
5 Mecanismo embutido com motor e corrente
6 Grelha de piso de aço inoxidável com acabamento escovado acetinado
7 Perfil de borda do piso elevado
8 Unidade de ventilação embutida com amortecedor acústico e registro para a tomada de ar
9 Ancoragem regulável da parede-cortina
10 Pontalete do sistema de piso elevado
11 Tubulação periférica de insuflamento e retorno de ar
12 Tela de alumínio
13 Painel de tímpano pré-fabricado de chapa perfurada de alumínio anodizado após a fabricação
14 Caixa da persiana de enrolar em chapa extrudada de alumínio
15 Estabilizador da vidraça em aço inoxidável fundido e suporte da cortina
16 Amortecedor pré-fabricado da persiana em aço inoxidável perfurado
17 Perfil de aço inoxidável e rolete da persiana pré-fabricados
18 Rolete guia com acabamento similar ao do tecido da persiana de fios de aço inoxidável
19 Trilho de aço inoxidável com acabamento escovado acetinado
20 Estabilizador da vidraça em aço inoxidável
21 Fixador da vidraça em aço inoxidável
22 Barra de bainha de perfil extrudado de alumínio da persiana de enrolar
23 Perfil de aço inoxidável com bandeja interna para cabos e proteção contra fogo
24 *Insert* de aço fundido na laje de concreto
25 Laje de piso de concreto armado
26 Pilar de concreto centrifugado pré-fabricado
27 Reboco

**34.05
Detalhe da Fachada e do Piso de Vidro do Saguão: Corte
1:5**

1 Painel de piso de vidro laminado temperado incolor e com baixo teor de ferro
2 Suporte de borracha de silicone transparente
3 Suporte do piso de vidro em grade de aço inoxidável instalada sob pressão, com acabamento escovado acetinado feito antes da montagem
4 Travamento de chapa de aço inoxidável soldada à grade de suporte do piso de vidro
5 Parafuso de ancoragem
6 Perfil de borda extrudado de EPDM de cor preta
7 Viga mestra de perfil de aço tubular retangular composto conectada à passarela
8 Conduítes de aço galvanizado fixados às chapas de rigidez da viga mestra
9 Chapa de rigidez interna em aço
10 Sistema de fixação com parafuso, de aço inoxidável reforçado e acabamento escovado acetinado
11 Chapa de vidro laminado, temperado, incolor e com baixo teor de ferro fixado com parafusos e em balanço

**34.06
Detalhe da Porta de Vidro: Corte
1:10**

1 Pivô da porta deslocado
2 Vidro duplo com isolamento térmico
3 Cabo
4 Perfil de sustentação da vidraça
5 Batente da porta
6 Travessa superior da porta, em aço inoxidável
7 Fechador de porta automático e magnético
8 Maçaneta da porta
9 Porta de vidro duplo com isolamento térmico
10 Batedor de porta
11 Travessa inferior da porta, em aço inoxidável
12 Pivô da porta deslocado
13 Fechador de porta automático embutido no piso
14 Piso externo
15 Impermeabilização
16 Isolamento térmico
17 Cantoneira de aço de base da soleira da porta
18 Soleira de aço inoxidável
19 Piso interno de pedra natural
20 Capa de regularização de argamassa
21 Laje de concreto com sistema de calefação (piso radiante)
22 Isolamento térmico

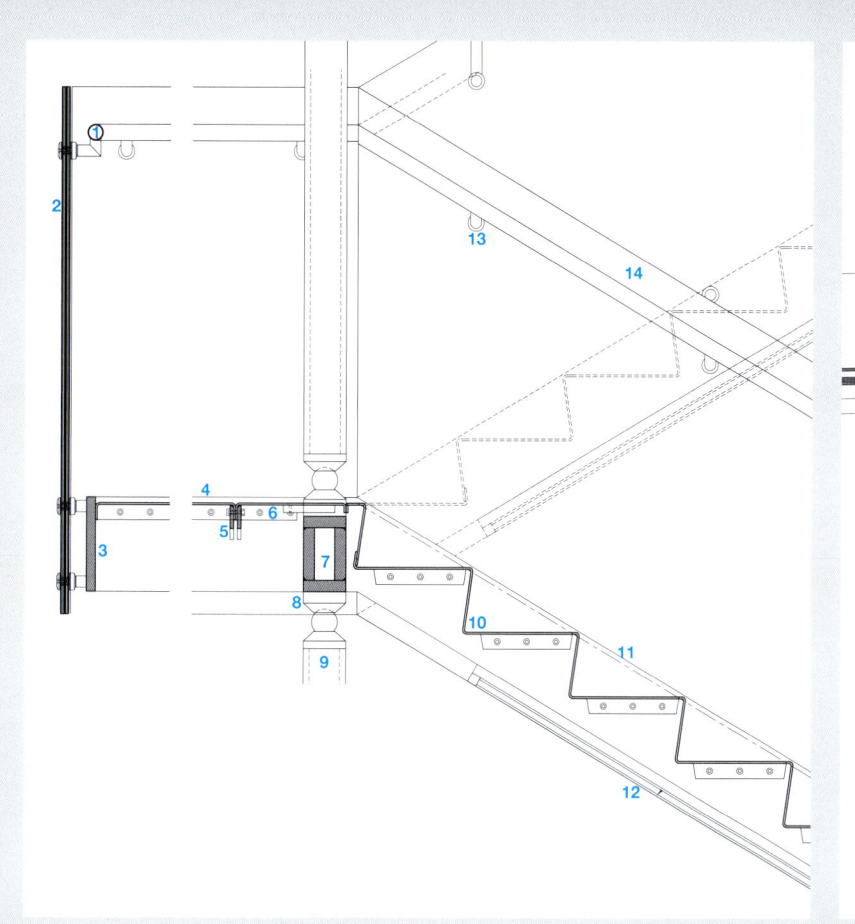

**34.07
Detalhe da Escada do
Saguão: Corte
1:20**
1 Suporte de corrimão de aço inoxidável parafusado, com acabamento escovado acetinado
2 Chapa de vidro laminado, temperado, incolor e com baixo teor de ferro fixado com parafusos
3 Banzo de chapa de aço inoxidável
4 Banzo de chapa de aço inoxidável
5 Chapa de rigidez de aço inoxidável, com seção variável e acabamento escovado acetinado
6 Patamar de chapa de aço inoxidável perfurada, dobrada e com acabamento escovado acetinado
7 Viga transversal da escada em perfil tubular de chapas de aço soldadas
8 Nó de aço
9 Coluna de aço em perfil tubular redondo sem costura com suportes esféricos
10 Pisos e espelhos dos degraus em chapa de aço inoxidável dobrada e com padrão de perfuração alternado
11 Banzo de chapa de aço inoxidável
12 Chapa de vidro laminado, temperado, incolor e com baixo teor de ferro fixado com parafusos e em balanço
13 Suporte de corrimão de aço inoxidável parafusado, com acabamento escovado acetinado
14 Chapa de vidro laminado, temperado, incolor e com baixo teor de ferro fixado com parafusos

**34.08
Detalhe da Borda da
Cobertura do Forum
Superior: Corte
1:10**
1 Painel de cobertura com vidro duplo com isolamento térmico
2 Perfil de envidraçamento secundário
3 Perfil de envidraçamento principal
4 Pingadeira
5 Perfil com isolamento térmico
6 Bloco de suporte e pivô da cobertura de abrir
7 Rufo
8 Telhado de metal com juntas verticais
9 Vidro duplo com isolamento térmico
10 Suporte de aço inoxidável fundido da vidraça
11 Montante de aço inoxidável
12 Perfil de acabamento contínuo de chapa dobrada de aço inoxidável
13 Duto de chapas de aço soldadas
14 Isolamento térmico
15 Forro de painéis de alumínio anodizado com sistema de suspensão oculto
16 Longarina de chapas de aço soldadas
17 Coluna de aço em perfil tubular redondo sem costura com conexões articuladas no topo e na base

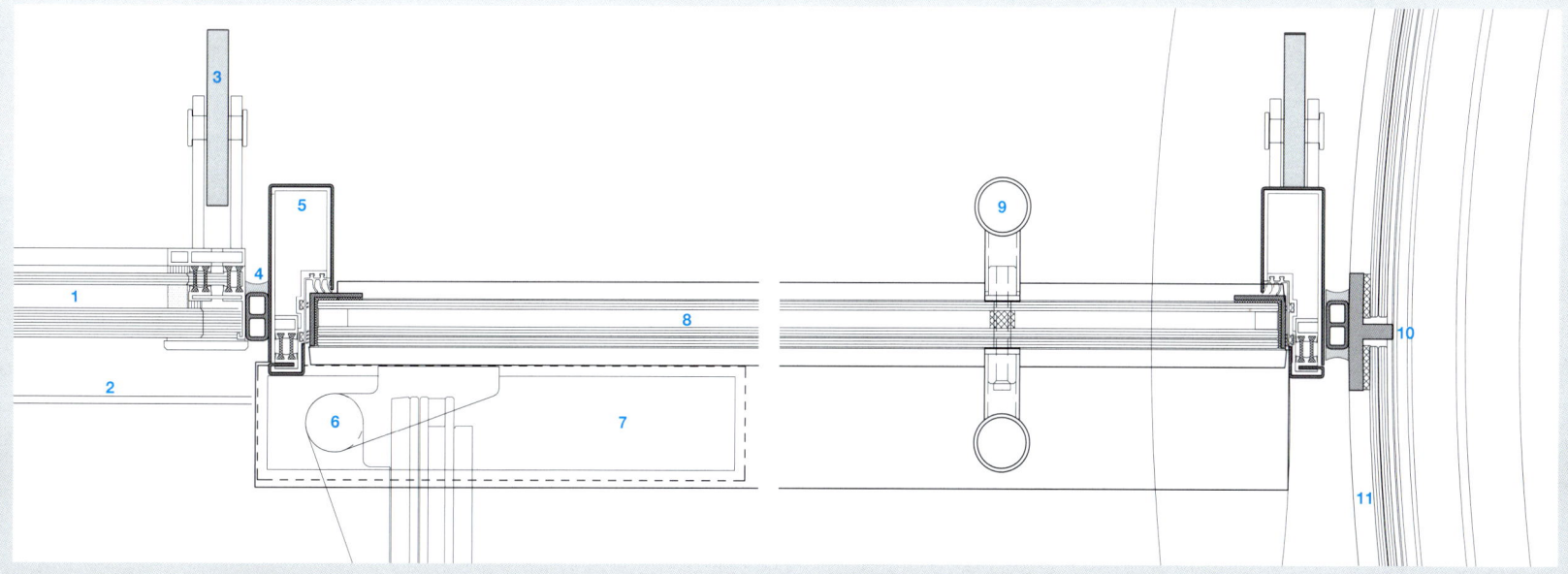

**34.09
Detalhe da Folha
Lateral da Porta
Giratória: Planta Baixa
1:5**
1 Vidro duplo com isolamento térmico
2 Calha de drenagem no piso
3 Montante de aço inoxidável
4 Vedação
5 Porta giratória de vidro sem quadro e assistida por motor elétrico
6 Dobradiça pivotante deslocada de aço inoxidável e com revestimento de alumínio
7 Mecanismo automático de fechamento com sistema embutido para manter a porta aberta
8 Folha da porta em vidro duplo
9 Maçaneta da porta em aço inoxidável com acabamento escovado acetinado
10 Perfil de aço inoxidável
11 Painéis curvos de lateral da porta giratória em vidro laminado

35
Barkow Leibinger Architects

Edifício TRUTEC
Seul, Coreia do Sul

Cliente
TKR Sang-Am

Equipe de Projeto
Martina Bauer, Matthias Graf von Ballestrem, Markus Bonauer, Michael Schmidt, Elke Sparmann, Jan-Oliver Kunze

Projeto Estrutural
Schlaich Bergermann and Partner, Jeon and Lee Partners

Construção
Dongbu Corporation

A Digital Media City localiza-se em Seul, entre o aeroporto internacional e o centro da cidade. Em função da incerteza dos prédios vizinhos nessa nova área urbana, o projeto do edifício da TRUTEC não foi contextualizado propositalmente. O edifício de 12 pavimentos foi revestido por uma pele de chapas de vidro facetadas refletivas, articuladas em uma série de elementos cristalinos projetados. Esse padrão refrata a luz e as imagens, transformando a fachada em uma superfície abstrata, onde imagens contextuais como edifícios, tráfego, pedestres e o clima fragmentam-se no vidro. O núcleo do edifício foi colocado na extremidade leste da edificação e revestido com placas de zinco escuras. Essa localização facilita a colocação de grandes espaços para alugar voltados para a rua ou para a lateral perto da entrada do estacionamento. O pavimento térreo contém um *showroom* sem colunas e com pé-direito duplo, além de um saguão com o mezanino parcial do primeiro pavimento, que funciona como a cafeteria do edifício. O segundo e o terceiro pavimentos oferecem espaço adicional para o *showroom*, ao passo que os sete pavimentos superiores acomodam os escritórios. A fachada segue até o jardim do 12º pavimento, que age como um pátio ao ar livre entre o núcleo e a fachada. Um grande recorte triangular, que exagera o sistema de dobras das fachadas, demarca a entrada formal do edifício.

1 O edifício situa-se dentro de um novo parque industrial em Seul, e, como os prédios vizinhos ainda não foram construídos, não foi contextualizado de maneira audaciosa.

2 O revestimento externo consiste em um sistema de vidros espelhados fractais articulados em uma série de painéis com a forma de cristais, que se projetam 20 centímetros em relação à superfície da edificação.

3 Detalhe da fachada de vidro multifacetada.

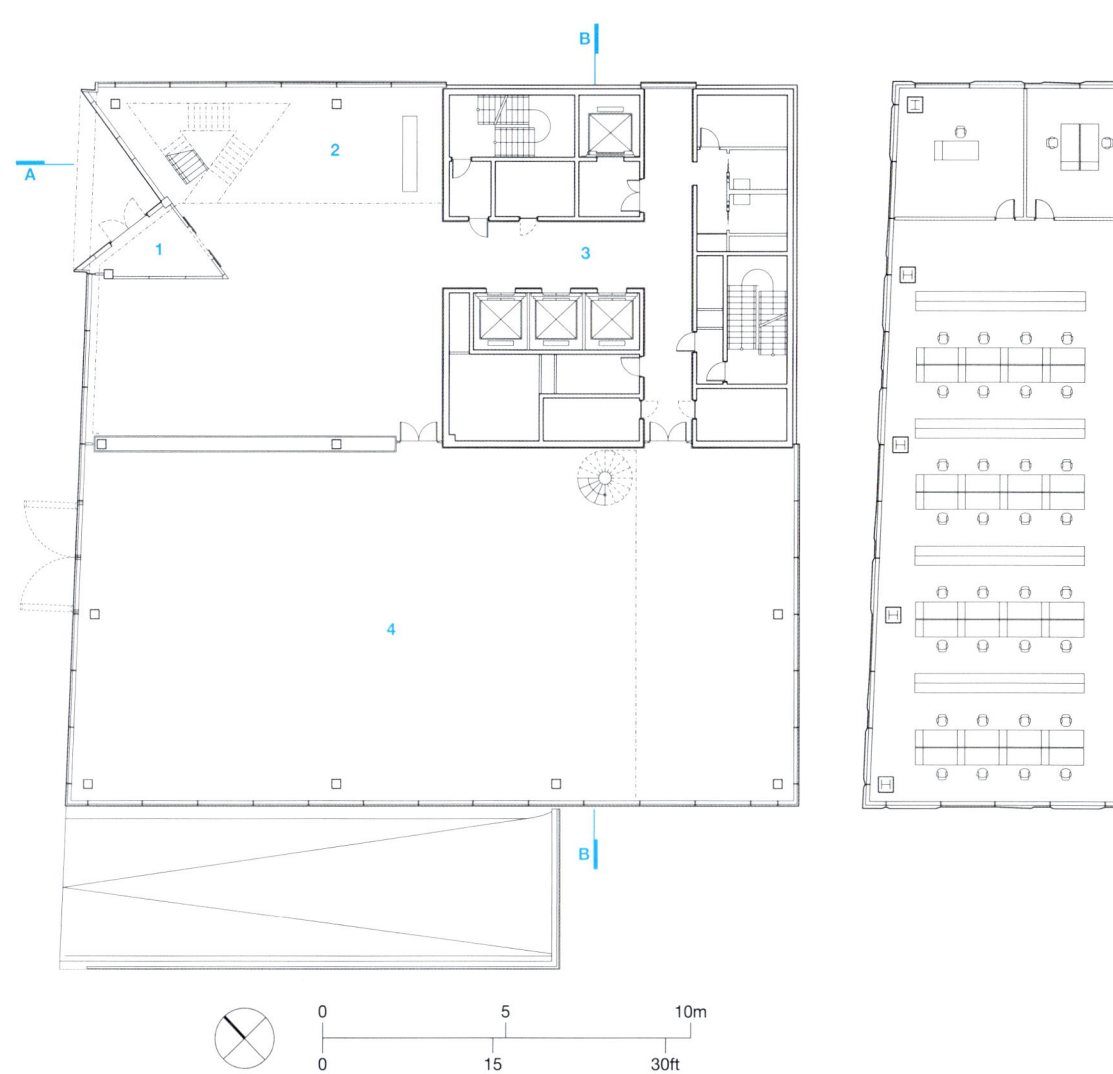

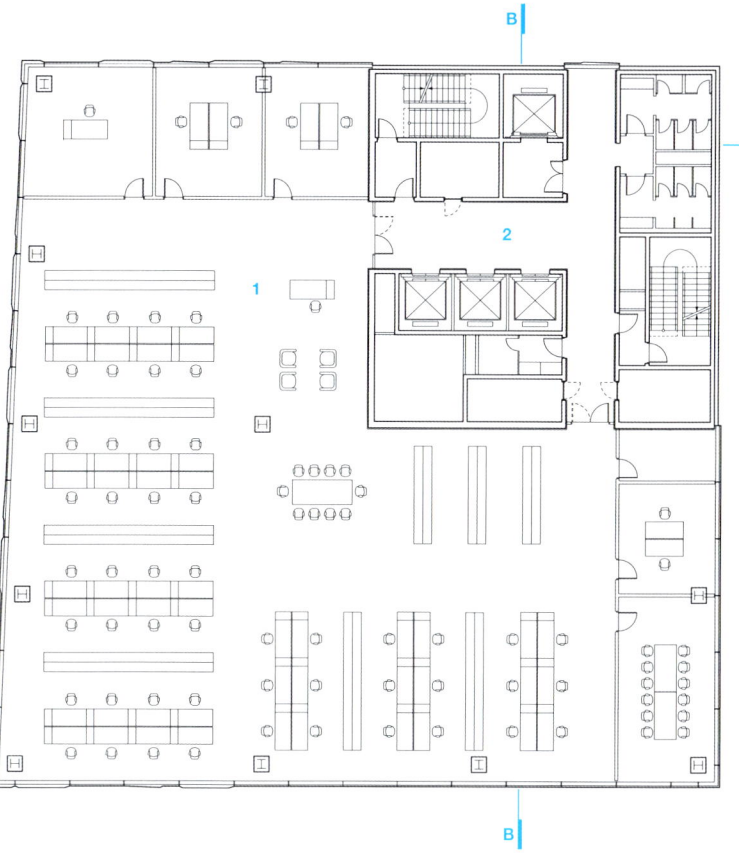

35.01
Planta Baixa do Pavimento Térreo
1:200
1 Vestíbulo
2 Saguão
3 Núcleo de circulação vertical e instalações prediais
4 Centro de aplicação

35.02
Planta Baixa do Sexto Pavimento
1:200
1 Escritório
2 Núcleo de circulação vertical e instalações prediais

35.03
Corte A–A
1:500
1 Subsolo
2 Showroom do pavimento térreo
3 Café do mezanino
4 Pavimentos do showroom
5 Pavimentos dos escritórios
6 Escada de emergência
7 Caixa do elevador
8 Poço de instalações prediais

35.04
Corte B–B
1:500
1 Subsolo
2 Showroom do pavimento térreo
3 Café do mezanino
4 Pavimentos do showroom
5 Pavimentos dos escritórios
6 Núcleo de circulação vertical

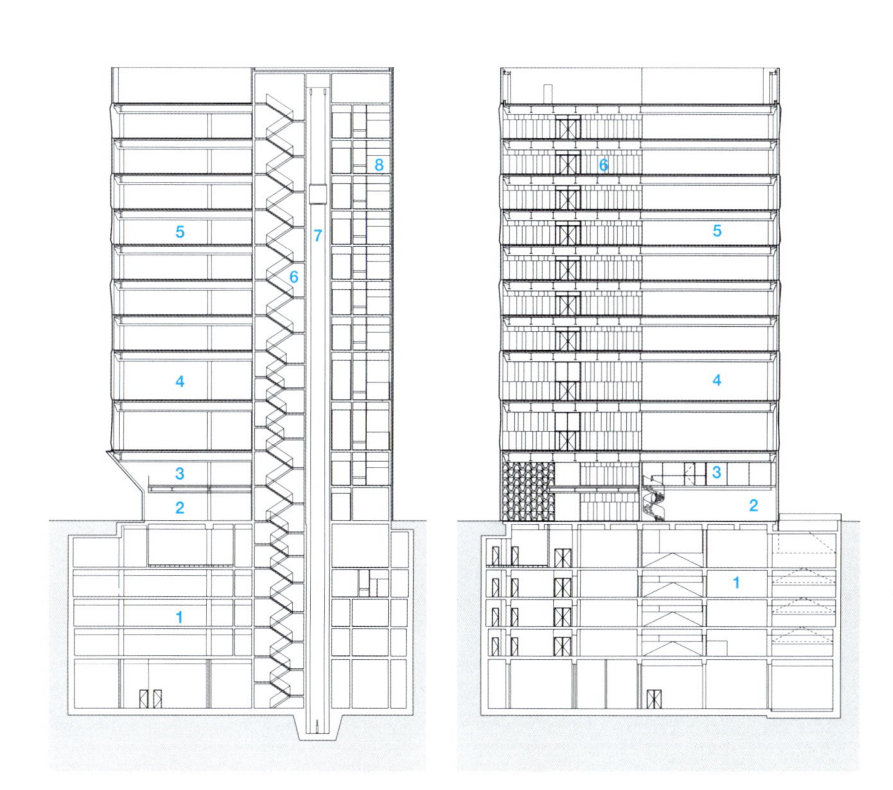

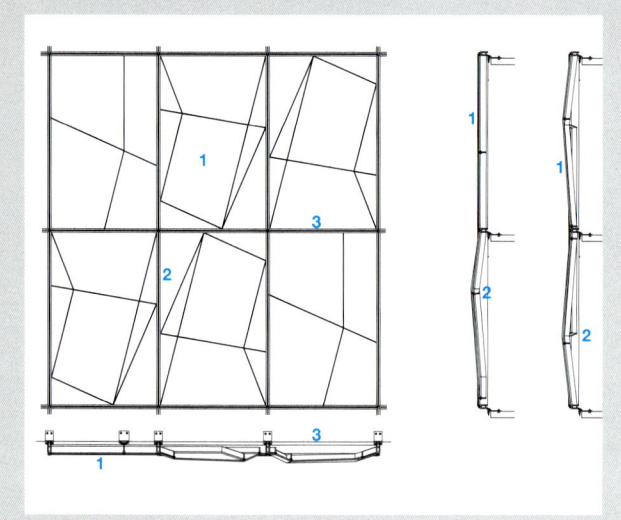

35 Edifício TRUTEC   Barkow Leibinger Architects   Seul, Coreia do Sul

35.05
Detalhe da Fachada:
Elevação, Cortes e
Planta Baixa
1:100
1 Vidraça plana
2 Vidraça facetada
3 Vidraça facetada
girada em 180 graus

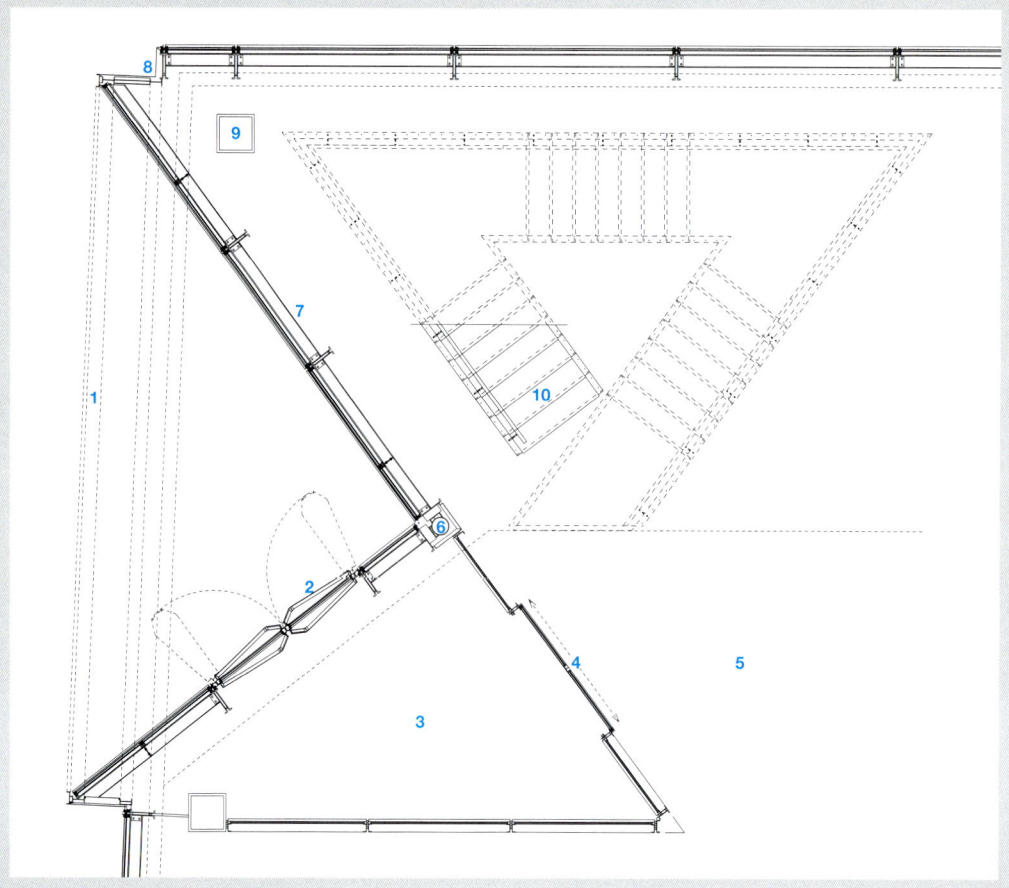

35.06
Detalhe 1 das Portas de
Entrada do Pavimento
Térreo: Planta Baixa
1:50
1 Projeção da pele de vidro
2 Portas de entrada em vidro
3 Vestíbulo
4 Portas de vidro corrediças
5 Saguão
6 Pilar de aço
7 Pele de vidro
8 Detalhe da ombreira da quina
9 Pilar de aço
10 Escada solta que leva ao mezanino

35.07
Detalhe 2 das Portas de
Entrada do Pavimento
Térreo: Planta Baixa
1:10
1 Pilar de aço
2 Painel de fachada típico
3 Motor de acioamento do painel de fachada móvel
4 Braço telescópico acionado pelo motor
5 Barra de rigidez da estrutura
6 Guias de piso
7 Vidro duplo com isolamento térmico e baixo valor-E

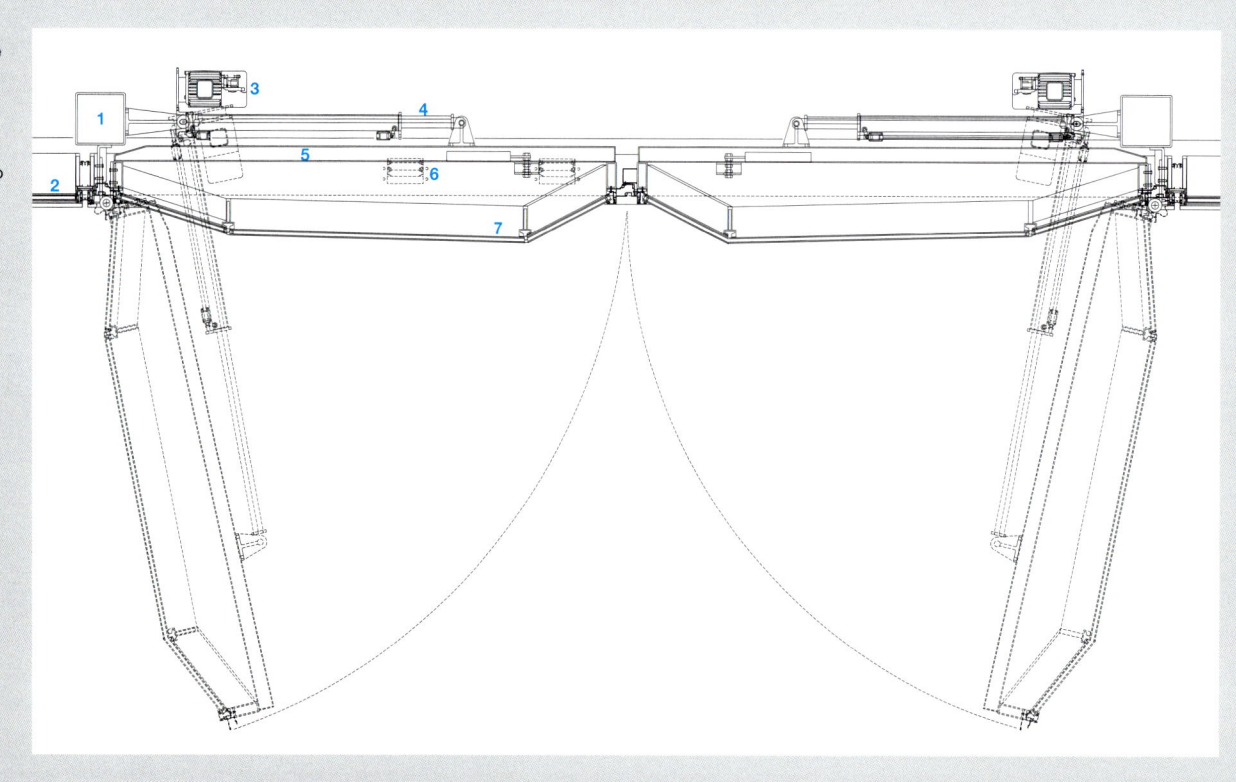

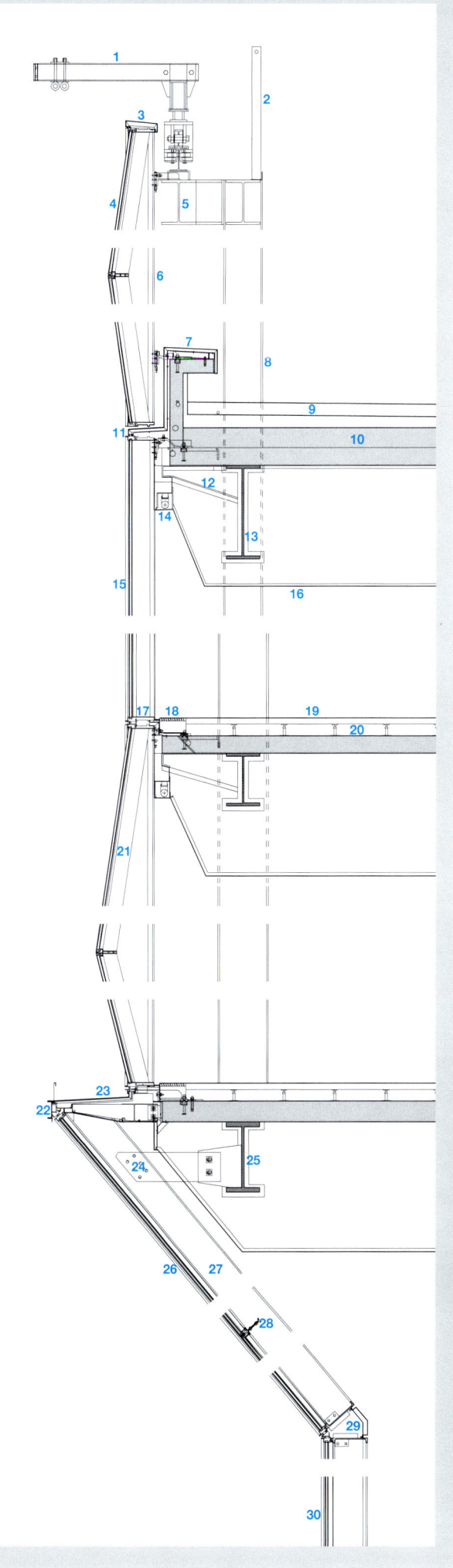

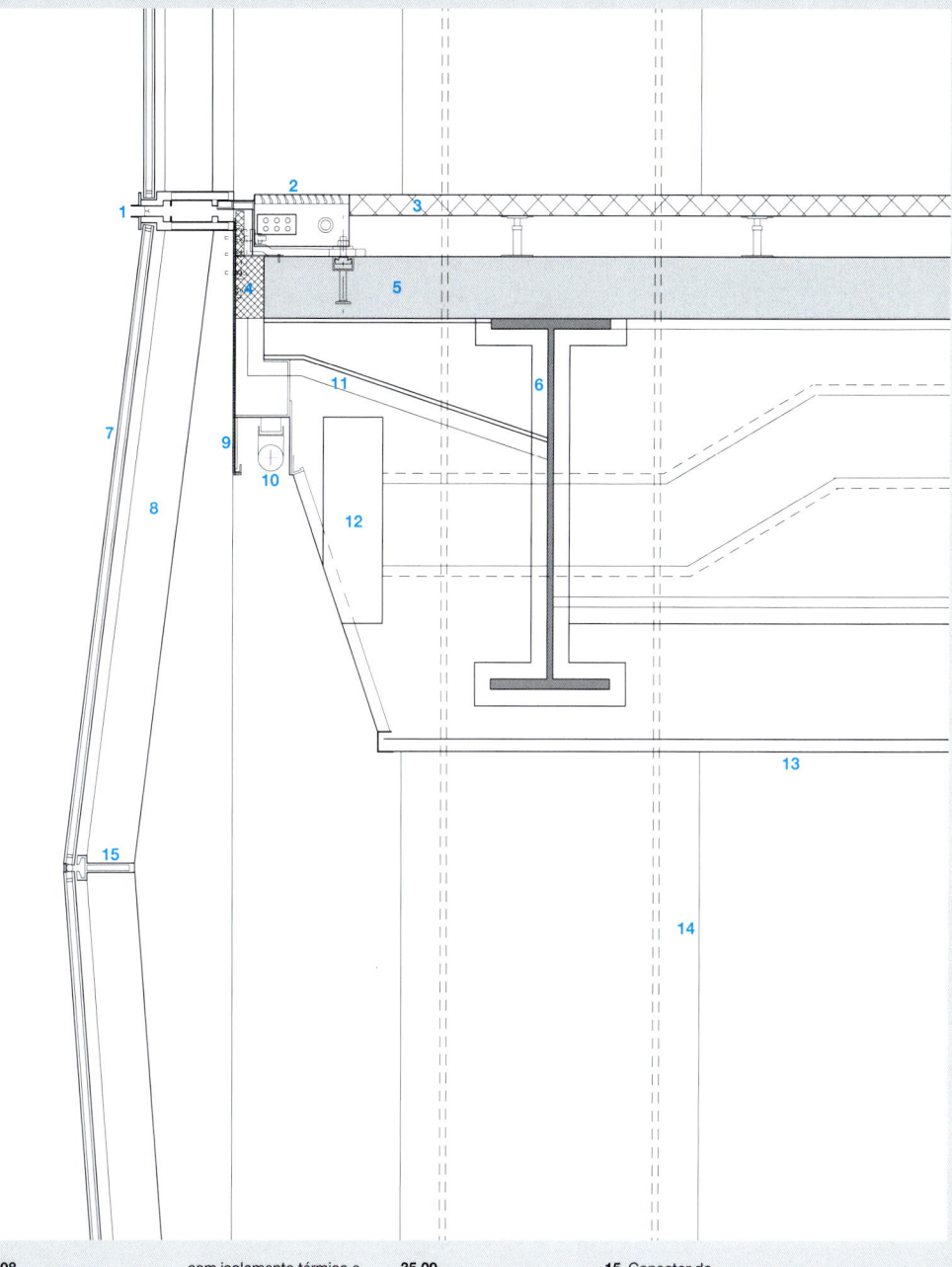

**35.08
Detalhe 1 da Fachada:
Corte
1:50**

 1 Aparato para limpeza das janelas
 2 Guarda-corpo de aço da passarela de acesso para a manutenção do prédio
 3 Peça de recobrimento da platibanda em chapa de aço dobrada
 4 Fachada de chapas de vidro no nível da cobertura
 5 Viga de sustentação do sistema de limpeza das janelas
 6 Estrutura de sustentação da fachada
 7 Peça de recobrimento da mureta em chapa de aço dobrada
 8 Pilar de aço revestido com painéis de aço galvanizados
 9 Piso de concreto moldado *in loco*
 10 Laje de concreto com formas de aço de chapas corrugadas incorporadas (sistema *steel deck*)
 11 Travessa de alumínio da pele de vidro
 12 Viga de aço com seção variável
 13 Viga de perfil I de aço
 14 Cortina de enrolar antiofuscamento
 15 Painel plano típico da fachada em vidro duplo com isolamento térmico e baixo valor-E
 16 Forro suspenso de painéis de aço galvanizado perfurados
 17 Travessa
 18 Grelha de piso com sistema de calefação por convexão e luminária embutida
 19 Piso elevado
 20 Vazio do piso elevado
 21 Barra de envidraçamento de perfil extrudado de alumínio cortada com o sistema CNC (controle numérico por computador)
 22 Estrutura de aço da marquise
 23 Rufo
 24 Chapa de aço de conexão parafusada entre a viga de aço e a estrutura de aço da marquise
 25 Viga de perfil I de aço
 26 Vidro duplo com isolamento térmico e baixo valor-E da marquise
 27 Barra de envidraçamento de perfil extrudado de alumínio cortada com o sistema CNC (controle numérico por computador)
 28 Conector da estrutura modular da fachada
 29 Travessa
 30 Vidro duplo com isolamento térmico e baixo valor-E da entrada

**35.09
Detalhe 2 da Fachada:
Corte
1:20**

 1 Travessa de perfil de alumínio
 2 Grelha de piso com sistema de calefação por convexão e luminária embutida
 3 Piso elevado
 4 Isolamento térmico
 5 Laje de concreto com formas de aço de chapas corrugadas incorporadas (sistema *steel deck*)
 6 Viga de perfil I de aço
 7 Vidro duplo com isolamento térmico e baixo valor-E
 8 Barra de envidraçamento de perfil extrudado de alumínio cortada com o sistema CNC (controle numérico por computador)
 9 Chapa de metal perfurada
 10 Cortina de enrolar antiofuscamento
 11 Viga de aço com seção variável
 12 Vazio na borda do forro
 13 Forro suspenso de painéis de aço galvanizado perfurados
 14 Pilar de aço revestido com painéis de aço galvanizado
 15 Conector da estrutura modular da fachada

153

Kohn Pedersen Fox Associates

Centro Financeiro Mundial de Xangai
Xangai, China

Cliente
Corporação Centro Financeiro Mundial de Xangai

Equipe de Projeto
Eugene Kohn, William Pedersen, Paul Katz, Joshua Chaiken, Ko Makabe, David Malott, Roger Robison, John Koga AIA

Projeto Estrutural
Leslie Robertson Associates

Construção
Corporação Estatal de Engenharia e Construção da China, Grupo de Construção de Xangai

Com 101 pavimentos que se elevam acima da silhueta da cidade, o Centro Financeiro Mundial de Xangai (SWFC) funciona como um símbolo do comércio e da cultura, representando a emergência da cidade como capital global. Ele apresenta o pavimento ocupado e o observatório público mais altos do mundo. O SWFC – quase uma cidade dentro de outra cidade – acomoda uma mistura de escritórios e lojas, além do Park Hyatt Hotel do 79º ao 93º andar. Nos pavimentos mais altos da torre, o Belvedere do SWFC oferece aos visitantes vistas aéreas do histórico distrito de Lujiazui e do rio sinuoso abaixo, bem como a oportunidade de caminhar 500 metros acima da cidade na passarela elevada localizada no 100º pavimento. Um grande volume com lojas circunda a base da torre e encontra-se voltado para um parque público planejado para o lado leste do terreno, animando ainda mais as atividades no nível da rua.

Concebido originalmente em 1993, o projeto foi deixado de lado durante a crise financeira asiática do final da década de 1990, e, em seguida, reprojetado até chegar à altura atual – 32 metros a mais do que antes. A estrutura nova, mais alta, teve de ficar mais leve, embora também precisasse resistir a cargas de vento mais elevadas e utilizar as fundações preexistentes, que haviam sido construídas antes da suspensão do projeto. A solução estrutural inovadora envolveu o abandono da estrutura de concreto original em favor de uma estrutura com travamentos diagonais e treliças estabilizadoras presas aos pilares da megaestrutura. Isso possibilitou uma redução de mais de 10% no peso da edificação, o que reduziu o uso de materiais e resultou em uma estrutura mais transparente em termos visuais e em uma harmonia conceitual com a forma elegante do edifício.

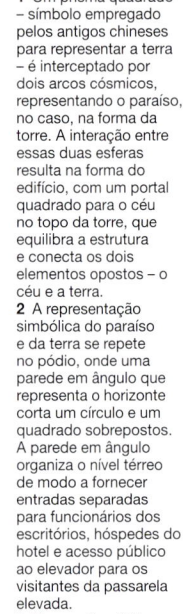

1 Um prisma quadrado – símbolo empregado pelos antigos chineses para representar a terra – é interceptado por dois arcos cósmicos, representando o paraíso, no caso, na forma da torre. A interação entre essas duas esferas resulta na forma do edifício, com um portal quadrado para o céu no topo da torre, que equilibra a estrutura e conecta os dois elementos opostos – o céu e a terra.
2 A representação simbólica do paraíso e da terra se repete no pódio, onde uma parede em ângulo que representa o horizonte corta um círculo e um quadrado sobrepostos. A parede em ângulo organiza o nível térreo de modo a fornecer entradas separadas para funcionários dos escritórios, hóspedes do hotel e acesso público ao elevador para os visitantes da passarela elevada.
3 No saguão público, uma parede de pedra foi construída com calcário amarelo do Jura; já a base da torre foi revestida em placas de face fendida de maritaca, um granito verde brasileiro. Há um belo contraste entre eles e o metal da pele de vidro diáfana circular que envolve o volume das lojas.

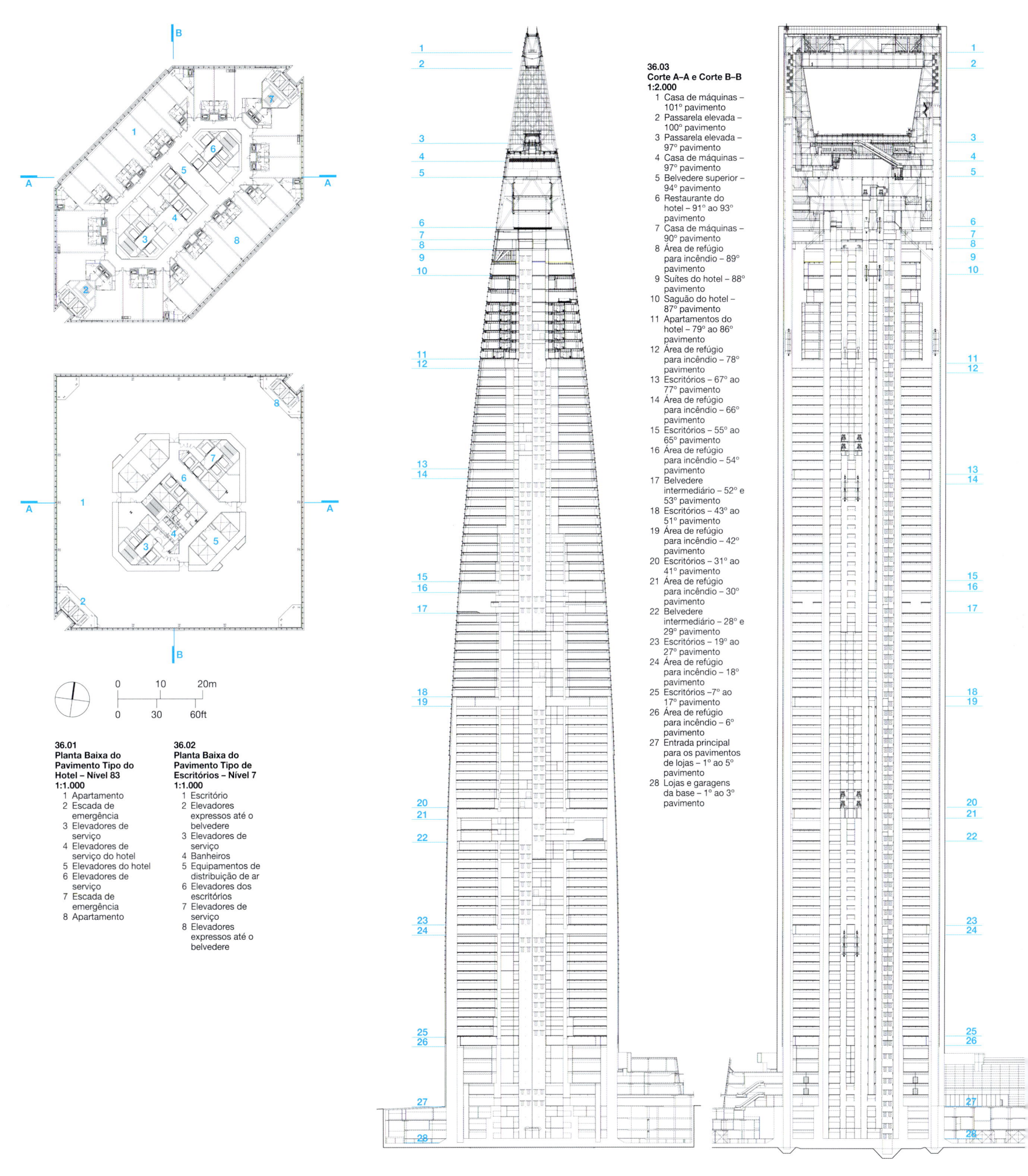

36.01
Planta Baixa do Pavimento Tipo do Hotel – Nível 83
1:1.000
1. Apartamento
2. Escada de emergência
3. Elevadores de serviço
4. Elevadores de serviço do hotel
5. Elevadores do hotel
6. Elevadores de serviço
7. Escada de emergência
8. Apartamento

36.02
Planta Baixa do Pavimento Tipo de Escritórios – Nível 7
1:1.000
1. Escritório
2. Elevadores expressos até o belvedere
3. Elevadores de serviço
4. Banheiros
5. Equipamentos de distribuição de ar
6. Elevadores dos escritórios
7. Elevadores de serviço
8. Elevadores expressos até o belvedere

36.03
Corte A–A e Corte B–B
1:2.000
1. Casa de máquinas – 101º pavimento
2. Passarela elevada – 100º pavimento
3. Passarela elevada – 97º pavimento
4. Casa de máquinas – 97º pavimento
5. Belvedere superior – 94º pavimento
6. Restaurante do hotel – 91º ao 93º pavimento
7. Casa de máquinas – 90º pavimento
8. Área de refúgio para incêndio – 89º pavimento
9. Suítes do hotel – 88º pavimento
10. Saguão do hotel – 87º pavimento
11. Apartamentos do hotel – 79º ao 86º pavimento
12. Área de refúgio para incêndio – 78º pavimento
13. Escritórios – 67º ao 77º pavimento
14. Área de refúgio para incêndio – 66º pavimento
15. Escritórios – 55º ao 65º pavimento
16. Área de refúgio para incêndio – 54º pavimento
17. Belvedere intermediário – 52º e 53º pavimento
18. Escritórios – 43º ao 51º pavimento
19. Área de refúgio para incêndio – 42º pavimento
20. Escritórios – 31º ao 41º pavimento
21. Área de refúgio para incêndio – 30º pavimento
22. Belvedere intermediário – 28º e 29º pavimento
23. Escritórios – 19º ao 27º pavimento
24. Área de refúgio para incêndio – 18º pavimento
25. Escritórios – 7º ao 17º pavimento
26. Área de refúgio para incêndio – 6º pavimento
27. Entrada principal para os pavimentos de lojas – 1º ao 5º pavimento
28. Lojas e garagens da base – 1º ao 3º pavimento

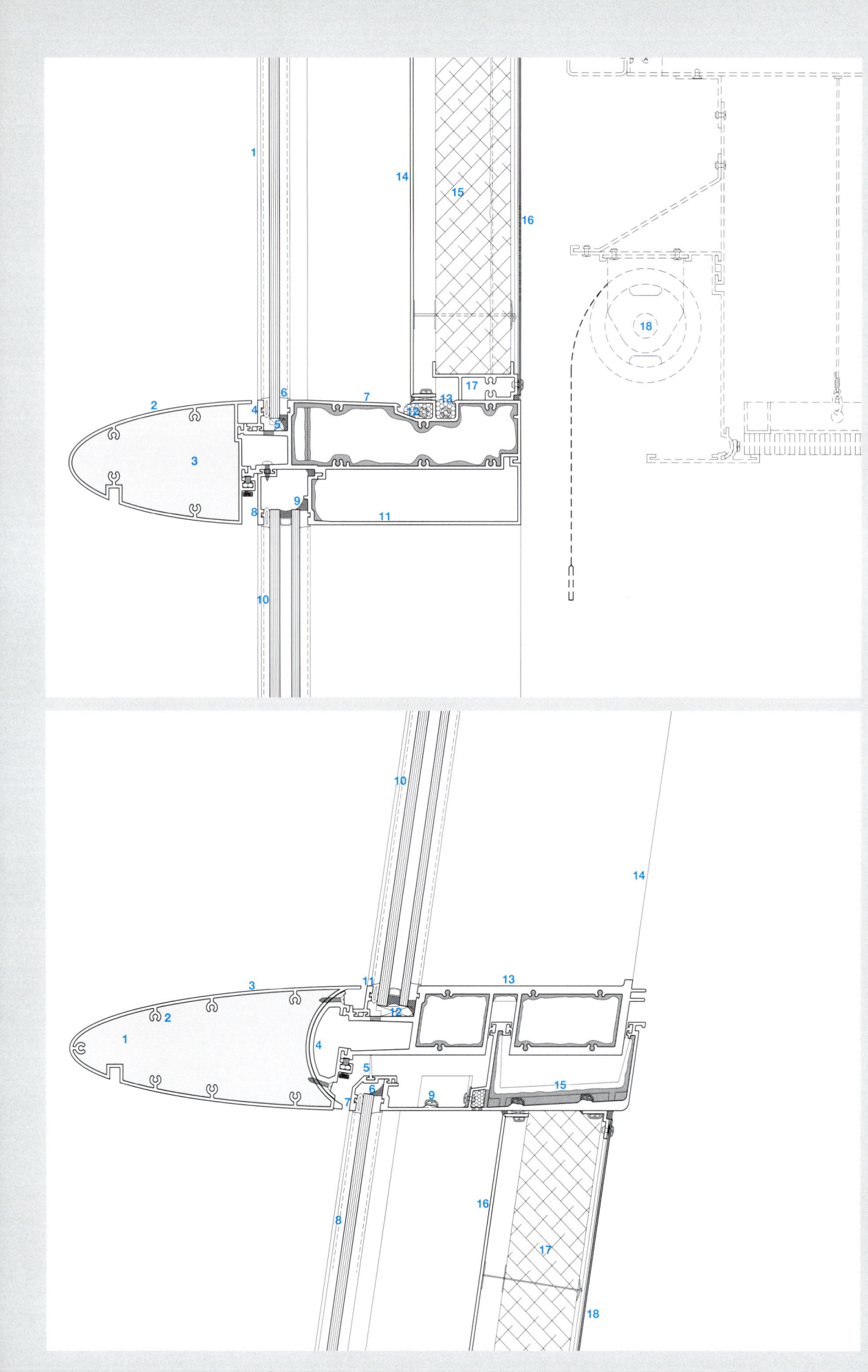

36 Kohn Pedersen Fox Associates   Centro Financeiro Mundial de Xangai   Xangai, China

**36.04
Detalhe de Travessa
Típica da Parede
Vertical: Corte
1:5**
1 Painel de tímpano fixo de vidro
2 Travessa principal de perfil extrudado de alumínio anodizado
3 Tampa lateral (em vista)
4 Barra de envidraçamento em perfil extrudado de alumínio pintado
5 Calço a um quarto do vão
6 Gaxeta de borracha compatível com a vedação
7 Travessa intermediária de perfil extrudado de alumínio pintado
8 Barra de envidraçamento em perfil extrudado de alumínio pintado
9 Vedação em todo o perímetro
10 Janela com vidro duplo
11 Suporte removível da barra de envidraçamento de perfil extrudado de alumínio pintado
12 Dreno para condensação, com plástico esponjoso de proteção
13 Dreno para condensação, com plástico esponjoso de proteção
14 Chapa de alumínio pintada, com 3 mm de espessura
15 Isolamento térmico semirrígido com 75 mm de espessura
16 Chapa de alumínio pintada, com 1,5 mm de espessura
17 Perfil extrudado de alumínio e pintado para sustentação do isolamento térmico
18 Cortina de enrolar

**36.05
Detalhe de Travessa
Típica da Parede
Vertical: Corte
1:5**
1 Laterais fixadas com rebites
2 Tampa lateral (em vista)
3 Isolamento térmico semirrígido com 75 mm de espessura
4 Tampa arredondada da travessa
5 Gaxeta de apoio
6 Vedação em todo o perímetro
7 Barra de envidraçamento em perfil extrudado de alumínio pintado
8 Painel de tímpano fixo de vidro
9 Travessa de perfil extrudado de alumínio pintado com encaixe macho
10 Janela com vidro duplo
11 Gaxeta em cunha
12 Calço a um quarto do vão
13 Travessa de perfil extrudado de alumínio pintado com encaixe fêmea
14 Montante falso de perfil extrudado de alumínio pintado
15 Luva de conexão de perfil extrudado de alumínio
16 Chapa de alumínio pintada, com 3 mm de espessura
17 Isolamento térmico semirrígido com 75 mm de espessura
18 Chapa de alumínio pintada, com 1,5 mm de espessura

36.06
Detalhe do Montante Falso de Quina com 90 Graus no Painel de Tímpano da Parede Vertical: Planta Baixa
1:5

1 Painel de tímpano de vidro
2 Montante falso de quina de perfil extrudado de alumínio pintado
3 Gaxeta de borracha compatível com a vedação
4 Fita dupla face Norton
5 Camada fina de vedação estrutural
6 Vedação estrutural
7 Extremidade do montante falso de quina
8 Travessa principal de perfil extrudado de alumínio anodizado
9 Painel do tímpano fixo de vidro
10 Chapa de alumínio pintada, com 1,5 mm de espessura
11 Acoplador do montante falso de quina
12 Perfil tubular retangular de aço galvanizado a cada dois painéis
13 Suporte de perfil extrudado de alumínio
14 Suporte de perfil extrudado de alumínio

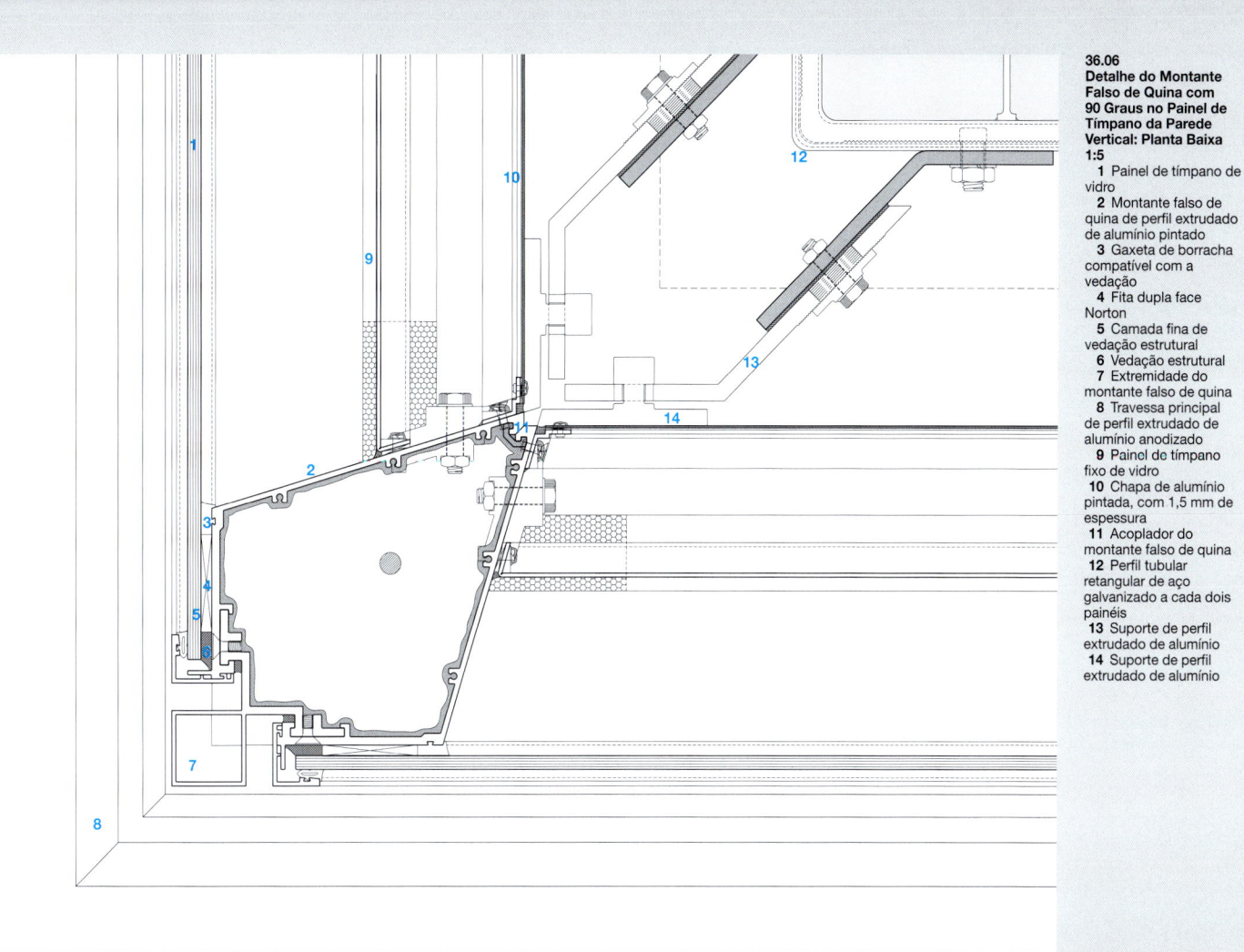

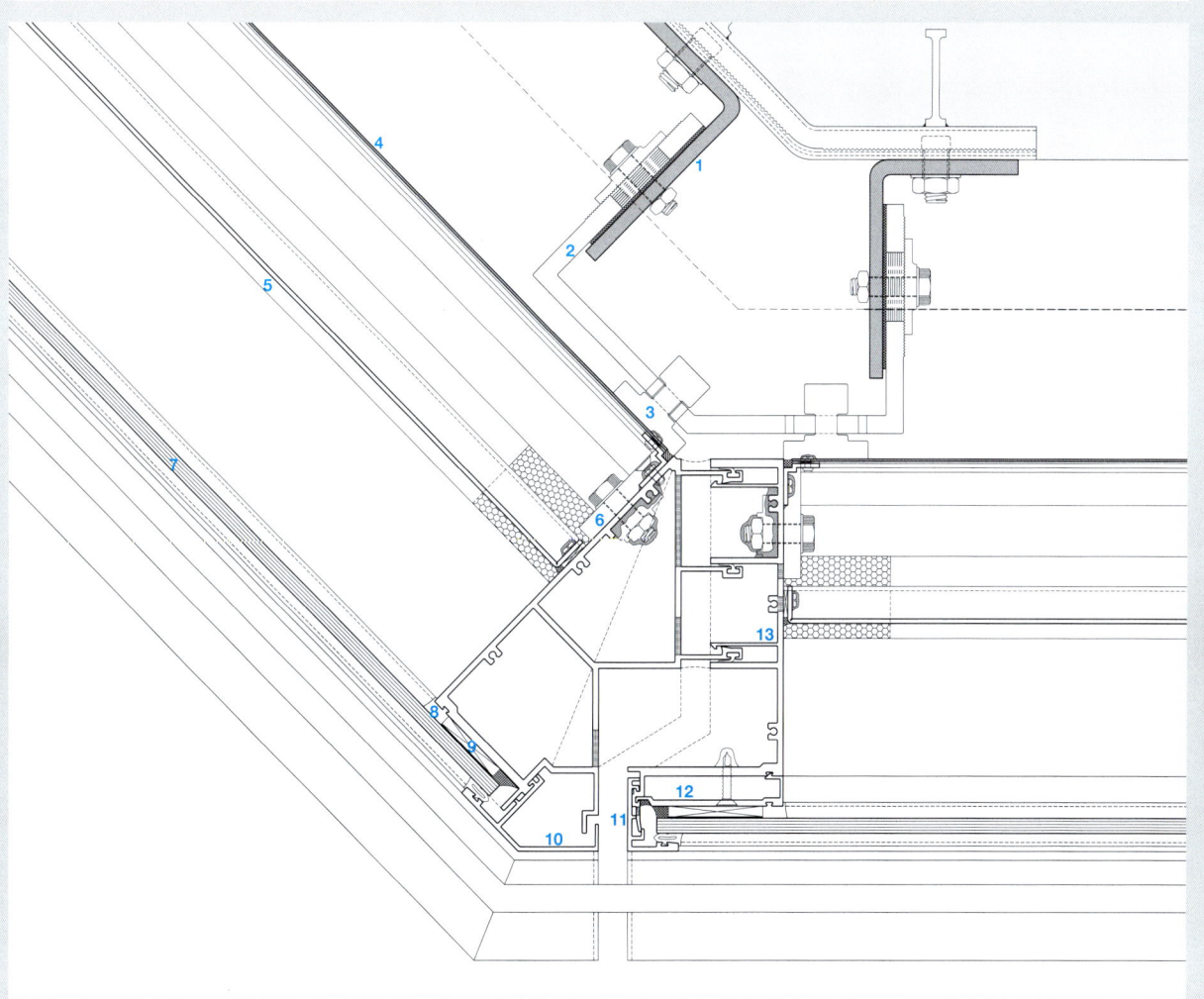

36.07
Detalhe do Montante de Quina Composto com 135 Graus nos Painéis de Tímpano da Parede Vertical e da Parede Inclinada a Partir do 25º Pavimento: Planta Baixa
1:5

1 Cantoneira de aço galvanizado a cada dois painéis
2 Suporte de perfil extrudado de alumínio
3 Suporte de perfil extrudado de alumínio
4 Chapa de alumínio pintada, com 1,5 mm de espessura
5 Painel de tímpano fixo de vidro
6 Montante de perfil extrudado de alumínio pintado, com encaixe macho
7 Painel de tímpano fixo de vidro
8 Gaxeta de borracha compatível com a vedação
9 Fita dupla face Norton
10 Barra vertical de envidraçamento em perfil extrudado de alumínio pintado
11 Barra vertical de envidraçamento em perfil extrudado de alumínio pintado
12 Filete vertical de envidraçamento em perfil extrudado de alumínio pintado
13 Montante de perfil extrudado de alumínio pintado, com encaixe fêmea

37
Camenzind Evolution

Edifício O Casulo
Zurique, Suíça

Cliente
Swiss Life

Equipe de Projeto
Marco Noch, Stefan Camenzind, Susanne Zenker

Projeto Estrutural
Gruner

Gerenciamento do Projeto
S+B Baumanagement

O Casulo localiza-se no distrito de Seefeld, em Zurique, sobre uma colina com vistas do lago e das montanhas. O edifício elíptico, que ocupa uma área muito arborizada, pode ser lido como um volume escultural independente que se eleva na paisagem em um gracioso gesto espiral. A malha de aço inoxidável que reveste a edificação combina privacidade visual com uma elegância contida. É possível definir o Casulo como uma "paisagem comunicativa" capaz de criar uma configuração espacial e um ambiente de trabalho únicos em um contexto ímpar. A sequência escalonada ascendente de segmentos é distribuída ao longo de uma rampa com aclive suave que envolve o átrio central, bastante iluminado.

O conceito de planejamento espacial dispensa a tradicional divisão em pavimentos horizontais em favor de uma sequência aparentemente infinita de segmentos de piso elípticos. Ao eliminar as barreiras comuns à comunicação, gera-se uma experiência espacial singular e um ambiente de trabalho também singular, que revelam uma gama de possibilidades intrigantes para a interação e a cooperação. Internamente, o átrio que se expande forma o centro do Casulo. A rampa para circulação e comunicação se desenrola para cima ao redor dele, de modo suave. Externamente, o edifício adota o aspecto de uma escultura dinâmica ascendente revestida por um fino véu, isto é, uma tela de aço inoxidável. Essa cortina se enrola com elegância para cima, em linhas delicadas que cercam a espiral em expansão; a junção com o terraço na cobertura é acentuada por uma estrutura com fachada aberta. A edificação escultórica e velada, introvertida durante o dia, quando vista de fora e na direção do átrio, à noite transforma-se em um luminoso farol transparente.

1 O contexto imediato é singular por apresentar grandes conjuntos de árvores adultas em torno do edifício.
2 Durante o dia, a tela de aço inoxidável oferece privacidade e protege do sol o ambiente de trabalho interno.
3 O átrio bem iluminado age como centro do projeto e banha o interior com luz natural.
4 O projeto dos pavimentos não depende da ocupação e permite uma divisão interna totalmente flexível, além da capacidade de adaptação necessária para atender às necessidades de mudança de futuros usuários. Juntos, os diversos elementos – elevador, rampa em espiral, segmentos e caixa de escada – constituem um sistema de circulação versátil claramente estruturado.

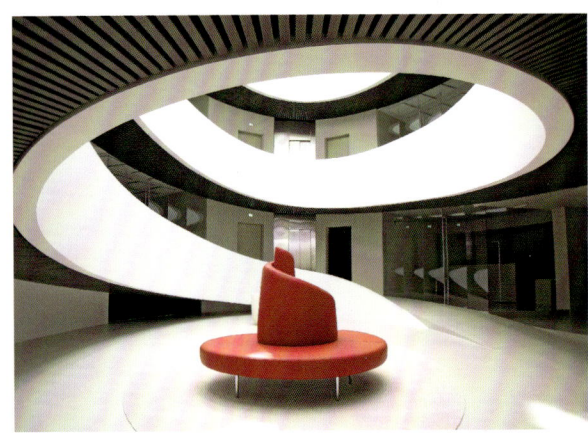

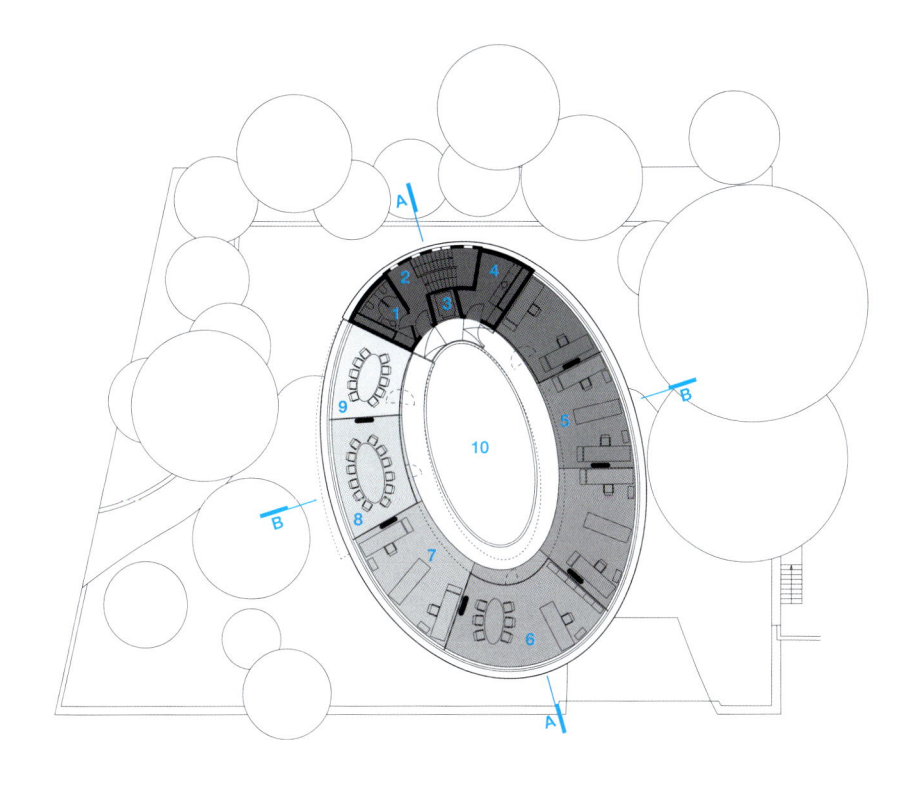

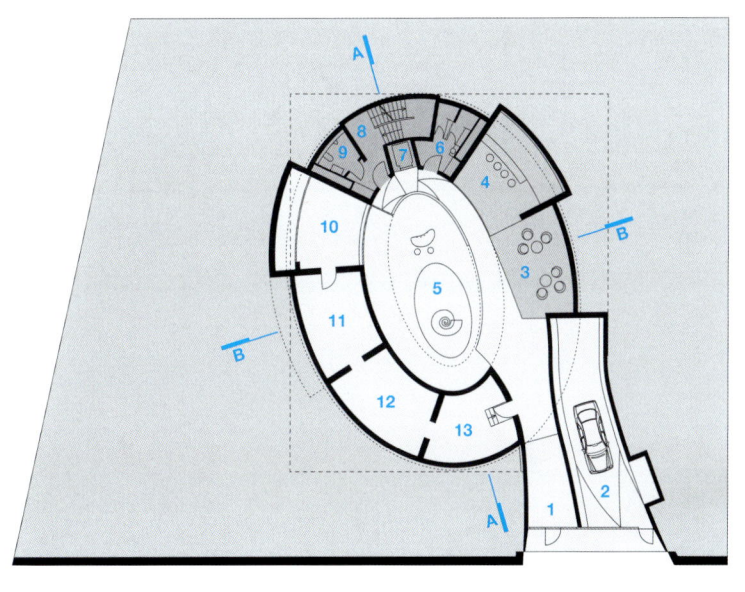

37.01
Planta Baixa do Segundo Pavimento
1:500
1 Banheiro feminino
2 Escada
3 Elevador
4 Minicozinha
5 Escritório com planta livre
6 Escritório privativo
7 Escritório com planta livre
8 Sala de reuniões
9 Sala de reuniões
10 Átrio

37.02
Planta Baixa do Pavimento Térreo
1:500
1 Entrada de pedestres
2 Entrada da garagem
3 Área para exposições
4 Café
5 Recepção
6 Armário para casacos e banheiro unissex
7 Elevador
8 Escada
9 Banheiro inclusivo
10 Departamento técnico
11 Depósito
12 Depósito
13 Depósito

37.03
Corte A–A
1:500
1 Claraboias de abrir
2 Pavimento de escritório
3 Átrio
4 Elevador
5 Escada
6 Depósito
7 Garagem no subsolo

37.04
Corte B–B
1:500
1 Claraboia
2 Pavimento de escritório
3 Átrio
4 Pavimento de escritório
5 Área para exposições
6 Salão do café
7 Garagem no subsolo

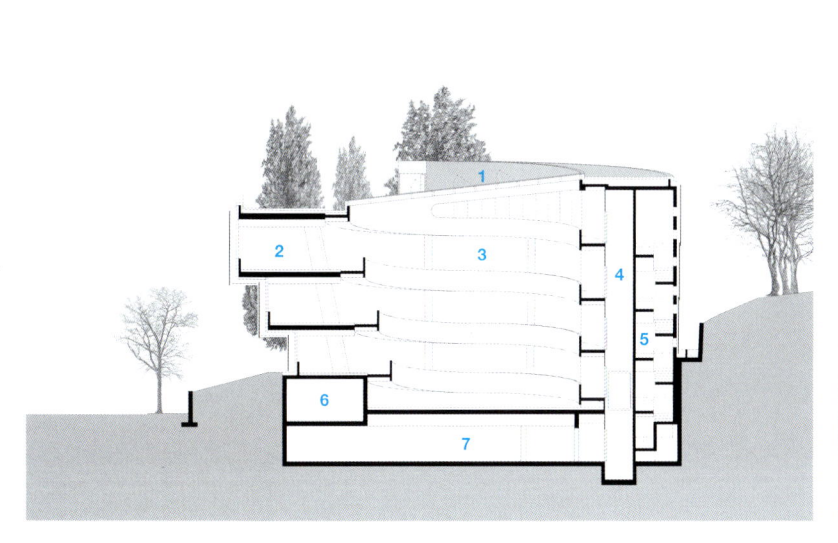

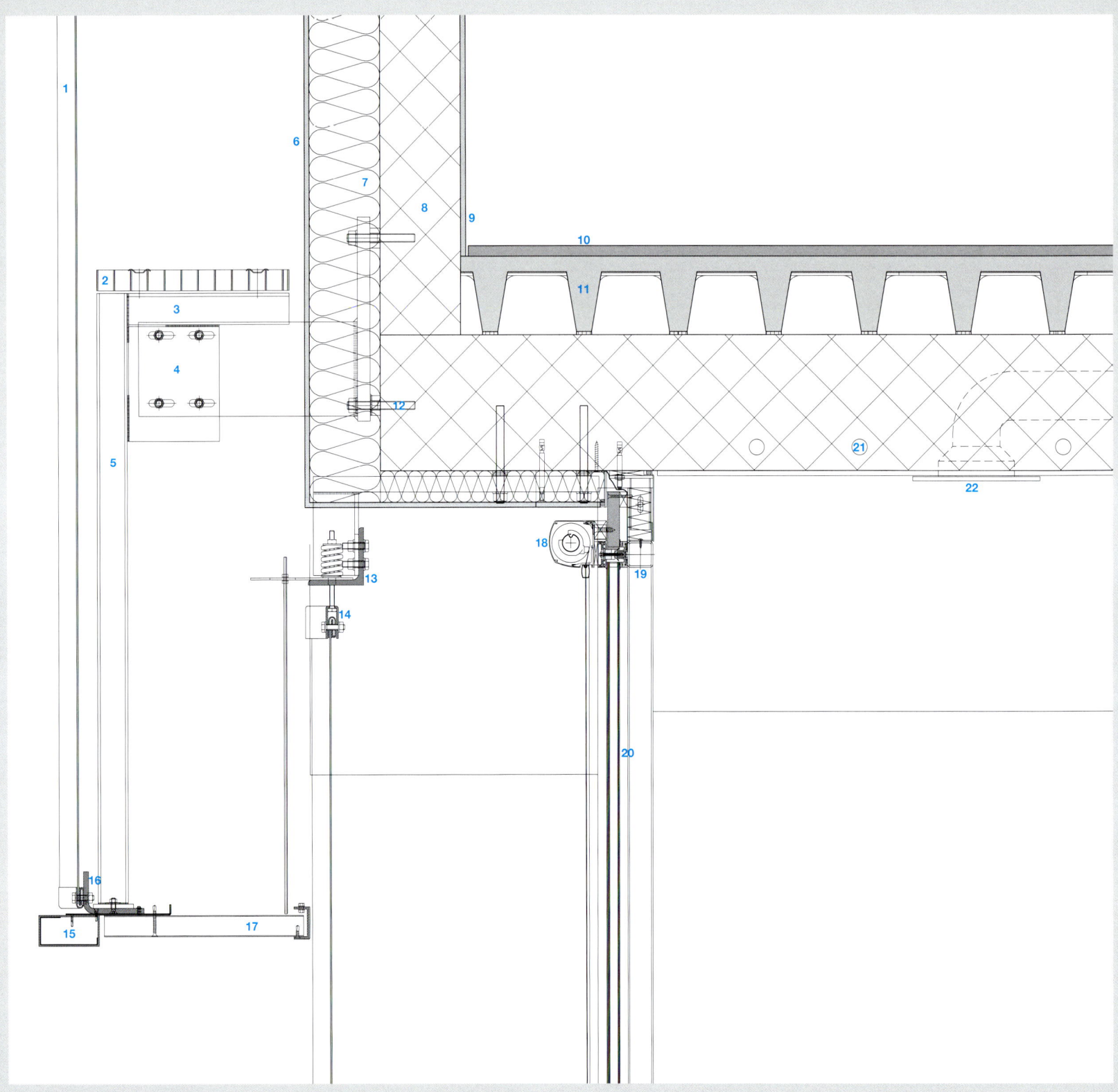

37 Camenzind Evolution   **Edifício O Casulo**   Zurique, Suíça

37.05
Detalhe da Fachada: Corte
1:10

1 Painel de tela de aço inoxidável
2 Passarela de manutenção com grade de metal
3 Estrutura de fachada com montantes e travessas de perfil tubular quadrado de aço de 50 × 50 mm
4 Chapa de aço
5 Perfil I de aço de 60 × 80 mm
6 Chapa de gesso cartonado
7 Isolamento térmico
8 Parede de concreto armado
9 Chapa de gesso cartonado
10 Parquê de madeira de carvalho termorretificado
11 Laje nervurada de concreto
12 Conexão parafusada
13 Cantoneira de aço de abas iguais de 110 × 110 mm
14 Tela de aço inoxidável fixada com molas tracionadas
15 Perfil tubular retangular de alumínio contínuo de 120 × 60 mm
16 Cantoneira de aço de abas desiguais de 60 × 120 mm
17 Painel de forro de alumínio de 40 × 20 mm alinhados pelo centro
18 Cortina de enrolar
19 Estrutura de fachada com montantes e travessas de perfil tubular quadrado de aço de 50 × 50 mm
20 Vidro duplo com isolamento térmico e espessura total de 26 mm composto de uma chapa de vidro de 6 mm, câmara de ar de 16 mm e uma chapa de 4 mm
21 Sistema de climatização termoativo
22 Duto de insuflamento de ar condicionado

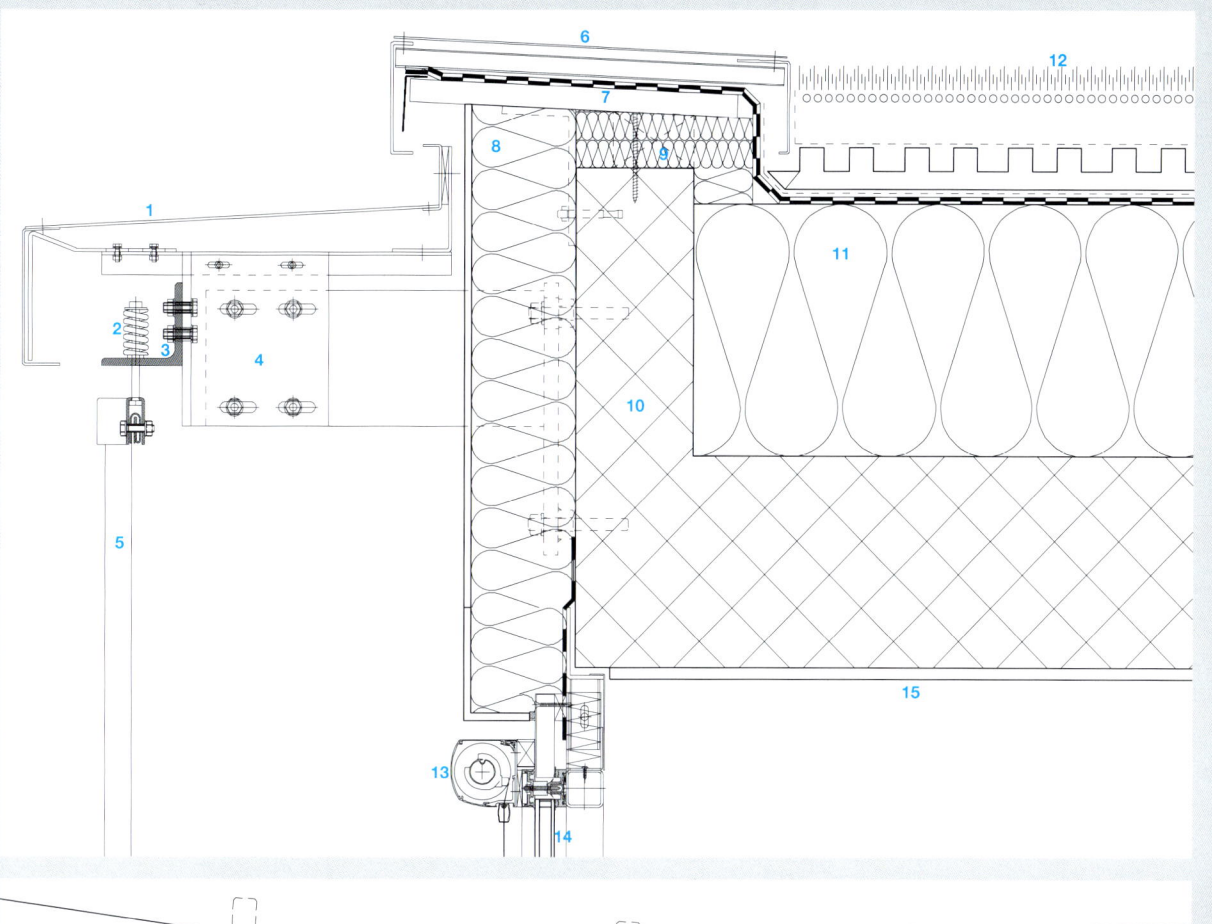

37.06
Detalhe da Platibanda: Corte
1:10
1 Peça de recobrimento da platibanda em chapa de alumínio de 3 mm dobrada
2 Mola tensionada
3 Cantoneira de aço de abas iguais de 110 × 110 mm
4 Chapa de aço
5 Tela de aço inoxidável
6 Peça de recobrimento da platibanda em chapa de alumínio de 3 mm dobrada
7 Três camadas de chapa de compensado estrutural
8 Isolamento térmico
9 Isolamento térmico
10 Laje de cobertura e viga invertida da platibanda de concreto
11 Isolamento térmico
12 Cobertura composta de 80 mm de solo, filtro de poliéster, 75 mm de retenção e drenagem de água, tecido geotêxtil resistente a raízes, duas membranas de impermeabilização betuminosa e isolamento térmico com caimento
13 Cortina de enrolar externa
14 Vidro duplo com isolamento térmico e espessura total de 26 mm composto de uma chapa de vidro de 6 mm, câmara de ar de 16 mm e uma chapa de 4 mm
15 Forro de chapa de gesso cartonado pintado

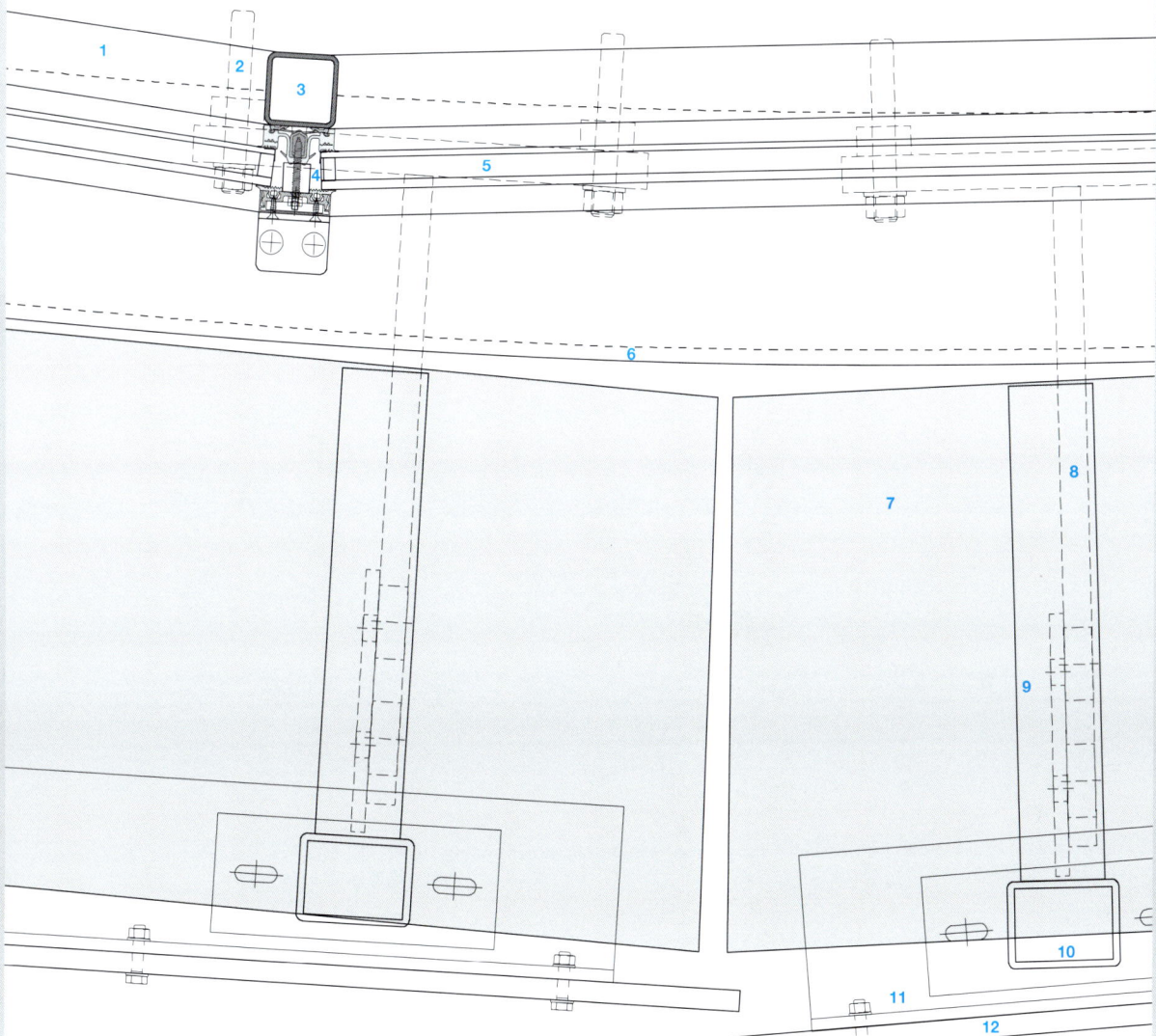

37.07
Detalhe da Fachada: Planta Baixa
1:5
1 Platibanda
2 Conexão parafusada
3 Estrutura de fachada com montantes e travessas de perfil tubular quadrado de aço de 50 × 50 mm
4 Perfil de aço arquitravado
5 Vidro duplo com isolamento térmico e espessura total de 26 mm composto de uma chapa de vidro de 6 mm, câmara de ar de 16 mm e uma chapa de 4 mm
6 Peitoril da janela
7 Passarela de manutenção com grade de metal
8 Estrutura de fachada com montantes e travessas de perfil tubular quadrado de aço de 50 × 50 mm
9 Chapa de aço
10 Perfil I de aço de 60 × 80 mm
11 Cantoneira de aço
12 Tela de aço inoxidável

38
Erick van Egeraat

Universidade de Ciências Aplicadas INHolland
Roterdã, Países Baixos

Cliente
Universidade de Ciências Aplicadas INHolland

Equipe de Projeto
Erick van Egeraat, Alberte van Santen, Daniel Rodrigues

Projeto Estrutural
ABT-C Delft

Projeto de Instalações Prediais
Deerns Raadgevende Ingenieurs

Com o objetivo de acomodar o rápido crescimento da Universidade INHolland, em Roterdã, adicionou-se ao edifício original um novo edifício de 15.000 metros quadrados, que inclui áreas de estudo, salas de aula, áreas comerciais e escritórios. Erick van Egeraat projetou o edifício novo e o antigo, além do plano-diretor e do pátio com tratamento paisagístico. A ampliação consiste em três partes interconectadas. Uma edificação mais baixa, com três pavimentos, situa-se paralelamente ao edifício original e está conectada a ele. Ela suporta uma das extremidades do bloco de conexão de nove pavimentos que cobre um vão de 35 metros entre o pátio e a linha de metrô subterrânea; a outra extremidade se apoia em um edifício com dormitórios para os estudantes. Por fim, um volume mais alto, com balanço parcial em relação ao bloco de conexão, oferece vistas panorâmicas do porto de Roterdã.

As fachadas dos três elementos diferem, ao passo que a linguagem arquitetônica está relacionada à do edifício original da Universidade INHolland, de modo a formar um todo coerente. Padrões serigrafados em tons dourados são empregados nas fachadas de vidro dos volumes alto e baixo, enquanto a vidraça horizontal do edifício da passarela lembra os brises da edificação original. O uso intenso do vidro enfatiza o caráter aberto da universidade; já a altura significativa intensifica sua imagem corporativa. Graças ao leiaute flexível, é possível utilizar partes do complexo separadamente, se desejado. Essa flexibilidade e a alta densidade de edifícios no terreno, somadas ao uso inteligente de soluções sustentáveis, devem prolongar consideravelmente a vida útil do projeto.

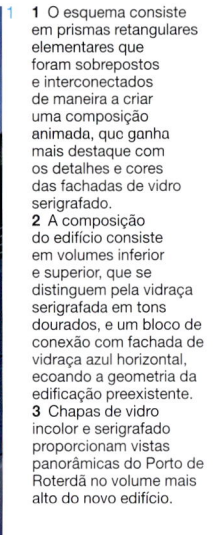

1 O esquema consiste em prismas retangulares elementares que foram sobrepostos e interconectados de maneira a criar uma composição animada, que ganha mais destaque com os detalhes e cores das fachadas de vidro serigrafado.
2 A composição do edifício consiste em volumes inferior e superior, que se distinguem pela vidraça serigrafada em tons dourados, e um bloco de conexão com fachada de vidraça azul horizontal, ecoando a geometria da edificação preexistente.
3 Chapas de vidro incolor e serigrafado proporcionam vistas panorâmicas do Porto de Roterdã no volume mais alto do novo edifício.

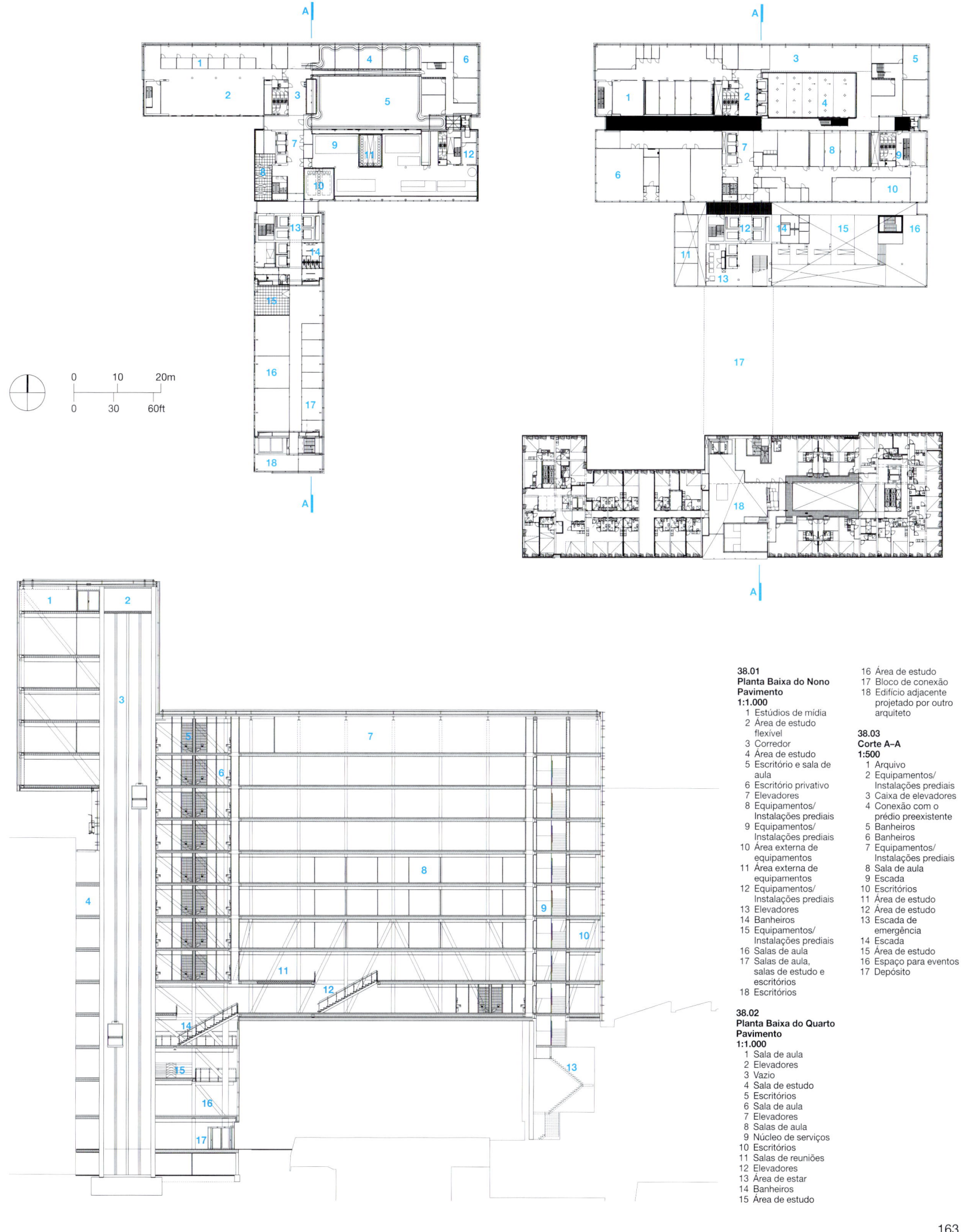

38.01
Planta Baixa do Nono Pavimento
1:1.000
1. Estúdios de mídia
2. Área de estudo flexível
3. Corredor
4. Área de estudo
5. Escritório e sala de aula
6. Escritório privativo
7. Elevadores
8. Equipamentos/ Instalações prediais
9. Equipamentos/ Instalações prediais
10. Área externa de equipamentos
11. Área externa de equipamentos
12. Equipamentos/ Instalações prediais
13. Elevadores
14. Banheiros
15. Equipamentos/ Instalações prediais
16. Salas de aula
17. Salas de aula, salas de estudo e escritórios
18. Escritórios

38.02
Planta Baixa do Quarto Pavimento
1:1.000
1. Sala de aula
2. Elevadores
3. Vazio
4. Sala de estudo
5. Escritórios
6. Sala de aula
7. Elevadores
8. Salas de aula
9. Núcleo de serviços
10. Escritórios
11. Salas de reuniões
12. Elevadores
13. Área de estar
14. Banheiros
15. Área de estudo
16. Área de estudo
17. Bloco de conexão
18. Edifício adjacente projetado por outro arquiteto

38.03
Corte A–A
1:500
1. Arquivo
2. Equipamentos/ Instalações prediais
3. Caixa de elevadores
4. Conexão com o prédio preexistente
5. Banheiros
6. Banheiros
7. Equipamentos/ Instalações prediais
8. Sala de aula
9. Escada
10. Escritórios
11. Área de estudo
12. Área de estudo
13. Escada de emergência
14. Escada
15. Área de estudo
16. Espaço para eventos
17. Depósito

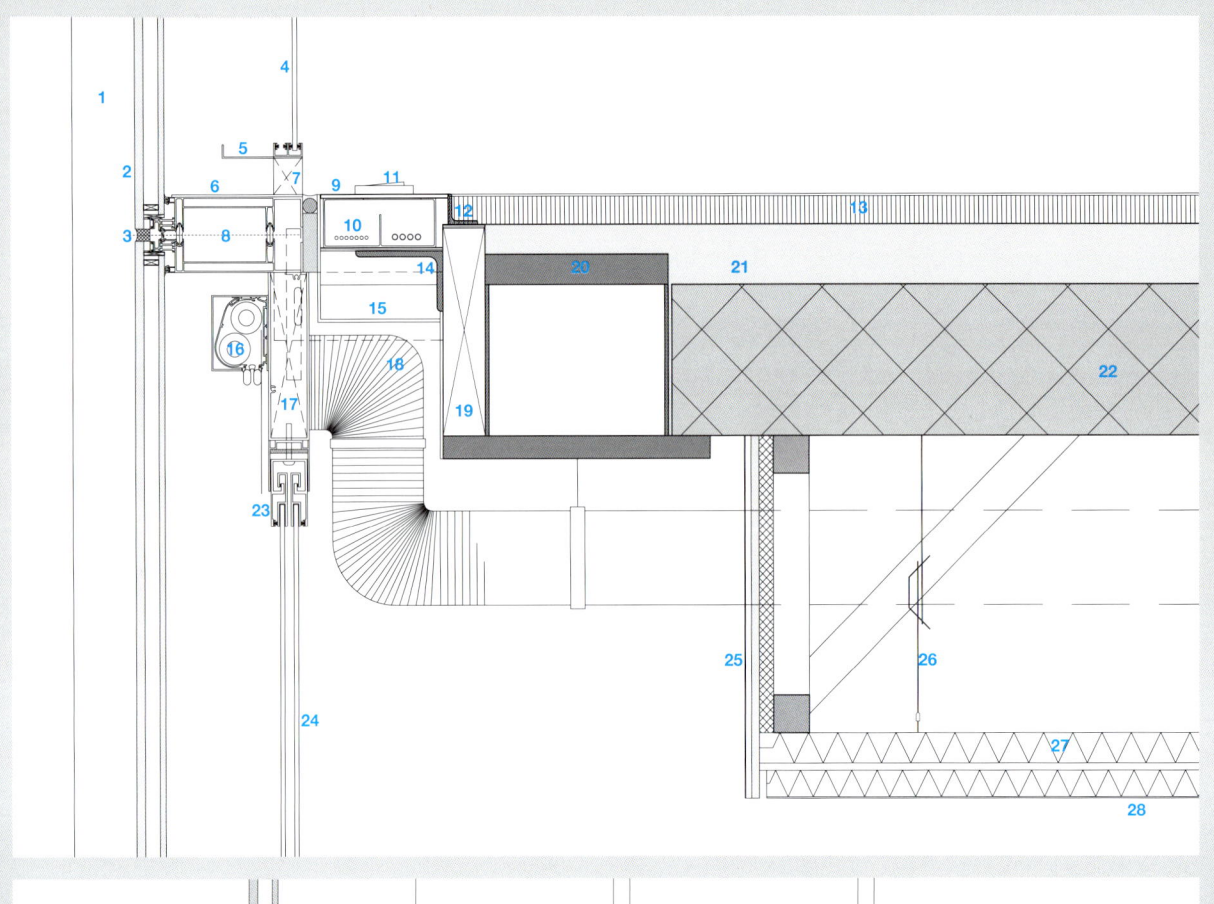

38 Erick van Egeraat — Universidade de Ciências Aplicadas INHolland — Roterdã, Países Baixos

38.04
Detalhe da Junta Tipo 1 entre a Pele de Vidro e o Piso: Corte
1:10

1 Montante da parede-cortina
2 Parede-cortina com vidros duplos
3 Junta entre as chapas de vidro
4 Porta de vidro de correr
5 Perfil de alumínio
6 Painel com isolamento acústico
7 Abertura para ventilação
8 Travessa da parede cortina
9 Tampa da caixa embutida com cabos elétricos
10 Canaleta para fiação elétrica
11 Tomada de piso
12 Cantoneira de abas iguais para acabamento do piso
13 Piso de argamassa de cimento
14 Cantoneira de sustentação da caixa embutida com cabos elétricos
15 Chapa de aço dobrada e pintada
16 Cortina de enrolar
17 Perfil de sustentação da porta de vidro de correr
18 Duto de ventilação
19 Chapa de aço pintada
20 Viga-caixão de aço
21 Contrapiso de painéis de concreto autoclavados
22 Laje de piso nervurada
23 Quadro da porta de vidro de correr
24 Porta de correr com vidro duplo
25 Chapa de compensado pintada
26 Suspensor do forro
27 Isolamento acústico
28 Forro de alumínio

38.05
Detalhe da Junta Tipo 2 entre a Pele de Vidro e o Piso: Corte
1:10

1 Perfil de alumínio horizontal
2 Parede-cortina com vidros duplos
3 Chapa de aço de 4 mm para isolamento acústico
4 Perfil da parede-cortina
5 Travessa de sustentação da parede-cortina
6 Vedação
7 Tampa de aço da caixa embutida com cabos elétricos
8 Tomada de piso
9 Canaleta para fiação elétrica
10 Cantoneira de abas iguais para acabamento do piso
11 Piso de argamassa de cimento
12 Contrapiso de painéis de concreto autoclavados
13 Laje de piso nervurada
14 Viga-caixão de aço
15 Cortina de enrolar
16 Viga de borda de concreto armado
17 Chapa de aço pintada
18 Chapa de sustentação do forro
19 Chapa de borda do forro em compensado pintada
20 Suspensor do forro
21 Forro de alumínio com isolamento acústico

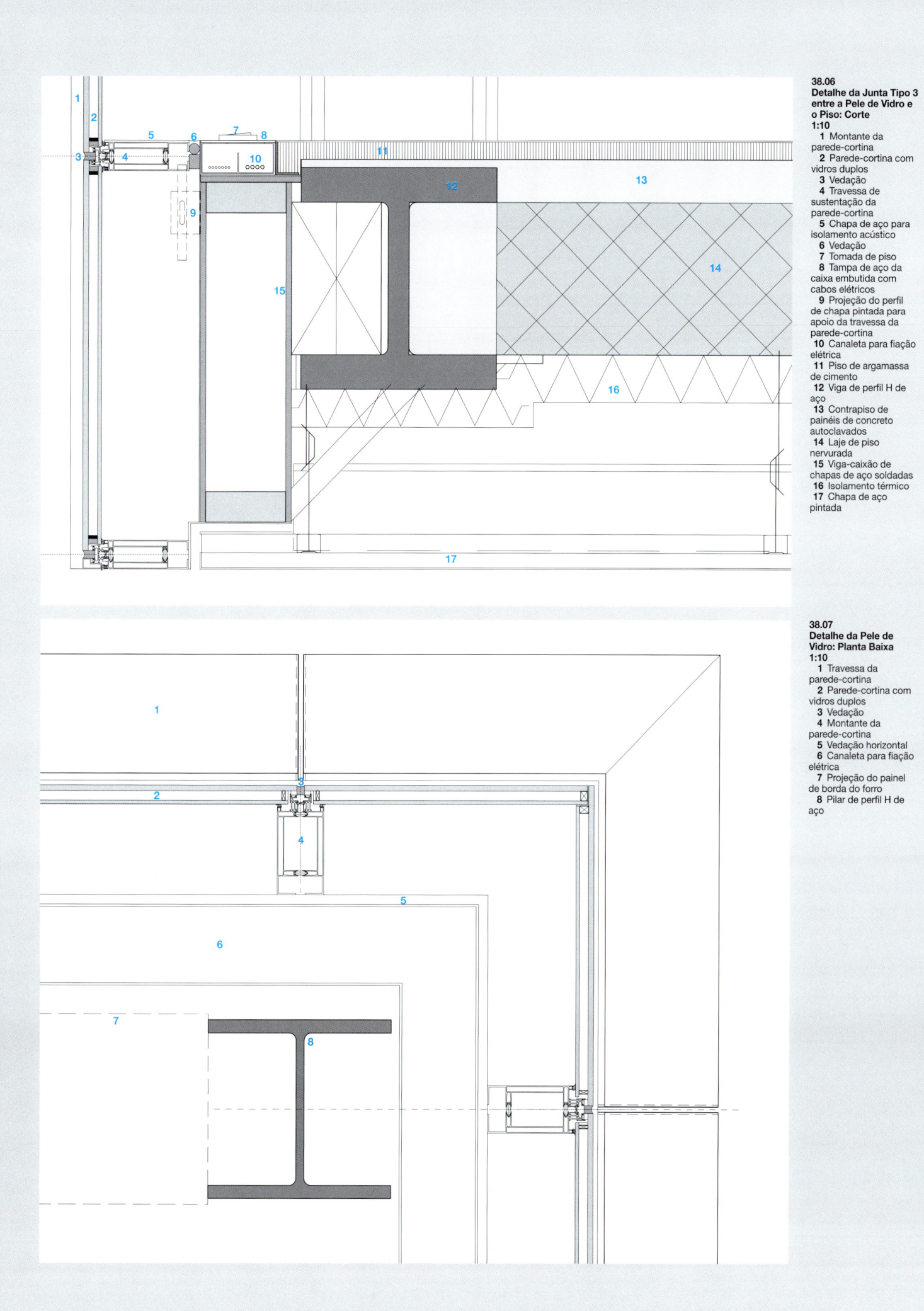

38.06
Detalhe da Junta Tipo 3 entre a Pele de Vidro e o Piso: Corte
1:10

1 Montante da parede-cortina
2 Parede-cortina com vidros duplos
3 Vedação
4 Travessa de sustentação da parede-cortina
5 Chapa de aço para isolamento acústico
6 Vedação
7 Tomada de piso
8 Tampa de aço da caixa embutida com cabos elétricos
9 Projeção do perfil de chapa pintada para apoio da travessa da parede-cortina
10 Canaleta para fiação elétrica
11 Piso de argamassa de cimento
12 Viga de perfil H de aço
13 Contrapiso de painéis de concreto autoclavados
14 Laje de piso nervurada
15 Viga-caixão de chapas de aço soldadas
16 Isolamento térmico
17 Chapa de aço pintada

38.07
Detalhe da Pele de Vidro: Planta Baixa
1:10

1 Travessa da parede-cortina
2 Parede-cortina com vidros duplos
3 Vedação
4 Montante da parede-cortina
5 Vedação horizontal
6 Canaleta para fiação elétrica
7 Projeção do painel de borda do forro
8 Pilar de perfil H de aço

39
Coll-Barreu Arquitectos

Sede do Departamento de Saúde Basco
Bilbao, Espanha

Cliente
Governo Basco

Equipe de Projeto
Juan Coll-Barreu, Daniel Gutiérrez Zarza, Fernando de la Maza, Jorge Bilbao, Pablo Castro, Gorka García

Projeto Estrutural
Mintegia y Bilbao

Projeto de Equipamentos Mecânicos e Elétricos
Indotec

A nova sede do Departamento de Saúde Basco localiza-se no último terreno baldio do novo centro administrativo e profissional de Bilbao. Anteriormente, a instituição precisava acomodar funcionários em vários edifícios, e, em consequência disso, não tinha presença pública nem identidade reconhecível. O novo edifício reúne funcionários e serviços técnicos em um só local. O terreno fica no cruzamento de duas ruas históricas importantes em Ensanche. Os rígidos regulamentos da cidade obrigam as novas edificações a repetir a forma dos edifícios preexistentes, que apresentam torres com quinas chanfradas.

A Coll-Barreu reinterpretou as restrições e chegou a uma resposta inovadora que, ao mesmo tempo em que cumpre com as regras, é contemporânea e funcional. O edifício de vidro facetado concentra os serviços e a comunicação, que servem a sete pavimentos de escritórios com planta livre, em uma espinha vertical no limite mais longo. Sobre essa área, há dois pavimentos para representantes locais e uso institucional. A diretoria é acomodada em um espaço com pé-direito duplo na torre. O auditório, o saguão e os espaços de serviços associados situam-se no primeiro pavimento subterrâneo; abaixo, encontram-se dois pavimentos de estacionamento e um para arquivos. A fachada de vidro duplo não resolve somente os requisitos urbanos, mas também os de eficiência energética, resistência ao fogo e isolamento acústico. A fachada tem dobras para projetar imagens diversas dos espaços de trabalho nas ruas abaixo e também dos pavimentos mais altos no contexto urbano mais amplo.

1 A ousada intervenção arquitetônica com vidros facetados confere um novo dinamismo a este bairro histórico de Bilbao.
2 Painéis verticais de vidro criam uma interface contínua entre o novo edifício e seu vizinho mais tradicional; eles começam a mudar de direção e forma conforme o edifício dobra a esquina.
3 Durante o dia, os painéis de vidro inclinados refletem imagens fragmentadas intrigantes do contexto urbano de entorno.

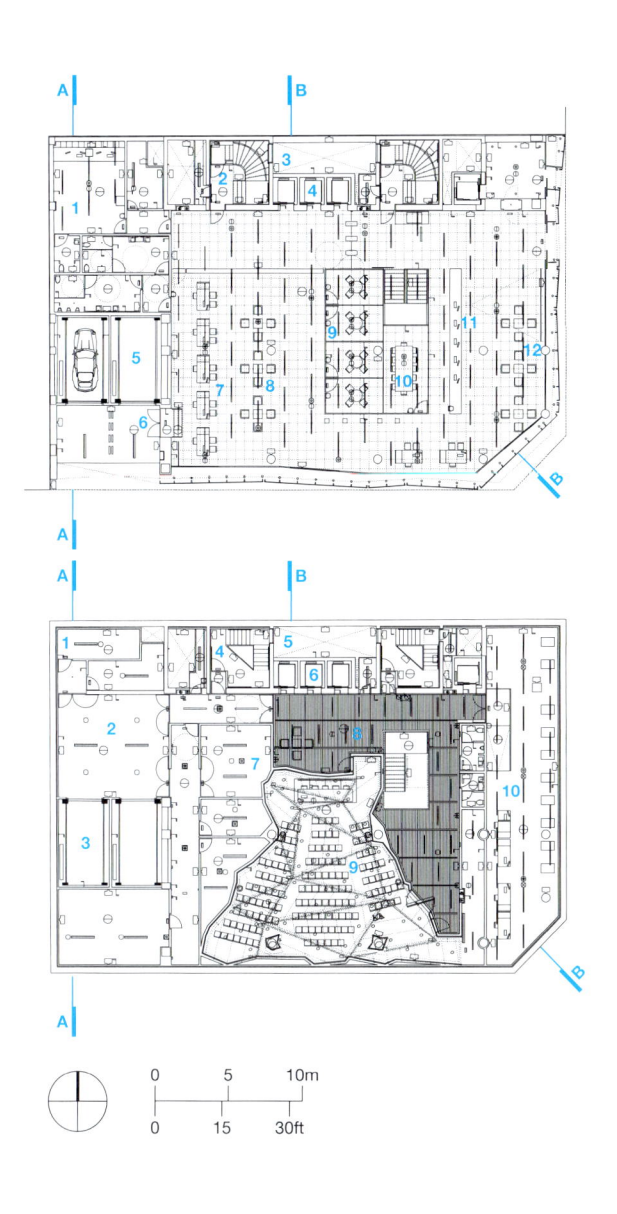

39.01
Planta Baixa do Pavimento Térreo
1:500
1. Casa de máquinas
2. Escada de emergência
3. Poço para instalações prediais
4. Elevadores
5. Elevador de automóveis da garagem
6. Entrada
7. Administração
8. Área de reunião aberta
9. Sala de reuniões privativa
10. Sala de reuniões principal
11. Postos de trabalho com computador
12. Área de reunião aberta

39.02
Planta Baixa do Primeiro Subsolo
1:500
1. Casa de máquinas
2. Equipamentos/Instalações prediais
3. Elevador de automóveis da garagem
4. Escada de emergência
5. Poço para instalações prediais
6. Elevadores
7. Equipamentos/Instalações prediais
8. Área de convívio
9. Auditório
10. Salão

39.03
Diagrama Axonométrico das Plantas Baixas
1:500
1. Quarto subsolo (arquivos)
2. Terceiro subsolo (garagem)
3. Segundo subsolo (garagem)
4. Primeiro subsolo (auditório)
5. Pavimento térreo
6. Segundo pavimento
7. Terceiro pavimento
8. Quarto pavimento
9. Quinto pavimento
10. Sexto pavimento
11. Sétimo pavimento
12. Oitavo pavimento
13. Nono pavimento

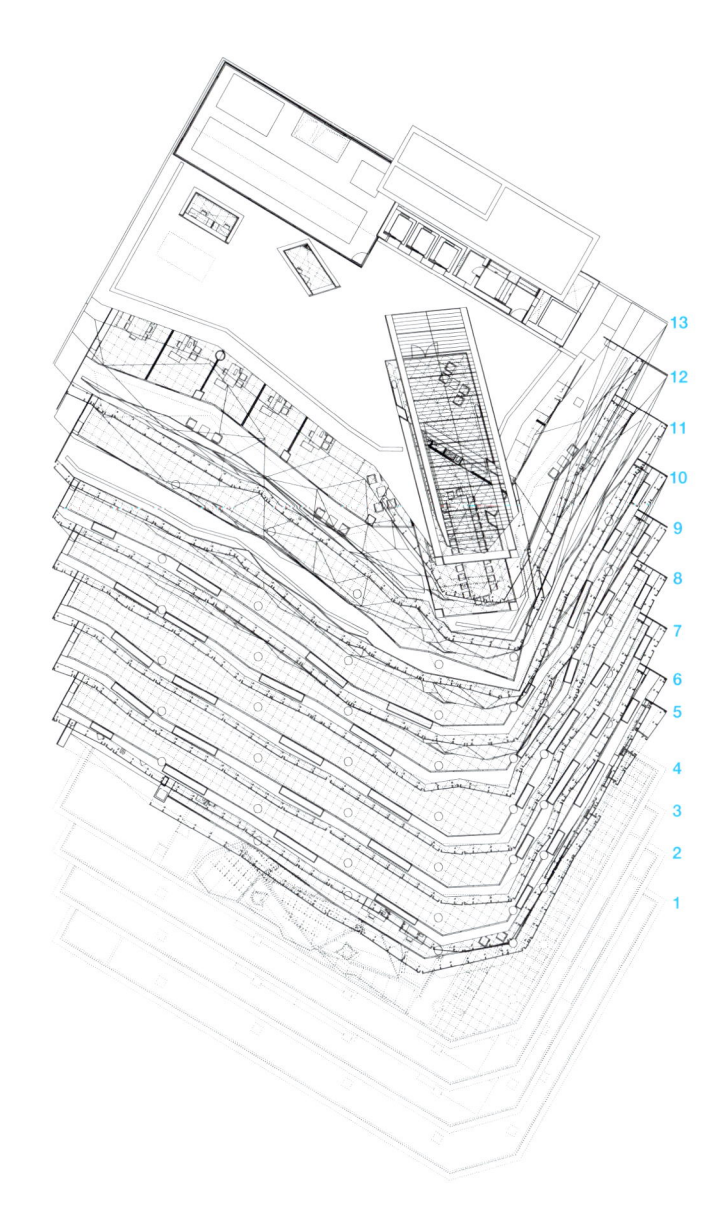

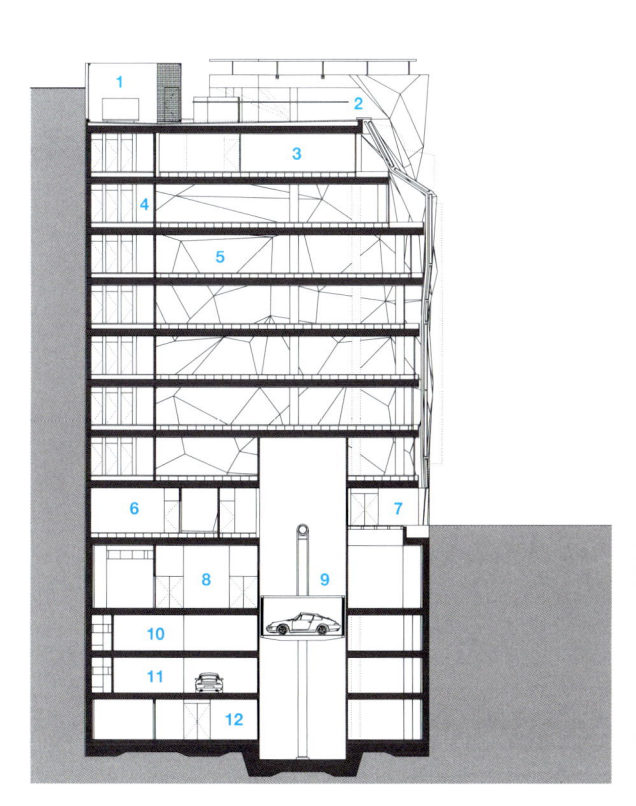

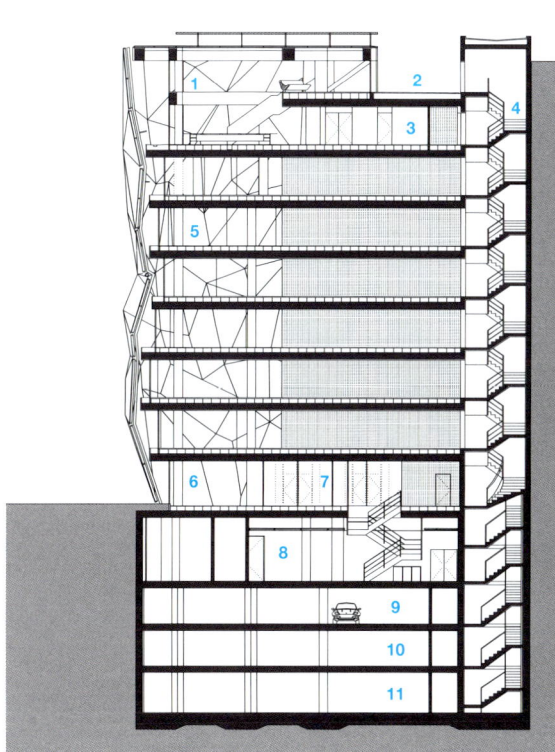

39.04
Corte A–A
1:500
1. Equipamentos mecânicos da cobertura
2. Terraço de cobertura
3. Nível do comitê diretor
4. Núcleo de circulação vertical
5. Escritórios
6. Áreas de reunião abertas
7. Circulação
8. Área técnica
9. Elevador de automóveis da garagem
10. Estacionamento
11. Estacionamento
12. Arquivos

39.05
Corte B–B
1:500
1. Espaço envidraçado do pavimento de cobertura
2. Terraço de cobertura
3. Nível do comitê diretor
4. Escada de emergência
5. Escritórios
6. Áreas de reunião abertas
7. Área pública do pavimento térreo
8. Saguão do auditório
9. Estacionamento
10. Estacionamento
11. Arquivos

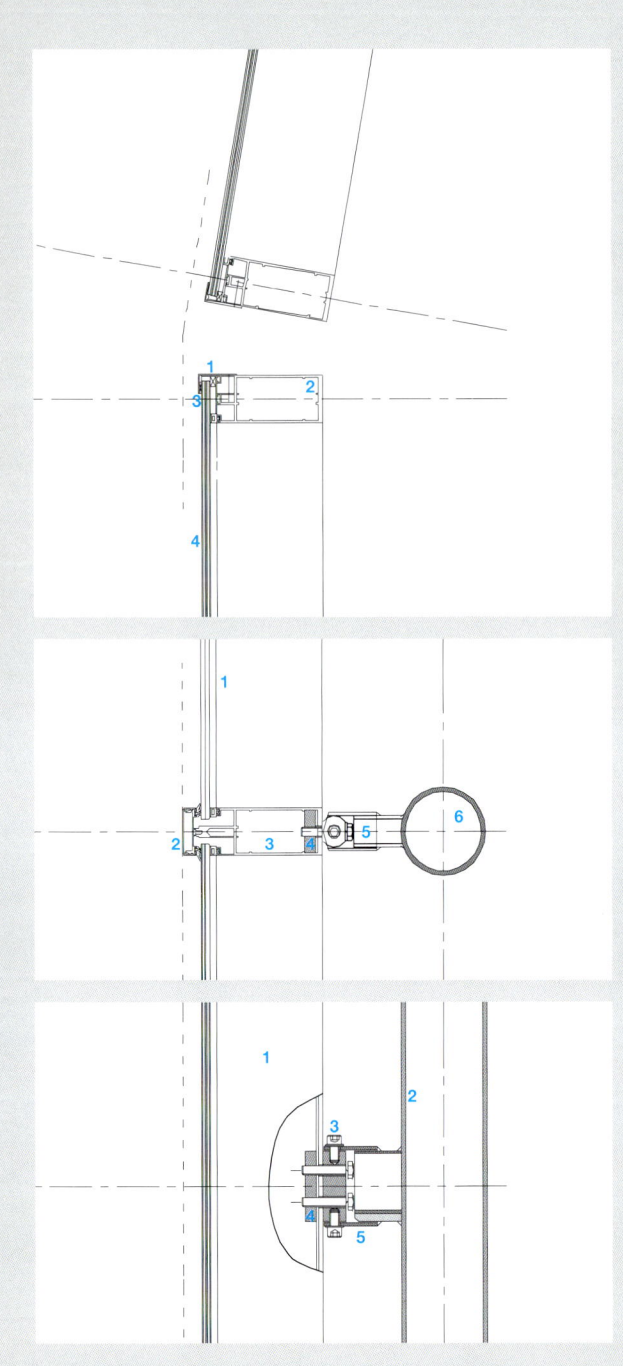

39 Coll-Barreu Arquitectos   Sede do Departamento de Saúde Basco   Bilbao, Espanha

39.06
Detalhe 1 da Pele de Vidro com Ângulo de 170 Graus: Planta Baixa 1:10
1 Cantoneira de alumínio anodizada com abas desiguais de chapa dobrada de 2 mm
2 Esquadria de perfil extrudado de alumínio anodizado de 310 × 135 mm
3 Vedação de silicone
4 Vidraça composta de polivinil butiral (PVB) entre duas chapas de vidro laminado de 6 mm

39.07
Detalhe 2 da Pele de Vidro com Ângulo de 170 Graus: Planta Baixa 1:10
1 Vidraça composta de polivinil butiral (PVB) entre duas chapas de vidro laminado de 6 mm
2 Perfil tapa-junta de encaixar em alumínio anodizado de 135 mm
3 Montante de perfil extrudado de alumínio
4 Chapa de aço inoxidável de 15 mm
5 Junta de perfil de aço inoxidável
6 Coluna de perfil tubular redondo de aço inoxidável de 114 mm de diâmetro

39.08
Detalhe 3 da Pele de Vidro com Ângulo de 170 Graus: Corte 1:10
1 Esquadria de perfil extrudado de alumínio anodizado de 310 × 135 mm
2 Coluna de perfil tubular redondo de aço inoxidável de 114 mm de diâmetro
3 Conexão parafusada de aço inoxidável
4 Chapa de aço inoxidável de 15 mm
5 Perfil soldado de aço inoxidável

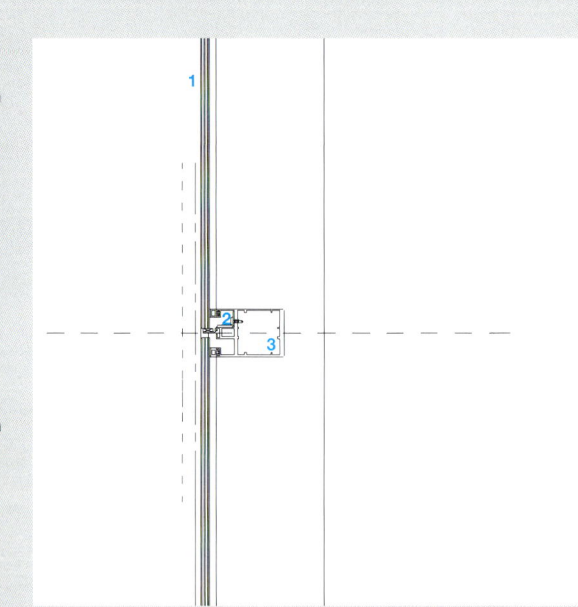

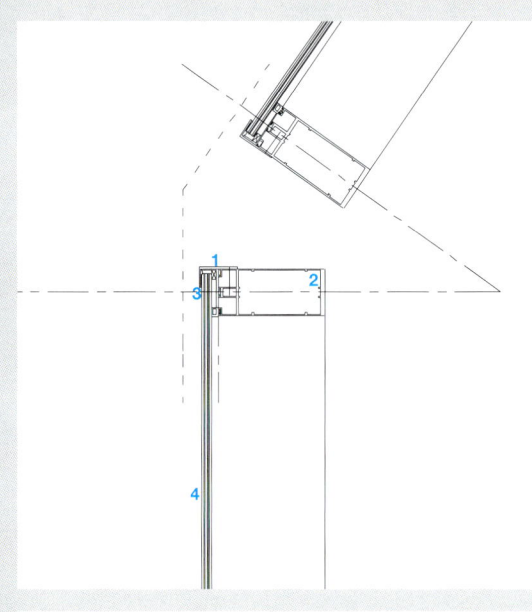

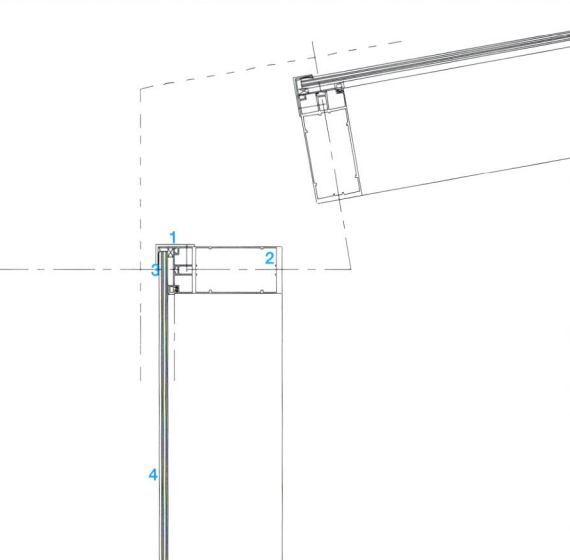

39.09
Detalhe 4 da Pele de Vidro com Ângulo de 170 Graus: Planta Baixa 1:10
1 Vidraça composta de polivinil butiral (PVB) entre duas chapas de vidro laminado de 6 mm
2 Cantoneira de alumínio anodizada com abas desiguais de chapa dobrada de 2 mm
1 Perfil extrudado de alumínio anodizado de 195 × 135 mm

39.10
Detalhe 5 da Pele de Vidro com Ângulo de 170 Graus: Planta Baixa 1:10
1 Cantoneira de alumínio anodizada com abas desiguais de chapa dobrada de 2 mm
2 Esquadria de perfil extrudado de alumínio anodizado de 310 × 135 mm
3 Vedação de silicone
4 Vidraça composta de polivinil butiral (PVB) entre duas chapas de vidro laminado de 6 mm

39.11
Detalhe 6 da Pele de Vidro com Ângulo de 100 Graus: Planta Baixa 1:10
1 Cantoneira de alumínio anodizada com abas desiguais de chapa dobrada de 2 mm
2 Esquadria de perfil extrudado de alumínio anodizado de 310 × 135 mm
3 Vedação de silicone
4 Vidraça composta de polivinil butiral (PVB) entre duas chapas de vidro laminado de 6 mm

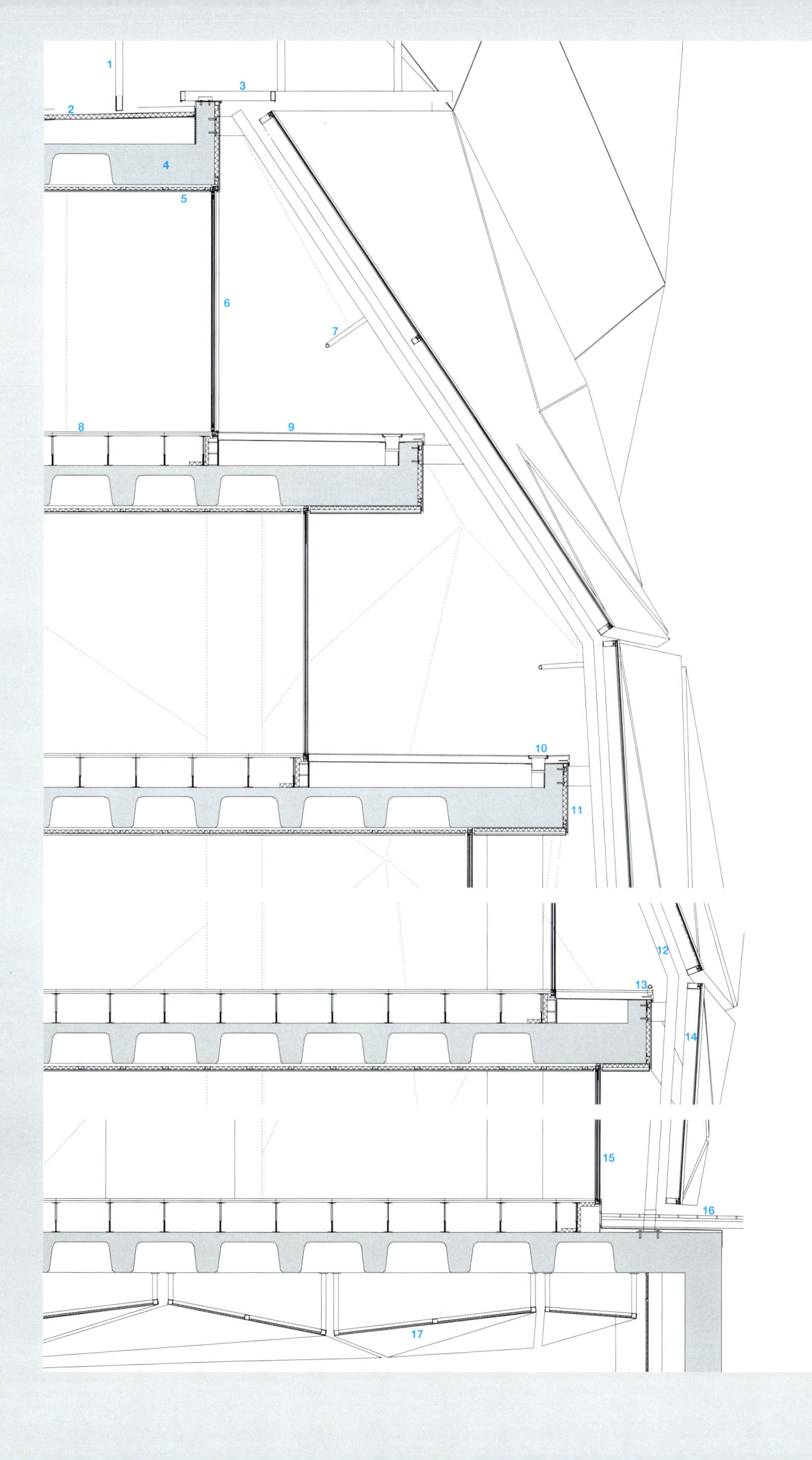

39.12
Detalhe da Fachada nos Últimos Pavimentos: Corte
1:50

1 Balaustrada de montantes de perfil tubular redondo de aço inoxidável e corrimão de madeira
2 Laje de cobertura de concreto armado polido
3 Perfil de chapa de alumínio dobrada para recobrimento da viga de borda
4 Laje *waffle* de concreto armado
5 Forro suspenso de chapas de gesso cartonado fixadas em perfis de aço galvanizado, isolamento térmico e sistema de calefação por radiação
6 Portas de vidro laminado duplo com baixo valor-E e esquadria de perfil extrudado de alumínio
7 Corrimão de perfil tubular redondo de aço inoxidável
8 Piso elevado sobre a laje *waffle* de concreto armado
9 Capa de argamassa sobre a laje de concreto armado com membrana de impermeabilização
10 Ralo
11 Revestimento da laje de piso e da viga invertida de painéis de madeira sobre argamassa impermeável e isolamento térmico
12 Pontalete de perfil tubular redondo de aço inoxidável
13 Rodapé de perfil tubular redondo de aço inoxidável na borda do piso
14 Painéis externos de vidro laminado com controle de insolação e esquadria de perfil extrudado de alumínio
15 Vidro laminado duplo externo com baixo valor-E e esquadria de perfil extrudado de alumínio sem pontes térmicas
16 Lajotas cimentícias sobre a laje de concreto armado com membrana de impermeabilização
17 Forro suspenso do auditório de telas de aço inoxidável expandido fixadas em perfis de aço galvanizado revestidas com isolamento acústico

40
Cecil Balmond

Passarela para Pedestres e Ciclistas de Coimbra
Coimbra, Portugal

Cliente
Coimbra Polis / AFA Consulting

Equipe de Projeto
Cecil Balmond, Daniel Bosia, Charles Walker, Lip Chiong

Projeto Estrutural
AFA Consulting

Arquiteto Colaborador
António Adão da Fonseca

O Rio Mondego, que serpenteia pela cidade de Coimbra, na região central de Portugal, já pode ser atravessado por uma passarela inovadora. Projetada por Cecil Balmond, fundador da Unidade de Geometria Avançada da Arup, e calculada por António Adão da Fonseca, um projetista de pontes português, a passarela leva o dinamismo estrutural aos limites, criando uma estrutura aparentemente impossível – e sem precedentes. A estrutura consiste em duas passarelas em balanço que parecem estar sempre correndo o risco de tombar. Na verdade, uma metade da passarela segura a outra, mantendo o equilíbrio. O posicionamento dos suportes verticais e o desvio no plano criam uma estrutura rígida com estabilidade lateral. A natureza contraditória do projeto curvo rompe com as linhas de visão previstas, tradicionais e contínuas das pontes em geral.

As estruturas de suporte deslocadas das duas metades da passarela são empurradas na direção das extremidades externas de cada elemento de modo que, à luz do sol, a passarela apresente elevações contrastantes, com uma metade sombreada, e a outra, iluminada. Como a área de conexão não possui vigas profundas para suporte, o efeito visual é o de uma ponte desencontrada. O dinamismo estrutural é, no entanto, apenas parte de um rico conceito de projeto de arquitetura da passarela. Por exemplo, os painéis de vidro feitos sob encomenda para o guarda-corpo, presos entre uma estrutura de aço-carbono aparentemente aleatória, capturam a luz pontilhada refletida pelo rio. Isso, juntamente com a paisagem em ambos os lados da passarela, possibilita uma jornada de descoberta em um ambiente de resto aberto. O projeto dessa passarela singular leva ao questionamento das práticas e métodos aceitos, usando técnicas puramente estruturais para introduzir uma nova estética na arquitetura.

1 O tabuleiro da passarela consiste em 1.150 metros quadrados de tábuas de Guaiacum (Pau-da-Vida), enquanto o guarda-corpo de aço e metal percorre um total de 782 metros lineares.
2 Os painéis de vidro facetado em tons pastéis de azul, verde, amarelo e rosa projetam sombras coloridas na superfície da passarela.
3 A estrutura elementar de concreto branco é justaposta pela geometria cristalina do guarda-corpo de vidro.
4 Detalhe do guarda-corpo de vidro – uma delicada rede de aço-carbono com pontos de fixação circulares feitos sob medida prende os painéis de vidro coloridos.

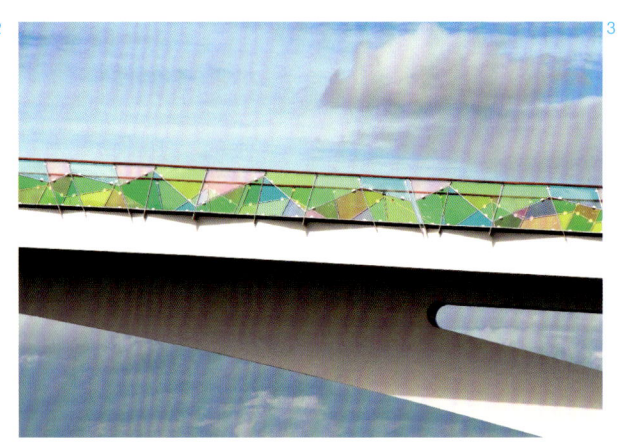

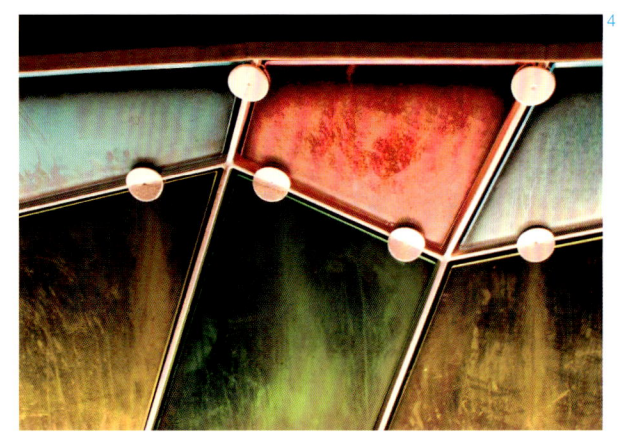

40.01
Elevação da Passarela
1:2.000
1. Blocos de ancoragem de concreto
2. Coluna de apoio
3. Estrutura em arco
4. Fundações
5. Guarda-corpo de aço e vidro
6. Escada

40.02
Planta Baixa da Passarela
1:2.000
1. Rampa de terra
2. Acesso à passarela, com muro de arrimo de terra
3. Escada
4. Escada
5. Tabuleiro da passarela
6. Ponto médio do tabuleiro da passarela
7. Tabuleiro da passarela
8. Escada
9. Acesso à passarela, com muro de arrimo de terra
10. Rampa de terra

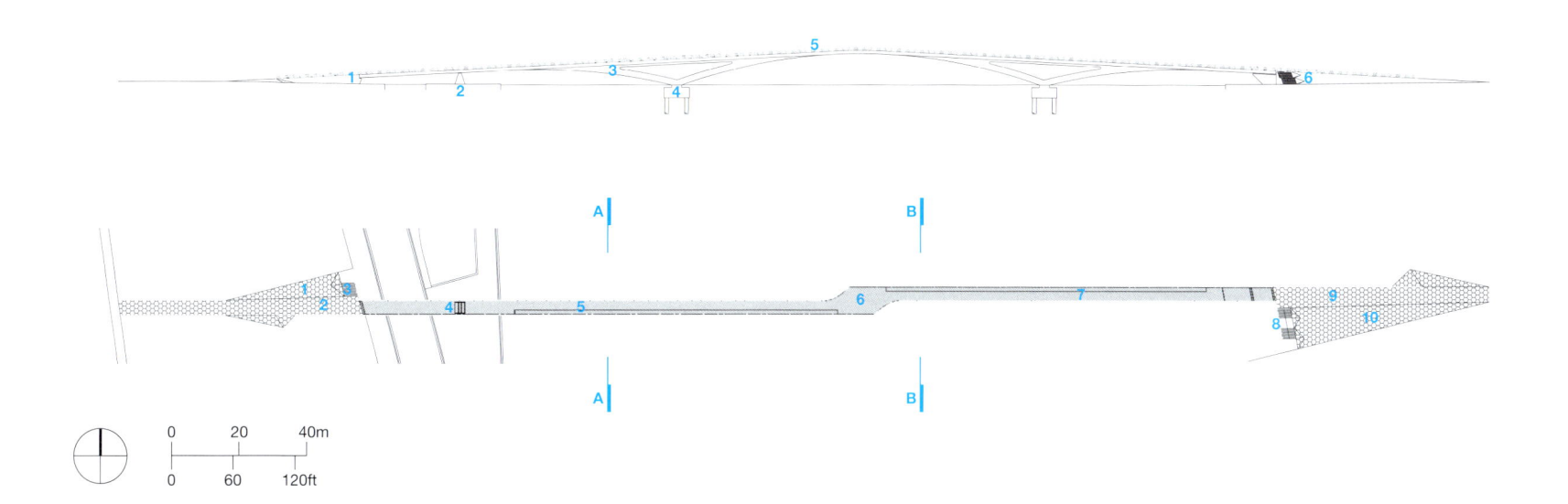

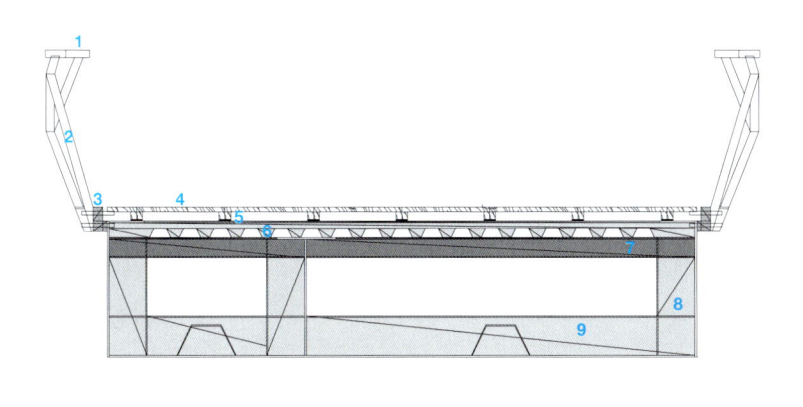

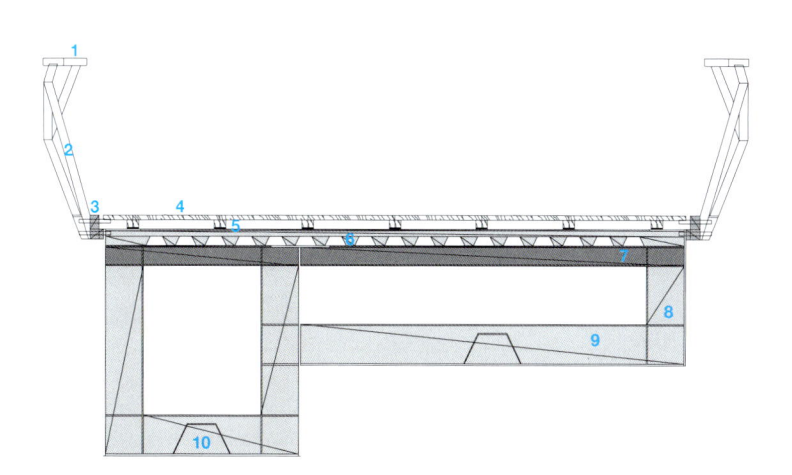

40.03
Corte A–A
1:50
1. Corrimão
2. Guarda-corpo de aço e vidro
3. Luminária embutida no tabuleiro de madeira
4. Tabuleiro de madeira
5. Suporte do tabuleiro
6. Suporte estrutural de aço do tabuleiro
7. Vigota de aço
8. Viga de aço principal
9. Viga de aço secundária

40.05
Corte B–B
1:50
1. Corrimão
2. Guarda-corpo de aço e vidro
3. Luminária embutida no tabuleiro de madeira
4. Tabuleiro de madeira
5. Suporte do tabuleiro
6. Suporte estrutural de aço do tabuleiro
7. Vigota de aço
8. Viga de aço principal
9. Viga de aço secundária
10. Viga de aço secundária
11. Viga de aço secundária

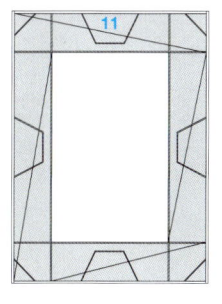

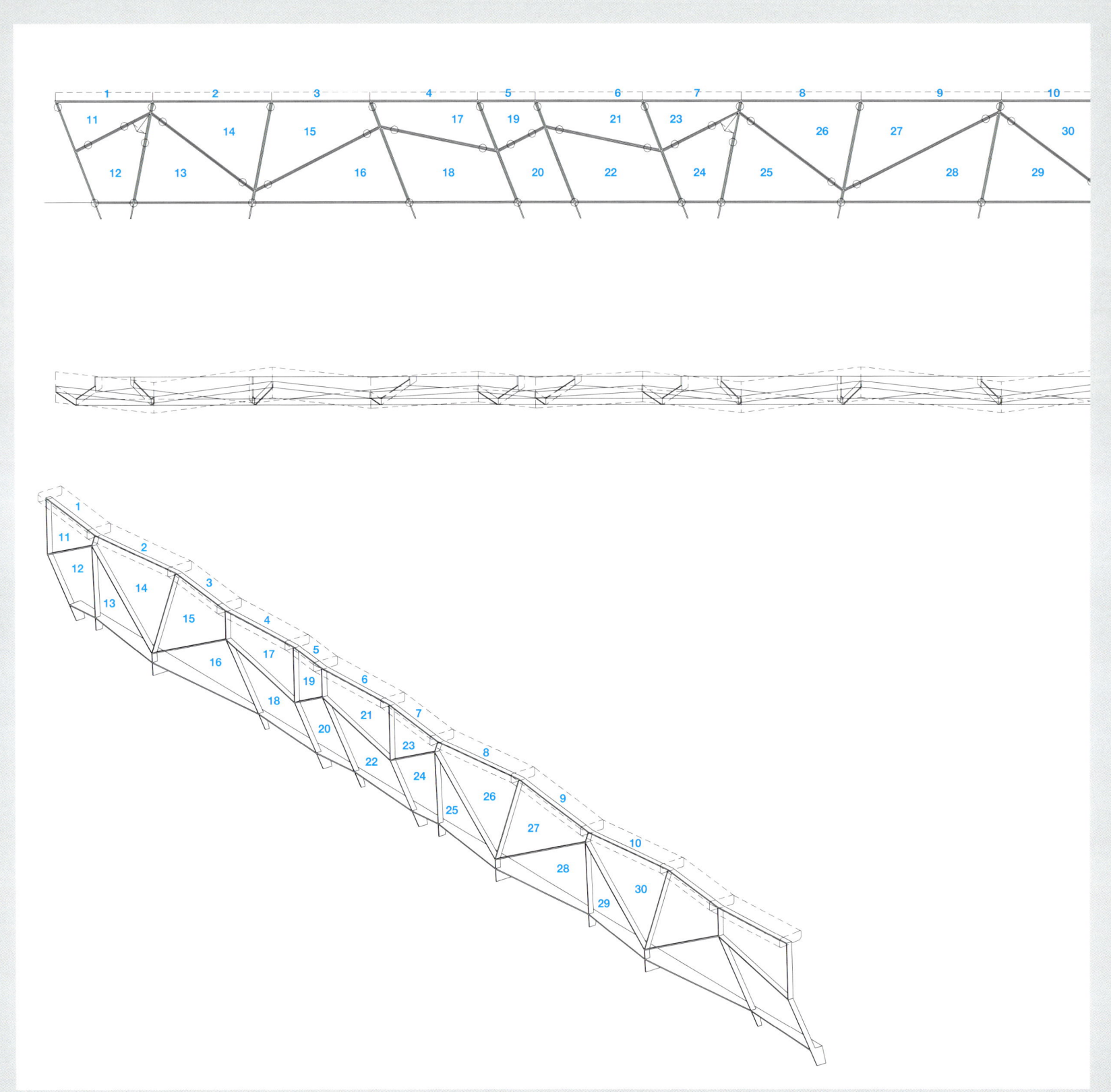

40 Cecil Balmond   **Passarela para Pedestres e Ciclistas de Coimbra**   **Coimbra, Portugal**

**40.05
Detalhe dos Painéis do Guarda-Corpo: Elevação, Corte e Perspectiva
1:50**

1 Corrimão de madeira de 60 × 227 mm, com 997 mm de comprimento
2 Corrimão de madeira de 60 × 227 mm, com 1.200 mm de comprimento
3 Corrimão de madeira de 60 × 227 mm, com 1.003 mm de comprimento
4 Corrimão de madeira de 60 × 227 mm, com 1.096 mm de comprimento
5 Corrimão de madeira de 60 × 227 mm, com 581 mm de comprimento
6 Corrimão de madeira de 60 × 227 mm, com 1.096 mm de comprimento
7 Corrimão de madeira de 60 × 227 mm, com 997 mm de comprimento
8 Corrimão de madeira de 60 × 227 mm, com 1.199 mm de comprimento
9 Corrimão de madeira de 60 × 227 mm, com 1.419 mm de comprimento
10 Corrimão de madeira de 60 × 227 mm, com 1.200 mm de comprimento
11 Painel de vidro do guarda-corpo tipo 1
12 Painel de vidro do guarda-corpo tipo 2
13 Painel de vidro do guarda-corpo tipo 4
14 Painel de vidro do guarda-corpo tipo 3
15 Painel de vidro do guarda-corpo tipo 5
16 Painel de vidro do guarda-corpo tipo 6
17 Painel de vidro do guarda-corpo tipo 7
18 Painel de vidro do guarda-corpo tipo 8
19 Painel de vidro do guarda-corpo tipo 9
20 Painel de vidro do guarda-corpo tipo 10
21 Painel de vidro do guarda-corpo tipo 7
22 Painel de vidro do guarda-corpo tipo 8
23 Painel de vidro do guarda-corpo tipo 1
24 Painel de vidro do guarda-corpo tipo 2
25 Painel de vidro do guarda-corpo tipo 4
26 Painel de vidro do guarda-corpo tipo 3
27 Painel de vidro do guarda-corpo tipo 11
28 Painel de vidro do guarda-corpo tipo 12
29 Painel de vidro do guarda-corpo tipo 4
30 Painel de vidro do guarda-corpo tipo 3

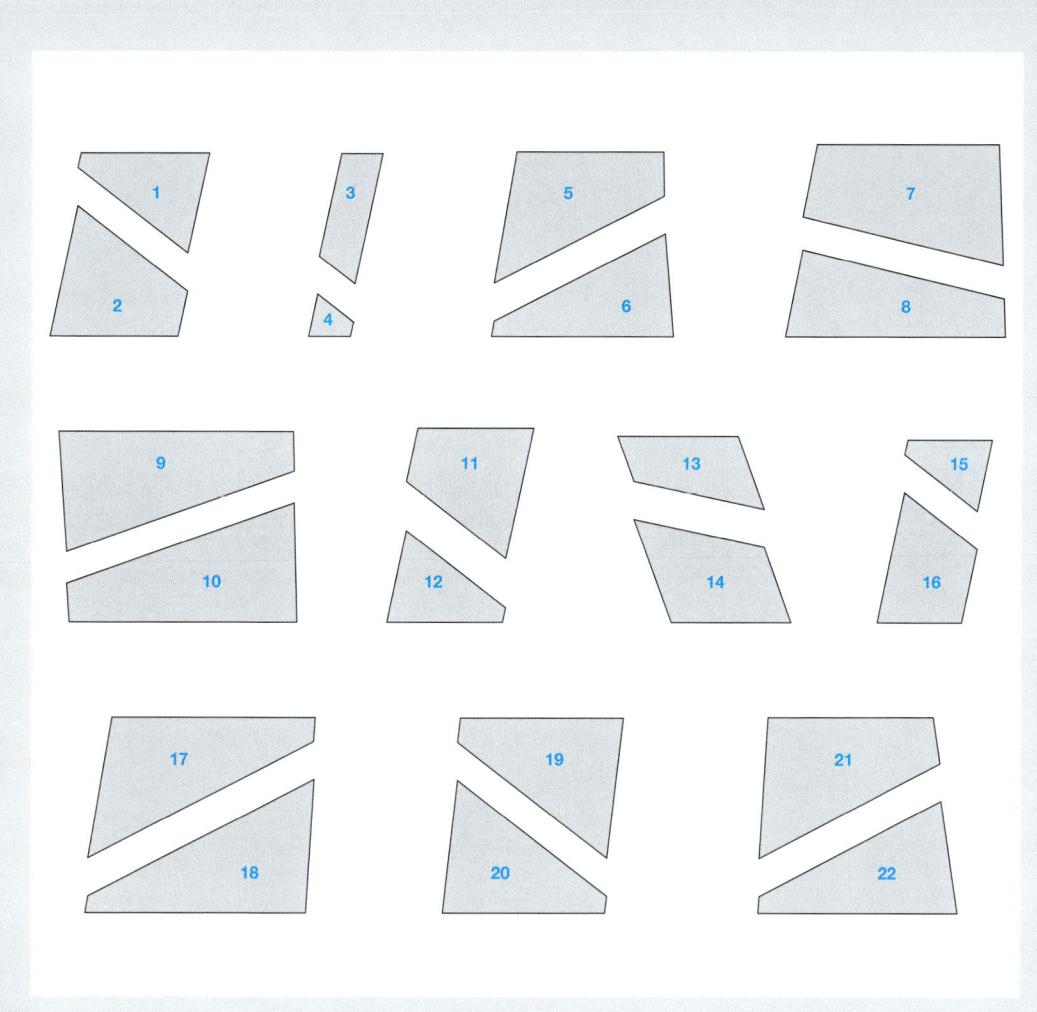

**40.06
Esquema dos Painéis do Guarda-Corpo do Tipo 13 ao 34: Elevação
1:50**

1 Painel de vidro do guarda-corpo tipo 13, com 872 × 677 × 937 × 100 mm
2 Painel de vidro do guarda-corpo tipo 14, com 938 × 305 × 872 × 884 mm
3 Painel de vidro do guarda-corpo tipo 15, com 285 × 844 × 304 × 696 mm
4 Painel de vidro do guarda-corpo tipo 16, com 311 × 95 × 285 × 289 mm
5 Painel de vidro do guarda-corpo tipo 17, com 988 × 293 × 1.279 × 882 mm
6 Painel de vidro do guarda-corpo tipo 18, com 1.289 × 685 × 1.224 × 105 mm
7 Painel de vidro do guarda-corpo tipo 19, com 1.250 × 799 × 1.415 × 489 mm
8 Painel de vidro do guarda-corpo tipo 20, com 1.421 × 255 × 1.513 × 588 mm
9 Painel de vidro do guarda-corpo tipo 21, com 1.593 × 262 × 1.635 × 798 mm
10 Painel de vidro do guarda-corpo tipo 22, com 1.633 × 790 × 1.546 × 257 mm
11 Painel de vidro do guarda-corpo tipo 23, com 788 × 882 × 847 × 361 mm
12 Painel de vidro do guarda-corpo tipo 24, com 847 × 100 × 788 × 621 mm
13 Painel de vidro do guarda-corpo tipo 25, com 817 × 514 × 904 × 318 mm
14 Painel de vidro do guarda-corpo tipo 26, com 904 × 532 × 817 × 701 mm
15 Painel de vidro do guarda-corpo tipo 27, com 580 × 484 × 623 × 100 mm
16 Painel de vidro do guarda-corpo tipo 28, com 623 × 498 × 580 × 882 mm
17 Painel de vidro do guarda-corpo tipo 29, com 1.379 × 160 × 1.716 × 946 mm
18 Painel de vidro do guarda-corpo tipo 30, com 1.720 × 887 × 1.497 × 113 mm
19 Painel de vidro do guarda-corpo tipo 31, com 1.100 × 934 × 1.268 × 163 mm
20 Painel de vidro do guarda-corpo tipo 32, com 1.268 × 113 × 1.100 × 884 mm
21 Painel de vidro do guarda-corpo tipo 33, com 1.139 × 311 × 1.395 × 936 mm
22 Painel de vidro do guarda-corpo tipo 34, com 1.403 × 752 × 1.372 × 111 mm

**40.07
Detalhe da Passarela: Corte
1:20**

1 Corrimão
2 Balaústre de aço
3 Luminária embutida no tabuado de madeira
4 Tabuado de madeira
5 Sarrafos de madeira
6 Tabuleiro de chapa dobrada de aço estrutural
7 Perfil de aço estrutural
8 Perfil de aço estrutural
9 Perfil de aço estrutural

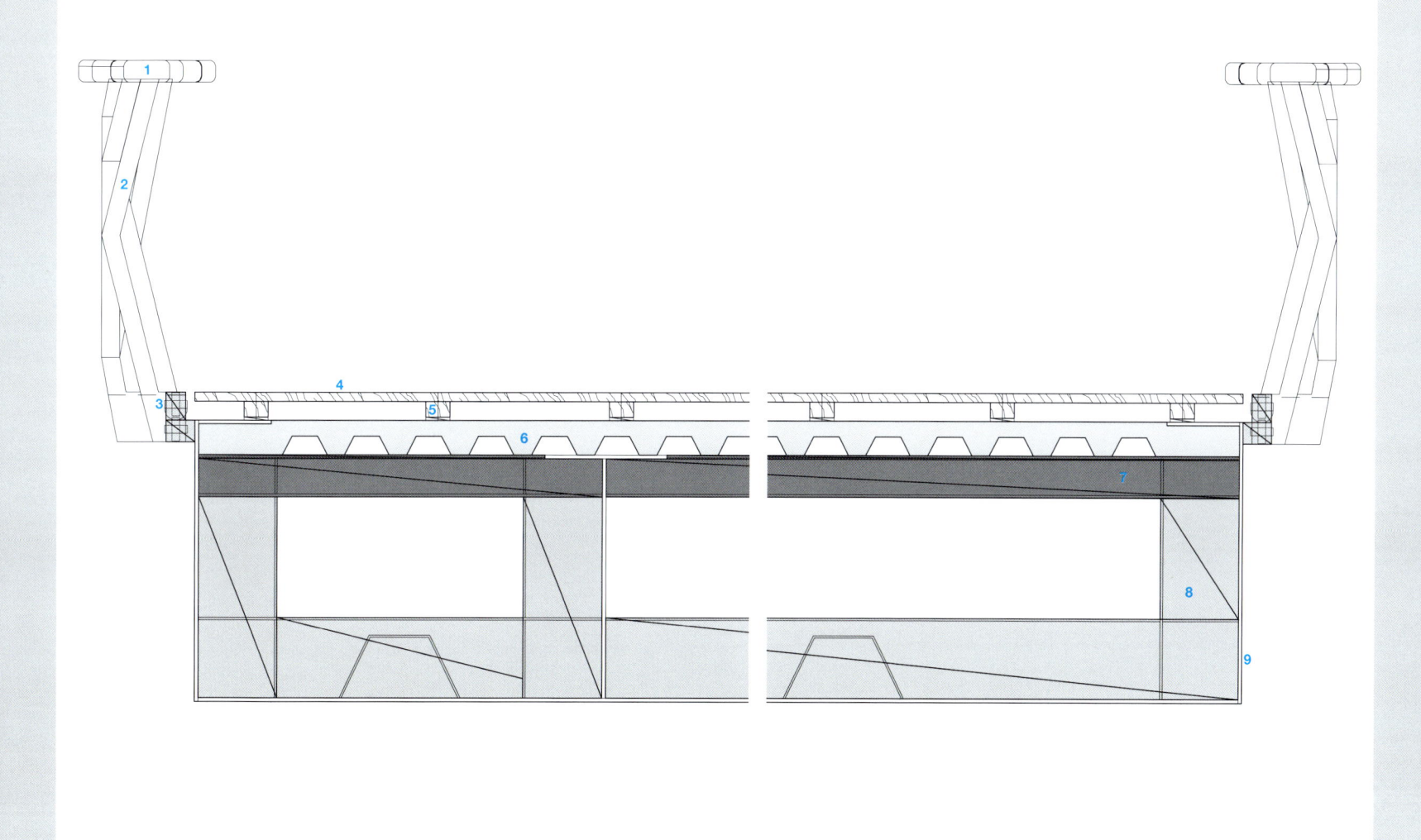

41
Heneghan Peng Architects em associação com Arthur Gibney & Partners

Áras Chill Dara
Naas, Condado de Kildare, Irlanda

Cliente
Câmara do Condado de Kildare

Equipe de Projeto
Shih-Fu Peng, Roisin Heneghan, Kin Tong, Ulf Klusmann, Paul Giblin, Carmel Murray, Edel Tobin, Martin Rohrmoser, David Harris, Leon Shakeshaft, Susan Early, Claudine Keogh, Padhraic Moneley, Karen Hammond

Projeto Estrutural
Michael Punch & Partners

Construção
Pierse Contracting

O novo edifício do Condado de Kildare foi construído ao redor de um jardim cívico, onde um plano inclinado se eleva gradualmente da rua e cria um anfiteatro. O anfiteatro inclinado funciona como uma "superfície para eventos", abrindo todo o terreno para a cidade. Os dois braços que formam o edifício envolvem o anfiteatro e dão continuidade a ele. As fachadas inclinadas resultam em uma continuidade perfeita com a superfície gramada; dessa maneira, a edificação e o parque já não são lidos como dois elementos distintos, mas combinam-se para gerar um grande espaço de convívio. As rampas de ligação que conectam os braços têm fachadas transparentes que permitem que o parque flua visualmente pelo edifício, enquanto, internamente, agem como um local de interação social. A fachada funciona como uma fachada de chuva composta por chapas de aço únicas, com persianas e brises que ajudam a manter uma temperatura interna moderada. Os escritórios foram distribuídos de modo a agrupar todos os elementos de cada departamento; contudo, os departamentos não possuem limites espaciais definidos. Como mudam de tamanho com o tempo, é possível expandi-los e contrai-los sem alterar a pele da edificação. O braço leste acomoda a entrada principal, a qual é acessada a partir do anfiteatro cívico, passando por um saguão natural de árvores preexistentes preservadas. A entrada principal – um saguão e espaço para exposições com pé-direito duplo – tem uma forte conexão visual com o jardim e todos os espaços públicos. Os novos escritórios do Condado criam um ambiente que convida o público a participar do processo de governo, além de servir de recurso para os habitantes de Naas e Kildare.

1 As fachadas e fachadas de chuva totalmente envidraçadas incorporam uma estratégia de iluminação que maximiza o uso da luz diurna por meio do uso de uma fachada lamelar que inclui brises dentro do vidro duplo, redirecionando a luz natural para os refletores instalados no teto. O sistema de iluminação artificial é automático e está vinculado à disponibilidade de luz natural.
2 A estrutura com rampa que liga as duas alas envidraçadas cria dois espaços externos atraentes em ambos os seus lados.
3 A interseção do Jardim Cívico com o Pavilhão Central preexistente gera um pequeno anfiteatro externo para apresentações abertas ao público.

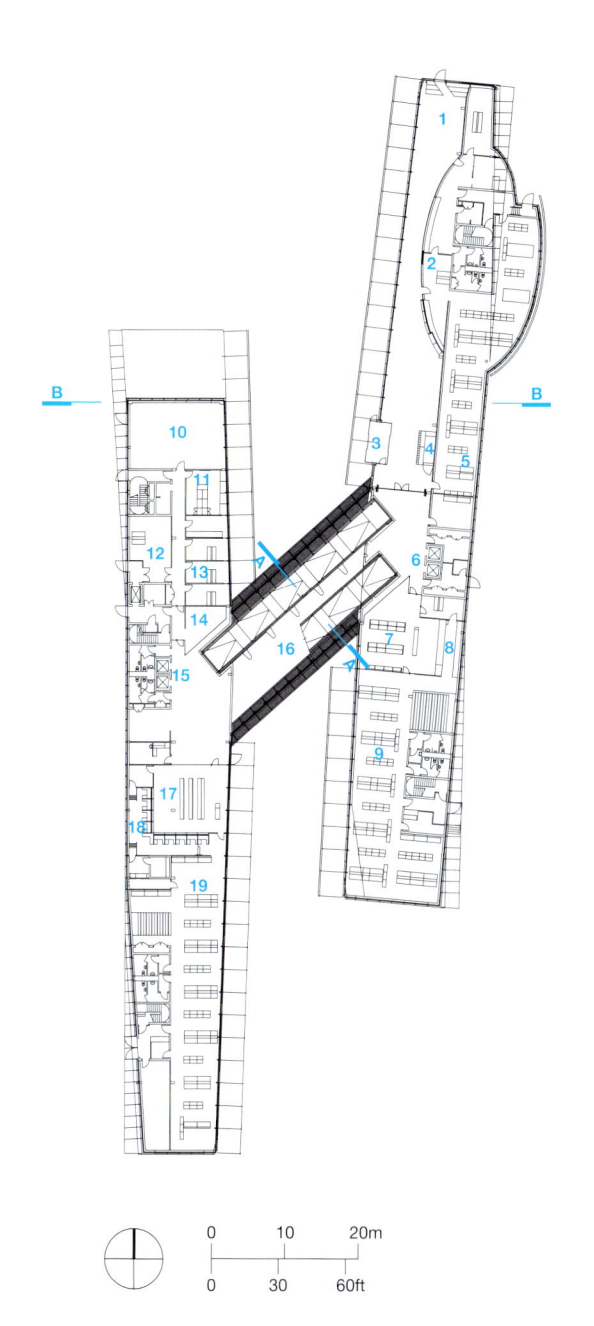

41.01
Planta Baixa do Pavimento Térreo
1:1.000
1. Sala de reuniões
2. Balcões de atendimento ao público
3. Entrada principal
4. Recepção
5. Escritórios
6. Elevadores
7. Área de espera
8. Balcão de atendimento ao público
9. Escritórios
10. Sala de treinamento
11. Sala de reuniões
12. Sala do serviço de correspondência e entregas
13. Sala de entrevista
14. Sala de espera
15. Elevadores
16. Rampa
17. Sala de espera
18. Balcões de atendimento ao público
19. Escritórios

41.02
Corte A–A
1:500
1. Cobertura da barra de conexão
2. Pele de vidro
3. Rampa
4. Corte através do terreno externo em declive
5. Pleno para instalações prediais
6. Café da barra de conexão

41.03
Corte B–B
1:500
1. Parede-cortina de alumínio
2. Escritórios
3. Recepção principal
4. Parede-cortina de alumínio
5. Pele de vidro da barra de conexão
6. Jardim de inverno envidraçado
7. Cantina
8. Equipamentos mecânicos
9. Câmara de vereadores
10. Parede-cortina de alumínio
11. Rampa de acesso

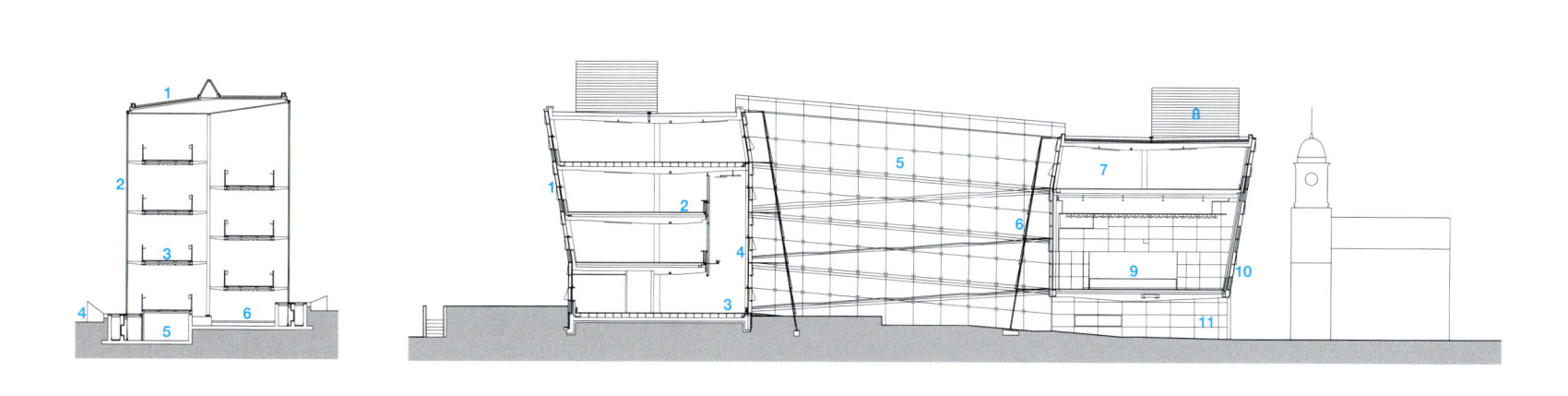

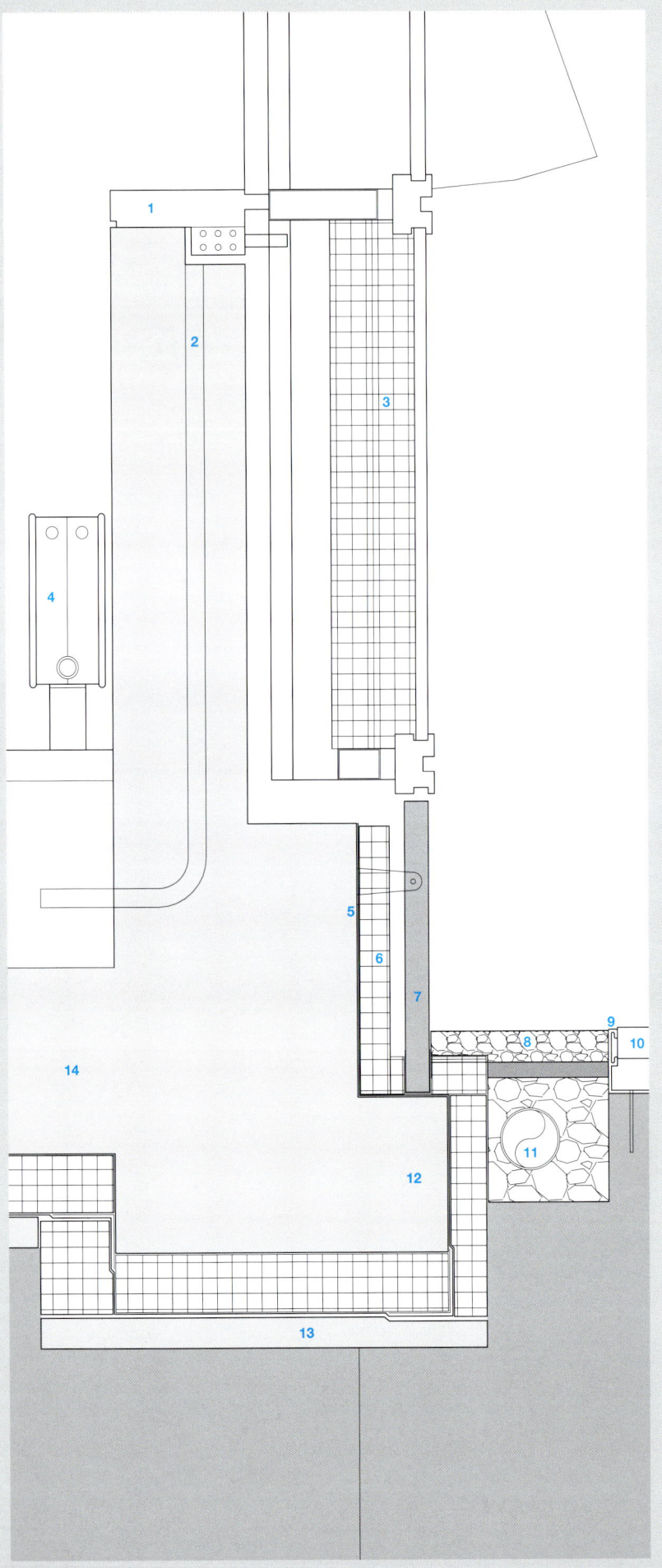

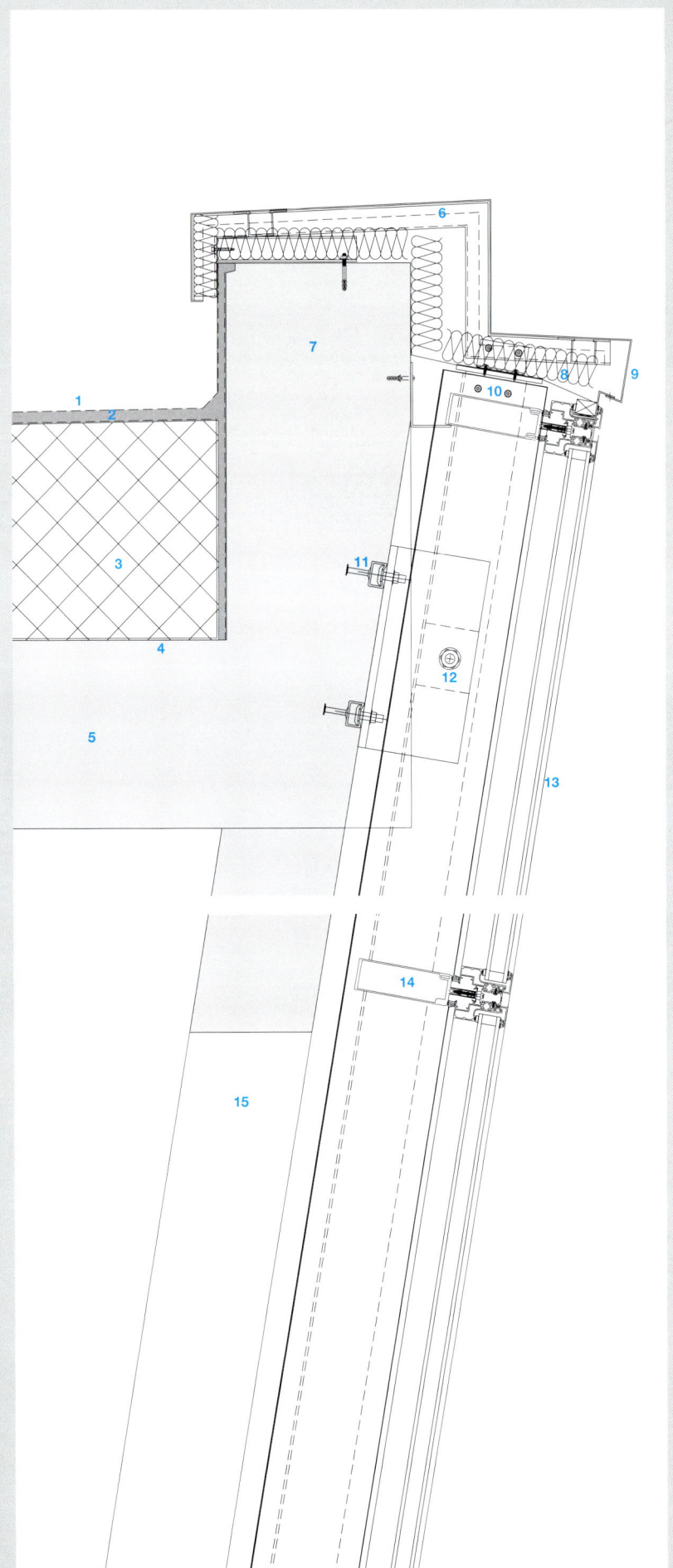

41 Heneghan Peng Architects em associação com Arthur Gibney & Partners Áras Chill Dara Naas, Condado de Kildare, Irlanda

**41.04
Detalhe da Base do Pavilhão Leste: Corte
1:10**
1 Chapa de compensado contínua de lado a lado do peitoril interno ao externo
2 Conduítes embutidos a cada 3 metros entre eixos
3 Parede-cortina
4 Radiador
5 Barreira de radônio
6 Isolamento térmico rígido
7 Revestimento de pedra
8 Cascalho solto
9 Retém de cascalho em alumínio
10 Vidro de segurança
11 Tubo de drenagem oculto
12 Sapata de concreto armado
13 Blindagem de concreto
14 Laje de piso de concreto armado

**41.05
Detalhe da Platibanda do Pavilhão Leste: Corte
1:10**
1 Membrana asfáltica
2 Base de feltro preto reforçado com fibras de linho e impregnado com betume
3 Isolamento térmico da cobertura com caimento de 1,5% em direção aos ralos dos tubos de queda pluvial
4 Barreira de vapor
5 Laje de cobertura de concreto
6 Rufo de chapa de alumínio dobrada
7 Viga de borda invertida de concreto armado
8 Isolamento térmico
9 Rufo de chapa de alumínio dobrada
10 Chapa de aço de remate
11 Chumbadores
12 Conexão parafusada entre a cantoneira de suporte e o montante
13 Vidraça
14 Travessa de perfil extrudado de alumínio
15 Parede de concreto armado à vista

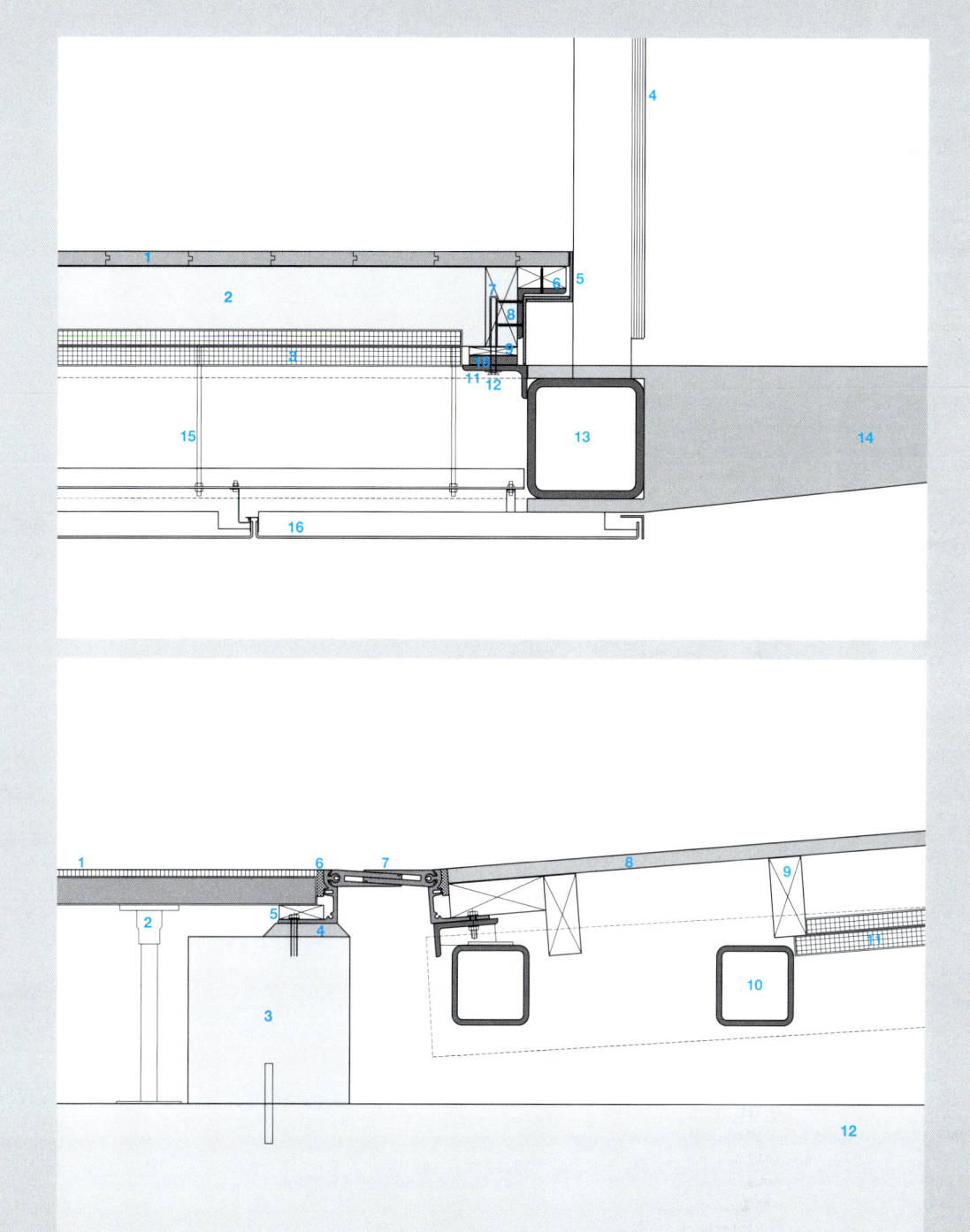

**41.06
Seção Transversal da Rampa do Espaço de Conexão
1:10**
1 Tábuas tratadas contra o fogo assentadas longitudinalmente e juntas de dilatação abertas no perímetro
2 Barrotes de madeira tratada contra o fogo a cada 350 mm dispostos transversalmente à rampa e apoiados em perfis de aço
3 Isolamento acústico em lã de rocha com acabamento na cor preta com 30 mm de espessura embaixo dos barrotes e 25 mm entre eles
4 Guarda-corpo de vidro
5 Cantoneiras de alumínio anodizaas de 4 mm contínuas, com conexões ocultas
6 Sarrafos de madeira contínuos tratados contra o fogo e com conexões parafusadas nos perfis de aço doce
7 Bucha acústica para fixação dos parafusos
8 Cantoneira de aço doce galvanizado contínua de sustentação da borda do piso, parafusada aos barrotes de madeira
9 Sarrafos de madeira contínuos tratados contra o fogo
10 Faixa contínua de proteção acústica contra vibrações
11 Cantoneira de aço
12 Parafuso e arruela para fixação do barrote
13 Perfil tubular de seção quadrada de aço estrutural, para sustentação da rampa
14 Treliça de aço estabilizadora
15 Suspensor de alumínio do forro
16 Painel do forro suspenso

**41.07
Seção Longitudinal da Rampa do Espaço de Conexão
1:10**
1 Piso elevado
2 Pedestal do piso elevado
3 Viga invertida de concreto
4 Leito de epóxi com 20 mm de espessura
5 Blocagem de madeira tratada contra o fogo
6 Gaxeta
7 Sistema de cobertura da junta de dilatação
8 Piso da rampa composto de tábuas tratadas contra o fogo assentadas longitudinalmente sobre barrotes de madeira e cantoneiras de aço
9 Barrotes de madeira tratada contra o fogo
10 Perfil tubular de seção quadrada de aço estrutural
11 Isolamento acústico em lã de rocha com acabamento na cor preta com 30 mm de espessura embaixo dos barrotes e 25 mm entre eles
12 Laje de concreto armado da estrutura principal do prédio

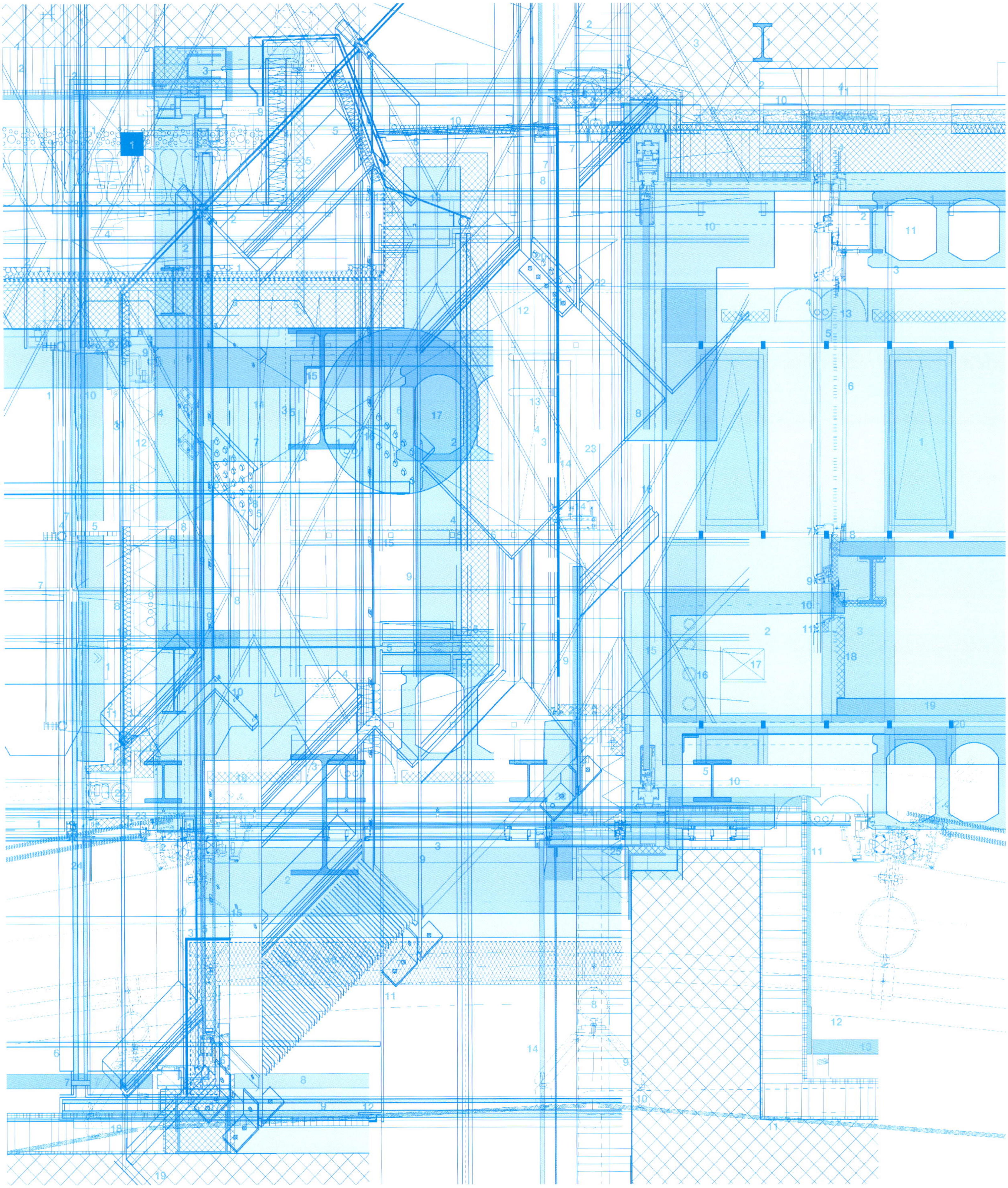

**Edificações
de Ensino
42–50**

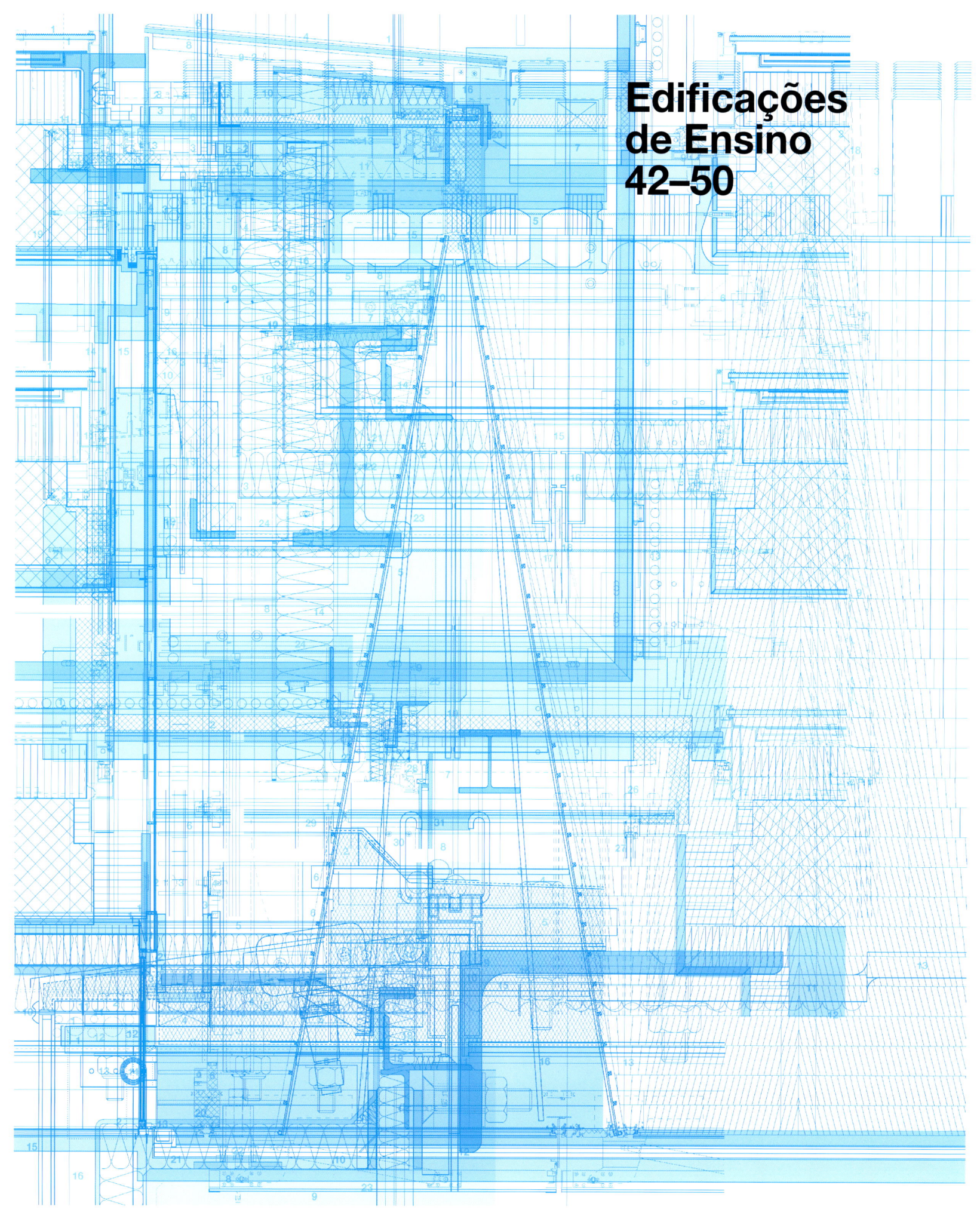

42
Diener & Diener Architects
Torres de Apartamentos Westkaai
Antuérpia, Bélgica

Cliente
NV Kattendijkdok

Equipe de Projeto
Diener & Diener, Berlim/Basileia com ELD Partnership, Antuérpia

Projeto Estrutural
Stedec

Projeto de Fachadas
AMP Albrecht Memmert & Partner

No porto de Antuérpia, ao norte do centro da cidade, as torres de apartamentos Westkaai marcam um eixo cultural de concepção inovadora. O projeto em três fases envolve três firmas de arquitetura, cada uma responsável por projetar duas torres com 16 pavimentos de altura, formando um agrupamento na orla marítima. A primeira dupla de torres, projetada por Diener & Diener, situa-se perto de Amsterdamstraat e fica à beira-mar. A transparência das torres envidraçadas contrasta fortemente com a falange de antigas casas em fita estreitas com pavimentos múltiplos encontradas no restante das docas. Todavia, elementos específicos da arquitetura das casas em fita, inclusive o tamanho das aberturas e a textura, inspiraram o projeto das torres.

Por outro lado, a homogeneidade e a horizontalidade dos edifícios preexistentes se opõem à verticalidade dinâmica das torres. As elevações dos dois prédios de apartamentos diferem em função das configurações variáveis da planta baixa, que se refletem na fenestração. Os tipos de piso se repetem em conjuntos com dois, três ou quatro andares, por sua vez alternados por toda a torre. Cada conjunto de andares é composto por apartamentos com sete plantas diferentes, variando de apartamentos de dois a cinco dormitórios. As posições das janelas acompanham a lógica das plantas baixas, e, por conseguinte, as fachadas demonstram ritmos variáveis nas elevações. Cinco tipos diferentes de janelas, com caixilhos fixos ou pivotantes, permitem a entrada de luz e ventilação nos apartamentos. O restante da superfície das fachadas foi revestido com vidro canelado, fixado com esquadrias de alumínio ou conectores individuais sobre painéis de metal anodizado e isolado, nas cores dourada e prateada.

1 As duas torres de apartamentos da Diener & Diener foram os primeiros dos seis prédios a serem construídos como parte do condomínio ao lado do porto.
2 A fachada totalmente envidraçada é composta por vidros translúcidos com caixilhos fixos ou de abrir, que trazem luz para os apartamentos, ou chapas de vidro canelado fixadas sobre painéis de metal nas cores douradas e prateada.
3 O ritmo da fenestração resulta das plantas baixas que variam ao longo do edifício e incluem apartamentos de dois a cinco dormitórios.
4 Detalhe da quina de uma das torres, onde se encontra com a superfície pavimentada do cais.
5 Os profundos balcões apresentam vidraças pivotantes que permitem o aproveitamento do espaço em uma variedade de condições climáticas ao longo do ano.

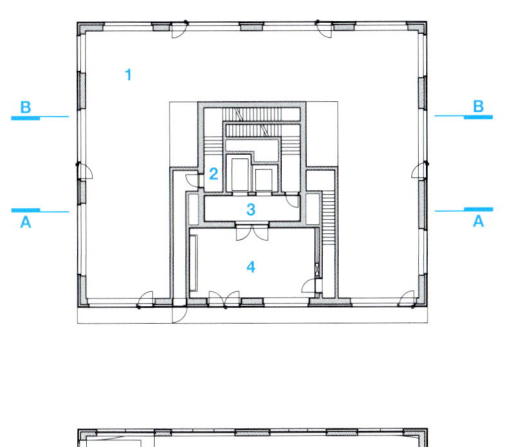

42.01
Planta Baixa do Pavimento Térreo da Torre 1
1:500
1 Espaço para loja ou empresa
2 Escada de emergência
3 Elevadores
4 Saguão

42.02
Planta Baixa do Pavimento Térreo da Torre 2
1:500
1 Saída da garagem
2 Entrada da garagem
3 Espaço para loja ou empresa
4 Escada de emergência
5 Elevadores
6 Saguão
7 Espaço para loja ou empresa

42.03
Planta Baixa Tipo A do Nível de Apartamentos
1:500
1 Balcão
2 Sala de estar e cozinha
3 Dormitório
4 Balcão
5 Sala de estar e cozinha
6 Sala de estar e cozinha
7 Balcão
8 Dormitório
9 Sala de estar e cozinha
10 Balcão
11 Dormitório
12 Dormitório
13 Dormitório
14 Dormitório
15 Dormitório
16 Saguão
17 Banheiro
18 Elevadores
19 Banheiro
20 Saguão
21 Banheiro

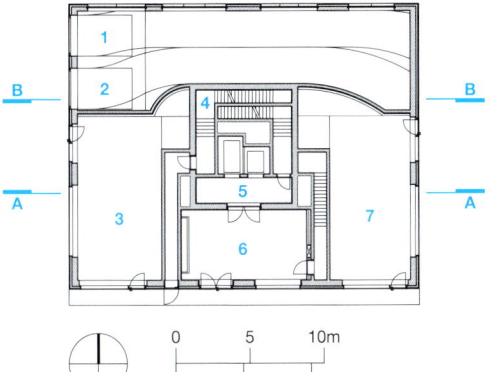

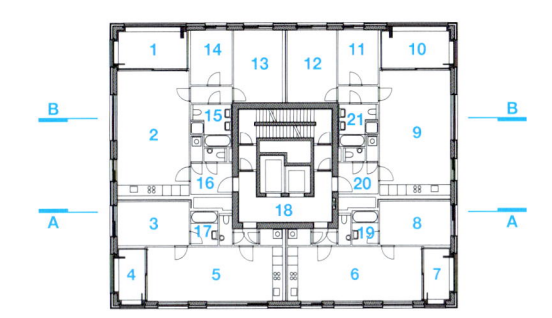

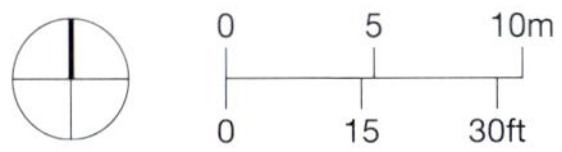

42.04
Corte A–A
1:500
1 Pavimento de serviço e cobertura
2 16º pavimento
3 15º pavimento
4 14º pavimento
5 13º pavimento
6 12º pavimento
7 11º pavimento
8 10º pavimento
9 9º pavimento
10 8º pavimento
11 7º pavimento
12 6º pavimento
13 5º pavimento
14 4º pavimento
15 3º pavimento
16 2º pavimento
17 Pavimento térreo
18 Primeiro subsolo
19 Segundo subsolo

42.05
Corte B–B
1:500
1 Pavimento de serviço e cobertura
2 16º pavimento
3 15º pavimento
4 14º pavimento
5 13º pavimento
6 12º pavimento
7 11º pavimento
8 10º pavimento
9 9º pavimento
10 8º pavimento
11 7º pavimento
12 6º pavimento
13 5º pavimento
14 4º pavimento
15 3º pavimento
16 2º pavimento
17 Pavimento térreo
18 Primeiro subsolo
19 Segundo subsolo

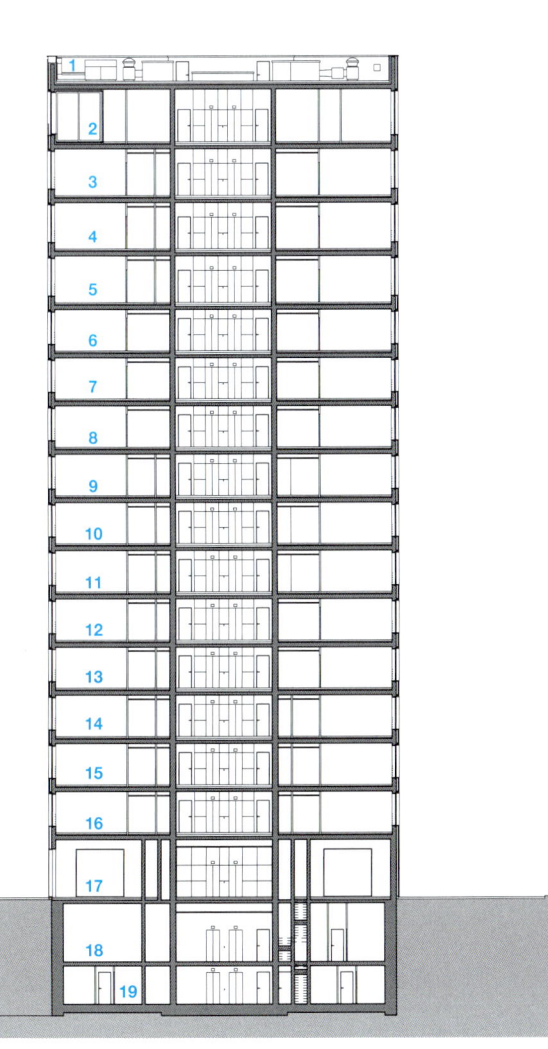

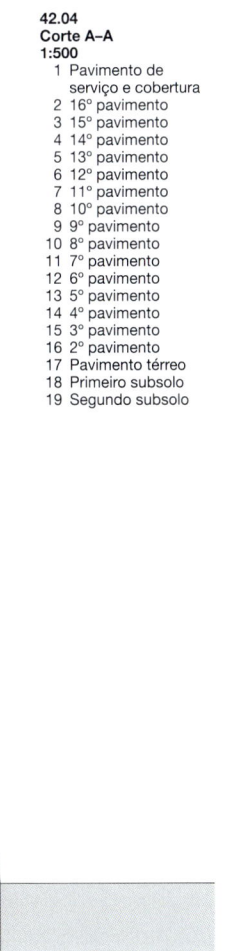

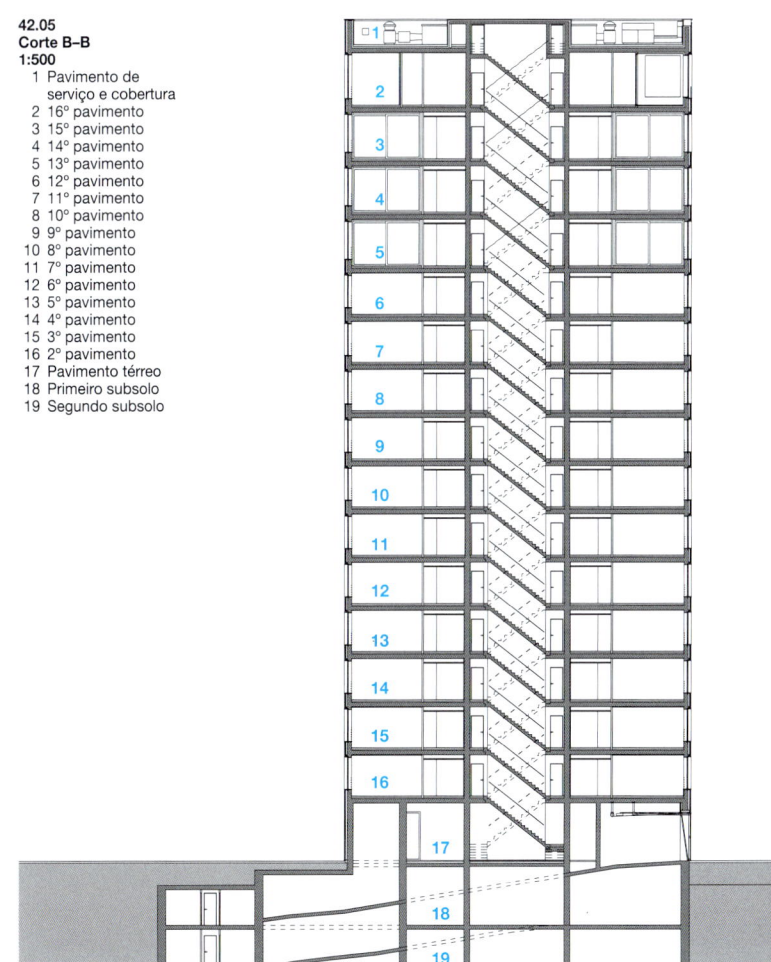

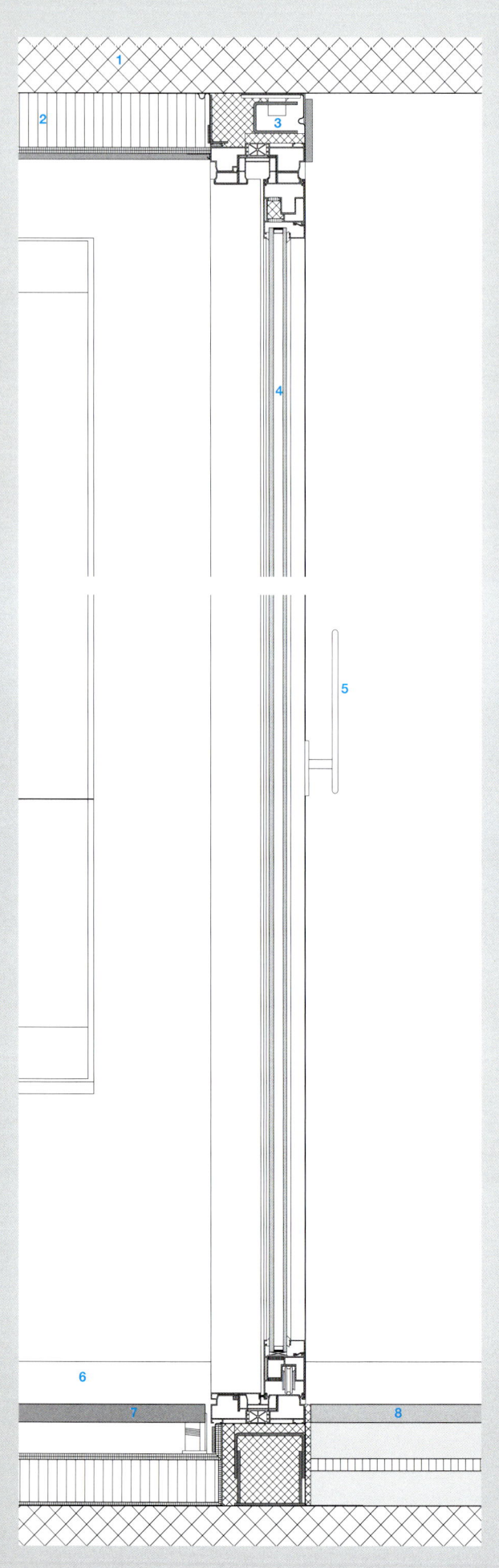

42 Diener & Diener Architects   Torres de Apartamentos Westkaai   Antuérpia, Bélgica

**42.06
Detalhe de Porta de Correr do Balcão: Corte 1:10**

1 Laje de piso de concreto armado com 280 mm de espessura
2 Forro rebocado de 10 mm sobre 100 mm de isolamento térmico
3 Esquadria da alumínio anodizado da porta de correr
4 Porta de correr com vidro duplo composto de uma chapa de vidro de 6 mm, câmara de ar de 20 mm e uma segunda chapa de vidro de 8 mm
5 Maçaneta da porta de correr que se eleva ao abrir
6 Rodapé de granito com 10 mm de espessura nivelado com as paredes rebocadas com a face inferior do piso de granito
7 Piso externo de granito com 30 mm de espessura e juntas de 3 mm apoiado em pedestais reguláveis
8 Piso interno de parquê assentado sobre capa de argamassa sobre chapa de polietileno, isolamento acústico, capa de argamassa com grãos de poliestireno e laje de piso de concreto

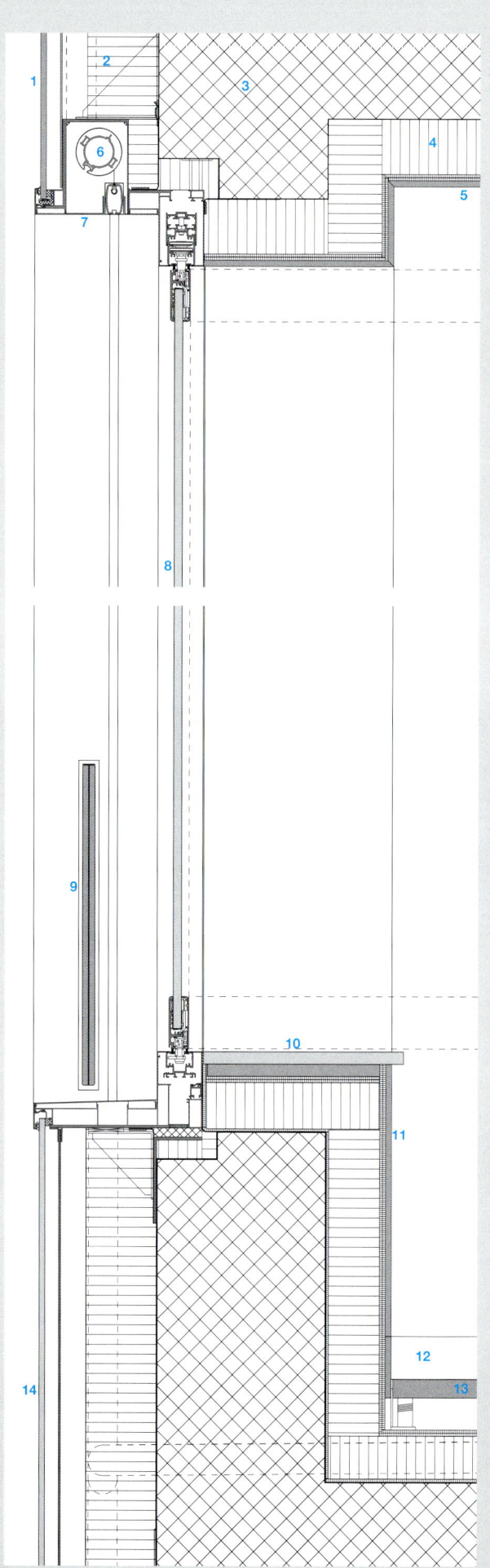

**42.07
Detalhe do Para-Ventos de Vidro do Balcão: Corte 1:10**

1 Parede externa composta de vidro fundido canelado de 12 mm, fixações de encaixar de alumínio de 30 mm, cavidade ventilada, chapa de base de alumínio de 3 mm, revestimento anodizado amortecedor de ruídos de cor dourada ou prateada e câmara de ar de 40 mm
2 Isolamento térmico em lã de rocha de 120 mm
3 Laje de concreto armado com 280 mm de espessura
4 Parede lateral do balcão com painéis compostos com isolamento térmico e 100 mm de espessura, com reboco e pintura
5 Reboco fino de 10 mm no forro de gesso
6 Persiana de enrolar com guias embutidas nas ombreiras
7 Esquadria de alumínio anodizada com 42 mm de espessura em todos os lados da abertura
8 Para-vento com chapas corrediças e pivotantes de vidro de segurança de 12 mm afastadas 3 mm entre si e instaladas em esquadria de alumínio anodizado com rolamentos horizontais duplos
9 Guarda-corpo do balcão de vidro de segurança laminado de 25 mm e borda superior protegida por perfil de aço inoxidável de 25 × 3 mm
10 Parapeito de granito com 20 mm de espessura e juntas de 2 mm e todas as bordas com chanfros mínimos
11 Mureta do balcão de painéis compostos com isolamento térmico rebocados e pintados
12 Rodapé de granito com 10 mm de espessura nivelado com as paredes rebocadas com a face inferior do piso de granito
13 Piso externo de granito com 30 mm de espessura e juntas de 3 mm apoiado em pedestais reguláveis
14 Parede externa composta de vidro fundido canelado de 12 mm, fixações de encaixar de alumínio de 30 mm, cavidade ventilada, chapa de base de alumínio de 3 mm, revestimento anodizado amortecedor de ruídos de cor dourada ou prateada e câmara de ar de 40 mm

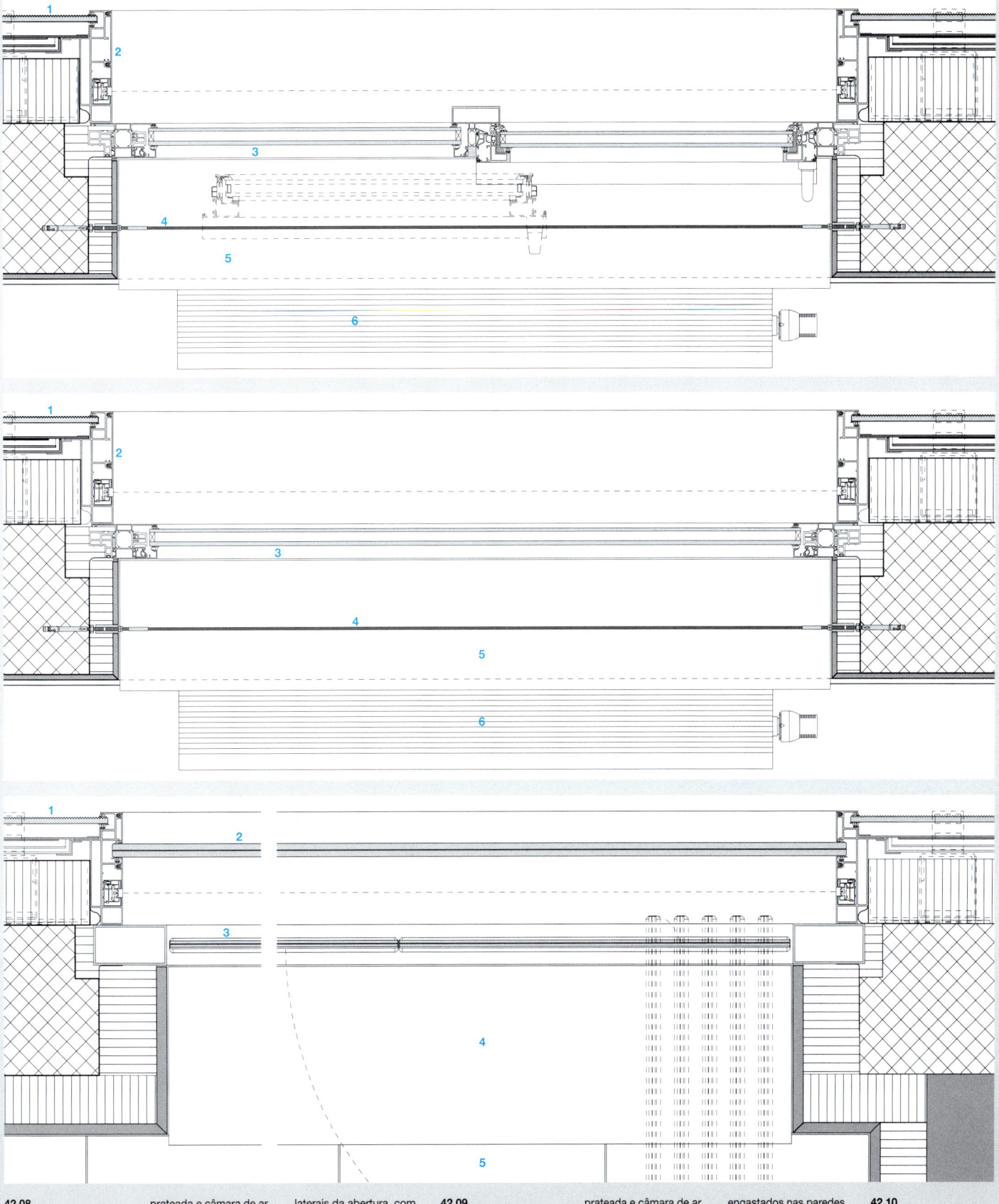

**42.08
Detalhe de Janela de Correr Típica: Planta Baixa
1:10**

1 Parede externa composta de vidro fundido canelado de 12 mm, fixações de encaixar de alumínio de 30 mm, cavidade ventilada, chapa de base de alumínio de 3 mm, revestimento anodizado amortecedor de ruídos de cor dourada ou prateada e câmara de ar de 40 mm
2 Esquadria de alumínio anodizada com 42 mm de espessura em todos os lados da abertura
3 Janela de correr com vidro duplo composto de uma chapa de vidro de 6 mm, câmara de ar de 20 mm e uma segunda chapa de vidro de 8 mm
4 Guarda-corpo de cabos de aço inoxidável com 5 mm de diâmetro engastados nas paredes laterais da abertura, com 150 mm de distância vertical entre cada cabo
5 Parapeito de granito com 20 mm de espessura e juntas de 2 mm e todas as bordas com chanfros mínimos
6 Radiador de 200 × 120 mm

**42.09
Detalhe de Janela com Caixilhos Fixos Típica: Planta Baixa
1:10**

1 Parede externa composta de vidro fundido canelado de 12 mm, fixações de encaixar de alumínio de 30 mm, cavidade ventilada, chapa de base de alumínio de 3 mm, revestimento anodizado amortecedor de ruídos de cor dourada ou prateada e câmara de ar de 40 mm
2 Esquadria de alumínio anodizada com 42 mm de espessura em todos os lados da abertura
3 Janela com caixilhos fixos com vidro duplo composto de uma chapa de vidro de 6 mm, câmara de ar de 20 mm e uma segunda chapa de vidro de 8 mm
4 Guarda-corpo de cabos de aço inoxidável com 5 mm de diâmetro engastados nas paredes laterais da abertura, com 150 mm de distância vertical entre cada cabo
5 Parapeito de granito com 20 mm de espessura e juntas de 2 mm e todas as bordas com chanfros mínimos
6 Radiador de 200 × 120 mm

**42.10
Detalhe do Para-Ventos de Vidro Típico do Balcão: Planta Baixa
1:10**

1 Parede externa composta de vidro fundido canelado de 12 mm, fixações de encaixar de alumínio de 30 mm, cavidade ventilada, chapa de base de alumínio de 3 mm, revestimento anodizado amortecedor de ruídos de cor dourada ou prateada e câmara de ar de 40 mm
2 Guarda-corpo do balcão de vidro de segurança laminado de 25 mm e borda superior protegida por perfil de aço inoxidável de 25 × 3 mm
3 Para-vento com chapas corrediças e pivotantes de vidro de segurança de 12 mm afastadas 3 mm entre si e instaladas em esquadria de alumínio anodizado com rolamentos horizontais duplos
4 Parapeito de granito com 20 mm de espessura e juntas de 2 mm e todas as bordas com chanfros mínimos
5 Piso externo de granito com 30 mm de espessura e juntas de 3 mm apoiado em pedestais reguláveis

183

43
Herzog & de Meuron

Centro de Informação, Comunicação e Mídia da Universidade Técnica de Brandenburg
Cottbus, Alemanha

Cliente
Liegenschafts– und Bauamt Cottbus

Equipe de Projeto
Jacques Herzog, Pierre de Meuron, Christine Binswanger, Jürgen Johner, Florian Marti

Projeto Estrutural
Pahn Ingenieure

Construção
Höhler + Partner Architekten und Ingenieure

O projeto da nova biblioteca da Universidade Técnica de Brandenburg buscou transformá-la em um marco solitário na arquitetura urbana do entorno, comunicando, assim, o novo espírito da universidade. A planta baixa similar a uma ameba parece se espalhar e fluir pela paisagem ao redor. Embora pareça, à primeira vista, uma forma puramente acidental, trata-se, na verdade, de uma configuração proposital de muitas rotas de circulação diferentes. O edifício com pele de vidro fica em frente à entrada principal do *campus*, de onde aparenta estar ancorado em um contexto que se parece com um parque.

A forma orgânica permite a criação de salas de leitura de muitos tamanhos diferentes, orientadas em todas as direções, ao mesmo tempo em que o todo maior da biblioteca permanece um espaço interno único e conectado. Dentro da vedação externa, e seguindo um leiaute ortogonal, os pavimentos internos são recortados de modo a adquirir formas diferentes, gerando uma tensão entre o interior e a pele contínua do prédio. Consequentemente, algumas salas de leitura têm pé-direito duplo ou triplo, ao passo que outras são mais intimistas, com tetos intencionalmente baixos. Uma enorme escada em espiral, com seis metros de diâmetro, corta toda a edificação e conecta seus nove pavimentos. A fachada delicada é coberta por um véu de vidro branco estampado, em ambos os lados, com textos em diferentes idiomas e alfabetos. Os textos foram sobrepostos em diversas camadas, tornando-se deliberadamente ilegíveis. O padrão impresso rompe com a reflexão, elimina a aparência dura do vidro e transforma o edifício em uma suave presença escultórica na paisagem.

1 A sobreposição de textos brancos na superfície da fachada de vidro resulta em um projeto cuja origem no mundo dos signos escritos é inconfundível.
2 À noite, a biblioteca parece um monumento impassível ancorado no parque.
3 O esquema de cores das salas de leitura, com suas atmosferas de concentração silenciosa, é cinza e branco, o que dá precedência à expressão arquitetônica do espaço, luz e vistas.
4 No interior do prédio, as áreas são banhadas em cor, incluindo faixas nos pisos, suportes e paredes, seguindo o sistema ortogonal e racional da edificação.

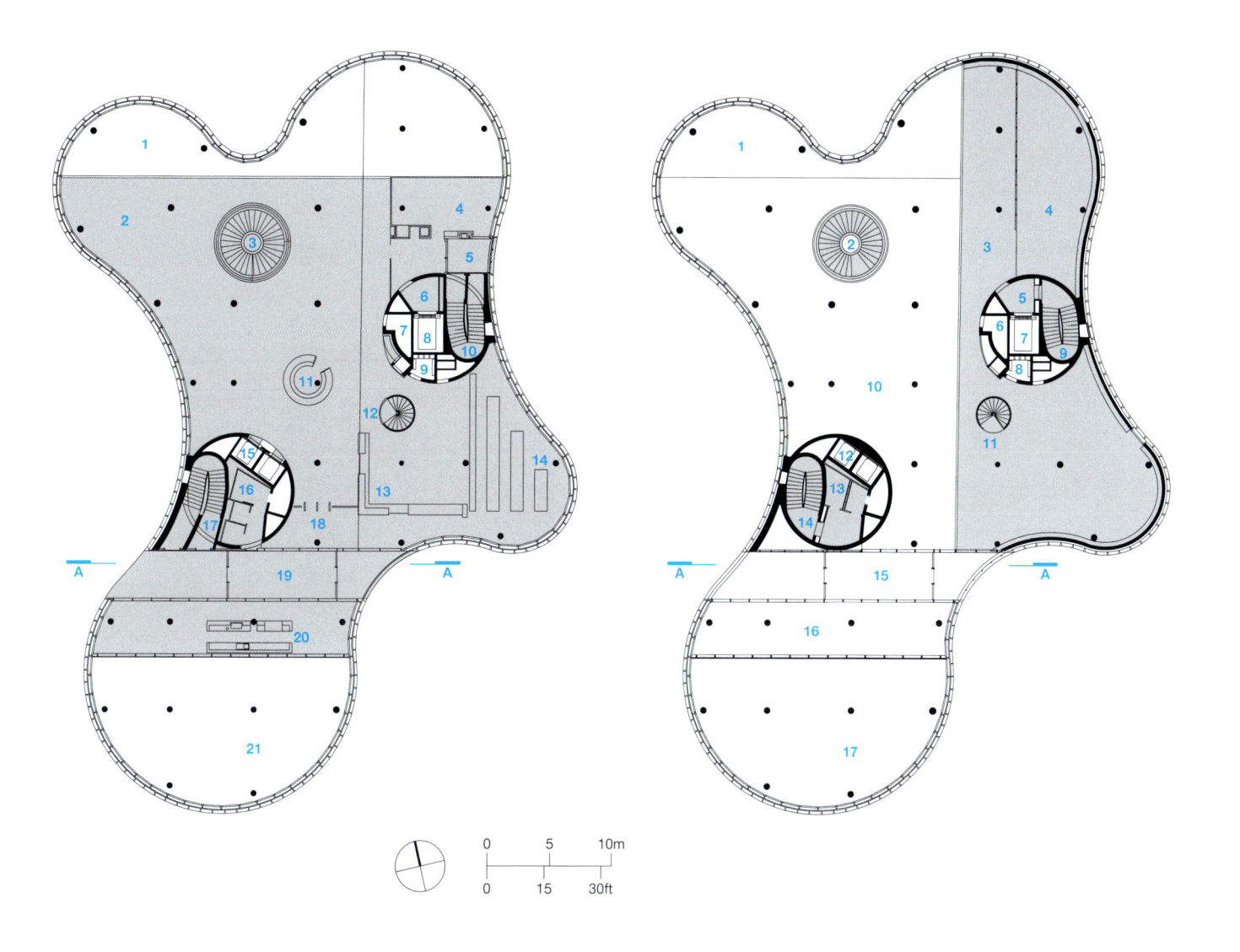

43.01
Planta Baixa do
Pavimento Térreo
1:500
1 Vazio
2 Saguão
3 Escada
4 Segurança
5 Entrada de
 funcionários
6 Depósito
7 Depósito
8 Elevador
9 Vestiário com
 armários
10 Escada
11 Balcão de
 informações
12 Escada
13 Acervo literário para
 empréstimo
14 Guarda-volumes
15 Elevadores
16 Depósito
17 Escada
18 Entrada
19 Saguão
20 Café
21 Vão

43.02
Planta Baixa do
Segundo Pavimento
1:500
1 Vão
2 Escada
3 Escritório
4 Salas de leitura
5 Depósito
6 Equipamentos/
 Instalações prediais
7 Elevador
8 Equipamentos/
 Instalações prediais
9 Escada
10 Vão
11 Escada
12 Elevadores
13 Banheiros
14 Escada
15 Vão sobre o saguão
16 Vão
17 Vão

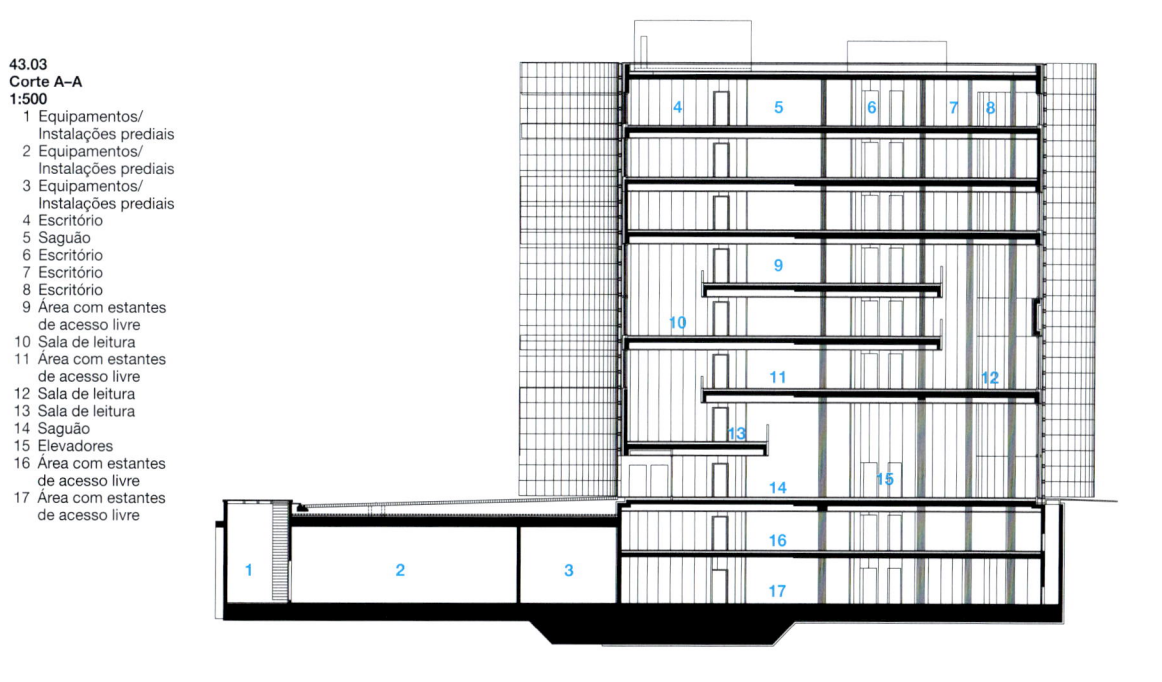

43.03
Corte A–A
1:500
1 Equipamentos/
 Instalações prediais
2 Equipamentos/
 Instalações prediais
3 Equipamentos/
 Instalações prediais
4 Escritório
5 Saguão
6 Escritório
7 Escritório
8 Escritório
9 Área com estantes
 de acesso livre
10 Sala de leitura
11 Área com estantes
 de acesso livre
12 Sala de leitura
13 Sala de leitura
14 Saguão
15 Elevadores
16 Área com estantes
 de acesso livre
17 Área com estantes
 de acesso livre

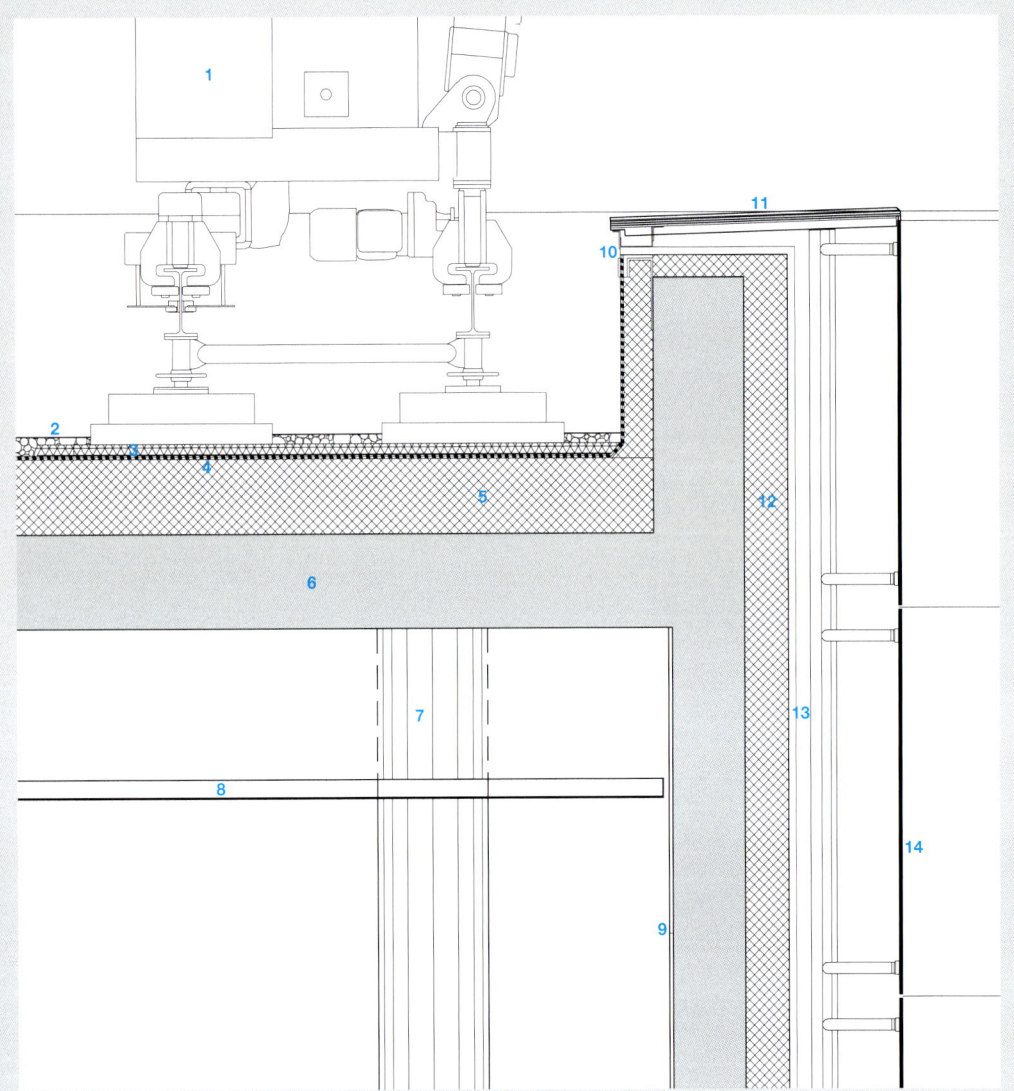

43 Herzog & de Meuron
Centro de Informação, Comunicação e Mídia da Universidade Técnica de Brandenburg
Cottbus, Alemanha

43.04
Detalhe da Platibanda: Corte
1:20

1 Sistema de suspensão de andaimes para manutenção da fachada
2 Camada de cascalho de 50 mm sobre impermeabilização da laje de cobertura
3 Base de proteção de 30 mm
4 Barreira de vapor
5 Isolamento térmico de 200 mm composto de betume com agregado de vidro celular e lã de rocha
6 Laje de cobertura de concreto armado de 250 a 300 mm
7 Coluna de concreto de seção cilíndrica
8 Forro suspenso com 50 mm de espessura
9 Reboco fino na face interna da parede
10 Tela de metal de fechamento do vão de ventilação da fachada
11 Chapa de vidro de recobrimento da platibanda
12 Isolamento térmico
13 Tubo vertical com 70 mm de diâmetro
14 Revestimento de vidro cortado de acordo com a geometria da parede externa

43.05
Detalhe da Vidraça de Revestimento da Fachada: Planta Baixa
1:10

1 Vidraça externa composta de chapa de vidro flutuante, cavidade de 16 mm e chapa de vidro de segurança parcialmente serigrafado com padrões de cor branca
2 Esquadria de perfil extrudado de alumínio
3 Montante de perfil tubular redondo de aço com 127 mm de diâmetro
4 Travessa de perfil tubular redondo de aço com 70 mm de diâmetro
5 Montante de perfil tubular redondo de aço com 70 mm de diâmetro
6 Sistema de fixação da vidraça de alumínio com conexão parafusada escareada
7 Disco de alumínio entre a vidraça interna e o sistema de fixação de alumínio
8 Vidraça interna em vidro de segurança de 8 mm, serigrafada de branco e com juntas abertas

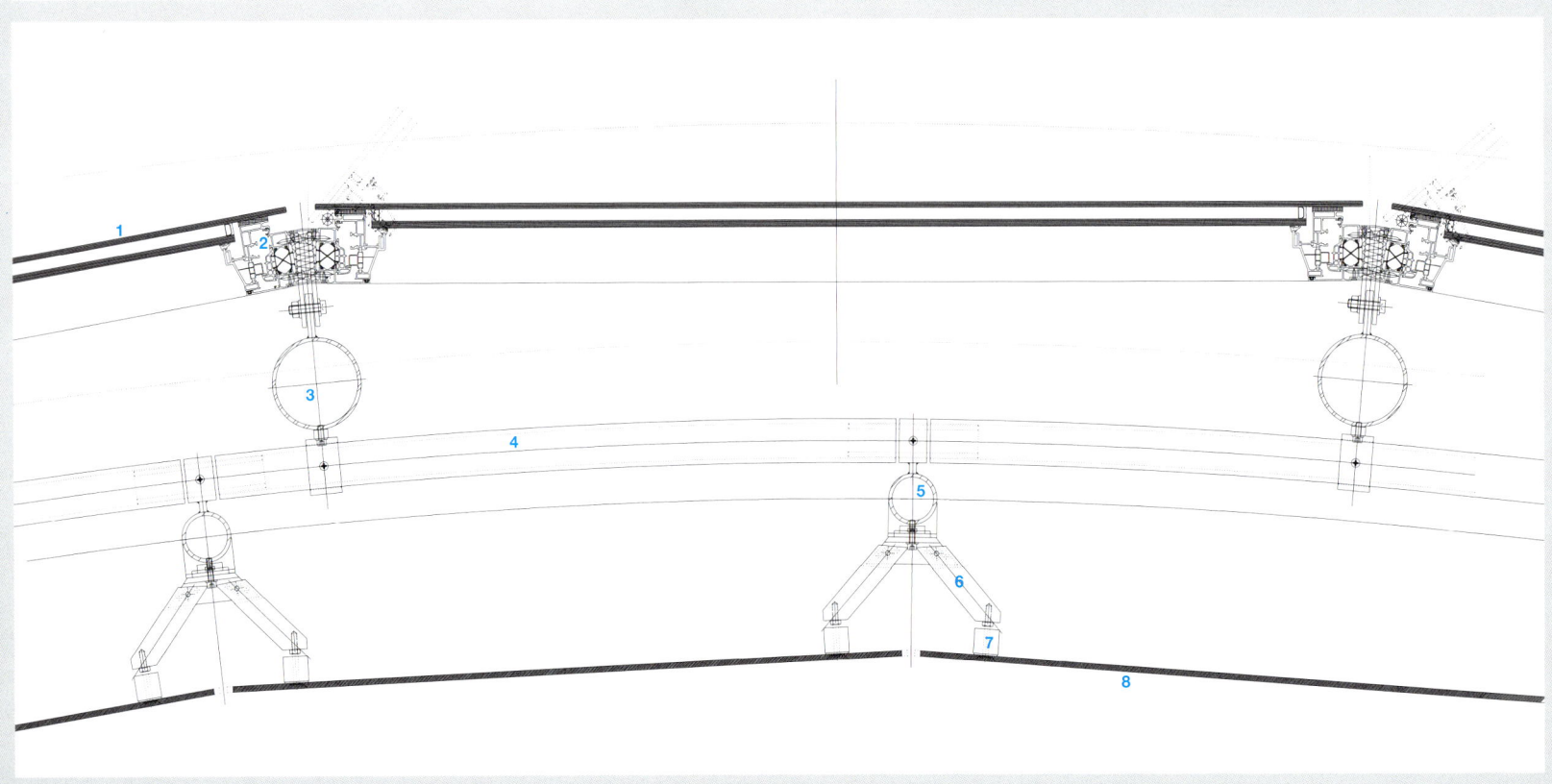

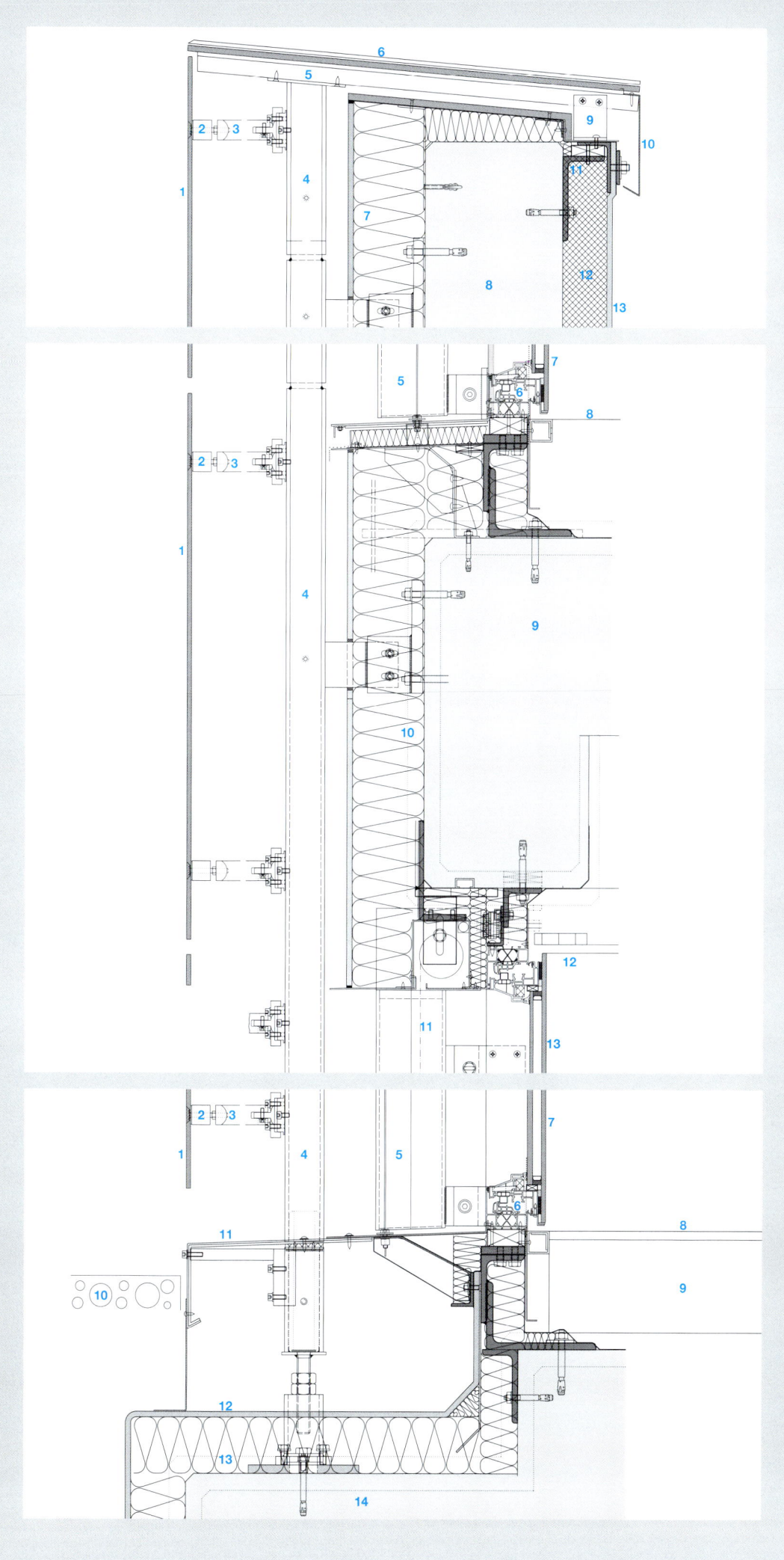

43.06
Detalhe da Vidraça de Revestimento da Fachada na Platibanda: Corte
1:10

1 Vidraça interna em vidro de segurança de 8 mm, serigrafada de branco e com juntas abertas
2 Disco de alumínio entre a vidraça interna e o sistema de fixação de alumínio
3 Sistema de fixação da vidraça de alumínio com conexão parafusada escareada
4 Montante de perfil tubular redondo de aço com 70 mm de diâmetro
5 Chapa de aço de apoio
6 Chapa de vidro de recobrimento da platibanda
7 Isolamento térmico em lã de rocha de 140 mm
8 Coluna de concreto de seção cilíndrica com 250 mm de diâmetro
9 Chapa de aço galvanizado de fixação
10 Perfil de revestimento da borda em chapa de alumínio dobrado
11 Cantoneira de aço de abas desiguais
12 Isolamento térmico rígido de 80 mm
13 Revestimento externo

43.07
Detalhe da Vidraça de Revestimento da Fachada: Corte
1:10

1 Vidraça interna em vidro de segurança de 8 mm, serigrafada de branco e com juntas abertas
2 Disco de alumínio entre a vidraça interna e o sistema de fixação de alumínio
3 Sistema de fixação da vidraça de alumínio com conexão parafusada escareada
4 Montante de perfil tubular redondo de aço com 70 mm de diâmetro
5 Montante de perfil tubular redondo de aço com 127 mm de diâmetro
6 Esquadria de perfil extrudado de alumínio
7 Vidraça externa composta de chapa de vidro flutuante de 6 mm, cavidade de 16 mm e chapa de vidro de segurança de 8 mm parcialmente serigrafado com padrões de cor branca
8 Piso elevado
9 Laje de piso de concreto armado com 350 mm de espessura e viga de borda de concreto armado com 620 mm
10 Isolamento térmico em lã de rocha de 140 mm
11 Cortina de enrolar
12 Teto suspenso de grelha de aço
13 Vidraça externa composta de chapa de vidro flutuante de 6 mm, cavidade de 16 mm e chapa de vidro de segurança de 8 mm parcialmente serigrafado com padrões de cor branca

43.08
Detalhe da Vidraça de Revestimento da Fachada no Pavimento Térreo: Corte
1:10

1 Vidraça interna em vidro de segurança de 8 mm, serigrafada de branco e com juntas abertas
2 Disco de alumínio entre a vidraça interna e o sistema de fixação de alumínio
3 Sistema de fixação da vidraça de alumínio com conexão parafusada escareada
4 Montante de perfil tubular redondo de aço com 70 mm de diâmetro
5 Montante de perfil tubular redondo de aço com 127 mm de diâmetro
6 Esquadria de perfil extrudado de alumínio
7 Vidraça externa composta de chapa de vidro flutuante de 6 mm, cavidade de 16 mm e chapa de vidro de segurança de 8 mm parcialmente serigrafado com padrões de cor branca
8 Piso elevado
9 Cavidade de 210 mm do piso elevado
10 Piso exterior de painéis de concreto
11 Perfil de alumino com caimento para drenagem
12 Membrana de impermeabilização
13 Isolamento térmico com 100 mm
14 Laje de piso de concreto armado

Medium Architects

Biblioteca Central da Faculdade de Direito da Universidade de Hamburgo
Hamburgo, Alemanha

Cliente
Freie und Hansestadt Hamburg, Behörde für Wissenschaft und Forschung

Equipe de Projeto
Peer Hillmann, Till Kindsvater, Katharina Kreiss, Uwe Schicker, Julia Strunk

Projeto Estrutural
Assmann Beraten und Planen

A nova biblioteca foi colocada, com confiança, ao lado do Edifício da Faculdade de Direito preexistente, definindo uma praça de entrada nova para o *campus*. Preservou-se a função prévia de entrada principal do Edifício da Faculdade de Direito, pois o acesso à nova biblioteca se dá pelo saguão do prédio preexistente. Ambos os prédios estão conectados por um átrio de vidro. O edifício da biblioteca foi concebido como um depósito compacto para livros. A fachada de vidro, que apresenta painéis de cores diferentes, muda de aparência conforme a luz que incide sobre ela, o horário do dia ou a estação do ano. As três fachadas envidraçadas possuem quatro tons de amarelo e âmbar. A fachada sul inclui seis tons de verde, simbolizando um cenário de floresta misto. Ademais, faixas amarelas opacas de vidro simbolizam o outono e a transiência. Um cubo de livros, cuja cor é percebida no espaço interno durante o dia, transforma-se, à noite, em um objeto de luz amarela reluzente. O acesso ao prédio antigo e ao prédio novo se dá por uma escada e um elevador localizados no átrio. As áreas controladas da biblioteca começam no mezanino do edifício novo. Partindo dali, os sistemas de informação e pesquisa distribuem-se em galerias que se abrem para o átrio. Há áreas de leitura com iluminação natural próximas às fachadas de vidro. Todas as estantes se concentram nas áreas internas, em frente à parede corta-fogo. Depois de pronta, a Biblioteca Central de Direito abrigará 700 mil volumes com 1.200 assentos para leitura e funcionará 24 horas por dia.

1 Juntamente com o edifício preexistente da Faculdade de Direito, a biblioteca forma uma nova praça muito popular entre os alunos, que a usam como ponto de encontro.
2 À noite, a fachada de vidro colorido variegada brilha como um farol, uma característica importante em um edifício ocupado 24 horas por dia.
3 O átrio é o aspecto mais importante do conceito de energia passiva do prédio, funcionando como um espaço de amortecimento que retarda a perda de calor, além de agir como uma chaminé térmica que promove a ventilação natural dos pavimentos da biblioteca.
4 As vidraças das salas de leitura receberam uma película de sombreamento, e, junto com o jateamento de areia, foi possível obter níveis apropriados de proteção solar, iluminação natural e privacidade.

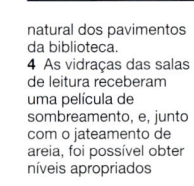

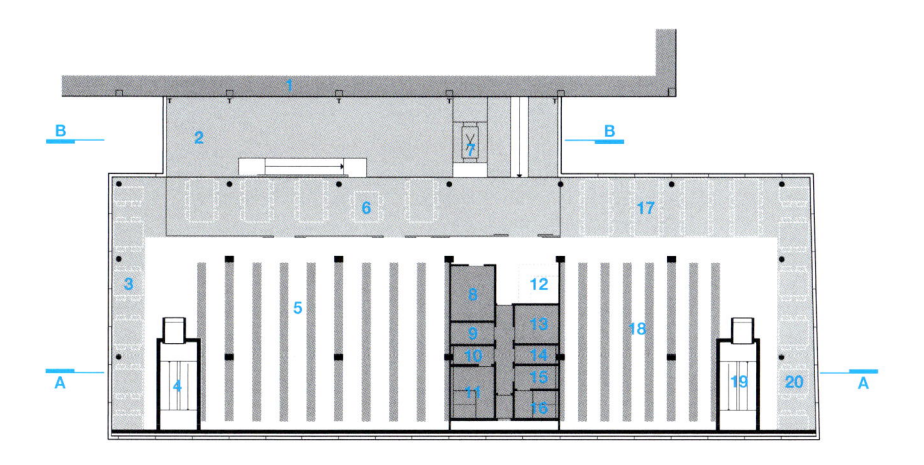

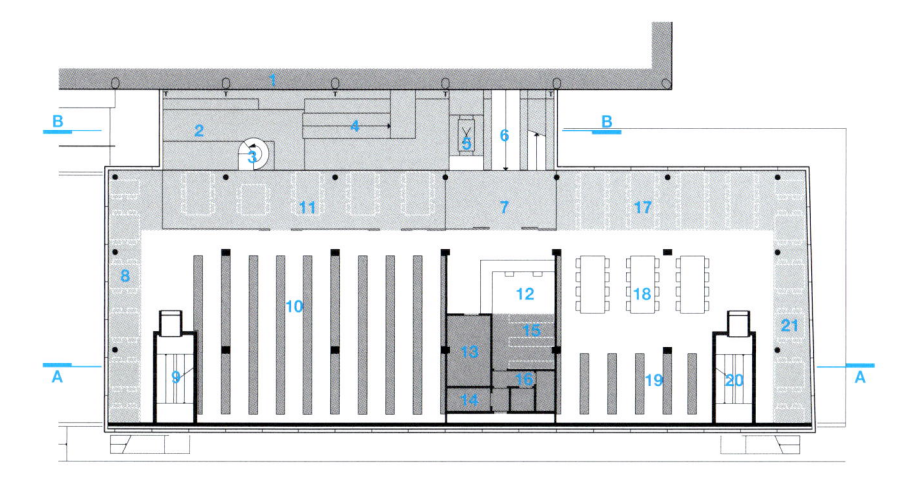

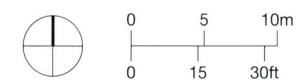

44.01
Planta Baixa do Segundo Pavimento
1:500
1. Edifício preexistente da Faculdade de Direito
2. Átrio
3. Área de leitura
4. Escada de incêndio
5. Estantes de livros
6. Área de leitura
7. Elevador do átrio
8. Sala de fotocópias
9. Depósito
10. Vestíbulo do banheiro masculino
11. Banheiro masculino
12. Mesa do bibliotecário
13. Sala do servidor
14. Depósito
15. Vestíbulo do banheiro feminino
16. Banheiro feminino
17. Sala para trabalhos em grupo
18. Estantes de livros
19. Escada de incêndio
20. Elevador do átrio

44.02
Planta Baixa do Pavimento Térreo
1:500
1. Edifício preexistente da Faculdade de Direito
2. Átrio
3. Escada circular entre o pavimento térreo e o segundo pavimento
4. Rampa
5. Elevador do átrio
6. Rampa de entrada
7. Saguão
8. Área de leitura
9. Escada de incêndio
10. Estantes de livros
11. Área de leitura
12. Mesa do bibliotecário
13. Depósito para equipamentos audiovisuais
14. Depósito
15. Estantes para equipamentos audiovisuais
16. Banheiro inclusivo e depósito de materiais de limpeza
17. Sala para trabalhos em grupo
18. Sala para trabalhos em grupo
19. Estantes de livros
20. Escada de incêndio
21. Área de leitura

44.03
Corte A–A
1:500
1. Casa de máquinas do elevador e equipamentos mecânicos
2. Área de leitura
3. Escada de incêndio
4. Estantes de livros
5. Mesa do bibliotecário e núcleo de serviços
6. Estantes de livros
7. Escada de incêndio
8. Área de leitura
9. Sala de circulação de ar pressurizado
10. Sala de aula
11. Sala dos computadores

44.04
Corte B–B
1:500
1. Pele de vidro da biblioteca da Faculdade de Direito
2. Casa de máquinas do elevador e equipamentos mecânicos
3. Circulação da rampa do átrio
4. Elevador do átrio
5. Escada do átrio
6. Mezanino do átrio e área de leitura
7. Área de leitura
8. Escada circular entre o pavimento térreo e o segundo pavimento
9. Subsolo

189

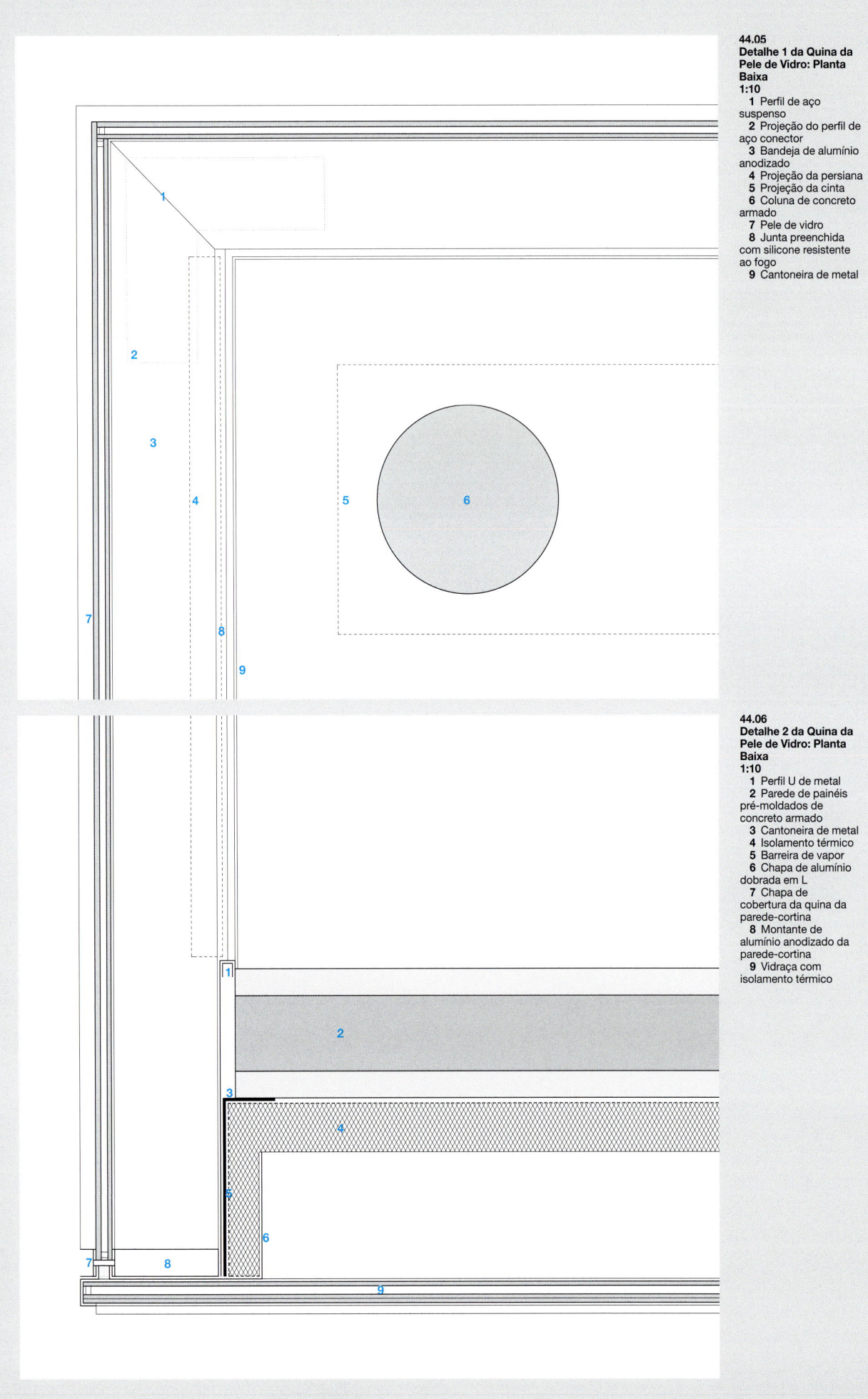

44 Medium Architects — Biblioteca Central da Faculdade de Direito da Universidade de Hamburgo — Hamburgo, Alemanha

44.05
Detalhe 1 da Quina da Pele de Vidro: Planta Baixa
1:10
1 Perfil de aço suspenso
2 Projeção do perfil de aço conector
3 Bandeja de alumínio anodizado
4 Projeção da persiana
5 Projeção da cinta
6 Coluna de concreto armado
7 Pele de vidro
8 Junta preenchida com silicone resistente ao fogo
9 Cantoneira de metal

44.06
Detalhe 2 da Quina da Pele de Vidro: Planta Baixa
1:10
1 Perfil U de metal
2 Parede de painéis pré-moldados de concreto armado
3 Cantoneira de metal
4 Isolamento térmico
5 Barreira de vapor
6 Chapa de alumínio dobrada em L
7 Chapa de cobertura da quina da parede-cortina
8 Montante de alumínio anodizado da parede-cortina
9 Vidraça com isolamento térmico

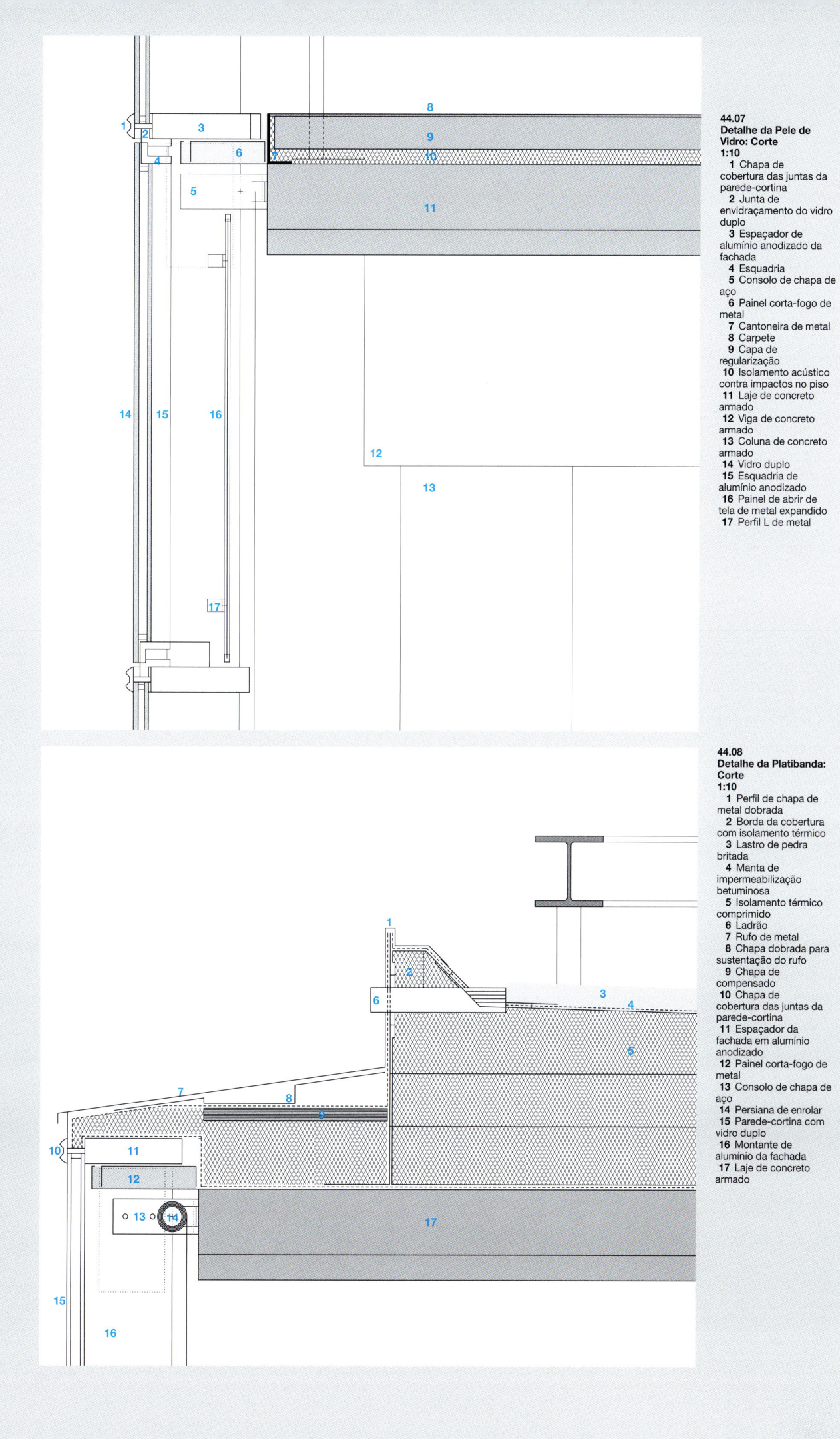

**44.07
Detalhe da Pele de
Vidro: Corte
1:10**
 1 Chapa de
cobertura das juntas da
parede-cortina
 2 Junta de
envidraçamento do vidro
duplo
 3 Espaçador de
alumínio anodizado da
fachada
 4 Esquadria
 5 Consolo de chapa de
aço
 6 Painel corta-fogo de
metal
 7 Cantoneira de metal
 8 Carpete
 9 Capa de
regularização
 10 Isolamento acústico
contra impactos no piso
 11 Laje de concreto
armado
 12 Viga de concreto
armado
 13 Coluna de concreto
armado
 14 Vidro duplo
 15 Esquadria de
alumínio anodizado
 16 Painel de abrir de
tela de metal expandido
 17 Perfil L de metal

**44.08
Detalhe da Platibanda:
Corte
1:10**
 1 Perfil de chapa de
metal dobrada
 2 Borda da cobertura
com isolamento térmico
 3 Lastro de pedra
britada
 4 Manta de
impermeabilização
betuminosa
 5 Isolamento térmico
comprimido
 6 Ladrão
 7 Rufo de metal
 8 Chapa dobrada para
sustentação do rufo
 9 Chapa de
compensado
 10 Chapa de
cobertura das juntas da
parede-cortina
 11 Espaçador da
fachada em alumínio
anodizado
 12 Painel corta-fogo de
metal
 13 Consolo de chapa de
aço
 14 Persiana de enrolar
 15 Parede-cortina com
vidro duplo
 16 Montante de
alumínio da fachada
 17 Laje de concreto
armado

45
Sheppard Robson

Laboratório de Aprendizado Ativo, Universidade de Liverpool
Liverpool, Inglaterra, Reino Unido

Cliente
Universidade de Liverpool

Equipe de Projeto
Rod McAllister, Ian Butler, Tony O'Brien, Dan Burr, Michael Raithby, Anthony Furlong, Rick Bowlby, Paul Frondella, Simone Ridyard, Leo Harris, Anna Hinde

Projeto Estrutural
Arup

Construção
BAM Construction

O Laboratório de Aprendizado Ativo (ALL) foi concebido como um ambiente de ensino similar a um ateliê para engenheiros dispostos a recuperar o degradado complexo de laboratórios do *campus* e criar um marco do ensino e aprendizado na universidade, que pode ser visto do centro da cidade ou até mesmo do mar. Os laboratórios e a casa de caldeiras preexistentes foram demolidos de maneira a acomodar um novo elemento de circulação envidraçado, ou "rua interna", que conectasse todos os edifícios preexistentes, inclusive os diferentes pavimentos. A rua interna seria o centro do departamento, com rotas de circulação claramente visíveis, combinadas com áreas de descanso e exposição. Ao mesmo tempo, o projeto incluiria uma nova entrada para o departamento, levando do histórico Quadrângulo Universitário principal diretamente para a rua.

O Laboratório de Aprendizado Ativo foi desenvolvido como um cubo envidraçado que flutua acima do pódio preexistente. Para tanto, utilizou-se, na face externa da parede externa, um sistema de revestimento de fachada de chuva com vidro feito sob encomenda. A parede externa propriamente dita é de revestimento leve, com isolamento térmico e membrana de aplicação líquida, e incorpora janelas separadas. Assim, o espaço de janelas restrito exigido pelos laboratórios combina-se com a aparência marcante de uma caixa de vidro. Os painéis de vidro da fachada de chuva alternam vidro translúcido e frita com painéis adjacentes, que foram deslocados, tanto na planta como no corte, com o intuito de dar ritmo a cada fachada. O esquema de iluminação externa usa luminárias com LED, o que possibilita a programação de projetos de luminotécnica; sua posição permite que o padrão da frita absorva a luz, dando a impressão de uma fachada reluzente.

1 A base da torre, colocada sobre o pódio preexistente, contém equipamentos e instalações prediais, enquanto os pavimentos envidraçados acima acomodam dois níveis de laboratório.

2 À noite, o edifício se transforma devido aos diodos emissores de luz (LED) mutáveis e programáveis, colocados dentro da zona de manutenção da fachada dupla.

3 A transparência velada da fachada de vidro se deve às três chapas de vidro. As duas chapas externas formam uma fachada de chuva sem vedação, ao passo que a camada interna é formada por janelas com vidro duplo colocadas entre o revestimento isolado. Por conseguinte, essa composição em camadas exigiu um detalhamento rigoroso, para o bom desempenho térmico.

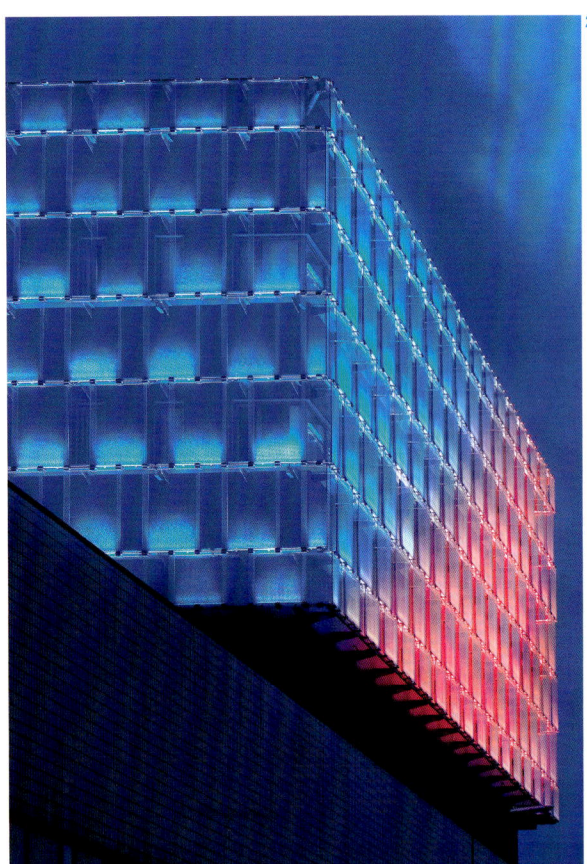

45.01
Planta Baixa do Segundo Pavimento
1:200

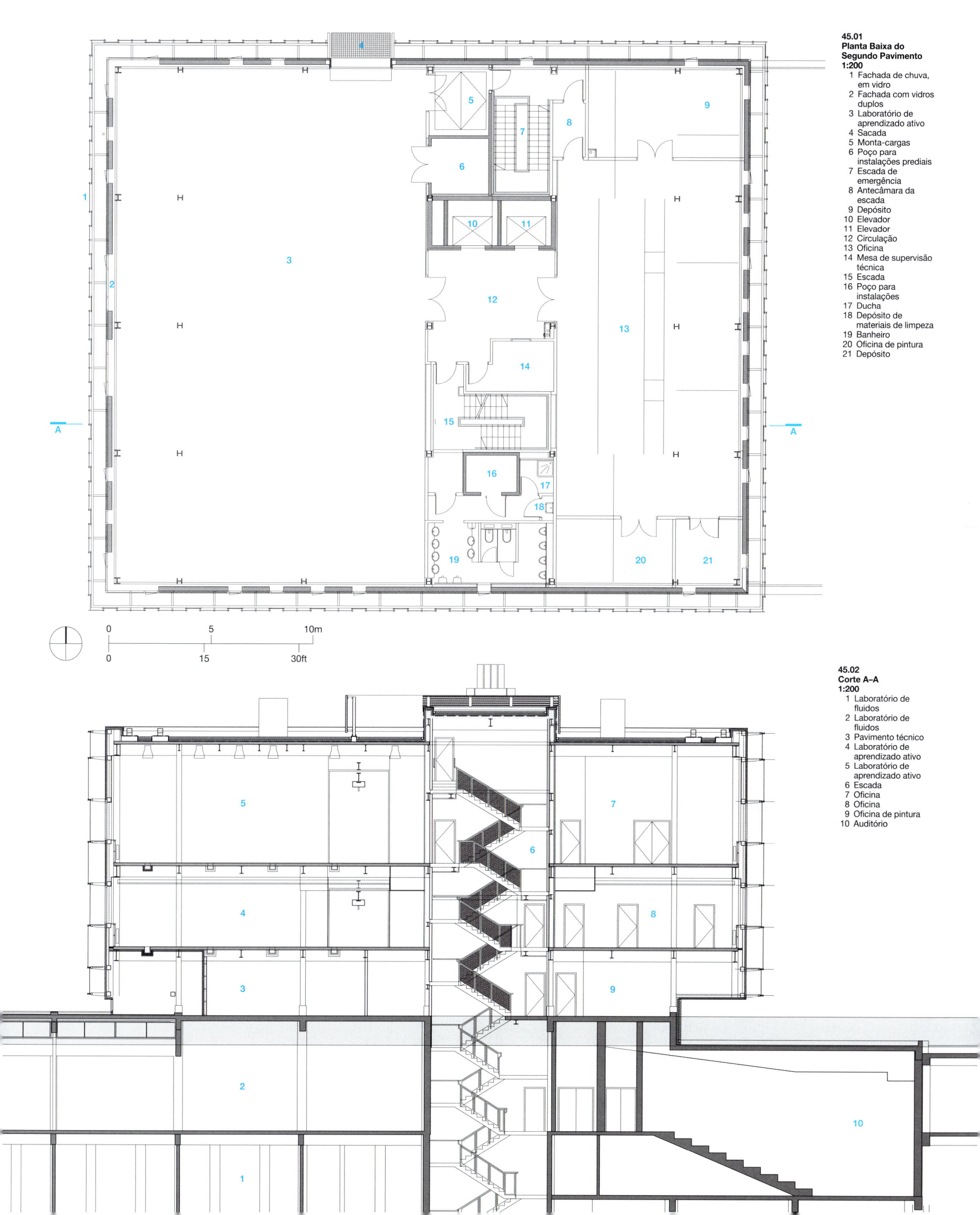

1. Fachada de chuva, em vidro
2. Fachada com vidros duplos
3. Laboratório de aprendizado ativo
4. Sacada
5. Monta-cargas
6. Poço para instalações prediais
7. Escada de emergência
8. Antecâmara da escada
9. Depósito
10. Elevador
11. Elevador
12. Circulação
13. Oficina
14. Mesa de supervisão técnica
15. Escada
16. Poço para instalações
17. Ducha
18. Depósito de materiais de limpeza
19. Banheiro
20. Oficina de pintura
21. Depósito

45.02
Corte A–A
1:200

1. Laboratório de fluidos
2. Laboratório de fluidos
3. Pavimento técnico
4. Laboratório de aprendizado ativo
5. Laboratório de aprendizado ativo
6. Escada
7. Oficina
8. Oficina
9. Oficina de pintura
10. Auditório

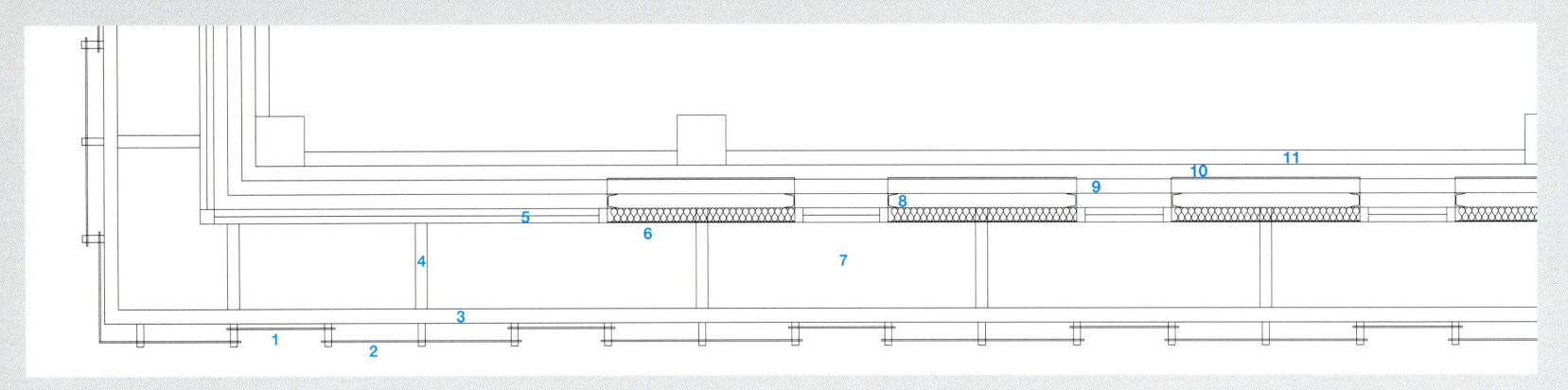

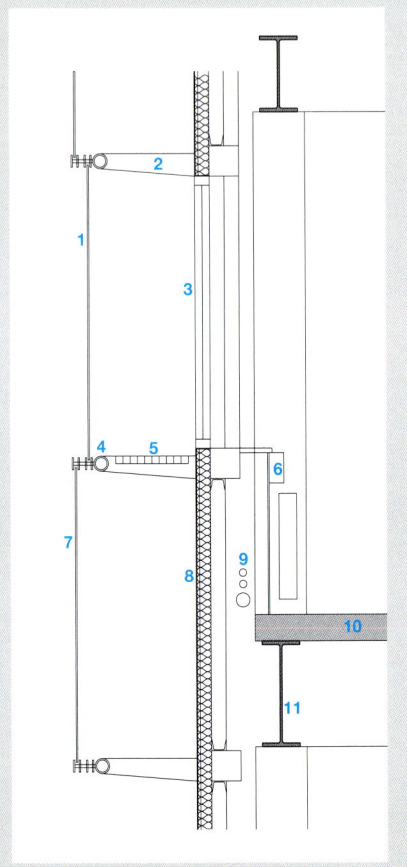

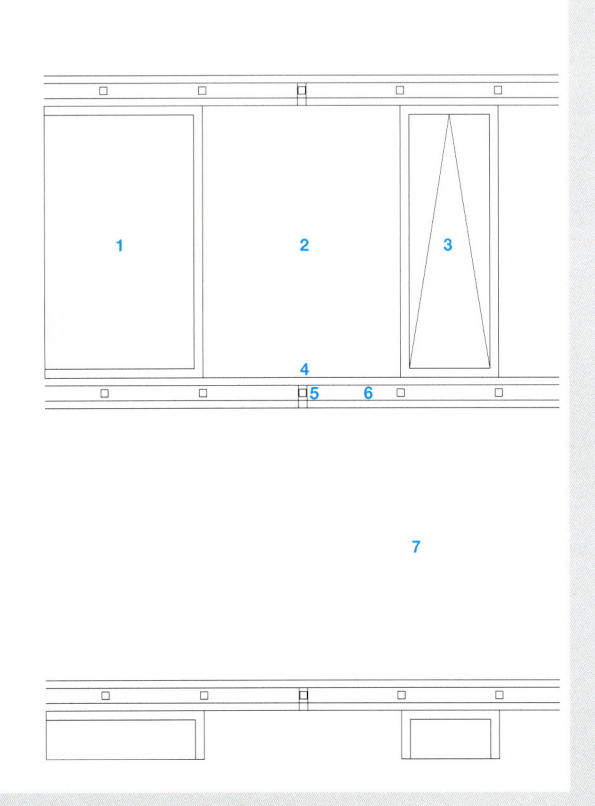

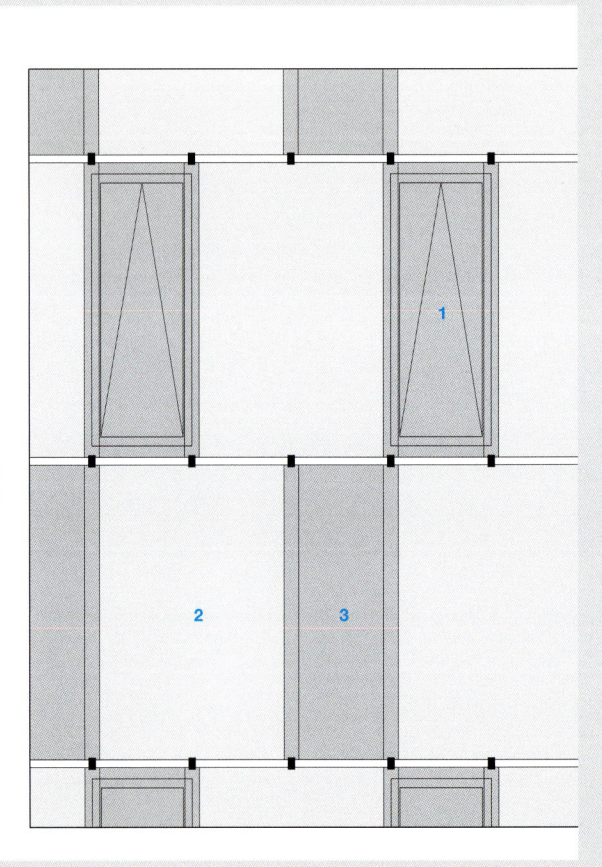

45 Sheppard Robson   Laboratório de Aprendizado Ativo,   Liverpool, Inglaterra, Reino Unido
Universidade de Liverpool

45.03
Detalhe da Pele de Vidro: Planta Baixa
1:50
1 Chapa de vidro espelhado com 770 mm de largura e 2.000 mm de altura
2 Chapa de frita com 1.465 mm de largura e 2.000 mm de altura
3 Travessa de perfil tubular redondo de aço que passa entre as mísulas
4 Mísulas de aço a cada 2032 mm entre eixos
5 Janela de quina com vidros duplos
6 Membrana Decothone de 1.365 mm sobre painel cimentício de base
7 Passarela para manutenção
8 Estrutura de montantes leves de aço de 100 mm que sustenta as janelas e o revestimento da fachada
9 Mísulas secundárias de aço de 200 mm
10 Face do revestimento interno
11 Peitoril

45.04
Detalhe da Pele de Vidro: Corte
1:50
1 Chapa de vidro espelhado com 770 mm de largura e 2.000 mm de altura
2 Mísula de aço
3 Janela com vidros duplos
4 Travessa de perfil tubular redondo de aço que passa entre as mísulas
5 Passarela para manutenção
6 Caixa para fiação de pequena bitola
7 Chapa de frita com 1.465 mm de largura e 2.000 mm de altura
8 Membrana Decothone sobre painel cimentício de base
9 Instalações prediais
10 Laje de piso de concreto armado
11 Estrutura principal de aço

45.05
Detalhe da Camada Interna da Pele de Vidro: Elevação
1:50
1 Janela de caixilhos fixos com vidros duplos
2 Membrana Decothone sobre painel cimentício de base
3 Janela de abrir com vidro duplo de 677 × 1.800 mm
4 Passarela para manutenção
5 Mísulas de aço a cada 2.032 mm entre eixos
6 Travessa de perfil tubular redondo de aço que passa entre as mísulas
7 Membrana Decothone sobre painel cimentício de base

45.06
Detalhe da Camada Interna da Pele de Vidro: Elevação
1:50
1 Janela por trás do chapa de vidro espelhado
2 Chapa de frita com 1.465 mm de largura e 2.000 mm de altura
3 Chapa de vidro espelhado com 770 mm de largura e 2.000 mm de altura

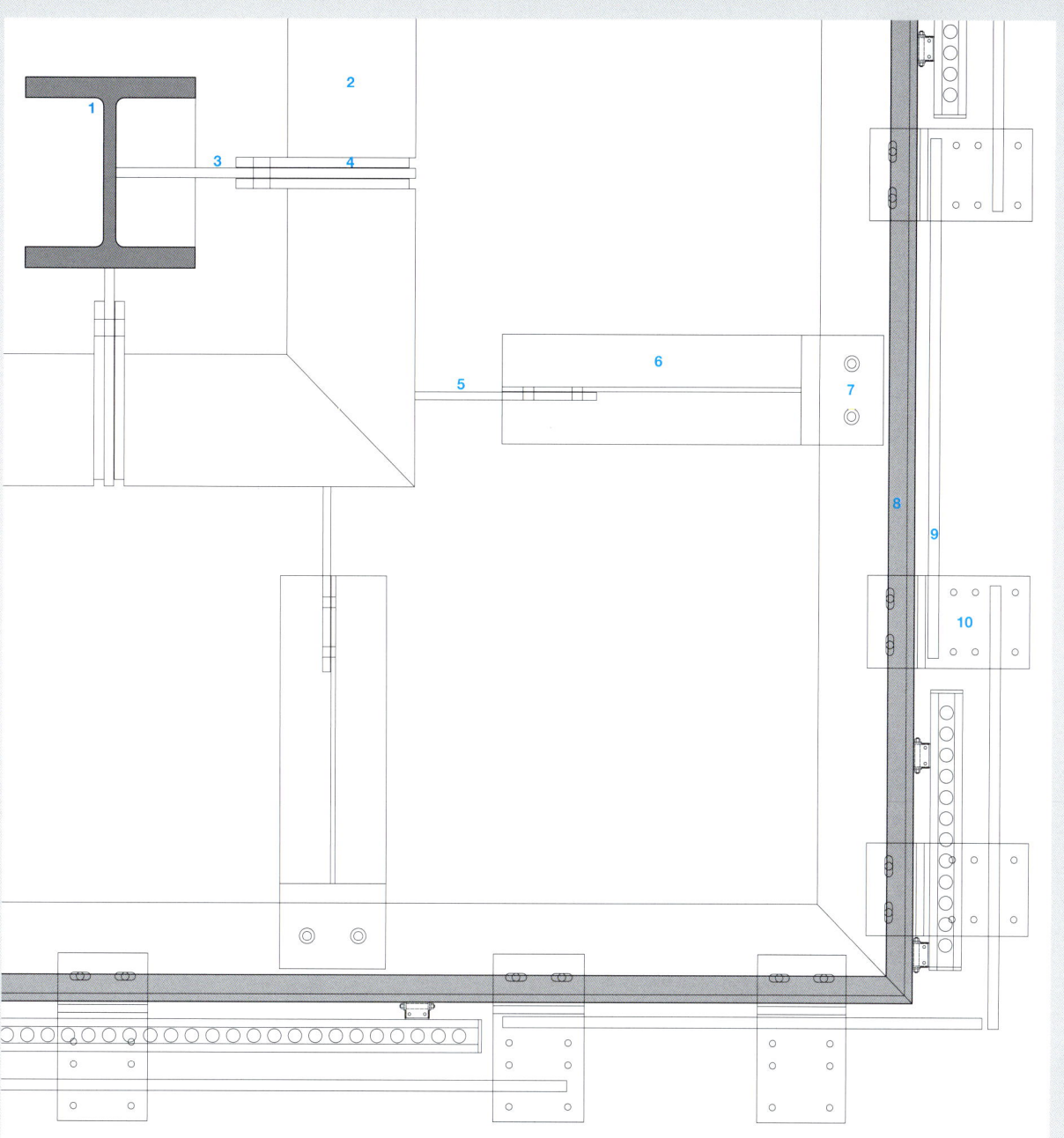

45.07
Detalhe da Mísula da Pele de Vidro: Planta Baixa
1:10
1 Pilar de perfil H de aço
2 Travessa de perfil tubular quadrado de aço de 200 × 200 mm
3 Mísula de aço de conexão ao pilar
4 Chapas de aço fixadas às travessas de perfil tubular quadrado
5 Mísula de aço soldada à travessa de perfil tubular retangular
6 Mísula de sustentação da vidraça e da passarela
7 Mísula de sustentação da vidraça e da passarela
8 Duto de aço galvanizado para cabos elétricos
9 Chapa de vidro laminado incolor de 16,8 mm com acabamento espelhado
10 Perfil extrudado de alumínio

45.08
Detalhe da Mísula da Pele de Vidro: Corte
1:2
1 Mísula de perfil extrudado de alumínio
2 Conexão parafusada de aço inoxidável
3 Cantoneiras de alumínio de abas desiguais para fixação das vidraças, com 33 x 50 x 5 mm
4 Blocagem com 24 x 125 x 11 mm
5 Gaxeta com 30 × 120 × 4 mm
6 Vidro laminado de 16,8 mm com frita cerâmica de matriz de pontos
7 Luminária com LED
8 Duto de aço galvanizado para cabos elétricos
9 Cantoneira de aço de 150 × 90 × 12 mm
10 Misula de sustentação da vidraça e da passarela fabricada com perfil I de 356 x 171 x 51 mm
11 Chapa de frita cerâmica de matriz de pontos com 16,8 mm

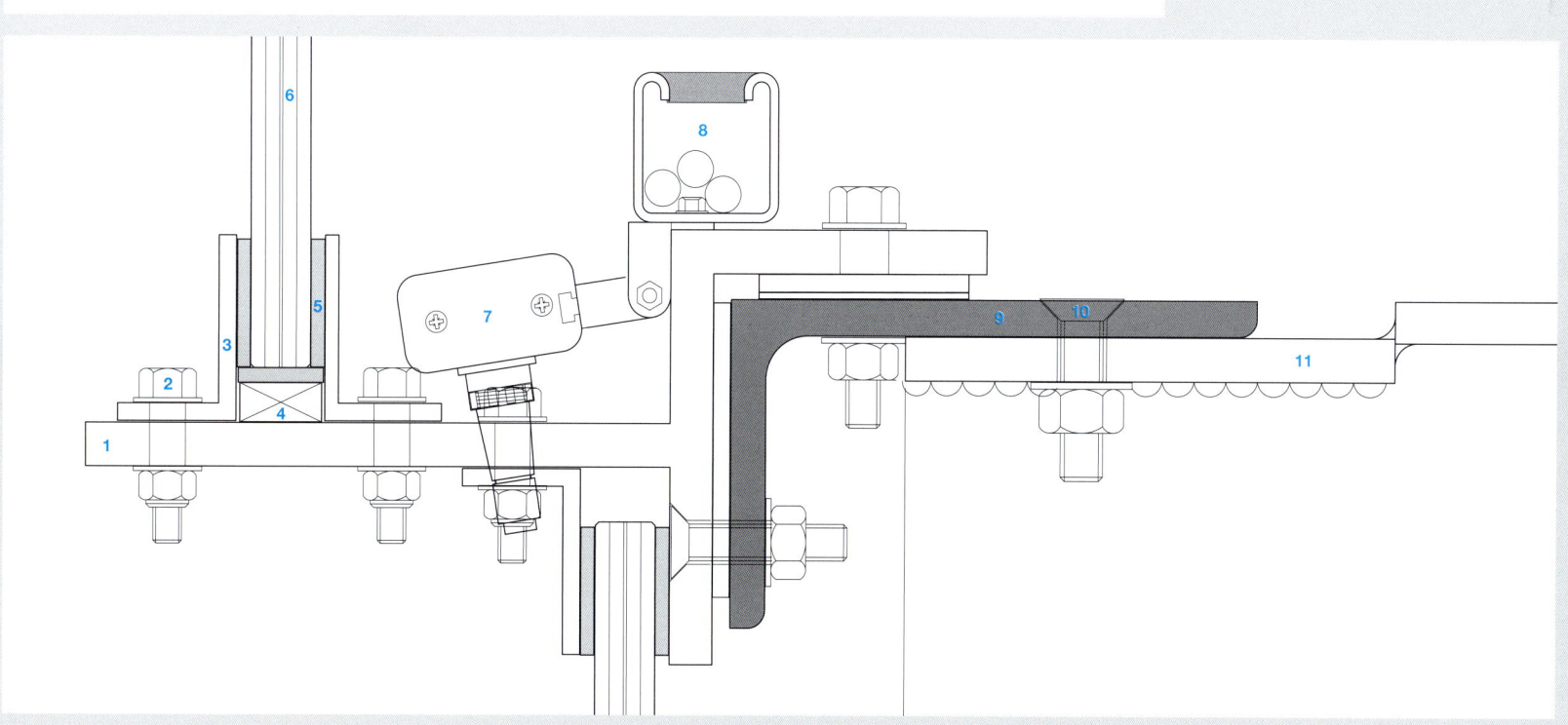

46
Hawkins \ Brown

Novo Edifício da Bioquímica, Universidade de Oxford
Oxford, Inglaterra, Reino Unido

Cliente
Patrimônio Imobiliário da Universidade de Oxford

Equipe de Projeto
Russell Brown, Oliver Milton, Louisa Bowles, Hazel York, Morag Morrison, Chloe Sharpe

Projeto Estrutural
Peter Brett Associates

Construção
Laing O'Rourke

O Departamento de Bioquímica da Universidade de Oxford é o maior do Reino Unido e possui renome internacional devido às pesquisas voltadas à compreensão do DNA, crescimento celular e imunidade. Anteriormente, era prejudicado por estar distribuído em seis edifícios ultrapassados e diferentes. Além de consolidar o departamento, o programa do novo edifício propunha-se a criar uma nova cultura de trabalho interdisciplinar, no qual a troca de ideias fosse promovida em um ambiente de muita colaboração. Ao mesmo tempo, havia necessidade de espaço para permitir aos grupos de pesquisa a concentração no trabalho revolucionário que é desenvolvido nos laboratórios de última geração. A nova edificação, com fachadas de vidro e lâminas de vidro coloridas, reúne mais de 300 pesquisadores e alunos da pós-graduação que trabalham com bioinformática, biologia cromossômica, biofísica molecular e bioquímica.

O edifício consiste em quatro blocos de laboratórios cortados por rotas perpendiculares e recuos que criam espaços externos para a chegada e a entrada. Todas as superfícies externas são transparentes, permitindo que observadores enxerguem os laboratórios do exterior. Aqui se inverteu o modelo tradicional de prédios de pesquisa, no qual os laboratórios são inseridos em um núcleo cheio de instalações e há áreas de escrivaninhas dispersas no perímetro da edificação. Pelo contrário, os laboratórios foram colocados deliberadamente nas extremidades do edifício, e as áreas com escrivaninhas integradas a espaços com plantas livres, no átrio central. Além da transparência, as paredes-cortina incorporam princípios como ritmo, unidade, controle e reflexão. As fachadas são enriquecidas por uma série de chapas de vidro laminado que emolduram vistas para dentro e para fora do edifício, criando padrões complexos de cor à medida que a luz se altera.

1 No pátio interno central, o ritmo regular das lâminas de vidro é interrompido de modo a emoldurar uma obra de arte criada por Nicky Hirst, na qual uma série de imagens explora a repetição da experimentação e da análise da informação.
2 O novo Edifício da Bioquímica foi concebido como um grupo de blocos de laboratórios ligados por um átrio central com iluminação zenital.
3 As lâminas de vidro criam um ritmo vertical que reflete o caráter dos prédios históricos de Oxford. Uma palheta de tons quentes de ocre e de siena queimado refere-se aos materiais dos prédios históricos do entorno, incluindo o calcário Coral Rag, a brita e as pedras Taynton e Headington.

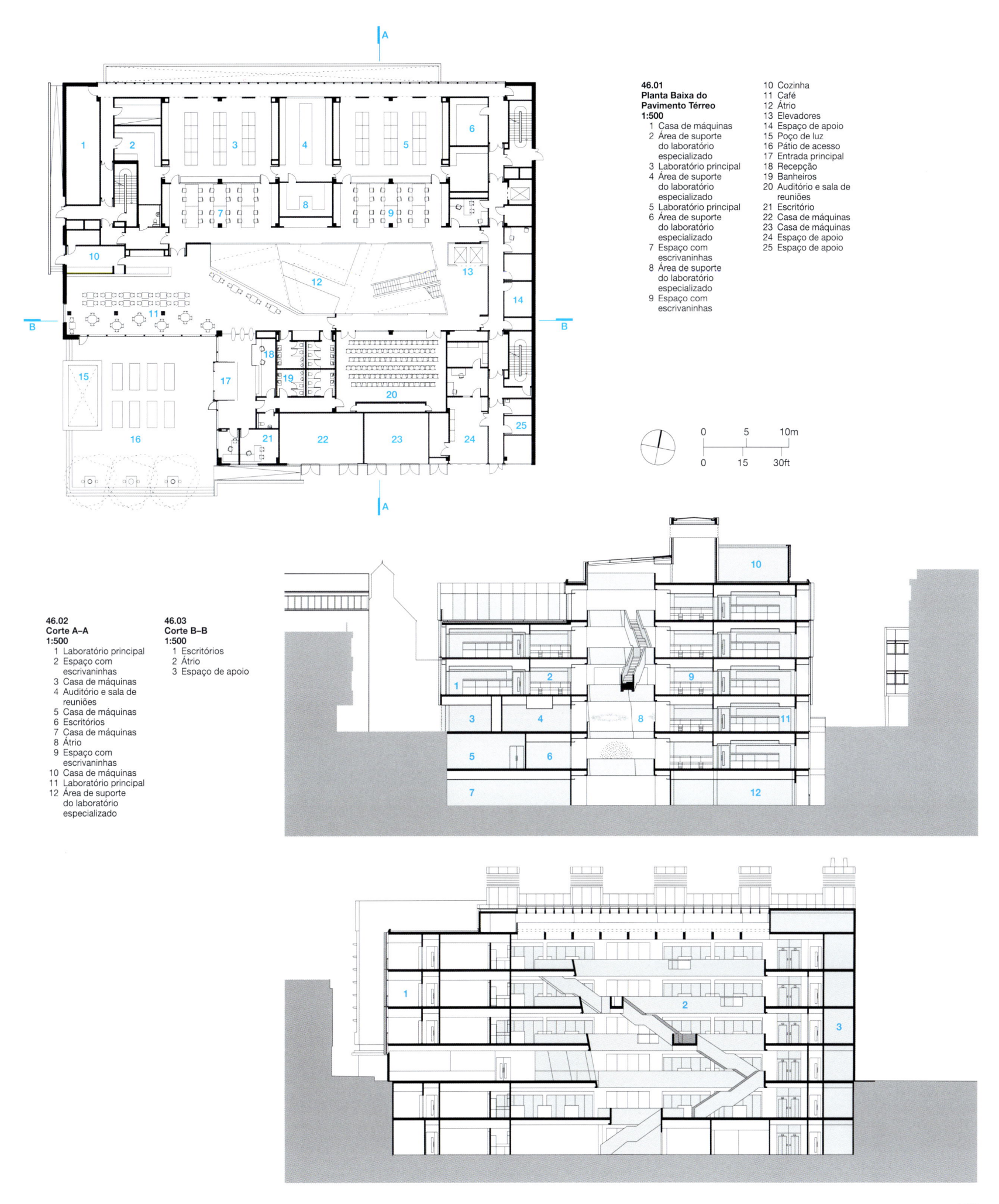

46.01
Planta Baixa do Pavimento Térreo
1:500
1 Casa de máquinas
2 Área de suporte do laboratório especializado
3 Laboratório principal
4 Área de suporte do laboratório especializado
5 Laboratório principal
6 Área de suporte do laboratório especializado
7 Espaço com escrivaninhas
8 Área de suporte do laboratório especializado
9 Espaço com escrivaninhas
10 Cozinha
11 Café
12 Átrio
13 Elevadores
14 Espaço de apoio
15 Poço de luz
16 Pátio de acesso
17 Entrada principal
18 Recepção
19 Banheiros
20 Auditório e sala de reuniões
21 Escritório
22 Casa de máquinas
23 Casa de máquinas
24 Espaço de apoio
25 Espaço de apoio

46.02
Corte A–A
1:500
1 Laboratório principal
2 Espaço com escrivaninhas
3 Casa de máquinas
4 Auditório e sala de reuniões
5 Casa de máquinas
6 Escritórios
7 Casa de máquinas
8 Átrio
9 Espaço com escrivaninhas
10 Casa de máquinas
11 Laboratório principal
12 Área de suporte do laboratório especializado

46.03
Corte B–B
1:500
1 Escritórios
2 Átrio
3 Espaço de apoio

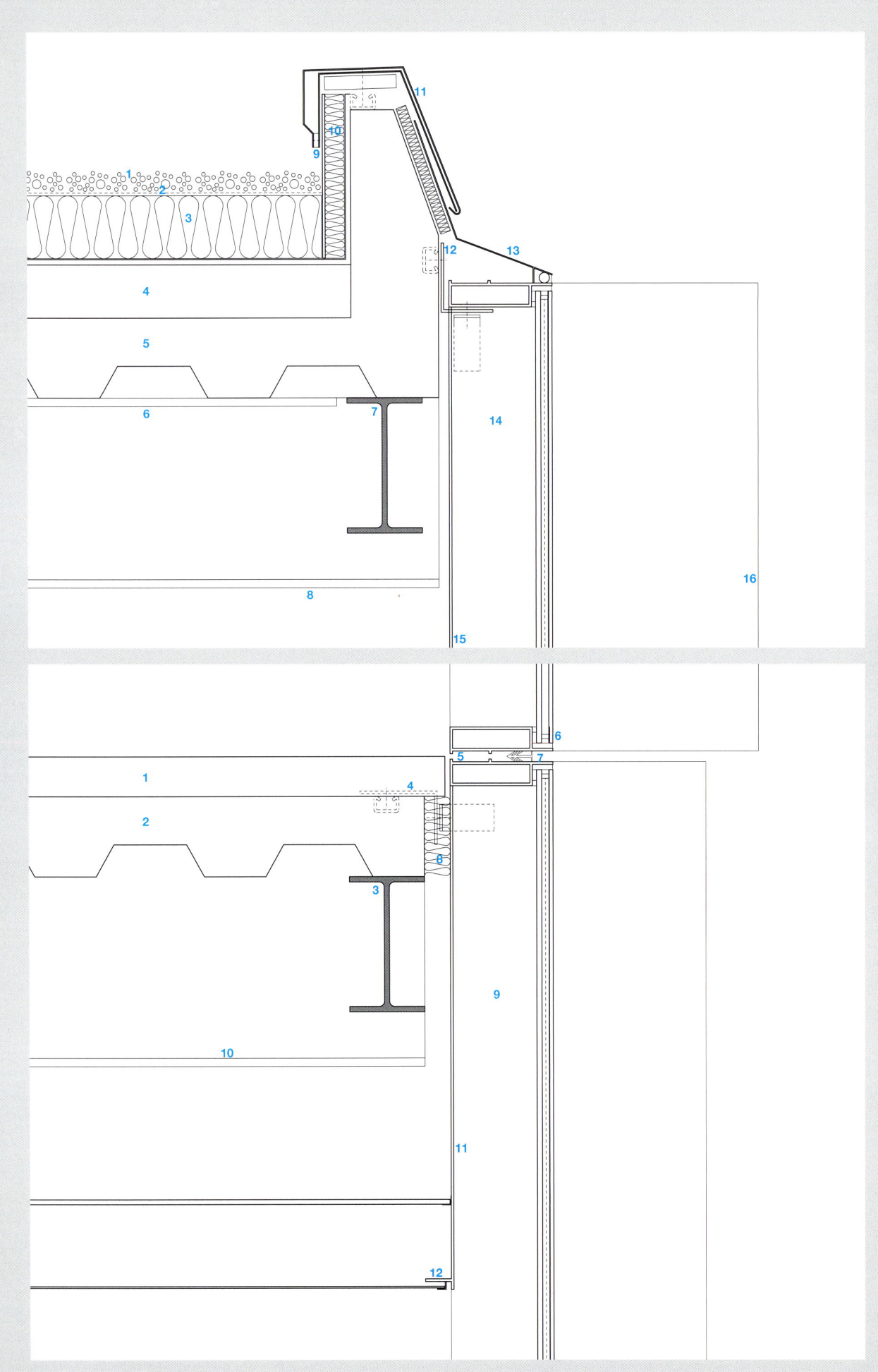

**46.04
Detalhe da Interface entre a Pele de Vidro e a Cobertura do Corredor do Laboratório: Corte
1:10**
1 Piso e lastro
2 Membrana de proteção mecânica
3 Isolamento térmico
4 Capa de argamassa e membrana de impermeabilização
5 Laje de cobertura de concreto com forma de aço incorporada (sistema *steel deck*)
6 Elemento de aço estrutural
7 Elemento de aço estrutural
8 Elemento de aço estrutural
9 Fixação da chapa de proteção da platibanda
10 Isolamento térmico da viga invertida
11 Proteção da platibanda em chapa extrudada de alumínio com pintura eletrostática a pó recuada em relação à pele de vidro, de modo que não seja visível do nível térreo
12 Mísula e perfil de sustentação da parede-cortina
13 Rufo de chapa extrudada de alumínio com pintura eletrostática a pó com junta de topo
14 Cavidade entre a vidraça e o perfil de alumínio projetada de modo a evitar o acúmulo de calor
15 Painel em chapa extrudada de alumínio com pintura eletrostática a pó projetado para incorporar os dutos perfurados de entrada e saída de ar
16 Lâmina de vidro em vista

**46.05
Detalhe da Interface entre a Pele de Vidro e o Piso: Corte
1:10**
1 Capa de argamassa
2 Laje de piso de concreto com forma de aço incorporada (sistema *steel deck*)
3 Elemento de aço estrutural
4 Mísula e perfil de sustentação da parede-cortina
5 Eixo da travessa de perfil de alumínio nivelado com o piso acabado
6 A borda das chapas de vidro incolor deve ser translúcida apenas em frente às travessas de alumínio
7 Gaxeta na junta horizontal com o mesmo recuo das vedações das juntas horizontais
8 Barreira corta-fogo
9 Cavidade entre a vidraça e o perfil de alumínio projetada de modo a evitar o acúmulo de calor
10 Elemento de aço estrutural
11 Painel em chapa extrudada de alumínio com pintura eletrostática a pó projetado para incorporar os dutos perfurados de entrada e saída de ar
12 Painel em chapa extrudada de alumínio com pintura eletrostática a pó projetado para sustentar o forro

**46.06
Detalhe de Quina de Parede Externa Típica: Planta Baixa
1:10**

1 Lâmina de vidro horizontal, em vista
2 A projeção da lâmina de vidro vertical varia conforme o pavimento e deve ser medida da face de vidro da fachada à ponta externa da lâmina
3 A borda das chapas de vidro incolor deve ser translúcida apenas em frente às travessas de alumínio
4 Peitoril acessível pré-fabricado e projetado para ocultar o atuador
5 Linha do revestimento em gesso cartonado da parede
6 As juntas entre os montantes e as chapas de gesso cartonado devem ser vedadas com silicone e permitir movimentos diferenciais
7 Isolamento térmico adicional, como parte do sistema de revestimento interno da parede
8 Cavidade entre a vidraça e o perfil de alumínio projetada de modo a evitar o acúmulo de calor
9 Painel de revestimento do isolamento térmico em chapa extrudada de alumínio com pintura eletrostática a pó
10 Painel posterior com isolamento, para melhor desempenho térmico
11 Painel de alumino por trás da parede-cortina
12 Chapa de gesso cartonado de alta resistência no revestimento interno da parede
13 Painel com vidro duplo com câmara de argônio e película de controle solar de alto desempenho
14 Junta de quina de vidro contra vidro
15 Pilar de aço estrutural
16 A largura total de 122 mm dos montantes corresponde à das paredes internas
17 A projeção da lâmina de vidro vertical varia conforme o pavimento e deve ser medida da face de vidro da fachada à ponta externa da lâmina
18 A vedação em ambos os lados da lâmina de vidro deve ficar recuada em 20 mm

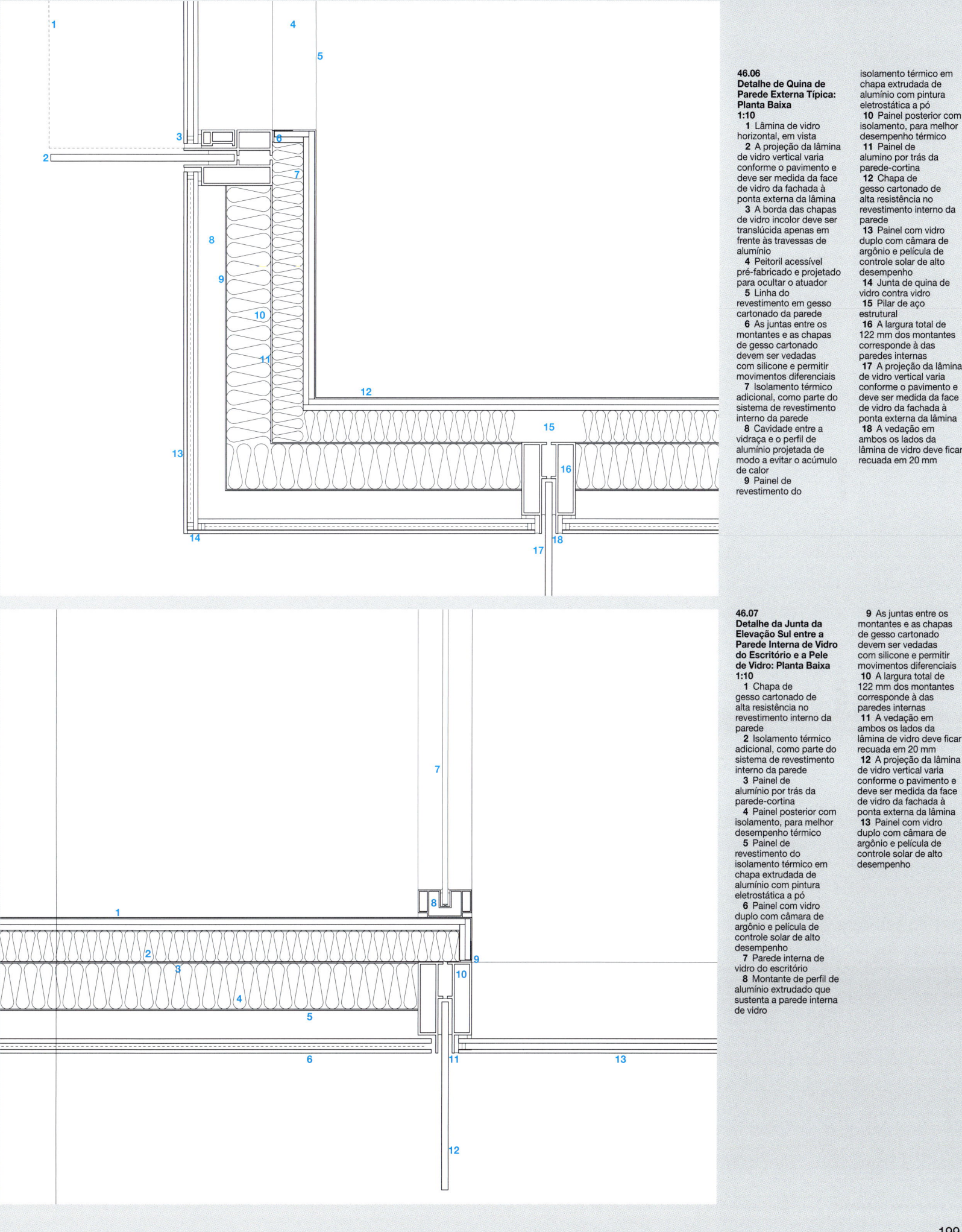

**46.07
Detalhe da Junta da Elevação Sul entre a Parede Interna de Vidro do Escritório e a Pele de Vidro: Planta Baixa
1:10**

1 Chapa de gesso cartonado de alta resistência no revestimento interno da parede
2 Isolamento térmico adicional, como parte do sistema de revestimento interno da parede
3 Painel de alumínio por trás da parede-cortina
4 Painel posterior com isolamento, para melhor desempenho térmico
5 Painel de revestimento do isolamento térmico em chapa extrudada de alumínio com pintura eletrostática a pó
6 Painel com vidro duplo com câmara de argônio e película de controle solar de alto desempenho
7 Parede interna de vidro do escritório
8 Montante de perfil de alumínio extrudado que sustenta a parede interna de vidro
9 As juntas entre os montantes e as chapas de gesso cartonado devem ser vedadas com silicone e permitir movimentos diferenciais
10 A largura total de 122 mm dos montantes corresponde à das paredes internas
11 A vedação em ambos os lados da lâmina de vidro deve ficar recuada em 20 mm
12 A projeção da lâmina de vidro vertical varia conforme o pavimento e deve ser medida da face de vidro da fachada à ponta externa da lâmina
13 Painel com vidro duplo com câmara de argônio e película de controle solar de alto desempenho

47
Dominique Perrault Architecture

Universidade para Mulheres EWHA
Seul, Coreia do Sul

Cliente
Universidade para Mulheres EWHA

Equipe de Projeto
Dominique Perrault Architecture com
Baum Architects, Seul

Projeto Estrutural
VP & Green Ingenerie

Arquiteto Local
Baum Architects

A complexidade da área de intervenção, devido à sua relação com o *campus* principal e com a cidade de Shinchon, ao sul, exige aquilo que os arquitetos chamam de resposta "maior do que o terreno" – uma solução paisagística global que insira o tecido do espaço universitário no da cidade. Esse gesto, o "vale do *campus*", somado à "faixa esportiva", cria uma nova topografia que afeta o entorno de diferentes maneiras. A faixa esportiva, assim como o vale, tem caráter múltiplo: é um novo portal para a EWHA, um local para a prática diária de atividades esportivas, para festivais e celebrações especiais anuais e uma área que aproxima, de fato, a universidade e a cidade. Trata-se principalmente de um local para todos, com vida o ano inteiro. Como um *outdoor* horizontal, a faixa esportiva mostra a vida universitária aos habitantes de Shinchon e vice-versa.

Depois da faixa esportiva, celebra-se a movimentação e o fluxo de pedestres pelo terreno. Um pátio de entrada exuberante corta a topografia, revelando o interior do *campus* da EWHA. Forma-se um espaço vazio, onde é possível realizar diversas atividades. É uma avenida com declive suave que modera o tráfego e conduz a uma escada monumental que eleva os visitantes, além de convidar o público a entrar no *campus* e reunir os diferentes níveis do terreno. A natureza pastoral do conjunto é, possivelmente, seu aspecto mais notável. O objetivo é que a paisagem cresça para fora, ou, no caso, para dentro, cobrindo o centro do local com árvores, flores e grama. O resultado é um jardim idílico, isto é, um local especial para encontros, aulas informais e descanso.

1 A praça central, em termos de escala e senso de lugar, lembra a Champs Elysées, em Paris, ou o Monte Capitólio, em Roma. Aqui, a escada suave pode ser usada como teatro externo e ponto de encontro informal. Os painéis envidraçados da fachada revelam o interior do centro do *campus*.
2 A praça central é ladeada pela faixa esportiva, um novo espaço ao ar livre que recebe festivais e celebrações, bem como atividades esportivas.
3 À noite, a pele de vidro do edifício do *campus* ilumina a praça central.
4 Detalhe da pele de vidro, onde janelas com caixilhos de abrir refrescam e ventilam o interior da edificação.

47.01
Corte A–A
1:2.000

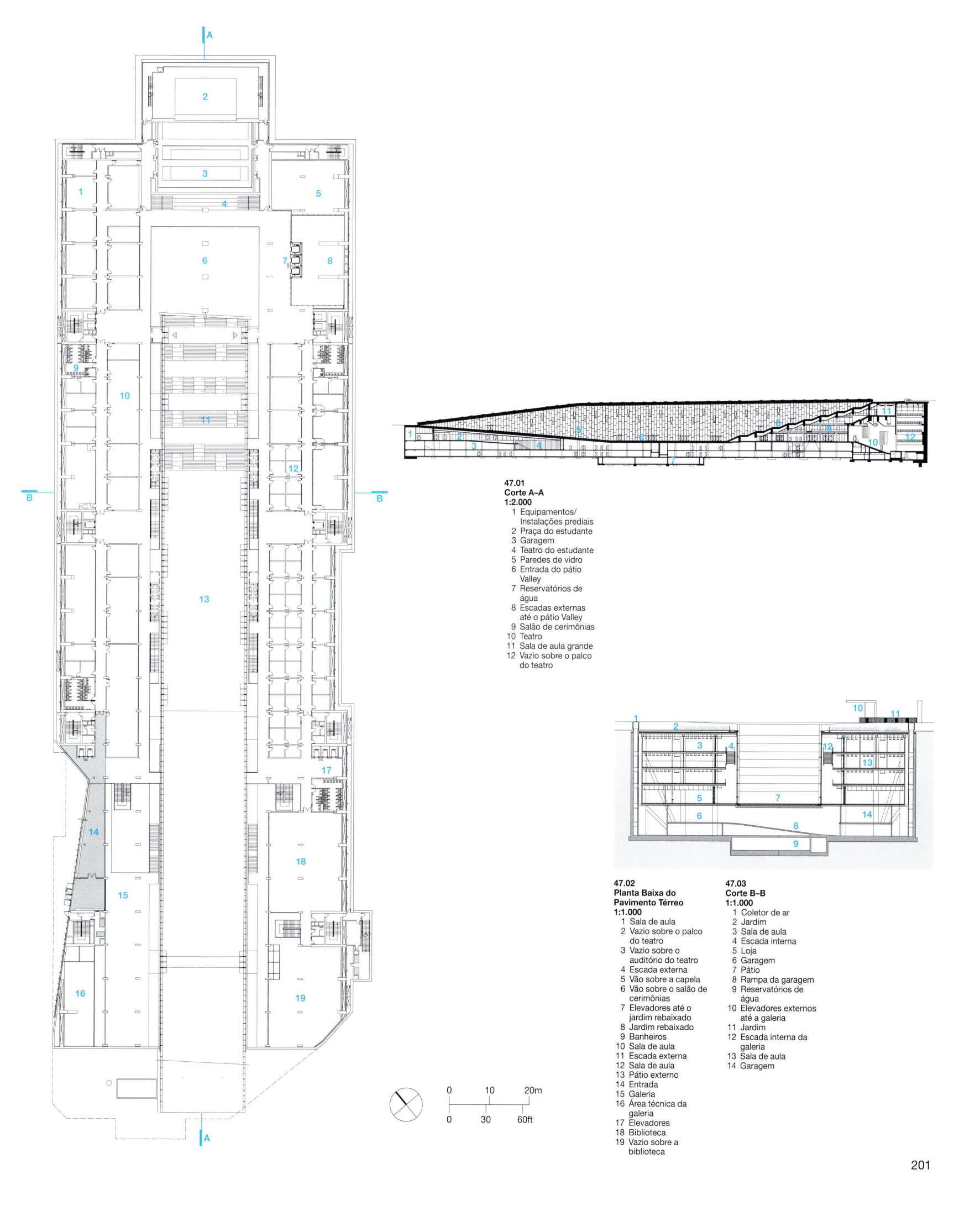

1 Equipamentos/
 Instalações prediais
2 Praça do estudante
3 Garagem
4 Teatro do estudante
5 Paredes de vidro
6 Entrada do pátio
 Valley
7 Reservatórios de
 água
8 Escadas externas
 até o pátio Valley
9 Salão de cerimônias
10 Teatro
11 Sala de aula grande
12 Vazio sobre o palco
 do teatro

47.02
Planta Baixa do
Pavimento Térreo
1:1.000

1 Sala de aula
2 Vazio sobre o palco
 do teatro
3 Vazio sobre o
 auditório do teatro
4 Escada externa
5 Vão sobre a capela
6 Vão sobre o salão de
 cerimônias
7 Elevadores até o
 jardim rebaixado
8 Jardim rebaixado
9 Banheiros
10 Sala de aula
11 Escada externa
12 Sala de aula
13 Pátio externo
14 Entrada
15 Galeria
16 Área técnica da
 galeria
17 Elevadores
18 Biblioteca
19 Vazio sobre a
 biblioteca

47.03
Corte B–B
1:1.000

1 Coletor de ar
2 Jardim
3 Sala de aula
4 Escada interna
5 Loja
6 Garagem
7 Pátio
8 Rampa da garagem
9 Reservatórios de
 água
10 Elevadores externos
 até a galeria
11 Jardim
12 Escada interna da
 galeria
13 Sala de aula
14 Garagem

201

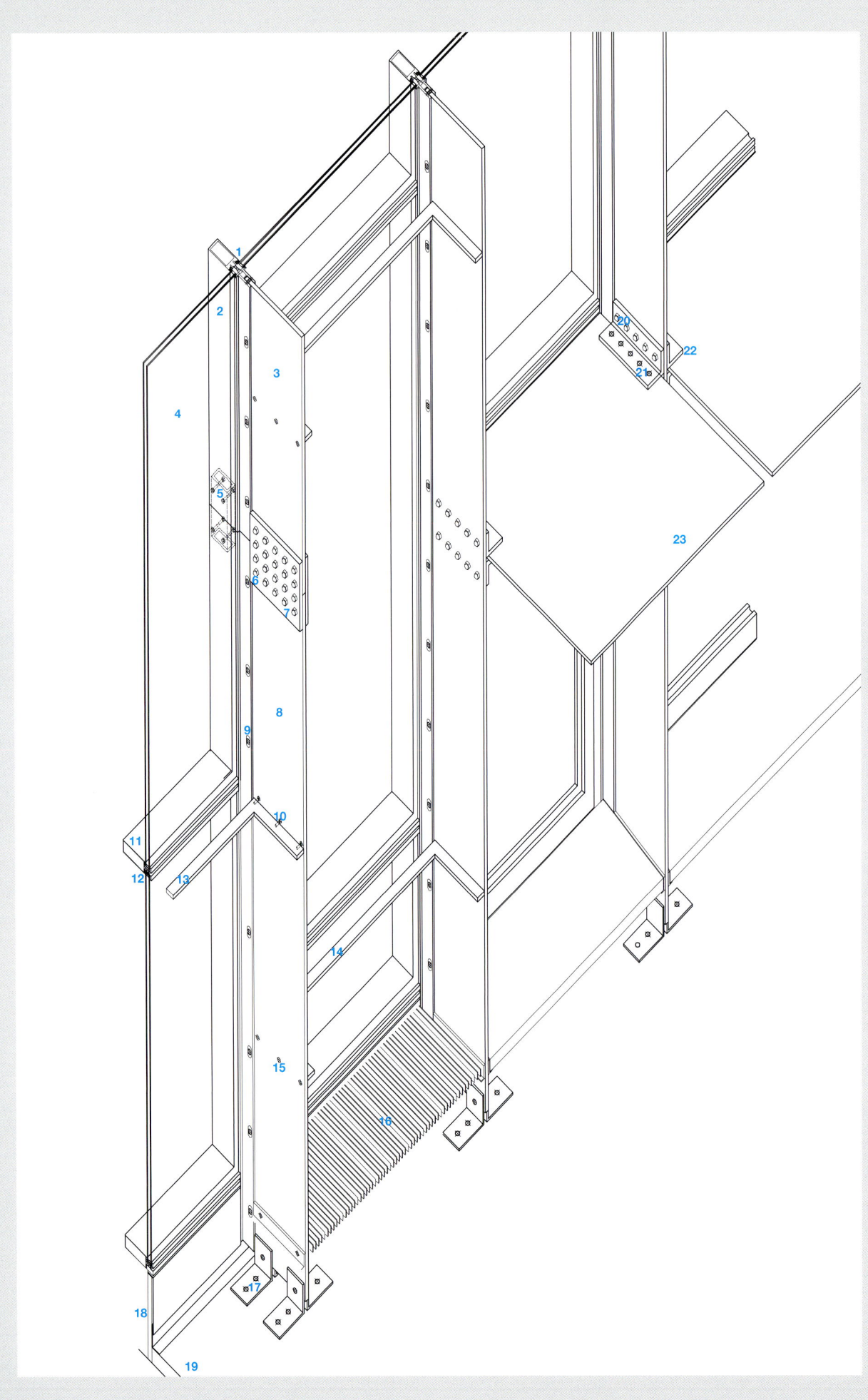

47 Dominique Perrault Architecture Universidade para Mulheres EWHA Seul, Coreia do Sul

47.04
Detalhe da Parede-Cortina: Perspectiva Axonométrica
1:20

1 Vedação estrutural para vidraças da Dow Corning
2 Perfil de alumínio
3 Lâmina de aço inoxidável polido
4 Painel de vidro com isolamento térmico, temperado no pavimento térmico e reforçado com o calor nos demais pavimentos
5 Perfil de alumínio composto parafusado à estrutura de aço interna, conforme as especificações
6 Parafuso totalmente rosqueado e porca de remate de aço inoxidável polido
7 Chapa de aço inoxidável polido
8 Lâmina de aço inoxidável polido
9 Furo alongado na lâmina de aço, para o movimento diferencial vertical entre as chapas de aço inoxidável e alumínio, com parafuso totalmente rosqueado e porca de remate de aço inoxidável polido escareados a cada 400 mm
10 Chapa de reforço parafusada à lâmina vertical de aço, com parafuso totalmente rosqueado e porca de remate de aço inoxidável polido escareados
11 Travessa de perfil de alumínio
12 Chapa de cobertura de alumínio
13 Chapa de reforço de aço inoxidável polido
14 Chapa de reforço de aço inoxidável polido
15 Parafuso totalmente rosqueado e porca de remate de aço inoxidável polido escareados
16 Grelha de aço gavanizado
17 Cantoneira de aço gavanizado de suporte da grelha
18 Painel de alumínio
19 Laje de piso de concreto
20 Parafusos totalmente rosqueados e porcas de remate de aço inoxidável polido escareados
21 Cantoneira de fixação da marquise com parafusos totalmente rosqueados e porcas de remate de aço inoxidável polido escareados
22 Cantoneira de fixação da marquise de aço inoxidável polido
23 Marquise de aço inoxidável polido

47.05
Detalhe da Parede do Jardim Rebaixado: Corte
1:20

1 Piso externo de pedra
2 Membrana de impermeabilização do piso externo
3 Calha em torno do jardim rebaixado
4 Laje de cobertura de concreto armado solidarizada às vigas
5 Pele de vidro
6 Piso elevado da sala de aula
7 Laje de piso de concreto armado
8 Estrutura de ripas do revestimento externo de plaquetas de aço inoxidável
9 Parede de concreto
10 Estrutura de sustentação do revestimento externo de plaquetas de aço inoxidável polidas com acabamento fosco ou especular
11 Suporte dos trilhos das portas de correr de vidro
12 Portas de correr de vidro
13 Sarjeta
14 Espelho d'água do jardim rebaixado
15 Estrutura de sustentação do revestimento externo de plaquetas de aço inoxidável polidas com acabamento fosco ou especular
16 Estrutura de sustentação do revestimento externo de plaquetas de aço inoxidável polidas com acabamento fosco ou especular
17 Revestimento externo de plaquetas de aço inoxidável polidas com acabamento fosco ou especular
18 Exaustor de ar

203

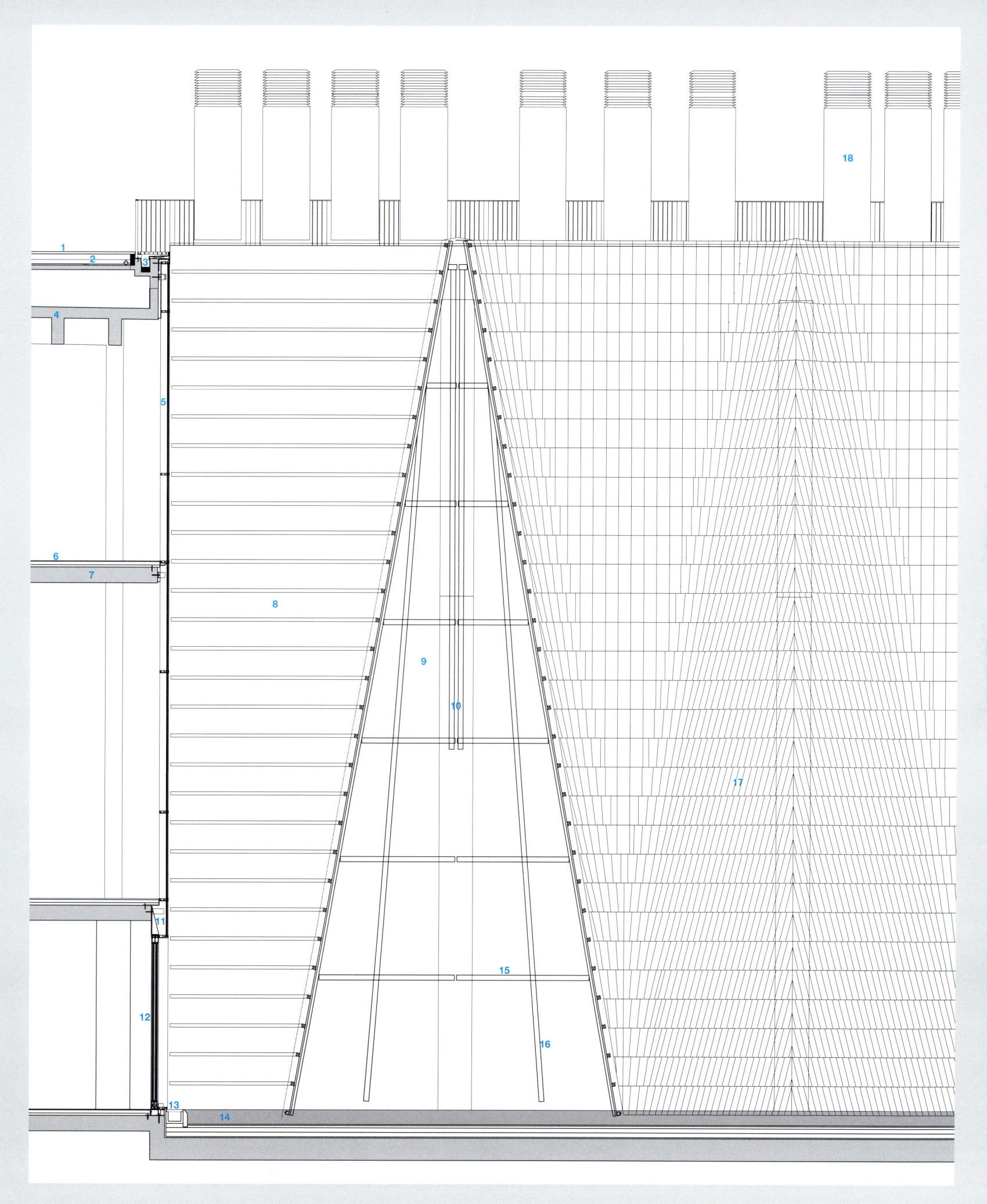

48
Tange Associates

Torre Casulo
Tóquio, Japão

Cliente
Mode Gakuen

Equipe de Projeto
Paul Noritaka Tange, Yoshinori Takahashi, Tomohiro Kimura, Masaki Nakayama, Masayoshi Honda, Hitoshi Watanabe, Masahide Matsuda, Toshiharu Cho

Projeto Estrutural
Arup

Construção
Shimizu Corporation

Localizada no bairro de Nishi-Shinjuku, em Tóquio, no qual se concentram prédios altos, a Torre Casulo contém três escolas vocacionais com aproximadamente 10 mil alunos. A torre de 50 pavimentos – o segundo edifício educacional mais alto do mundo – recebeu o renomado Emporis Skyscraper Award em 2008. A forma inovadora e a fachada de última geração, envolta por uma rede de linhas diagonais em ziguezague, incorpora o singular conceito do "casulo". A Tange Associates definiu o casulo como uma incubadora onde estudantes são recebidos e inspirados a criar, crescer e transformar-se, o que convenceu o cliente, a Mode Gauken, a escolher esse projeto dentre mais de 150 concorrentes.

O tamanho limitado do terreno impunha um desafio ao desenvolvimento de uma nova tipologia de arquitetura para instituições de ensino. Salões de estar de três pavimentos com aspecto de átrio, colocados entre as salas de aula, localizados a cada três andares, oferecem vistas espetaculares do contexto urbano adjacente e representam um novo tipo de "pátio escolar". Esses salões inovadores, que oferecem um espaço confortável onde alunos podem relaxar e interagir, fornecem uma nova solução para a arquitetura educacional em cidades muito populosas. O padrão casulo característico da fachada é composto por painéis extrudados de alumínio ao longo da grelha de pilares com moldura diagonal. Uma película especial, que consiste em pontos agregados, foi aplicada às chapas triangulares de vidro, de modo a não obscurecer a vista do interior das salas de aula; no entanto, parece continuar os painéis de alumínio prensado quando vista de longe.

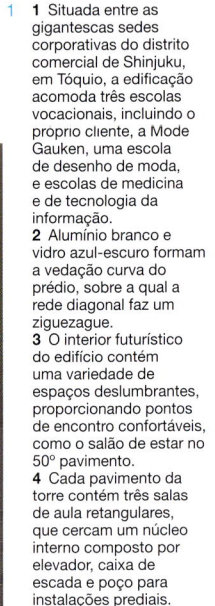

1 Situada entre as gigantescas sedes corporativas do distrito comercial de Shinjuku, em Tóquio, a edificação acomoda três escolas vocacionais, incluindo o próprio cliente, a Mode Gauken, uma escola de desenho de moda, e escolas de medicina e de tecnologia da informação.
2 Alumínio branco e vidro azul-escuro formam a vedação curva do prédio, sobre a qual a rede diagonal faz um ziguezague.
3 O interior futurístico do edifício contém uma variedade de espaços deslumbrantes, proporcionando pontos de encontro confortáveis, como o salão de estar no 50º pavimento.
4 Cada pavimento da torre contém três salas de aula retangulares, que cercam um núcleo interno composto por elevador, caixa de escada e poço para instalações prediais.

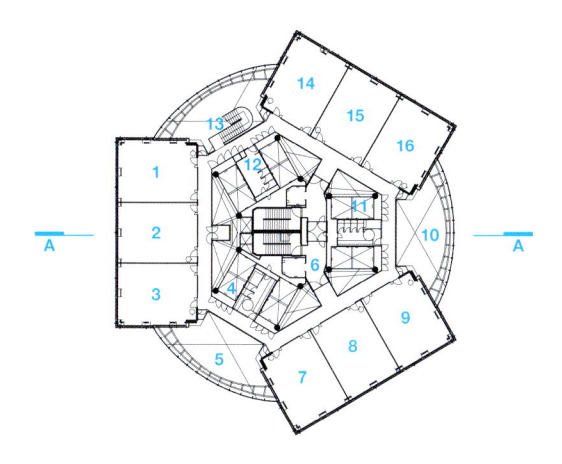

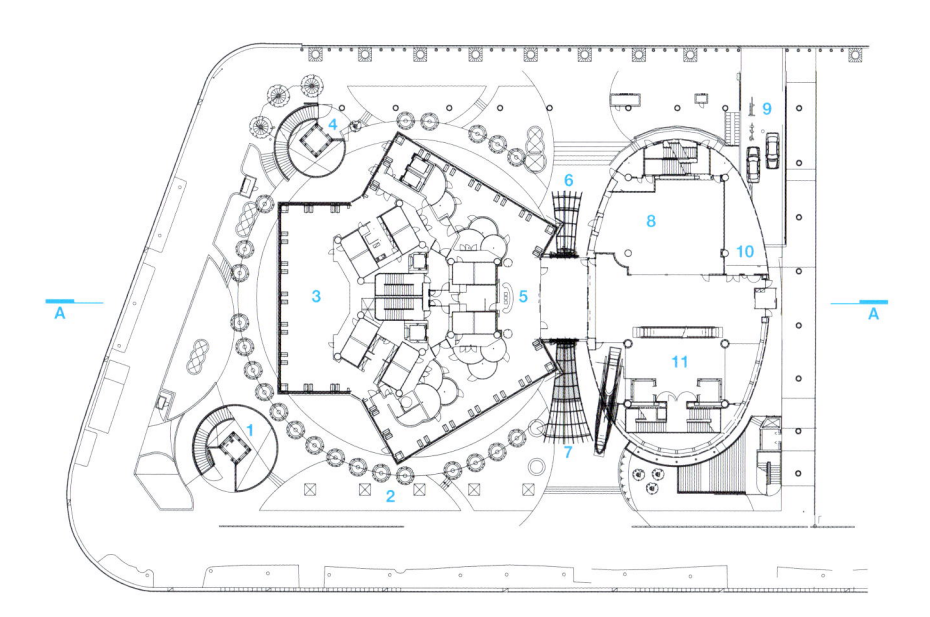

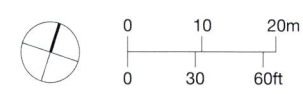

48.01
Planta Baixa do Nível 23
1:1.000
1 Sala de aula
2 Sala de aula
3 Sala de aula
4 Poço para instalações prediais
5 Vazio sobre o salão de estar dos estudantes
6 Circulação vertical
7 Sala de aula
8 Sala de aula
9 Sala de aula
10 Vazio sobre o salão de estar dos estudantes
11 Poço para instalações prediais
12 Banheiros
13 Escada solta entre o salão de estar dos estudantes e as salas de aula acima
14 Sala de aula
15 Sala de aula
16 Sala de aula

48.02
Planta Baixa do Pavimento Térreo
1:1.000
1 Circulação da garagem do subsolo
2 Praça pública
3 Escritórios e administração
4 Circulação da garagem do subsolo
5 Balcão da recepção
6 Entrada
7 Entrada
8 Loja
9 Entrada e saída da garagem
10 Casa de máquinas
11 Circulação vertical do bloco baixo

48.03
Corte A–A
1:1.000
1 Plataforma de manutenção retrátil
2 Escada de acesso da manutenção
3 Pavimentos de cobertura
4 Sala de aula com pé-direito padrão
5 Sala de aula com pé-direito duplo
6 Salão de estar dos estudantes
7 Sala de aula com pé-direito padrão
8 Sala de aula com pé-direito padrão
9 Salão de estar dos estudantes
10 Sala de aula com pé-direito padrão
11 Sala de aula com pé-direito padrão
12 Salão de estar dos estudantes
13 Sala de aula com pé-direito duplo
14 Salão de estar dos estudantes
15 Sala de aula com pé-direito padrão
16 Salão de estar dos estudantes
17 Sala de aula com pé-direito duplo
18 Salão de estar dos estudantes
19 Sala de aula com pé-direito duplo
20 Salão de estar dos estudantes
21 Sala de aula com pé-direito padrão
22 Salão de estar dos estudantes
23 Sala de aula com pé-direito padrão
24 Salão de estar dos estudantes
25 Sala de aula com pé-direito duplo
26 Salão de estar dos estudantes
27 Sala de aula com pé-direito duplo
28 Salão de estar dos estudantes
29 Sala de aula com pé-direito padrão
30 Salão de estar dos estudantes
31 Biblioteca
32 Saguão A
33 Saguão B
34 Saguão
35 Loja
36 Loja
37 Garagem

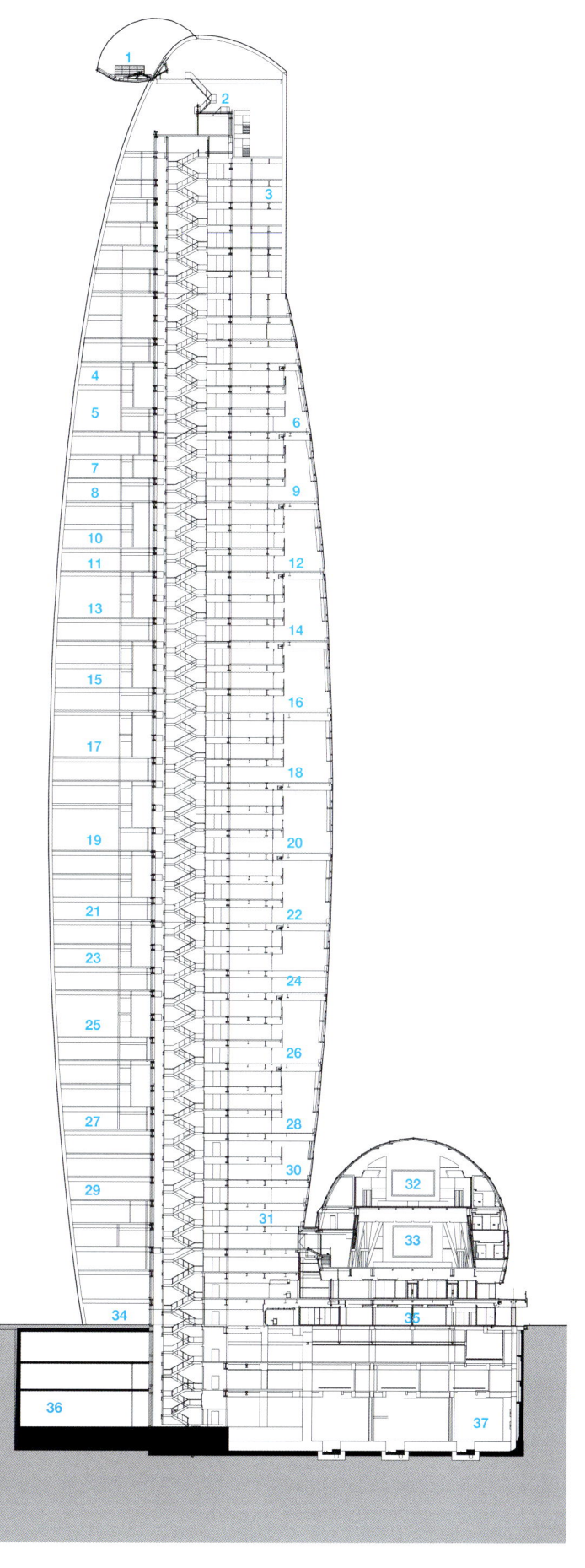

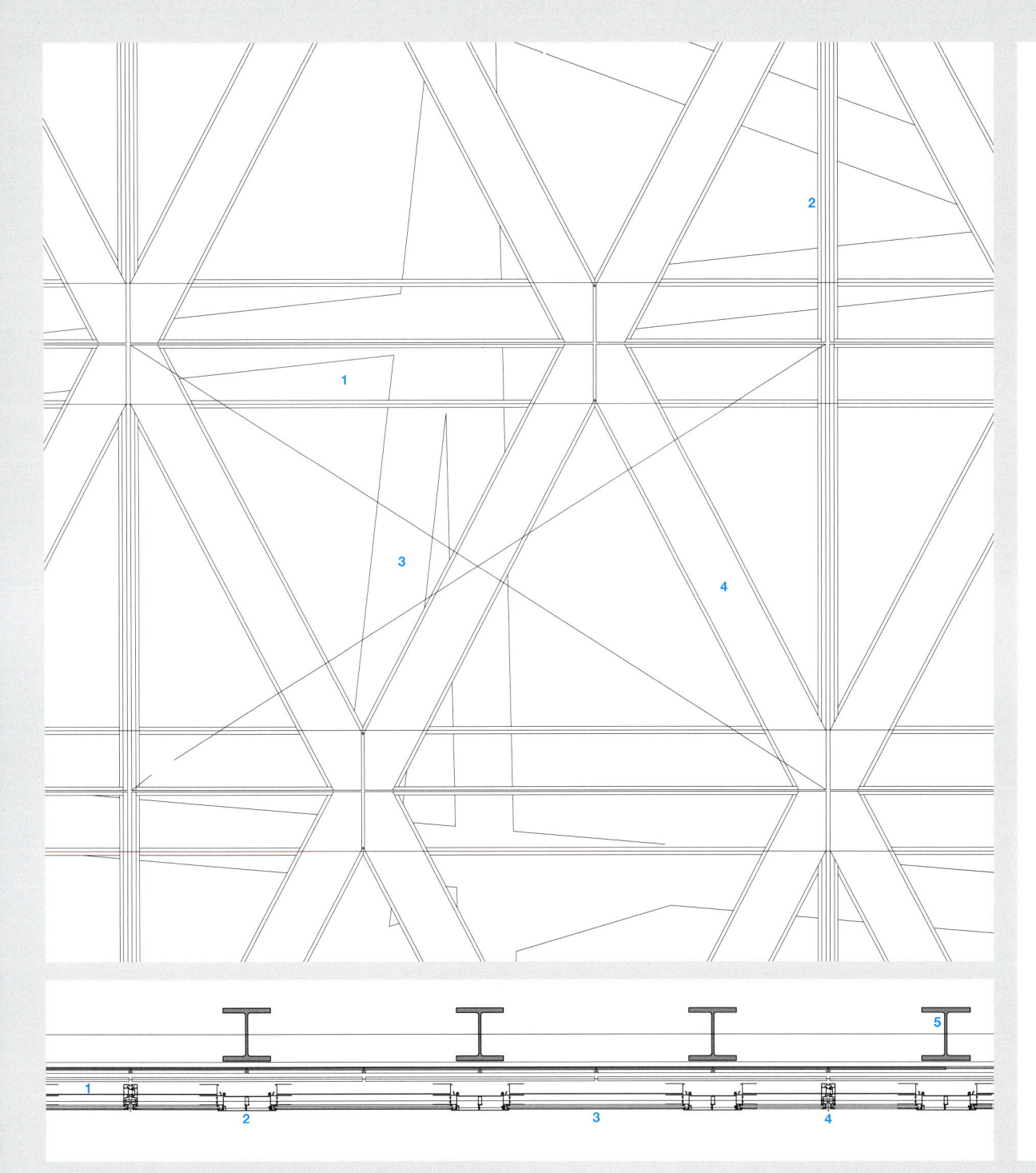

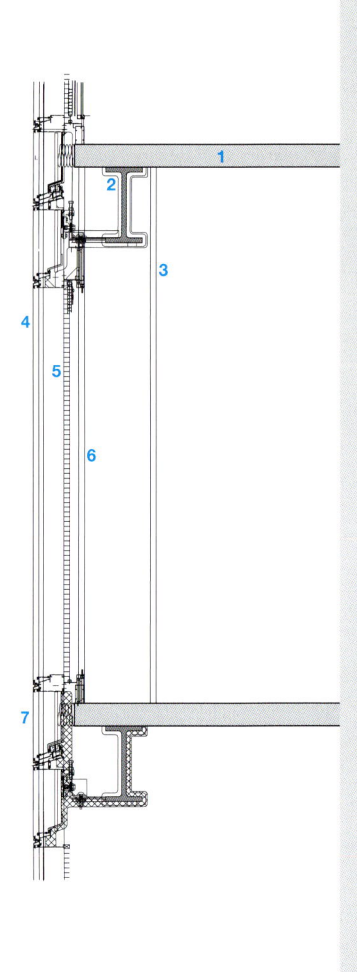

48 Tange Associates **Torre Casulo** **Tóquio, Japão**

48.04
Detalhe da Fachada: Elevação
1:50
 1 Painel de tímpano com esquadria de alumínio e vidro flutuante duplo composto de chapa de vidro de 10 mm, câmara de ar de 12 mm e chapa de vidro de 15 mm
 2 Trilho para o andaime de manutenção da fachada em perfil de alumínio com acabamento de fluoroplástico (PTFE)
 3 Faixa de vidro com película especial com padrão pontilhado de frita
 4 Perfil diagonal da parede-cortina composto de perfil de alumínio com acabamento de fluoroplástico (PTFE) e vidro flutuante duplo composto de chapa de vidro de 10 mm, câmara de ar de 12 mm e chapa de vidro de 15 mm

48.05
Detalhe da Fachada: Planta Baixa
1:50
 1 Painel de tímpano com esquadria de alumínio e vidro flutuante duplo composto de chapa de vidro de 10 mm, câmara de ar de 12 mm e chapa de vidro de 15 mm
 2 Trilho para o andaime de manutenção da fachada em perfil de alumínio com acabamento de fluoroplástico (PTFE)
 3 Faixa de vidro com película especial com padrão pontilhado de frita
 4 Perfil diagonal da parede-cortina composto de perfil de alumínio com acabamento de fluoroplástico (PTFE) e vidro flutuante duplo composto de chapa de vidro de 10 mm, câmara de ar de 12 mm e chapa de vidro de 15 mm
 5 Estrutura principal da fachada em aço

48.06
Detalhe da Fachada: Corte
1:50
 1 Laje de piso de concreto armado
 2 Estrutura principal da fachada em aço
 3 Parede interna de gesso cartonado
 4 Faixa de vidro com película especial com padrão pontilhado de frita
 5 Persiana
 6 Caixilho interno
 7 Painel de tímpano com esquadria de alumínio e vidro flutuante duplo composto de chapa de vidro de 10 mm, câmara de ar de 12 mm e chapa de vidro de 15 mm

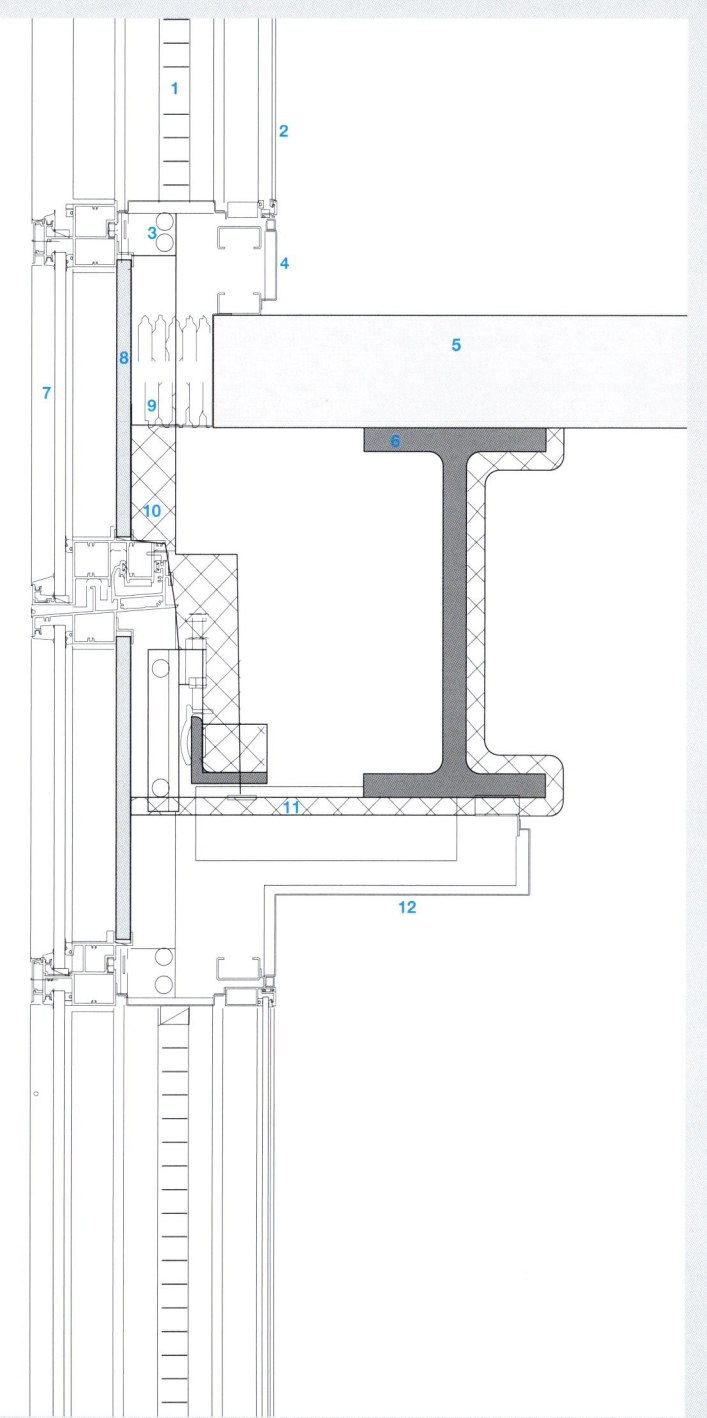

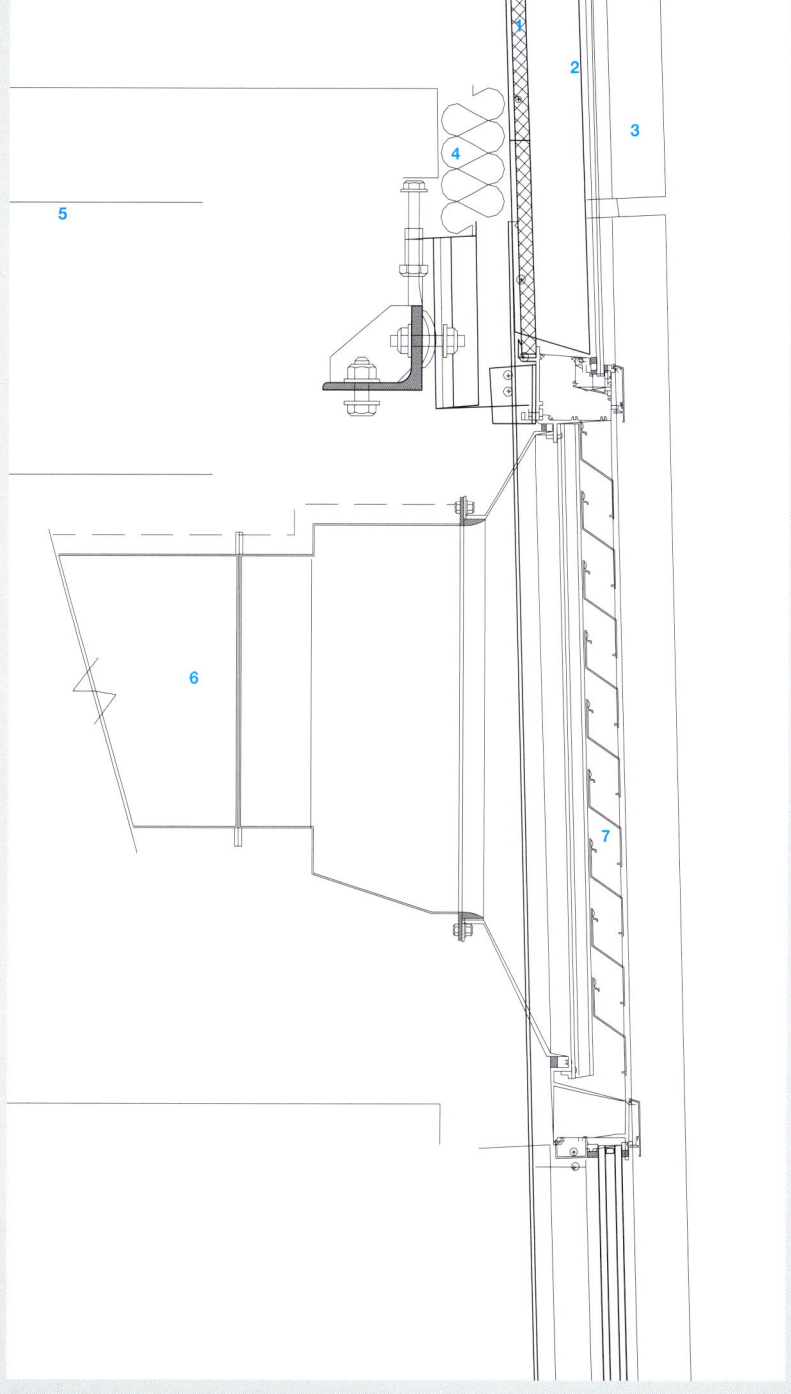

48.07
Detalhe 1 da Fachada-Cortina: Corte 1:10
1 Persiana
2 Caixilho interno
3 Conduítes para fiação elétrica
4 Rodapé removível de perfil de alumínio
5 Laje de piso de concreto armado
6 Estrutura principal da fachada em perfil I de aço
7 Sistema de parede-cortina composto de perfil de alumínio com acabamento de fluoroplástico (PTFE) e vidro flutuante duplo composto de chapa de vidro de 10 mm, câmara de ar de 12 mm e chapa de vidro de 15 mm
8 Painel de tímpano de chapa de aço de 1,6 mm com núcleo de lã de rocha pulverizado
9 Painel acústico de lã de rocha
10 Isolamento térmico com classificação de resistência ao fogo
11 Isolamento térmico de lã de rocha pulverizado com classificação de resistência ao fogo de uma hora
12 Chapa de gesso cartonado de revestimento de parede e teto

48.08
Detalhe 2 da Fachada-Cortina: Corte 1:10
1 Painel de tímpano de chapa de aço de 1,6 mm com núcleo de lã de rocha pulverizado
2 Sistema de parede-cortina composto de perfil de alumínio com acabamento de fluoroplástico (PTFE)
3 Vidro flutuante duplo composto de chapa de vidro de 10 mm, câmara de ar de 12 mm e chapa de vidro de 15 mm
4 Painel acústico de lã de rocha
5 Duto de ventilação no pleno do forro
6 Duto de exaustão de ar de chapa galvanizada de 900 × 350 mm com revestimento pulverizado resistente à umidade
7 Veneziana de chapa de alumínio anodizado

49
Wiel Arets Architects

Biblioteca da Universidade de Utrecht
Utrecht, Países Baixos

Cliente
Universidade de Utrecht

Equipe de Projeto
Wiel Arets, Harold Aspers, Dominic Papa, René Thijssen, Frederik Vaes, Henrik Vuust

Projeto Estrutural
ABT Adviseurs in Bouwtechniek

Projeto de Paisagismo
West 8

A Biblioteca da Universidade de Utrecht, que já foi comparada a um registro de dados, é mais que um local para se consultar livros. É um local onde as pessoas podem trabalhar em um ambiente exclusivo, bem como se encontrar e se comunicar sem a necessidade de nenhum estímulo além da atmosfera criada pelo prédio. Os depósitos de livros, construídos em concreto preto estampado, dividem o espaço em zonas e se interconectam por meio de escadas e rampas. Uma pele de vidro dupla parcial, à qual foram aplicados padrões figurativos serigrafados, envolve as salas de leitura. A mesma fachada de vidro reveste a garagem como uma pele macia, fazendo com que seja visto como parte integrante do complexo. De um lado do edifício da biblioteca, é possível enxergar o *campus* universitário; do outro, o campo aberto mais além.

Com base na ideia de que a comunicação silenciosa é importante em uma biblioteca, a atmosfera enfatiza uma noção de segurança que se expressa na escolha do preto para o interior. O piso refletivo de cor clara fornece luz natural ou artificial refletida suficiente para iluminar parte dos 42 milhões de livros colocados em prateleiras abertas; enquanto isso, as longas mesas brancas possibilitam a leitura de livros ou consulta de informações eletrônicas com conforto. Os postos de trabalho individuais foram distribuídos de maneira que a escolha do usuário determine o grau de comunicação com os demais. As rotas que cortam o edifício também oferecem opções e geram oportunidades para encontrar outras pessoas e comunicar-se com elas. Bar, sala de estar, recepção, auditório e lojas acrescentam uma dimensão adicional às rotas de pedestres, rompendo, portanto, com a monofuncionalidade do programa de necessidades da biblioteca.

1 A vidraça é coberta por um padrão pontilhado aplicado que forma a imagem de pés de papiro, o principal material utilizado na produção de papel no Antigo Egito.

2 O desenho do papiro foi aplicado sobre as chapas de vidro verticalmente, sendo que cada chapa apresenta o mesmo desenho. Os pontos impressos filtram a luz que entra na biblioteca de modo extremamente controlado, protegendo os livros dos efeitos prejudiciais da luz. Algumas chapas dobram-se para fora em relação à fachada, agindo como dispositivos para controle da luz.

3 Há mesas e outras superfícies de trabalho brancas no interior de resto preto.

49.01
Planta Baixa do Pavimento Térreo
1:500
1. Saguão
2. Escada do núcleo 1
3. Escada do núcleo 4
4. Sala do acervo literário
5. Depósito
6. Sala de controle
7. Administração
8. Administração
9. Sala do acervo literário
10. Escada do núcleo 3
11. Depósito de livros
12. Administração
13. Administração
14. Sala do acervo literário
15. Sala do acervo literário
16. Administração
17. Administração
18. Sala do acervo literário
19. Sala do acervo literário
20. Sala do acervo literário
21. Administração
22. Depósito
23. Escada
24. Escada do núcleo 2
25. Sala de primeiros socorros e repouso
26. Sala de quarentena
27. Sala de quarentena
28. Sala de controle
29. Separação de lixo
30. Serviço de limpeza dos escritórios
31. Depósito
32. Núcleo de banheiros
33. Depósito
34. Área de trabalho
35. Poço para instalações prediais
36. Sala do serviço de correios
37. Entrada da área de exibições
38. Área de serviço do café
39. Escritório

49.02
Corte A–A
1:500
1. Garagem
2. Administração
3. Corredor
4. Sala do acervo literário
5. Saguão

49.03
Corte B–B
1:500
1. Circulação do mezanino
2. Vazio
3. Escada principal
4. Balcão
5. Pavimento térreo
6. Arquivo subterrâneo

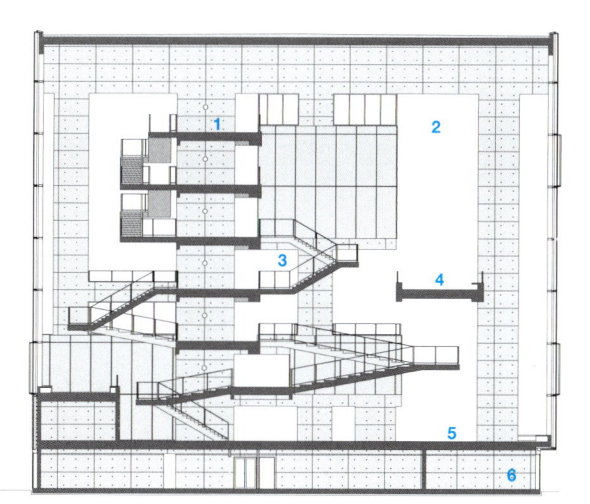

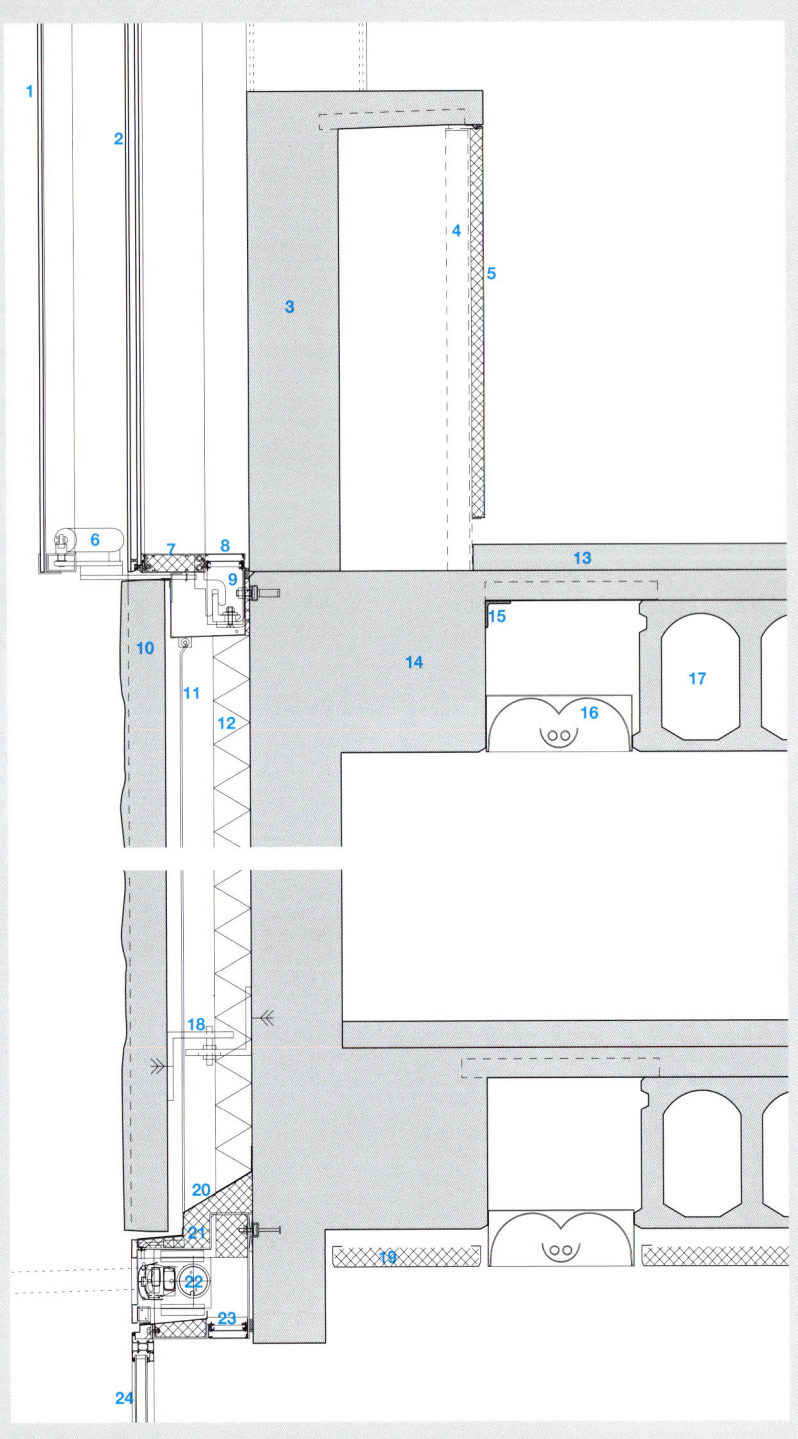

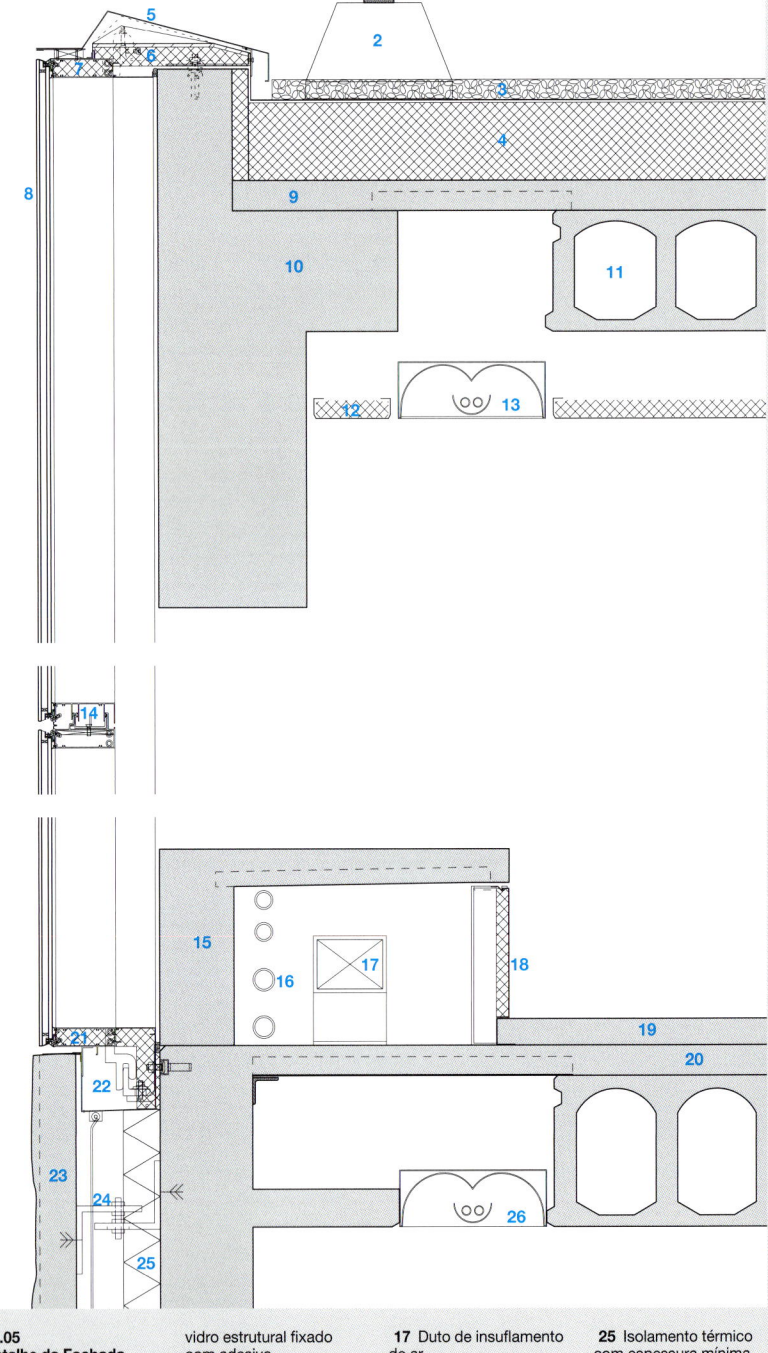

49 Wiel Arets Architects Biblioteca da Universidade de Utrecht Utrecht, Países Baixos

**49.04
Detalhe da Fachada com Painéis de Vidro ou Concreto: Corte
1:20**
1 Lâmina de vidro de acionamento automático
2 Estrutura de alumínio com caixilhos fixos de vidro estrutural fixado com adesivo
3 Mureta de concreto armado moldada *in loco* pintada de preto
4 Projeção da estrutura de madeira
5 Painel de vedação de MDF pintado
6 Luminária externa
7 Painel de vedação horizontal de MDF pintado
8 Grelha de ventilação com isolamento térmico de alta qualidade
9 Duto de ventilação
10 Painel de concreto pré-fabricado de 100 mm e revestimento pintado de preto com espessura máxima de 25 mm
11 *Shaft* da ventilação mecânica
12 Isolamento térmico com espessura mínima de 100 mm
13 Piso de concreto de 70 mm de espessura com pintura epóxi
14 Viga de borda de concreto pintada de preto
15 Cantoneira de aço de abas iguais
16 Luminária embutida e nivelada com a viga e a laje de piso
17 Laje de piso de painéis pré-moldados tubados com 400 mm de espessura, pintada de preto
18 Cantoneira de aço de abas iguais com conexão parafusada, para sustentação do painel de concreto da fachada
19 Forro acústico
20 Pingadeira de perfil de chapa dobrada
21 Isolamento térmico
22 Perfil de sustentação da marquise em balanço (pontilhada)
23 Perfil de aço com isolamento térmico revestido com alumínio
24 Esquadria da janela com isolamento térmico e vidro duplo com isolamento térmico

**49.05
Detalhe da Fachada com Painéis de Vidro ou Concreto no Nível da Platibanda: Corte
1:20**
1 Trilho de perfil I de aço para o sistema de limpeza e manutenção da fachada
2 Bloco de base do trilho de aço
3 Lastro de cascalho
4 Duas camadas de painel de cobertura de 100 mm com revestimento e barreira de vapor
5 Chapa de alumínio para proteção da platibanda
6 Isolamento térmico revestido com chapa metálica
7 Isolamento térmico
8 Estrutura de alumínio com caixilhos fixos de vidro estrutural fixado com adesivo
9 Capa de concreto de 80 mm sujeita à compressão
10 Viga de borda de concreto pintada de preto
11 Laje de cobertura de painéis pré-moldados tubados com 320 mm de espessura, pintada de preto
12 Forro acústico
13 Luminária embutida e nivelada com a viga e os painéis tubados
14 Travessa oculta de metal para sustentação dos painéis da fachada
15 Mureta de 200 mm de espessura e banco de concreto moldados *in loco*, pintados de preto
16 Conduítes elétricos ocultos sob o banco de concreto
17 Duto de insuflamento de ar
18 Painel de vedação de MDF pintado
19 Piso de concreto monolítico com 70 mm de espessura e pintura epóxi
20 Contrapiso de concreto armado com 80 mm de espessura
21 Painel de vedação horizontal de MDF pintado
22 Duto de ventilação
23 Painel de vedação pré-fabricado de 100 mm e revestimento pintado de preto com espessura máxima de 25 mm
24 Cantoneira de aço de abas iguais com conexão parafusada, para sustentação do painel de concreto da fachada
25 Isolamento térmico com espessura mínima de 100 mm
26 Luminária embutida e nivelada com a viga e a laje de piso

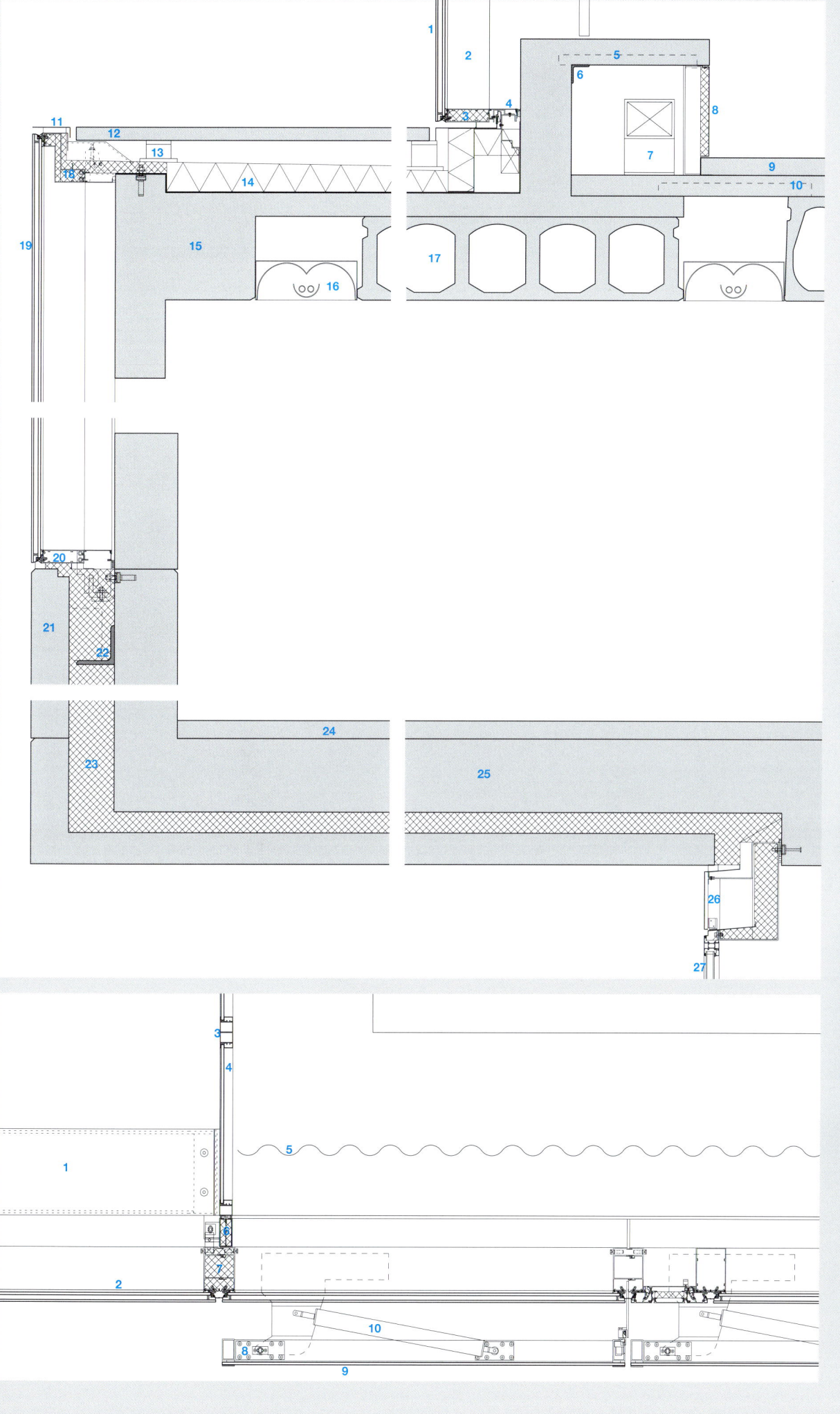

49.06
Detalhe da Caixa da Fachada em Balanço: Corte
1:20

1 Estrutura de alumínio com caixilhos fixos de vidro estrutural fixado com adesivo
2 Esquadria de alumínio da janela
3 Painel de vedação horizontal de MDF pintado
4 Grelha de ventilação com isolamento térmico de alta qualidade
5 Mureta de 200 mm de espessura e banco de concreto moldado *in loco*, pintados de preto
6 Cantoneira de aço de abas iguais
7 Duto de insuflamento de ar
8 Painel de vedação de MDF pintado
9 Piso de concreto monolítico com 70 mm de espessura e pintura epóxi
10 Contrapiso de concreto armado com 80 mm de espessura
11 Chapa de alumínio de vedação
12 Piso de concreto de painéis pré-fabricados
13 Isolamento de borda
14 Isolamento térmico revestido com chapa metálica
15 Viga de borda de concreto pintada de preto de 490 mm de espessura e piso de concreto, moldados *in loco*
16 Luminária embutida e nivelada com a viga e os painéis tubados
17 Laje de cobertura de painéis pré-moldados tubados com 320 mm de espessura
18 Isolamento térmico
19 Estrutura de alumínio com caixilhos fixos de vidro estrutural fixado com adesivo
20 Esquadria de alumínio
21 Painel de parede externa de concreto moldado *in loco*, com 150 mm de espessura, pintado de preto
22 Cantoneira de aço de abas iguais com conexão parafusada, para sustentação do painel de concreto da fachada
23 Isolamento térmico com espessura de 180 mm
24 Piso de concreto monolítico de 70 mm de espessura com pintura epóxi
25 Laje de piso de concreto moldada *in loco*, com 280 mm de espessura
26 Caixa de perfil de aço pré-fabricada com isolamento térmico e tampa de alumínio
27 Janela com vidros duplos e isolamento térmico

49.07
Detalhe da Fachada com Chapas de Vidro: Planta Baixa
1:20

1 Perfil de aço
2 Estrutura de alumínio com caixilhos fixos de vidro estrutural fixado com adesivo
3 Junta da parede interna de alumínio
4 Parede interna de painel de alumínio com isolamento térmico
5 Painel corrugado para controle de luminosidade
6 Montante oculto de metal para sustentação dos painéis da fachada
7 Montante oculto de metal para sustentação dos painéis da fachada
8 Estrutura de alumínio do painel de vidro da fachada
9 Chapa de vidro móvel
10 Braço operado a gás, para movimentação da chapa de vidro da fachada

211

50
dRMM
de Rijke Marsh Morgan Architects

Escola de Ensino Fundamental Clapham Manor
Londres, Inglaterra, Reino Unido

Cliente
Distrito de Lambeth, Londres

Equipe de Projeto
Philip Marsh, Satoshi Isono, Michael Spooner, Mirko Immendoefer, Junko Yanagisawa, Jonas Lencer, Russ Edwards

Projeto Estrutural
Michael Hadi Associates

Construção
The Construction Partnership

A intervenção da dRMM nesta escola vitoriana consiste em um anexo policromático inserido em um contexto urbano exíguo, oferecendo uma nova identidade à escola, assim como os espaços de aprendizado necessários e um núcleo organizador. Ao mesmo tempo, maximiza a área de lazer. A nova intervenção está afastada da parede lateral e é paralela ao prédio vizinho, o Odd Fellows Hall. O espaço intermediário resultante estabelece uma entrada formal para a escola na forma de um átrio transparente com pé-direito triplo. O elevador panorâmico e as escadas que fazem um ziguezague unem os quatro pavimentos novos aos três níveis preexistentes.

Aqui, a grelha formal que, em geral, define as fachadas-cortinas envidraçadas foi substituída por uma grelha aleatória, o que resulta em uma expressão apropriada a uma escola primária. A fachada é um ciclo policromático que se altera ao circundar a edificação. As cores contextualizadas dos painéis retangulares influenciam os intensos vermelhos e ricos amarelos da Stonhouse Street. O espectro de cores passa para o verde quando o edifício chega ao parquinho, refletindo o tratamento paisagístico, e, finalmente, o azul vibrante do céu. Além das novas salas de aula, os alunos ganharam espaço para apresentações teatrais, música, atividades extracurriculares e consultório médico. Os funcionários compartilham uma sala multifuncional, um centro de fotocópia, administração e escritórios. Os espaços sociais informais que conectam as salas de aula são vibrantes e estimulantes, pois eliminam os corredores e proporcionam transparência visual. Os painéis de vidro em cores vibrantes do exterior são revestidos por dentro, possibilitando a exibição de trabalhos dos alunos; em outros pontos, as chapas de vidro opacas, com frita ou vidro translúcido de diferentes alturas permitem visualizar o contexto urbano.

1 Imagem do edifício novo e do internato vitoriano preexistente na Stonhouse Street.
2 A nova edificação de vidro se afasta do prédio vizinho em ângulo com o objetivo de criar um espaço intermediário externo que, atualmente, define o átrio de entrada envidraçado.
3 Nas salas de aula novas, um padrão aleatório de painéis de vidro opacos, translúcidos e de frita emolduram as vistas do entorno imediato.
4 As fachadas internas incorporam painéis de feltro dentro do sistema de vidraças, oferecendo espaço para a exibição de trabalhos dos alunos.

50.01
Planta Baixa do Pavimento Térreo
1:500
1 Rampa e escada de acesso à Belmont Road
2 Parque infantil
3 Entrada do parque infantil
4 Sala do zelador
5 Sala de atendimento médico
6 Banheiro
7 Sala dos funcionários
8 Cozinha dos funcionários
9 Sala de reuniões
10 Administração
11 Recepção
12 Entrada para pais e visitantes
13 Entrada principal para alunos
14 Saguão
15 Internato vitoriano preexistente
16 Odd Fellow Hall, um prédio tombado preexistente, de classe Grade II

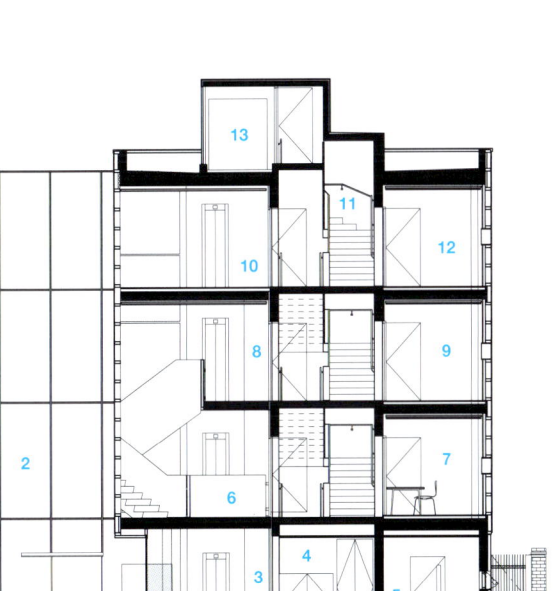

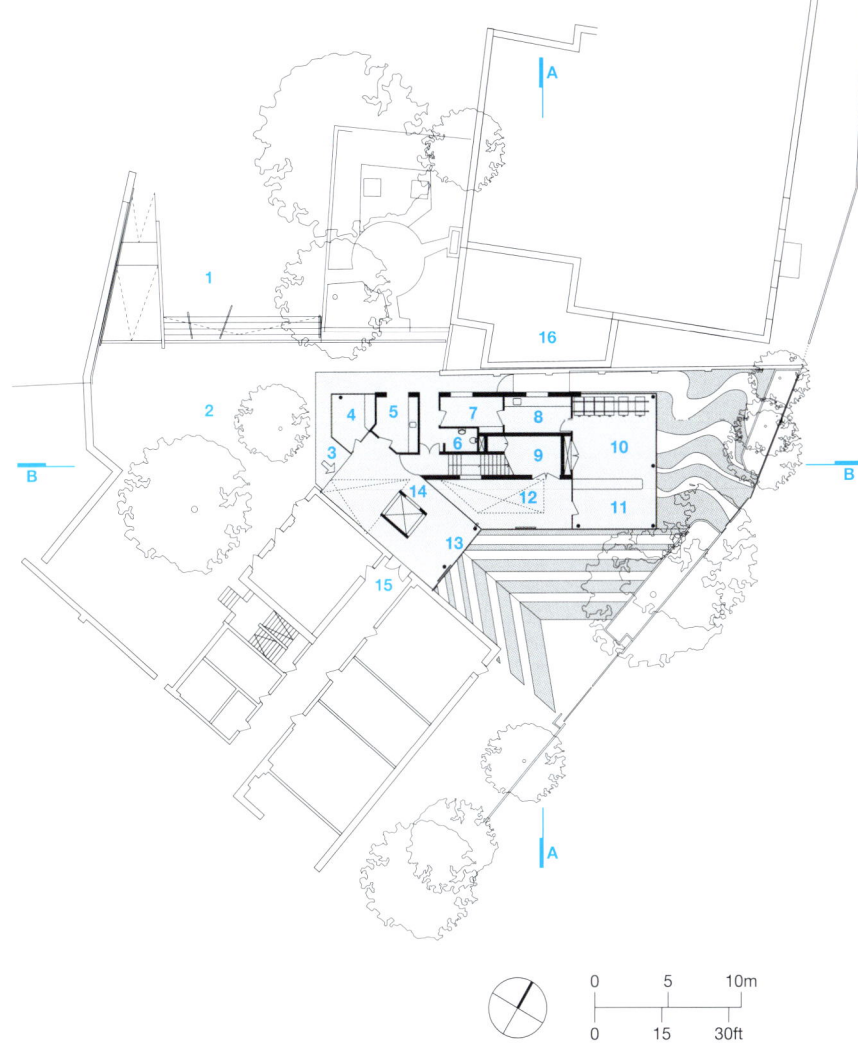

50.02
Corte A–A
1:200
1 Parque infantil
2 Conexão com vidro incolor
3 Sala de espera
4 Sala de reuniões
5 Tesouraria
6 Passarela
7 Sala de trabalho dos funcionários
8 Passarela
9 Espaço para recreio
10 Circulação
11 Escada
12 Espaço para recreio
13 Casa de máquinas

50.03
Corte B–B
1:200
1 Saguão
2 Sala de reuniões
3 Administração
4 Sala dos funcionários
5 Cozinha dos funcionários
6 Sala de aula
7 Espaço para apresentações
8 Escada
9 Sala de aula
10 Sala de aula
11 Auditório

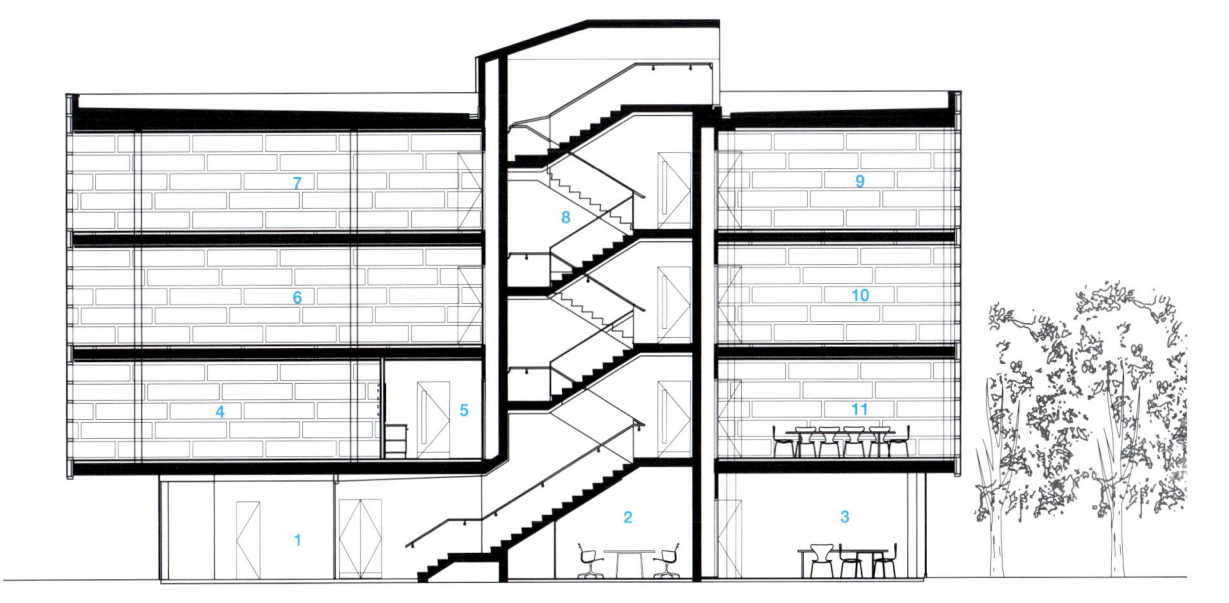

213

50 dRMM
de Rijke Marsh Morgan Architects

Escola de Ensino Fundamental Clapham Manor

Londres, Inglaterra, Reino Unido

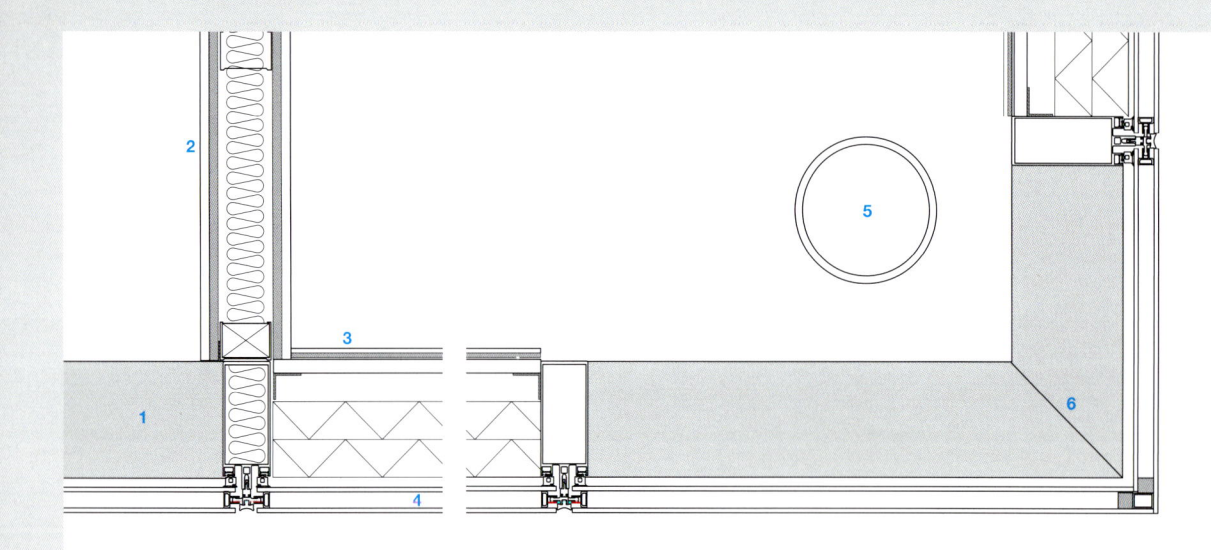

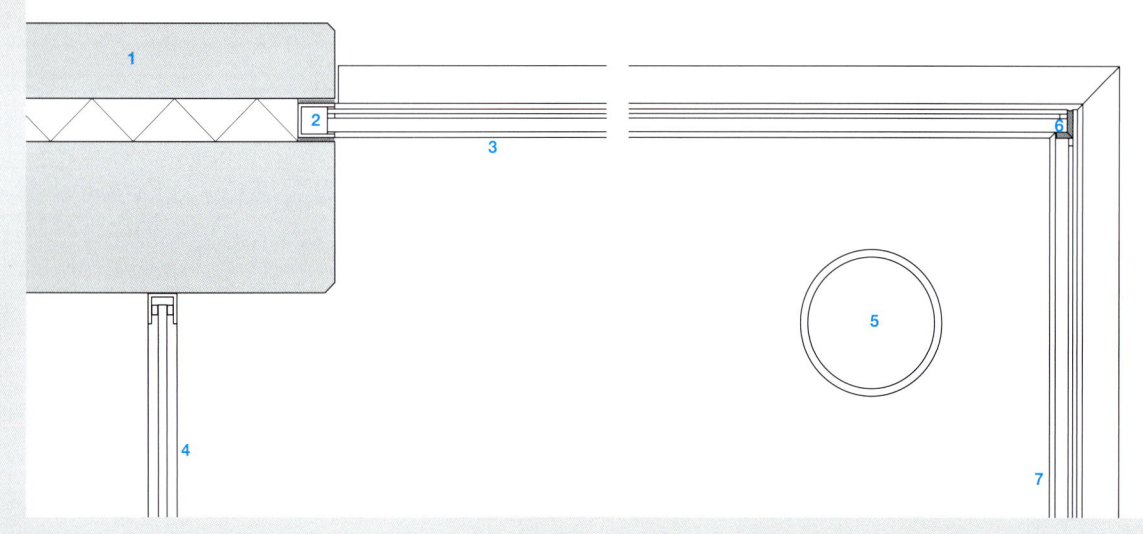

50.04
Detalhe da Parede-Cortina com Vidros Duplos dos Pavimentos Superiores: Planta Baixa
1:10
 1 Parede-cortina Schucco
 2 Parede interna no eixo do montante principal da parede-cortina
 3 Quadro de feltro
 4 Parede-cortina Schucco, com vidros duplos estruturais
 5 Coluna de perfil tubular redondo de aço
 6 Elemento de quina autoportante

50.05
Detalhe da Parede-Cortina com Vidros Duplos do Pavimentos Térreo: Planta Baixa
1:10
 1 Face externa da parede de concreto armado autoadensável, sem revestimento
 2 Montante da parede-cortina em perfil U de aço
 3 Vidro duplo de segurança especial, com 60 minutos de resistência ao fogo
 4 Chapa de vidro de segurança fixada com perfis U de alumínio anodizado com pintura acetinada e pontos de silicone
 5 Coluna de perfil tubular redondo de aço
 6 Junta com mástique
 7 Vidro duplo de segurança especial

50.06
Seção Transversal da Fachada Leste: Corte
1:50
 1 Membrana de impermeabilização da laje de cobertura plana
 2 Isolamento térmico rígido, com caimento para drenagem pluvial
 3 Laje de cobertura e viga invertida de concreto armado
 4 Forro acústico suspenso
 5 Rufo e proteção da platibanda de chapa dobrada
 6 Parede-cortina com vidros duplos
 7 Duas camadas de isolamento térmico rígido com 50 mm de espessura instaladas atrás do vidro corado
 8 Travessa principal da parede-cortina
 9 Piso de borracha sobre chapas de compensado impermeável de uso externo com encaixes macho-e-fêmea de 18 mm sobre piso radiante, membrana de impermeabilização de polietileno e laje de piso de concreto armado moldada in loco com 275 mm de espessura
 10 Chapa de vidro incolor da parede-cortina
 11 Janela com caixilhos móveis e vidros duplos
 12 Perfil de base de chapa de alumínio com pintura eletrostática a pó
 13 Laje de piso de concreto armado moldada in loco com 275 mm de espessura
 14 Forro suspenso
 15 Persiana de enrolar e caixa pré-fabricada de compensado de 12 mm
 16 Forro do beiral composto de duas camadas de chapa Multiboard de 12,5 mm
 17 Vidraça dupla do piso ao teto, com esquadrias de perfil U no topo e na base e sem pontes térmicas
 18 Piso de resina sobre capa de argamassa de, no mínimo 65 mm e piso radiante de 35 mm
 19 Piso externo de lajotas de concreto assentado sobre camadas de regularização de areia e argamassa de cimento e sub-base granular

50.07
Detalhe da Platibanda: Corte
1:10
 1 Membrana de impermeabilização da laje de cobertura plana
 2 Isolamento térmico rígido, com caimento para drenagem pluvial
 3 Membrana de impermeabilização simples
 4 Painel rígido de isolamento térmico de 40 mm
 5 Barreira de vapor
 6 Chapa de compensado impermeável para uso em exteriores fixada à viga de concreto invertida da platibanda
 7 Rufo e proteção da platibanda de chapa dobrada
 8 Laje de cobertura e viga invertida de concreto armado
 9 Travessa principal da parede-cortina
 10 Duas camadas de isolamento térmico rígido de 50 mm de espessura instaladas atrás do vidro corado
 11 Parede-cortina com vidros duplos
 12 Forro acústico suspenso de painéis perfurados
 13 Persiana de enrolar
 14 Coluna de perfil tubular redondo de aço

50.08
Detalhe Típico da Borda da Laje de Piso e da Parede-Cortina das Salas de Aula nos Pavimentos Superiores: Corte
1:10
 1 Laje de piso de concreto armado moldada in loco com 275 mm de espessura
 2 Membrana de impermeabilização de polietileno, solta
 3 Piso radiante
 4 Compensado impermeável de uso externo com encaixes macho-e-fêmea de 18 mm sobre piso radiante, em chapas inteiras, de 1.220 × 2.440 mm
 5 Piso elastomérico do tipo utilizado em locais para a prática de esportes
 6 Junta com mástique
 7 Chapa de compensado, para manter a junta de dilatação de 20 mm em todo o perímetro do acabamento contínuo do piso
 8 Duas chapas de 12,5 mm de gesso cartonado acústico resistente à umidade
 9 Mástique acústico em todas as bordas da chapa de gesso cartonado acústico
 10 Parede-cortina Schucco com perfis de alumínio invisíveis
 11 Duas camadas de isolamento térmico rígido com 50 mm de espessura instaladas atrás do vidro corado
 12 Painel de feltro da sala de aula
 13 Isolamento térmico de lã de rocha bem prensado
 14 Persiana de enrolar e caixa pré-fabricada de compensado de 12 mm
 15 Persiana de enrolar
 16 Forro suspenso
 17 Vidraça dupla do piso ao teto, com esquadrias de perfil U no topo e na base e sem pontes térmicas
 18 Perfil Z de aço doce galvanizado fixado por meio mecânico à face inferior da laje de concreto em intervalos, para sustentar o topo da parede de vidro
 19 Isolamento térmico rígido na face inferior da viga
 20 Forro do beiral composto de duas camadas de chapa Multiboard de 12,5 mm
 21 Isolamento térmico rígido com 25 mm
 22 Espaçador, conforme o necessário da parede-cortina
 23 Perfil de arremate inferior com pingadeira, de chapa de alumínio dobrada e pintura eletrostática a pó

215

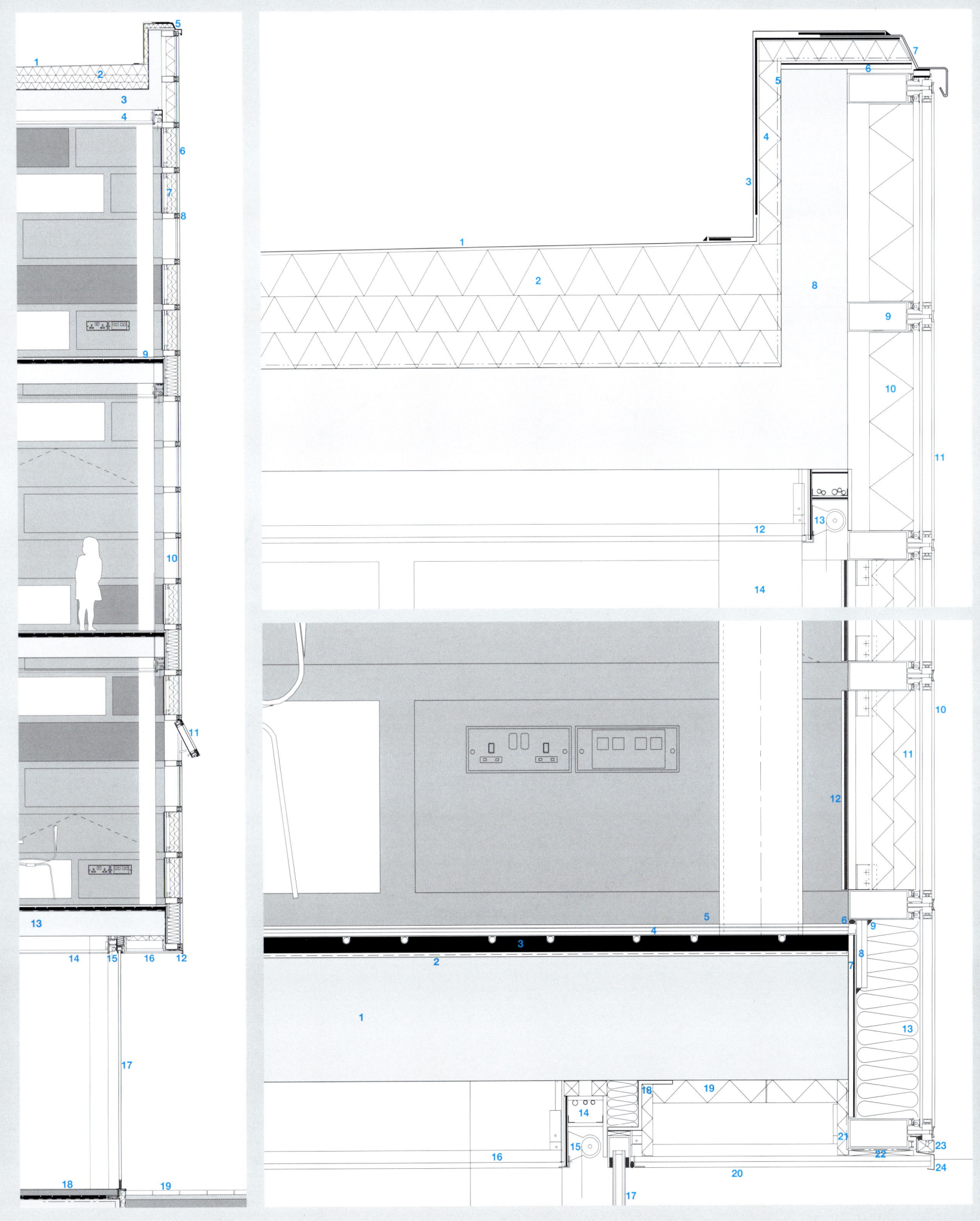

Índice de Detalhes e Lista de Arquitetos

Índice de Detalhes

Detalhes de Átrio

19.05 Tony Fretton Architects

Detalhes de Guarda-Corpo

06.07 Dorte Mandrup Arkitekter
06.08 Dorte Mandrup Arkitekter
23.06 Wood Marsh Architects
31.05 Baumschlager Eberle
31.06 Baumschlager Eberle
40.05 Cecil Balmond
40.06 Cecil Balmond

Detalhes de Passarela

40.07 Cecil Balmond

Detalhes de Marquise

07.06 Thomas Phifer and Partners
19.04 Tony Fretton Architects

Detalhes de Forro

07.08 Thomas Phifer and Partners
09.07 Steven Holl Architects
30.07 UNStudio

Detalhes de Revestimento Externo

26.03 Foreign Office Architects

Detalhes de Pilar

03.06 Studio Daniel Libeskind
20.06 Powerhouse Company

Detalhes de Porta

02.06 Peter Elliott Architecture + Urban Design
07.03 Thomas Phifer and Partners
07.04 Thomas Phifer and Partners
07.05 Thomas Phifer and Partners
08.07 Toyo Ito & Associates
08.08 Toyo Ito & Associates
17.03 Kazuyo Sejima + Ryue Nishizawa / SANAA
17.04 Kazuyo Sejima + Ryue Nishizawa / SANAA
17.05 Kazuyo Sejima + Ryue Nishizawa / SANAA
17.06 Kazuyo Sejima + Ryue Nishizawa / SANAA
17.07 Kazuyo Sejima + Ryue Nishizawa / SANAA
17.08 Kazuyo Sejima + Ryue Nishizawa / SANAA
17.09 Kazuyo Sejima + Ryue Nishizawa / SANAA
20.05 Powerhouse Company

21.07 TNA Architects
21.08 TNA Architects
21.09 TNA Architects
22.05 Niall McLaughlin Architects
22.06 Niall McLaughlin Architects
34.08 Murphy / Jahn
34.11 Murphy / Jahn
35.06 Barkow Leibinger Architects
35.07 Barkow Leibinger Architects
42.06 Diener & Diener Architects

Detalhes de Fachada

01.04 Lluís Clotet Ballús, Ignacio Paricio Ansuatégui, Abeba arquitectes
01.05 Lluís Clotet Ballús, Ignacio Paricio Ansuatégui, Abeba arquitectes
01.06 Lluís Clotet Ballús, Ignacio Paricio Ansuatégui, Abeba arquitectes
02.09 Peter Elliott Architecture + Urban Design
02.10 Peter Elliott Architecture + Urban Design
09.09 Steven Holl Architects
10.05 Carpenter Lowings Architecture & Design
11.04 FAM Arquitectura y Urbanismo
11.05 FAM Arquitectura y Urbanismo
11.06 FAM Arquitectura y Urbanismo
11.07 FAM Arquitectura y Urbanismo
15.05 João Luís Carrilho da Graça, Architect
15.06 João Luís Carrilho da Graça, Architect
15.07 João Luís Carrilho da Graça, Architect
19.03 Tony Fretton Architects
19.06 Tony Fretton Architects
23.04 Wood Marsh Architects
23.05 Wood Marsh Architects
26.04 Foreign Office Architects
26.05 Foreign Office Architects
28.06 Manuelle Gautrand Architecture
29.05 Brand + Allen Architects
29.06 Brand + Allen Architects
29.07 Brand + Allen Architects
32.03 LAB architecture studio
32.04 LAB architecture studio
32.06 LAB architecture studio
34.04 Murphy / Jahn
35.05 Barkow Leibinger Architects
35.08 Barkow Leibinger Architects
35.09 Barkow Leibinger Architects
36.06 Kohn Pedersen Fox Associates
36.07 Kohn Pedersen Fox Associates
37.05 Camenzind Evolution
37.07 Camenzind Evolution
39.06 Coll-Barreu Arquitectos
39.07 Coll-Barreu Arquitectos
39.08 Coll-Barreu Arquitectos
39.09 Coll-Barreu Arquitectos
39.10 Coll-Barreu Arquitectos
39.11 Coll-Barreu Arquitectos
39.12 Coll-Barreu Arquitectos
44.05 Medium Architects
44.06 Medium Architects
44.07 Medium Architects
45.03 Sheppard Robson

45.04 Sheppard Robson
45.05 Sheppard Robson
45.06 Sheppard Robson
45.07 Sheppard Robson
45.08 Sheppard Robson
48.04 Tange Associates
48.05 Tange Associates
48.06 Tange Associates
48.07 Tange Associates
48.08 Tange Associates
49.04 Wiel Arets Architects
49.06 Wiel Arets Architects
49.07 Wiel Arets Architects
50.06 dRMM de Rijke Marsh Morgan Architects

Detalhes de Piso

10.07 Carpenter Lowings Architecture & Design
13.05 Snøhetta
20.10 Powerhouse Company
24.06 Neil M. Denari Architects
34.05 Murphy / Jahn
46.05 Hawkins \ Brown

Detalhes de Sapata

18.08 QVE Arquitectos
18.09 QVE Arquitectos
18.10 QVE Arquitectos
18.11 QVE Arquitectos

Detalhes de Vidraça

12.08 Skidmore, Owings & Merrill
12.10 Skidmore, Owings & Merrill
14.03 Jakob + MacFarlane
14.04 Jakob + MacFarlane
14.05 Jakob + MacFarlane
17.10 Kazuyo Sejima + Ryue Nishizawa / SANAA
18.06 QVE Arquitectos
20.07 Powerhouse Company
25.07 Delugan Meissl Associated Architects
27.06 COOP HIMMELB(L)AU
28.07 Manuelle Gautrand Architecture
30.03 UNStudio
30.04 UNStudio
30.05 UNStudio
30.06 UNStudio
32.07 LAB architecture studio
33.04 Miralles Tagliabue – EMBT
33.06 Miralles Tagliabue – EMBT
38.04 Erick van Egeraat
38.05 Erick van Egeraat
38.06 Erick van Egeraat
38.07 Erick van Egeraat
43.05 Herzog & de Meuron
43.06 Herzog & de Meuron
43.07 Herzog & de Meuron
43.08 Herzog & de Meuron
50.05 dRMM de Rijke Marsh Morgan Architects

Detalhes de Calha

12.05 Skidmore, Owings & Merrill
20.09 Powerhouse Company
20.11 Powerhouse Company
20.12 Powerhouse Company

Detalhes de Luminária

32.05 LAB architecture studio

Detalhes de Brise

12.07 Skidmore, Owings & Merrill
12.09 Skidmore, Owings & Merrill

Detalhes de Plataforma

28.05 Manuelle Gautrand Architecture

Detalhes de Rampa

27.04 COOP HIMMELB(L)AU
27.05 COOP HIMMELB(L)AU
41.06 Heneghan Peng Architects
41.07 Heneghan Peng Architects

Detalhes de Cobertura

03.05 Studio Daniel Libeskind
03.07 Studio Daniel Libeskind
06.04 Dorte Mandrup Arkitekter
08.06 Toyo Ito & Associates
09.05 Steven Holl Architects
10.06 Carpenter Lowings Architecture & Design
13.04 Snøhetta
16.05 Randall Stout Architects
16.06 Randall Stout Architects
20.08 Powerhouse Company
24.05 Neil M. Denari Architects
25.05 Delugan Meissl Associated Architects
25.06 Delugan Meissl Associated Architects
27.08 COOP HIMMELB(L)AU
31.03 Baumschlager Eberle
34.08 Murphy / Jahn
37.06 Camenzind Evolution
43.04 Herzog & de Meuron
44.08 Medium Architects
46.04 Hawkins \ Brown
49.05 Wiel Arets Architects

Detalhes de Escada

06.05 Dorte Mandrup Arkitekter
06.06 Dorte Mandrup Arkitekter
16.04 Randall Stout Architects
23.07 Wood Marsh Architects
34.07 Murphy / Jahn

Detalhes de Perfil de Aço

33.05 Miralles Tagliabue – EMBT

Detalhes de Claraboia

12.04 Skidmore, Owings & Merrill
12.06 Skidmore, Owings & Merrill

Detalhes de Parede

02.07 Peter Elliott Architecture + Urban Design
03.04 Studio Daniel Libeskind
04.04 Terry Pawson Architects
04.05 Terry Pawson Architects
05.04 The Buchan Group
05.05 The Buchan Group
05.06 The Buchan Group
05.07 The Buchan Group
06.03 Dorte Mandrup Arkitekter
07.07 Thomas Phifer and Partners
07.09 Thomas Phifer and Partners
08.03 Toyo Ito & Associates
08.04 Toyo Ito & Associates
08.05 Toyo Ito & Associates
09.06 Steven Holl Architects
09.08 Steven Holl Architects
10.04 Carpenter Lowings Architecture & Design
11.03 FAM Arquitectura y Urbanismo
13.06 Snøhetta
13.07 Snøhetta
15.04 João Luís Carrilho da Graça, Architect
18.05 QVE Arquitectos
18.07 QVE Arquitectos
21.05 TNA Architects
21.06 TNA Architects
24.07 Neil M. Denari Architects
24.08 Neil M. Denari Architects
27.07 COOP HIMMELB(L)AU
36.05 Kohn Pedersen Fox Associates
41.04 Heneghan Peng Architects
41.05 Heneghan Peng Architects
46.06 Hawkins \ Brown
46.07 Hawkins \ Brown
47.04 Dominique Perrault Architecture
47.05 Dominique Perrault Architecture
50.04 dRMM de Rijke Marsh Morgan Architects
50.07 dRMM de Rijke Marsh Morgan Architects
50.08 dRMM de Rijke Marsh Morgan Architects

Detalhes de Janela

02.08 Peter Elliott Architecture + Urban Design
08.03 Toyo Ito & Associates
09.10 Steven Holl Architects
10.03 Carpenter Lowings Architecture & Design
16.07 Randall Stout Architects
22.03 Niall McLaughlin Architects
22.04 Niall McLaughlin Architects
31.04 Baumschlager Eberle
31.07 Baumschlager Eberle
36.04 Kohn Pedersen Fox Associates
42.07 Diener & Diener Architects
42.08 Diener & Diener Architects
42.09 Diener & Diener Architects
42.10 Diener & Diener Architects

Lista de Arquitetos

Austrália

LAB architecture studio
Level 4, 325 Flinders Lane
Melbourne, Victoria 3000
info@labarchitecture.com
T +61 3 9612 1026
F +61 3 9620 3088
www.labarchitecture.com
32 SOHO Shangdu

Peter Elliott Architecture + Urban Design
Level 11 / 180 Russell
Street Melbourne, Victoria 3000
office@peterelliott.com.au
T +61 3 9654 0015
F +61 3 9654 0094
www.peterelliott.com.au
02 Centro de Artes Visuais da Latrobe University

The Buchan Group
133 Rosslyn Street
West Melbourne, Victoria 3003
tbg@melbourne.buchan.com.au
T +61 3 9329 1077
F +61 3 9329 0481
www.buchan.com.au
05 Galeria de Arte de Christchurch

Wood Marsh Architects
30 Beaconsfield Parade
Port Melbourne, Victoria 3207
wm@woodmarsh.com.au
T +61 3 9676 2600
F +61 3 9676 2811
www.woodmarsh.com.au
23 Apartmentos YVE

Áustria

Baumschlager Eberle
Lindauer Strasse 31, 6911 Lochau
office@be-lochau.com
T +43 5574 430790
F +43 5574 43079 30
www.baumschlager-eberle.com
31 Cube Biberwier-Lermoos Hotel

COOP HIMMELB(L)AU
Spengergasse 37, 1050 Vienna
office@coop-himmelblau.at
T +43 1 546 60
F +43 1 546 60 600
www.coop-himmelblau.at
27 BMW Welt

Delugan Meissl Associated Architects
Mittersteig 13 / 4, 1040 Vienna
office@deluganmeissl.at
T +43 1 585 3690
F +43 1 585 3690 11
www.deluganmeissl.at
25 Casa Raio 1

Dinamarca

Dorte Mandrup Arkitekter
Nørrebrogade 66D, 1.SAL, DK-2200, Copenhagen
info@dortemandrup.dk
T +45 3393 7350
www.dortemandrup.dk
06 Centro de Esporte e Cultura

França

Dominique Perrault Architecture
6, rue Bouvier, 75011 Paris
dpa@d-p-a.fr
T +33 1 44 06 00 00
F +33 1 44 06 00 01
www.perraultarchitecte.com
47 Universidade para Mulheres EWHA

Jakob + MacFarlane
13-15 rue des petites écuries
75010, Paris
info@jakobmacfarlane.com
T +33 1 44 79 05 72
F +33 1 48 00 97 93
www.jakobmacfarlane.com
14 Instituto Francês da Moda

Manuelle Gautrand Architecture
36 bd de la Bastille, 75012 Paris
contact@manuelle-gautrand.com
T +33 156 950 646
F +33 156 950 647
www.manuelle-gautrand.com
28 Showroom Principal da Citroën

Alemanha

Barkow Leibinger Architects
Schillerstrasse 94, 10625 Berlin
info@barkowleibinger.com
T +49 30 3157 120
F +49 30 3157 1229
www.barkowleibinger.com
35 Edifício TRUTEC

Medium Architects
Oberstrasse 14 b, 20144 Hamburg
office@medium-architekten.de
T +49 40 420 50 24
F +49 40 420 90 98
www.medium-architekten.de
44 Biblioteca Central da Faculdade de Direito da Universidade de Hamburgo

Irlanda

Heneghan Peng Architects in association with Arthur Gibney & Partners
14-16 Lord Edward Street
Dublin 2
hparc@hparc.com
T +353 1 633 9000
F +353 1 633 9010
www.hparc.com
41 Áras Chill Dara

Japão

Kazuyo Sejima + Ryue Nishizawa / SANAA
1-5-27, Tatsumi, Koto-ku
Tokyo 135-0053
press@sanaa.co.jp
T +81 3 5534 1780
F +81 3 5534 1757
sanaa.co.jp
17 Pavilhão de Vidro do Museu de Arte de Toledo

Tange Associates
7–15–7 Roppongi, Minato-ku
Tokyo 106-0032
ichikawa@tangeassociates.com
T +81 3 5413 2811
F +81 3 5413 2211
www.tangeweb.com
48 Torre Casulo

TNA Architects
5-10-19-3F Yagummo Meguro-ku
Tokyo 152-0023
mail@tna-arch.com
T +81 3 5701 1901
F +81 3 5701 1902
www.arch.webaddress
21 Casa dos Anéis

Toyo Ito & Associates
Fujiya Bldg., 1-19-4, Shibuya
Shibuya-ku,Tokyo,150-0002
T +81 3 3409 5822
F +81 3 3409 5969
www.toyo-ito.co.jp
08 Crematório Municipal

Noruega

Snøhetta
Skur 39, Vippetangen, 0150 Oslo
contact@snohetta.com
T +47 24 15 60 60
F +47 24 15 60 61
www.snohetta.com
13 Casa Nacional de Ópera e Balé da Noruega

Portugal

João Luís Carrilho da Graça, Architect
Calçada Marquês de Abrantes 48 2dtº
1200-719 Lisbon
arquitectos@jlcg.pt
T +351 213 920 200
F +351 213 950 232
www.jlcg.pt
15 Teatro e Auditório de Poitiers

Espanha

Coll-Barreu Arquitectos
Pol. Ind. Axpe, Edificio B, Dpto. 104,
48950 Erandio, Vizcaya
info@coll-barreu-arquitectos.com
T +34 946 569 775
F +34 946 569 776
www.arch.webaddress
39 Sede do Departamento de Saúde Basco

FAM Arquitectura y Urbanismo
Carretas 19, 3º 28012, Madrid
correo@estudiofam.com
T +34 915314732
www.estudiofam.com
11 Memorial do 11 de Março

Lluís Clotet Ballús, Ignacio Paricio Ansuatégui, Abeba arquitectes
Carrer Pujades 63, 3ªpl.
08005 Barcelona
abeba@coac.net
T +34 93 485 36 25
F +34 93 309 05 67
01 Fundação Alicia

Miralles Tagliabue – EMBT
Passatge de la Pau, 10 bis, pral.
08002 Barcelona
info@mirallestagliabue.com
T +34 93 412 53 42
F +34 93 412 37 18
www.mirallestagliabue.com
33 Sede da Natural Gas

QVE Arquitectos
San Gregorio 19, 3º Izquierda, Madrid
28004
estudio@qve-arquitectos.com
T +91 308 2497
F +91 1412818
www.qve-arquitectos.com
18 Centro de Interpretação da Natureza de Salburúa

Suíça

Camenzind Evolution
Samariterstrasse 5
8032 Zürich
info@camenzindevolution.com
T +41 44 253 95 00
F +41 44 253 95 10
www.camenzindevolution.com
37 O Casulo

Diener & Diener Architects
Henric Petri-Strasse 22
4010 Basel
buero.basel@dienerdiener.ch
T +41 61 270 41 41
F +41 61 270 41 00
www.dienerdiener.ch
42 Torres de Apartamentos Westkaai

Herzog & de Meuron
Rheinschanze 6, 4056 Basel
communications@herzogdemeuron.com
T +41 61 385 57 57
F +41 61 385 57 58
43 Centro de Informação, Comunicação e Mídia da Universidade Técnica de Brandenburg

Países Baixos

Erick van Egeraat
Calandstraat 23
3016 CA Rotterdam
edkwaasteniet@erickvanegeraat.com
T +31 10 436 9686
F +31 10 436 9573
www.erickvanegeraat.com
38 Universidade de Ciências Aplicadas INHolland

Powerhouse Company
Westplein 9, 3016 BM Rotterdam
rieke@powerhouse-company.com
T +31 10 404 67 89
www.powerhouse-company.com
20 Vila 1

UNStudio
Stadhouderskade 113
1070 AJ Amsterdam
info@unstudio.com
T +31 20 570 20 40
F +31 20 570 20 41
www.unstudio.com
30 Loja de Departamentos Galleria

Wiel Arets Architects
D'Artagnanlaan 29
6213 CH Maastricht
info@wielarets.nl
T +31 43 351 2200
F +31 43 321 2192
www.wielaretsarchitects.nl
49 Biblioteca da Universidade de Utrecht

Reino Unido

Carpenter Lowings Architecture & Design
198 Blackstock Road
London N5 1EN
info@carpenterlowings.com
T +44 20 7704 8102
www.carpenterlowings.com
10 Capela Internacional, Sede Internacional do Exército da Salvação

Cecil Balmond
13 Fitzroy Street
London W1T 4BQ
london@arup.com
T +44 20 7636 1531
www.arup.com
40 Passarela para Pedestres e Ciclistas de Coimbra

dRMM
de Rijke Marsh Morgan Architects
1 Centaur Street
London SE1 7EG
ciara@drmm.co.uk
T +44 20 7803 0777
F +44 20 7803 0666
www.drmm.co.uk
50 Escola de Ensino Fundamental Clapham Manor

Foreign Office Architects
55 Curtain Road
London EC2A 3PT
kate.kilalea@f-o-a.net
T +44 20 7033 9800
F +44 20 7033 9801
www.f-o-a.net
26 Loja de Departamentos John Lewis, Cineplex e Passarelas de Pedestres

Hawkins \ Brown
60 Bastwick Street
London EC1V 3TN
mail@hawkinsbrown.co.uk
T +44 20 7336 8030
F +44 20 7336 8851
www.hawkinsbrown.co.uk
46 Novo Edifício da Bioquímica, Universidade de Oxford

Niall McLaughlin Architects
39-51 Highgate Road
London NW5 1RS
info@niallmclaughlin.com
T +44 20 7485 9170
F +44 20 7485 9171
www.niallmclaughlin.com
22 Conjunto Habitacional do Peabody Trust

Sheppard Robson
77 Parkway
London NW1 7PU
Sr.mail@sheppardrobson.com
T +44 20 7504 1700
F +44 20 7504 1701
www.sheppardrobson.com
45 Laboratório de Aprendizado Ativo, Universidade de Liverpool

Terry Pawson Architects
12 Great Titchfield Street
London W1W 8BZ
tpa@terrypawson.com
T +44 20 7462 5730
www.terrypawson.com
04 Centro de Arte Contemporânea – e Teatro George Bernard Shaw

Tony Fretton Architects
109-123 Clifton Street
London EC2A 4LD
admin@tonyfretton.com
T +44 20 7729 2030
F +44 20 7729 2050
www.tonyfretton.com
19 Nova Embaixada da Grã-Bretanha

Estados Unidos

Brand + Allen Architects
601 California Street, Suite 1200
San Francisco, CA 94108
k.wong@brandallen.com
T +1 415 441 0789
F +1 415 441 1089
www.brandallen.com
29 Edifício 185 Post Street

Kohn Pedersen Fox Associates
11 West 42nd Street
New York, NY 10036
info@kpf.com
T +1 212 977 6500
F +1 212 956 2526
www.kpf.com
36 Centro Financeiro Mundial de Xangai

Murphy / Jahn
35 East Wacker Drive
Chicago, IL 60601
info@murphyjahn.com
T +1 312 427 7300
F +1 312 332 0274
www.murphyjahn.com
34 Sede da Merck-Serono

Neil M. Denari Architects
12615 Washington Boulevard,
Los Angeles, CA 90066
info@nmda-inc.com
T +1 310 390 3033
F +1 310 390 9810
www.nmda-inc.com
24 Edifício HL23

Randall Stout Architects
12964 Washington Boulevard
Los Angeles, CA 90066
info@stoutarc.com
T +1 310 827 6876
F +1 310 827 6879
www.stoutarc.com
16 Museu de Arte Taubman

Skidmore, Owings & Merrill
14 Wall Street
New York, NY 10005
somny@som.com
T +1 212 298 9300
F +1 212 298 9500
www.som.com
12 Catedral de Cristo Luz

Steven Holl Architects
450 West 31st Street, 11th floor
New York, NY 10001
nyc@stevenholl.com
T +1 212 629 7262
F +1 212 629 7312
www.stevenholl.com
09 Museu de Arte Nelson-Atkins

Studio Daniel Libeskind
2 Rector Street, 19th Floor
New York, NY 10006
info@daniel-libeskind.com
T +1 212 497 9100
F +1 212 285 2130
www.daniel-libeskind.com
03 Pátio Coberto do Museu Judaico

Thomas Phifer and Partners
180 Varick Street, 11th Floor
New York, NY 10014
t.phifer@tphifer.com
T +1 212 337 0334
F +1 212 337 0603
www.tphifer.com
07 Pavilhão Brochstein e Quadrângulo Central da Rice University

Índice

A

Alemanha
　Biblioteca Central da Faculdade de Direito da Universidade de Hamburgo, Hamburgo 188–191
　BMW Welt, Munique 118–121
　Centro de Informação, Comunicação e Mídia da Universidade Técnica de Brandenburg, Cottbus 184–187
　Pátio Coberto do Museu Judaico, Berlim 18–21
Apartmentos YVE, Melbourne, Victoria, Austrália 100–103
Áras Chill Dara, Naas, County Kildare, Irlanda 174–177
Austrália
　Apartmentos YVE, Melbourne, Victoria 100–103
　Centro de Artes Visuais da Latrobe University, Bendigo, Victoria 14–17
Áustria
　Casa Raio 1, Viena 108–111
　Cube Biberwier-Lermoos Hotel, Biberwier 134–137

B

Barkow Leibinger Architects 150–153, 218
Baumschlager Eberle 134–137, 218, 219
Bélgica
　Torres de Apartamentos Westkaai, Antuérpia 180–183
Biblioteca Central da Faculdade de Direito da Universidade de Hamburgo, Hamburgo, Alemanha 188–191
Biblioteca da Universidade de Utrecht, Utrecht, Países Baixos 208–211
BMW Welt, Munique, Alemanha 118–121
Brand + Allen Architects 126–129, 218

C

Camenzind Evolution 158–161, 218
Capela Internacional, Sede Internacional do Exército da Salvação, Londres, Inglaterra, Reino Unido 46–49
Carpenter Lowings Architecture & Design 46–49, 218, 219
Casa dos Anéis, Karuizawa, Nagano, Japão 92–95
Casa Raio 1, Viena, Áustria 108–111
Catedral de Cristo Luz, Oakland, Califórnia, Estados Unidos 54–57
Cecil Balmond 170–173, 218
Centro de Artes Visuais da Latrobe University, Bendigo, Victoria, Austrália 14–17
Centro de Esporte e Cultura de Copenhague, Copenhague, Dinamarca 30–33
Centro de Informação, Comunicação e Mídia da Universidade Técnica de Brandenburg, Cottbus, Alemanha 184–187
Centro de Interpretação da Natureza de Salburúa, Vitoria, Espanha 78–81
Centro Financeiro Mundial de Xangai, Xangai, China 154–157
China
　Centro Financeiro Mundial de Xangai, Xangai 154–157
　SOHO Shangdu, Pequim 138–141
Coll-Barreu Arquitectos 166–169, 218
Conjunto Habitacional do Peabody Trust, Londres, Inglaterra, Reino Unido 96–99
COOP HIMMELB(L)AU 118–121, 218, 219
Coreia do Sul
　Edifício TRUTEC, Seul 150–153
　Loja de Departamentos Galleria, Seul 130–133
　Universidade para Mulheres EWHA, Seul 200–203
Crematório Municipal de Kakamigahara, Kakamigahara, Gifu, Japão 6, 38–41
Cube Biberwier-Lermoos Hotel, Biberwier, Áustria 134–137

D

Delugan Meissl Associated Architects 108–111, 218
Diener & Diener Architects 180–183, 218, 219
Dinamarca
　Centro de Esporte e Cultura de Copenhague, Copenhague 30–33
Dominique Perrault Architecture 200–203, 219
Dorte Mandrup Arkitekter 30–33, 218, 219
dRMM de Rijke Marsh Morgan Architects 212–215, 218, 219

E

Edifício HL23, Nova York, Nova York, Estados Unidos 104–107
Edifício O Casulo, Zurique, Suíça 158–161
Edifício 185 Post Street, San Francisco, Califórnia, Estados Unidos 126–129
Edifício TRUTEC, Seul, Coreia do Sul 150–153
Erick van Egeraat 6, 162–165, 218
Escola de Ensino Fundamental Clapham Manor, Londres, Inglaterra, Reino Unido 212–215
Espanha
　Centro de Interpretação da Natureza de Salburúa, Vitoria 78–81
　Fundação ALICIA, Barcelona 10–13
　Memorial do 11 de Março, Madri 50–53
　Sede da Natural Gas, Barcelona 142–145
　Sede do Departamento de Saúde Basco, Bilbao 166–169
Estados Unidos
　Catedral de Cristo Luz, Oakland, Califórnia 54–57
　Edifício 185 Post Street, San Francisco, Califórnia 126–129
　Edifício HL23, Nova York, Nova York 104–107
　Museu de Arte Nelson-Atkins, Kansas City, Missouri 42–45
　Museu de Arte Taubman, Roanoke, Virginia 70–73
　Pavilhão Brochstein e Quadrângulo Central da Rice University, Houston, Texas 34–37
　Pavilhão de Vldro do Museu de Arte de Toledo, Toledo, Ohio 74–77

F

FAM Arquitectura y Urbanismo 6, 50–53, 218, 219
Foreign Office Architects 6, 114–117, 218
França
　Instituto Francês da Moda, Paris 62–65
　Showroom Principal da Citroën, Paris 122–125
　Teatro e Auditório de Poitiers, Poitiers 66–69
Fundação ALICIA, Barcelona, Espanha 10–13

G

Galeria de Arte de Christchurch, Christchurch, Nova Zelândia 26–29

H

Hawkins \ Brown 196–199, 218, 219
Heneghan Peng Architects em associação com Arthur Gibney & Partners 174–177, 218, 219
Herzog & de Meuron 184–187, 218

I

Instituto Francês da Moda, Paris, França 62–65
Irlanda
　Áras Chill Dara, Naas, County Kildare 174–177

J

Jakob + MacFarlane 62–65, 218
Japão
　Casa dos Anéis, Karuizawa, Nagano 92–95
　Crematório Municipal de Kakamigahara, Kakamigahara, Gifu 38–41
　Torre Casulo, Tóquio 204–207
João Luís Carrilho da Graça, Arquiteto 66–69, 218, 219

K

Kazuyo Sejima + Ryue Nishizawa / SANAA 74–77, 218
Kohn Pedersen Fox Associates 154–157, 218, 219

L

LAB architecture studio 138–141, 218
Laboratório de Aprendizado Ativo, Universidade de Liverpool, Inglaterra, Reino Unido 192–195
Lluís Clotet Ballús, Ignacio Paricio Ansuatégui, Abeba arquitectes 10–13, 218
Loja de Departamentos Galleria, Seul, Coreia do Sul 130–133
Loja de Departamentos John Lewis, Cineplex e Passarelas de Pedestres, Leicester, Inglaterra, Reino Unido 6, 114–117

M

Manuelle Gautrand Architecture 122–125, 218
Medium Architects 188–191, 218
Memorial do 11 de Março, Madri, Espanha 50–53
Miralles Tagliabue – EMBT 142–145, 218, 219
Murphy / Jahn 146–149, 218, 219
Museu de Arte Nelson-Atkins, Kansas City, Missouri, Estados Unidos 6, 42–45
Museu de Arte Taubman, Roanoke, Virginia, Estados Unidos 70–73

N

Neil M. Denari Architects 104–107, 218, 219
Niall McLaughlin Architects 96–99, 218, 219
Noruega
　Casa Nacional de Ópera e Balé da Noruega, Oslo 58–61
Nova Embaixada da Grã-Bretanha na Polônia, Varsóvia, Polônia 82–85
Nova Zelândia
　Galeria de Arte de Christchurch, Christchurch 26–29
Novo Edifício da Bioquímica, Universidade de Oxford, Oxford, Inglaterra, Reino Unido 196–199

P

Países Baixos
　Biblioteca da Universidade de Utrecht, Utrecht 208–211
　Universidade de Ciências Aplicadas INHolland, Roterdã 162–165
　Vila 1, Veluwe Zoom 88–91
Passarela para Pedestres e Ciclistas de Coimbra, Coimbra, Portugal 170–173
Pátio Coberto do Museu Judaico, Berlim, Alemanha 18–21
Pavilhão Brochstein e Quadrângulo Central da Rice University, Houston, Texas, Estados Unidos 6, 34–37
Pavilhão de Vidro do Museu de Arte de Toledo, Toledo, Ohio, Estados Unidos 74–77
Peter Elliott Architecture + Urban Design 14–17, 218, 219
Polônia
　Nova Embaixada da Grã-Bretanha na Polônia, Varsóvia, Polônia 82–85
Portugal
　Passarela para Pedestres e Ciclistas de Coimbra, Coimbra 170–173
Powerhouse Company 88–91, 218

Q

QVE Arquitectos 78–81, 218, 219

R

Randall Stout Architects 70–73, 218, 219
Reino Unido
  Capela Internacional, Sede Internacional do Exército da Salvação, Londres, Inglaterra 46–49
  Conjunto Habitacional do Peabody Trust, Londres, Inglaterra 96–99
  Escola de Ensino Fundamental Clapham Manor, Londres, Inglaterra 212–215
  Laboratório de Aprendizado Ativo, Universidade de Liverpool, Liverpool, Inglaterra 192–195
  Loja de Departamentos John Lewis, Cineplex e Passarelas de Pedestres, Leicester, Inglaterra 114–117
  Novo Edifício da Bioquímica, Universidade de Oxford, Oxford, Inglaterra 196–199

S

Sede da Merck-Serono, Geneva, Suíça 146–149
Sede da Natural Gas, Barcelona, Espanha 142–145
Sede do Departamento de Saúde Basco, Bilbao, Espanha 166–169
Sheppard Robson 192–195, 218
Showroom Principal da Citroën, Paris, França 122–125
Skidmore, Owings & Merrill 54–57, 218, 219
Snøhetta 58–61, 218, 219
SOHO Shangdu, Pequim, China 138–141
Steven Holl Architects 6, 42–45, 218, 219
Studio Daniel Libeskind 18–21, 218, 219
Suíça
  Edifício O Casulo, Zurique 158–161
  Sede da Merck-Serono, Genebra 146–149

T

Tange Associates 204–207, 218
Teatro e Auditório de Poitiers, Poitiers, França 66–69
Terry Pawson Architects 22–25, 219
The Buchan Group 26–29, 219
Thomas Phifer and Partners 6, 34–37, 218, 219
TNA Architects 92–95, 218, 219
Tony Fretton Architects 82–85, 218
Torre Casulo, Tóquio, Japão 204–207
Torres de Apartamentos Westkaai, Antuérpia, Bélgica 180–183
Toyo Ito & Associates 6, 38–41, 218, 219

U

Universidade de Ciências Aplicadas INHolland, Roterdã, Países Baixos 6, 162–165
Universidade para Mulheres EWHA, Seul, Coreia do Sul 200–203
UNStudio 130–133, 218

V

Vila 1, Veluwe Zoom, Países Baixos 88–91
VISUAL – Centro de Arte Contemporânea – e Teatro George Bernard Shaw, Carlow, Irlanda 22–25

W

Wiel Arets Architects 208–211, 218, 219
Wood Marsh Architects 100–103, 218, 219

Créditos dos Desenhos e das Fotografias

Todos os desenhos de arquitetura bem como os direitos autorais dos respectivos arquitetos foram fornecidos como cortesia, a menos que haja indicação em contrário.

Créditos das Fotografias:
Foram feitos todos os esforços possíveis para identificar os detentores dos direitos autorais. Contudo, caso haja qualquer omissão ou erro, a editora terá o maior prazer de dar os créditos apropriados nas edições subsequentes deste livro.

Primeira capa: desenhos de arquitetos incluídos no livro, incluindo Perrault Projets / © ADAGP, Paris and DACS, Londres 2010

- 10 © Lluis Casals Fotografia scp
- 14 © Trevor Mein
- 18 © Jewish Museum Berlin, Photo: Jens Ziehe **1, 3, 4**
  © Jan Bitter **2**
- 22 Helene Binet **1, 2**
  © Ros Kavanagh / VIEW **3, 4**
- 26 Murray Hedwig / Hedwig Photography and Imaging
- 30 © Torben Eskerod **1, 2, 4**
  © Michael Reisch **3**
- 34 scottfrances.com
- 38 © Cortesia de Toyo Ito & Associates, Architects
- 42 © Andy Ryan
- 46 © Robert Mehl **1**
  © Dennis Gilbert / VIEW **2, 3**
- 50 © Esaú Acosta Pérez
- 54 © Tim Hursley
- 58 Jens Passoth / Snøhetta **1**
  Jiri Havran / Snøhetta **2, 4**
  © Gerald Zugmann / www.zugmann.com **3**
- 62 © Paul Raftery / VIEW **1, 2, 4**
  © Nicolas Borel **3**
- 66 © Fernando Guerra
- 70 © Timothy Hursley
- 74 © Iwan Baan
- 78 Eduardo Moratinos / www.eduardomoratinos.info
- 82 © Peter Cook / VIEW
- 88 © Jeroen Musch
- 92 © Edmund Sumner / VIEW
- 96 © Nick Kane
- 100 Peter Bennetts **1, 2**
  John Gollings **3**
- 104 © Hayes Davidson
- 108 © Rupert Steiner **1, 4**
  © Hertha Hurnaus **2, 3**
- 114 © Hufton+Crow / VIEW
- 118 © Marcus Buck **1**
- 118 © Nick Guttridge / VIEW **2, 3**
  © 2007 Ari Marcopoulos **4**
- 122 © Grant Smith / VIEW
- 126 © Mariko Reed
- 130 © Christian Richters
- 134 © Eduard Hueber / archphoto.com / CUBE Hotels
- 138 Minoru Iwasaki/Yanqi Ren (Japan) **1, 2, 3**
  Cortesia de LAB Architecture Studio **4**
- 142 © Duccio Malagamba
- 146 © Rainer Viertlböck
- 150 © Christian Richters / VIEW
- 154 © Shinkenchiku-sha **1, 2**
  © Tim Griffith **3**
- 158 Cortesia de Camenzind Evolution
- 162 © Christian Richters
- 166 © Inigo Bujedo Aguirre / VIEW
- 170 © Christian Richters **1, 2**
- 170 Cecil Balmond **3**
  John Balmond **4**
- 174 © Dennis Gilbert / VIEW
- 178 Desenhos dos arquitetos apresentados no capítulo, inclusive Perrault Projets / © ADAGP, Paris and DACS, London 2010
- 179 Desenhos dos arquitetos apresentados no capítulo, inclusive Perrault Projets / © ADAGP, Paris and DACS, London 2010
- 180 © Christian Richters
- 184 © Margherita Spillutini
- 188 © Klaus Frahm / ARTUR Images
- 192 © Hufton+ Crow / VIEW
- 196 © Keith Collie **1, 2**
- 196 © Tim Crocker **3**
- 200 © André Morin / DPA / © ADAGP, Paris and DACS, London 2010
- 201 Perrault Projets / © ADAGP, Paris and DACS, London 2010
- 202 Perrault Projets / © ADAGP, Paris and DACS, London 2010
- 203 Perrault Projets / © ADAGP, Paris and DACS, London 2010
- 204 © Edmund Sumner / VIEW
- 208 © Jan Bitter
- 212 Cortesia de dRMM de Rijke Marsh Morgan Architects / © Jonas Lencer

Informações sobre o CD-ROM

O CD-ROM encartado pode ser lido por computadores com o sistema Windows ou Macintosh. Todos os materiais contidos no CD-ROM estão protegidos por direitos autorais e são apenas para uso privado. Todos os desenhos do livro e do CD-ROM foram especialmente criados para esta publicação e se baseiam nos desenhos originais dos arquitetos.

O CD-ROM inclui arquivos de todos os desenhos incluídos no livro. Os desenhos de cada edificação estão listados em um arquivo numerado. Eles estão disponíveis em duas versões: os arquivos com o sufixo ".eps" são arquivos "vector" Illustrator EPS, mas podem ser abertos com outros programas gráficos, como Photoshop; todos os arquivos com o sufixo ".dwg" são no formato CAD genérico e podem ser abertos com uma variedade de programas de CAD.

Cada arquivo foi numerado de acordo com sua localização original no livro: o número do projeto, o número ou os números da figura e a escala. Assim, "01_01_200.eps" indica que o arquivo é a versão eps do primeiro desenho do projeto número 1 e está na escala 1:200.

O formato de arquivo genérico ".dwg" não suporta "solid fill" utilizado por muitos programas de CAD para arquitetura. Todas as informações estão inseridas no arquivo e podem ser acessadas com programas CAD de apoio. Selecione o polígono desejado e troque os "Attributes" para "Solid"; as informações sobre as cores serão automaticamente recuperadas. Para retornar a "Walls", selecione todos os objetos dentro da layer/classe "Walls" e repare seus "Attributes" para "Solid".

Agradecimentos

Acima de tudo, agradeço aos arquitetos que forneceram os materiais utilizados neste livro. Também agradeço em especial a Hamish Muir, o projetista gráfico deste livro, e a Sophia Gibb, por pesquisar as fotografias. Muito obrigada a Philip Cooper e Gaynor Sermon, da Laurence King, a Justin Fletcher, pela edição dos desenhos, a Vic Brand, por seus conhecimentos técnicos, e a Vimbai Shire, por sua pesquisa paciente. E, por fim, sou muito grata ao meu esposo, Vishwa Kaushal.